KV-383-163

TEXTILES

[英] 玛丽 · 斯科斯　著
孙可可　徐辛未　译

纺织品
人类的艺术

内 含 1 0 5 8 幅 彩 色 插 图

浙江人民美术出版社

致特里·麦克林(Terry McLean)和他明智的建议

玛丽·斯克斯(Mary Schoeser)是纺织品领域的权威，也是英国纺织协会名誉会长。作为历史纺织品及墙纸顾问，她与英格兰遗产保护协会、英国国家信托组织、伦敦利伯蒂百货以及纽约大都会艺术博物馆等组织都有合作。斯克斯组织了许多纺织品展览，包括与美国加利福尼亚大学戴维斯分校的设计博物馆合作，在展览中突显了与本书研究有关的一些藏品信息。她之前的出版物包括《国际纺织品》(*International Textiles*)、《世界纺织品》(*World Textiles*)、《丝绸》(*Silk*)、《诺玛·斯达加柯娜》(*Norma Starszakowna*)和《罗姗妮·霍克斯利》(*Rozanne Hawksley*)。

Published by arrangement with Thames & Hudson Ltd, London

This edition first published in China in 2017 by Zhejiang People's Fine Arts Publishing House, Hangzhou

合同登记号
图字:11-2015-167号

图书在版编目(CIP)数据

纺织品 : 人类的艺术 / (英) 斯科斯著 ; 孙可可，徐辛未译. -- 杭州 : 浙江人民美术出版社，2017.6
ISBN 978-7-5340-4818-0

Ⅰ. ①纺… Ⅱ. ①斯… ②孙… ③徐… Ⅲ. ①纺织品-介绍-世界 Ⅳ. ①F768.1

中国版本图书馆CIP数据核字 (2016) 第045659号

纺织品——人类的艺术

著　　者　[英]玛丽·斯科斯
译　　者　孙可可　徐辛未

学术顾问　陶　音
责任编辑　李　芳　吕逸尔　郭哲渊
责任校对　黄　静
责任印制　陈柏荣
出版发行　浙江人民美术出版社
　　　　　(杭州市体育场路347号)
网　　址　http://mss.zjcb.com
经　　销　全国各地新华书店
印　　刷　中华商务联合印刷(广东)有限公司
开　　本　965mm × 1194mm　1/8
印　　张　71
字　　数　260千字
版　　次　2017年6月第1版·第1次印刷
书　　号　ISBN 978-7-5340-4818-0
定　　价　560.00元

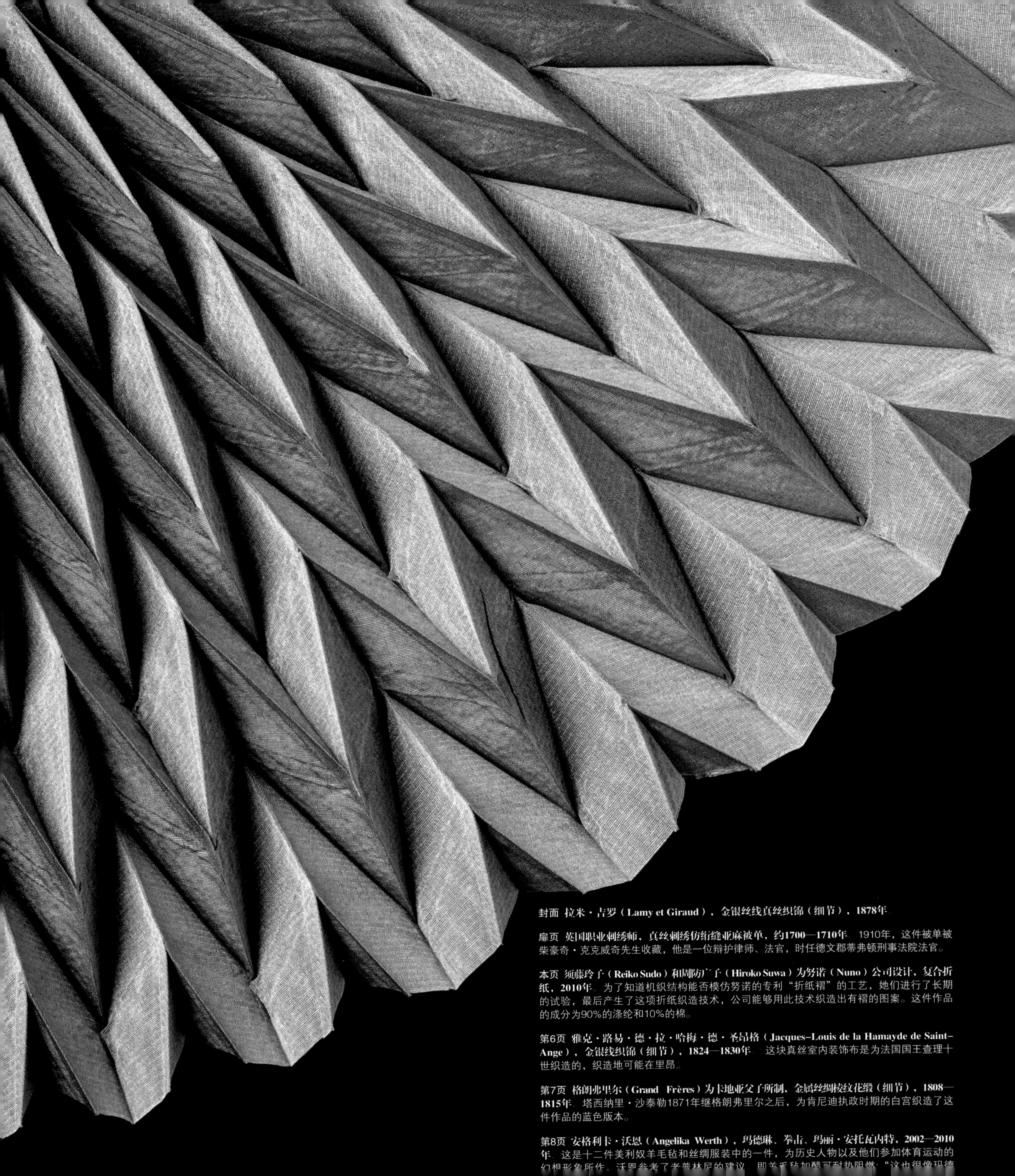

封面 拉米·吉罗（Lamy et Giraud），金银丝线真丝织锦（细节），1878年。

扉页 英国职业刺绣师，真丝刺绣仿绗缝亚麻被单，约1700—1710年。 1910年，这件被单被柴豪奇·克克威奇先生收藏，他是一位辩护律师、法官，时任德文郡蒂弗顿刑事法院法官。

本页 须藤玲子（Reiko Sudo）和周防广子（Hiroko Suwa）为努诺（Nuno）公司设计，复合折纸，2010年。 为了知道机织结构能否模仿努诺的专利“折纸褶”的工艺，她们进行了长期的试验，最后产生了这项折纸织造技术，公司能够用此技术织造出有褶的图案。这件作品的成分为90%的涤纶和10%的棉。

第6页 雅克·路易·德·拉·哈梅·德·圣昂格（Jacques-Louis de la Hamayde de Saint-Ange），金银线织锦（细节），1824—1830年。 这块真丝室内装饰布是为法国国王查理十世织造的，织造地可能在里昂。

第7页 格朗弗里尔（Grand Frères）为卡地亚父子所制，金属丝绸棱纹花缎（细节），1808—1815年。 塔西纳里·沙泰勒1871年继格朗弗里尔之后，为肯尼迪执政时期的白宫织造了这件作品的蓝色版本。

第8页 安格利卡·沃恩（Angelika Werth），玛德琳、拳击、玛丽·安托瓦内特，2002—2010年。 这是十二件美利奴羊毛毡和丝绸服装中的一件，为历史人物以及他们参加体育运动的幻想形象所作。沃恩参考了老普林尼的建议，即羊毛毡加醋可耐热阻燃：“这也很像玛德

目录

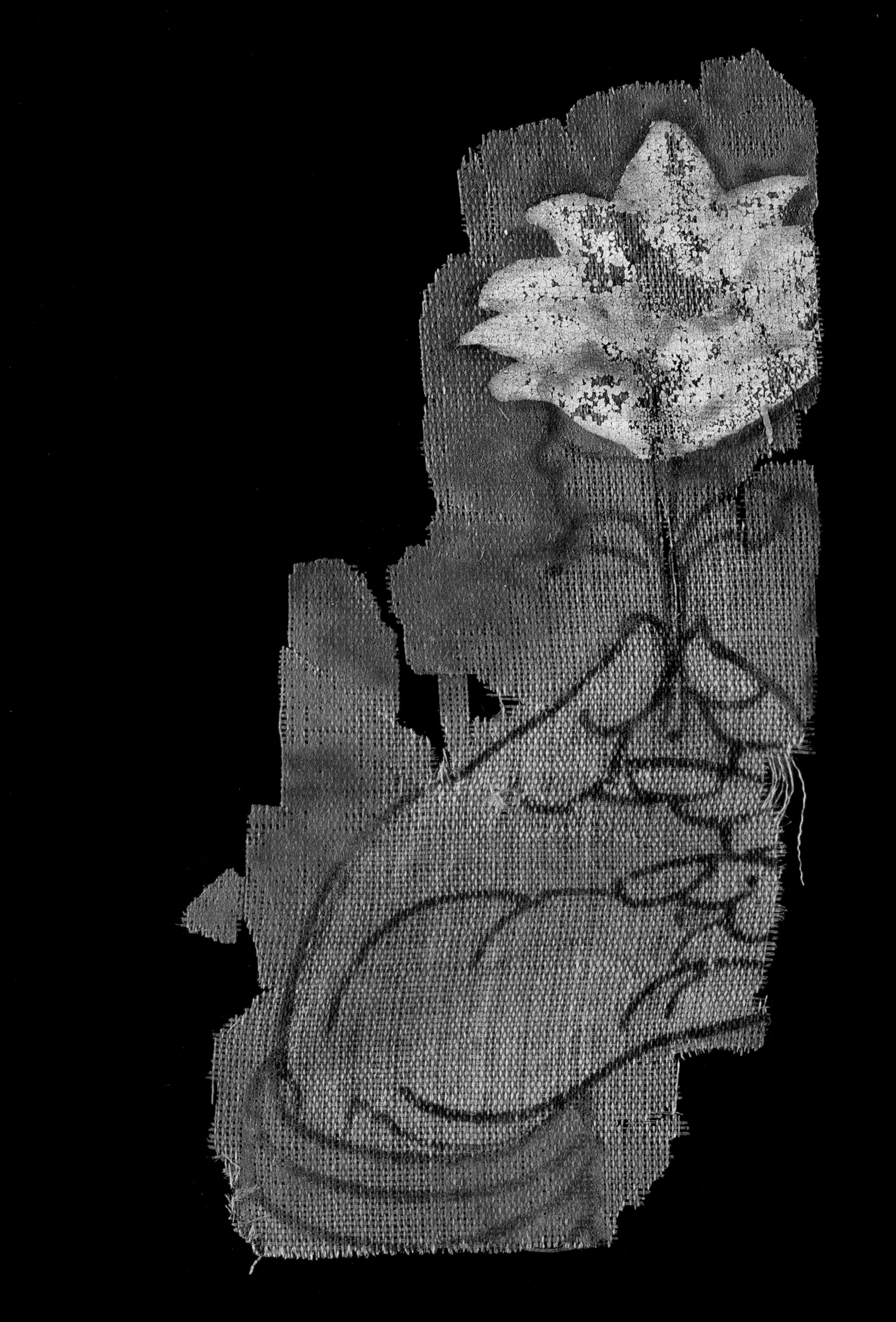

导论

从远古到21世纪，纺织品不断创新，世代相传，并且从过去汲取灵感。在其发展过程中也有一些时刻，有人担心纺织品艺术会被千篇一律的机织布料潮流所淹没，1589年威廉·李发明的织袜机就开始替代了人类的双手。起初，自动化技术发展缓慢，几个世纪以来纺织品生产仍需“人为干涉”。然而，从19世纪30年代开始，大多数的“人为干涉”变成“机器控制”。50年后，欧洲和北美艺术与手工艺运动的成员聚集在一起，谴责日益发展的工业化是没有灵魂的。其中部分艺术家采用来自其他文化或早期的手工纺织品作为对机械化的回应，他们收集这些纺织品，重新引进它们的织造技术，将它们作为标准。这也确保了19世纪以来，艺术纺织品和大批量生产技术能够同时存在。从20世纪60年代开始，由电脑控制和快于以往数百倍的新机器开始出现。到21世纪，引进新的纺织品图案是如此简单：扫描、载入、按“go”键就能完成。而纺织品艺术家也再一次选择与大批量生产“背道而驰”，这也导致现如今仍有不计其数的个人和小型企业在创作限量的令人惊叹的艺术纺织品。

这并不意味着纺织品生产拒绝机械化。与之相反，许多新技术恰恰是现今艺术创作的关键。同样，无论从设计者和制作者的角度，还是从穿用者的角度来说，许多人工材料被改造以符合审美要求。有见识的消费者是当今纺织品艺术复兴的一股非常重要的力量。我希望这本书可以对这种见识有所帮助，因为这种见识关注的正是如何看待纺织品——或更确切地说，是如何看待以及真正理解纺织品。在过去40年中，对成千上万例做的第一手观察和研究使我确信，纺织品是美妙的、精深的、有表现力的……它们揭示出人类必须与质地、肌理、色彩和讲故事建立密切关系。纺织品记载了我们玩耍、欢乐、惊奇和深思熟虑等不断变化的情感，保存了古今技艺，鼓励了创新并体现了传承。

人们制造了许多纺织品，即使纺织品相对而言非常脆弱，仍有许多留存下

中亚艺术家，彩绘丝绸片段，8—9世纪。

这一片段发现于中国新疆维吾尔族自治区吐峪沟石窟——这片区域是丝绸之路上吐鲁番盆地的佛教文化与西方文化汇聚之地。

来，这体现了长久以来纺织品的文化意义。最早期的纺织品中有很大一部分能留存到今天，是因为它们当初作为陪葬品被埋藏。这些纺织品不仅展示了精湛非凡的工艺，还表明纺织品在宗教活动中一直扮演着重要的角色。由于拥有真正的货币价值和交换价值，它们代表了财富和权力，可作为礼物馈赠，用于缴税，换取其他物品或服务，甚至换取和平。缔结同盟、宣誓忠诚、换取通往天国的道路，在这些仪式中都能看到纺织品的身影。诸如陵墓和修道院等宗教场所以及宗教装束——无论是佛教袈裟、印度教纱丽，还是基督教祭袍，都用了当时最好的布料。引申开来，对神圣统治权力的信仰确保了国王和教主的贮藏室里放满了精美的纺织品；贵族和后来经过工业革命致富的富豪家中也拥有出色的纺织品，作为代代相传的物品遗留后世；甚至地位相对低下的普通家庭也会把衣服和装饰家具的织物传给后代。在众多文化中，珍贵的纺织品根据家族谱系传承：布料是女性嫁妆的重要组成部分，代表了她的血统。虽然现在这个习惯被认为与非西方的传统有关，实际上却掩盖了祖先留下的纺织品在西方也同样非常重要这一事实。

有些经过拍卖行或经销商之手的纺织品，最后为收藏家所有——这群收藏家的品位和热情促使他们先于博物馆之前就保护了大量纺织品，就我们现在所知，他们大约出现于 1850 年左右。经销商和收藏家不断积累纺织品知识并且资助了许多“墙上挂有布料”的机构。策展人也通过收购和接受捐赠提升了品位。本书接下来的内容介绍了许多当代纺织品，同时按时间顺序记录了一些收藏者和收藏机构，主要是那些我非常了解的。

书中展示了当代的纺织品，也展示了能够代表持续存在的技艺和创造力的历史纺织品，以及由同样或相似技术能够提供的许许多多可能的方法。本书中讨论和描述的纺织品大多是手工制造和没有展现出机器创新开发能力的作

（被认为来自）爱德华·班尼迪克特斯（Edouard Benedictus），装饰织物（细节），约 1925—1927 年。

1925 年，在装饰材料中加入人造的纤维成为风潮，当时正是这位颇具影响力的法国设计师开始与布鲁内尔、默尼耶公司合作的时期，后者是巴黎一家专门生产后来称为人造丝的公司。班尼迪克特斯也曾与塔斯纳里与夏泰尔公司合作，生产亚光棉和闪光黏胶短纤维（黏胶）面料，这里展示的织物就是这两种纤维的结合。

品——也就是带有“手工的态度”。关于如何将物品分组，强调特定的方式和主题，我受到了设计师新井淳一的话语及其愿望的鼓舞，他希望“少量的东西，能够用无限的方式做出多种多样的效果……每个个体都有自己的指纹，我认为这就是我在寻找的多样性。但是这不是一个人能做到的，你需要成百上千的人共同努力”[1]。我有幸拥有这样一群合作的人，包括插图中许多未署名的纺织品制作者。文中许多署名的纺织品设计师同样使本书非凡而丰富的视觉效果成为可能，通过他们提供的网址和电子邮箱（详见“资源”），我们见识到了他们的慷慨。同时，如果没有加利福尼亚大学戴维斯分校设计博物馆收藏部门的三位专家——荣誉高级讲师乔·安·斯坦贝、馆长阿黛尔·张和摄影师芭芭拉·莫利的支持，也不可能实现这个项目。

通过聚焦世界各时各地的优秀纺织品，我希望本书能够启发纺织品艺术家，启发那些刚刚开始收集的人，和那些将会影响纺织艺术未来的人们。

新井淳一（Jun-ichi Arai），无题和涡旋，2006年。

新井淳一因将古代材料和新材料与技术结合在一起而闻名，这里他还表现了对更广阔文化领域中的纺织品的崇敬。他用一种铝涂层聚苯硫醚（pps）创造基本的外形，通过压缩做出褶皱，使用“熔离”技术做出一张大范围壁挂。他的这项专利与烂花（devoré）技术有关，会从 pps 切膜布（也是他的专利）上移除金属部分。

1

I.

影响

I.

影响

在过去的50年中，关于纺织品是否具有艺术影响力的讨论愈加激烈，而现在也仍然存在。有的人仍然认为纺织品艺术、设计和工艺是有区别的，认为它们分别是概念性的、大批量生产的和手工制作的。但是，纺织品的本质超越了这种界限划分。它们的表现范围囊括了从抽象到具象的各种手法，并且不论是用何种方式制造，纺织品所传达出的艺术信息都不受限于其最终用途，而是因纺织品所扮演的角色而被强化。这一度很好理解，在17世纪，拥有一件精美的丝绸服装或织锦比拥有一幅彼得·莱利的画作更能获得名望，并且花费更多。[1] 工业化同其带来的迅速崛起的中产阶级，以及20世纪的现代艺术运动，给装饰艺术贴上了“轻浮”的亚分类标签，让人们更加相信纺织品艺术是女性化的，因此不是那么重要。随之而来的对绘画和雕塑的重点经济投资更令纺织品的地位饱受质疑。直到20世纪60年代发生了两次事件之后，纺织品才开始缓慢恢复升值的状态。这两次事件，一件是1962年在瑞士洛桑举办的国际织锦双年展，它在1995年之前展出的织锦和三维立体纤维作品都是真迹，而非复制品。另一件就是，由于现代装置艺术的盛行和非永久材料的大规模使用，人们才逐渐认识到不同艺术形式之间的传统差异日渐衰弱的趋势。[2]

1972年，评论家休·肯纳察觉到了这一时期的重要特性，写道：“策略突然改变了。艺术品不再只能留存于博物馆，而是开始转到博物馆无法到达之处。例如，大地艺术，（以及）染料滴入溪流的动态雕塑……艺术家在刺激博物馆疯狂占有艺术品之后，又采用新策略戏耍博物馆，制造不可收藏的艺术品。”[3] 最有名的一件“无法占有”的艺术纺织品是被克里斯托和珍妮·克劳德“包裹”起来的风景和建筑：第一件作品出现于1961年；而最大的那一件《奔跑的栏栅》于1976年展出，历时14天（**图3**）。在这个时期，女权主义艺术家经常有意识地将纺织技术体现在她们的艺术作品中，以对抗妇女被压迫的地位，尤其是朱

1. 徐恩京（Eun-Kyung Suh），100朵漂浮的泪花，2008年。

76厘米（30英寸）的钢琴线末端悬挂着雪纺绸制成的“豆荚”，“豆荚”轻轻地移动，投射出交错的影子。

2. 纳西姆·达比（Naseem Darbey），如果你的心没有被钉在克利夫城堡3，2010年。

在这件装置中，达比在双层可塑的水溶性透明膜上采用自由式机绣，在去除透明膜之前，先在舒泰龙泡沫塑料（Styrofoam）基座上进行雕刻，创造出艺术家称之为“空心画”的效果。这件作品在西约克郡克利夫城堡博物馆的装置展上展出，灵感来自于玛丽·路易斯·罗斯福·伯克·巴特菲尔德写的信，她是亨利·艾萨克·巴特菲尔德的美国妻子，后者是西约克郡的纺织巨头、克利夫城堡的所有者。

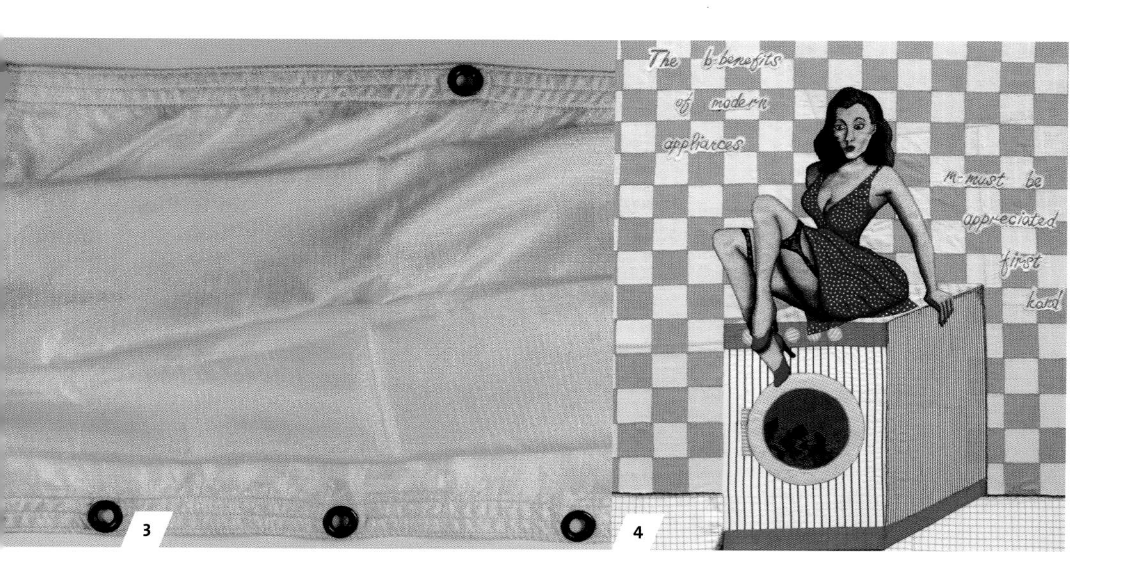

迪·芝加哥和她的著名作品《晚宴》（1974—1979年）。[4] 纺织品仍然是女权主义观念的一种重要的反映方式，尽管现在对纺织品的应用更偏向于讽刺，例如萨斯·特兹拉夫在20世纪50年代的广告中针对女性物化所进行的视觉攻击（**图4**）。受到对艺术品的质疑的冲击，以及对“女性”家务琐事无价值这种观念的重新审视，“高级”和“低级”艺术的不同逐渐瓦解。纺织品艺术是交流的有力工具，它们有助于艺术的民主化。

语境

从某种程度上来说，纺织品艺术是一种游击队艺术（guerrilla art）形式。它们常常因为无处不在所以不那么显眼。但在某些特定背景下，它又能一下子引起人们的注意，引起我们的兴趣。面料商在推广艺术家设计的纺织品时，通常基于一种特别的认知，即纺织品功能属性中不可缺少的部分：吸引注意力。但是艺术家设计的大批量生产的布料，又为生产商对高标准的承诺提供了佐证，并且在过去的100年中，已经被定义为“艺术”主动“走进工业”。我在其他地方已经写过，纺织品艺术处于矛盾之中。[5] 当专业设计师设计的布料与由艺术家设计而进行推广的布料有着相同的审美品质时，进退两难的情境就出现了。前者的艺术感难道更少吗？如果设计师的设计对材料敏感并抓住了时代的本质，答案就是否定的。因为无论它们的创作者被称为艺术家还是设计师，许多面料都是在小作坊里手工制作的，制作者通常是设计的原创者。它们因此常被统称为“手工艺（craft）”。纺织品可以批量生产也可以限量生产，这确实令那些喜欢分类的人颇感为难，而这样的分类和事物的内在价值比起来，人们更关注物品的最终价值。在我对收藏者不计其数的采访中，不止一人讲到他们收藏纺织品的热情在于金融投资，或任何与“品位等级”有关的原因。这在劳埃德·科

3. 克里斯托（Christo）与珍妮·克劳德（Jean-Claude），奔跑的栏栅（细节），1972—1976年。

这件作品高5.5米（18英尺），长39.4千米（24.5英里），由2050块布片组成了20万平方米（2152780平方英尺）的纱罗织尼龙气囊面料，目前只有小部分作品幸存。

4. 萨斯·特兹拉夫（Sass Tetzlaff），利益，2011年。

覆盖在贴布绣面料上的这个机绣形象显示了20世纪50年代对女性形象的戏谑。艺术家通过构建来自机缝拼凑的男士商务衬衫的剩余部分达到讽刺的效果。

5. 中国绣工，双面壁挂（细节），约18世纪60年代。

如果不是为了洛可可式的北京圆明园中的某个亭子所作，这件丝绣真丝布片可能是为出口西方而制作——布片上有三个互连的圆环，在花瓶的边缘构成平衡的状态，象征三元，或科举考试中的“连中三元”。

特森的言辞中可以找到佐证，他是露得清公司的前董事长，同时也是为自己的藏品捐赠细心找寻恰当机构的收藏家。在《平凡中的非凡》一文中，他解释道：“人们经常问我如何在 35 年中收集如此多的藏品，然后又捐赠出去。我不认为我是在将它们赠送出去——相反，我认为我是在和更多的人分享它们。是的，每一件物品、 每一件纺织品、每一件民间艺术品都是我个人挑选的……每一件在我心中都有一个特殊的位置。不论这些藏品是由知名的艺术家所制，还是身份不明的手艺人所制，这些都不重要。对我而言，它们诉说着大量……非同寻常的美丽，同时有着内在的力量，能带来愉悦和满足感。”[6]

很多收藏者都不会拒绝那些保存不完美的纺织品，因为处理、 使用和研究这些纺织品才是收藏的首要因素。罗德里克·泰勒在孩童时就已经开始在印度收集纺织品，正如罗德里克的回忆，在印度的生活中到处都是纺织品。最后他变成了希腊和土耳其刺绣方面的权威，尽管他购买纺织品从无计划，只是因为他有机会能够收集。泰勒的收藏是多样的，他购入的第一件织品是一块地毯，这也是很多收藏人士的共有特征。[7]汉斯·施穆勒是 20 世纪伟大的字体设计师。他在 1983 年完美地总结道：“在某个人的脑海中对收藏对象的定义过于严苛的话，就会使人失去装饰设计的许多快乐，而装饰设计能够激发人们长久以来顽固存在的对空旷空间的装饰想象。”[8]

因此任何物品的艺术价值同时还取决于所有者的态度。这不仅仅是如古人所言“情人眼里出西施”的问题，或更恰当地说，如莎士比亚在《爱的徒劳》中的宣言“美来源于眼睛的判断，而非小贩的舌头”。形成独立判断的能力是创作者特有的能力，而非受迫于市场竞争压力。因此，不管是陈设在家中还是穿着在身上的个人纺织品，都可以展现它们本身的某种美学特性，这种美学特性能够把简单的东西变成引人注目的东西。要欣赏 18 世纪为富丽堂皇的布景所制的中式镶边（**图 5**）的艺术性，把中式镶边放在极简主义的室内设计中以强调它的惊艳之美，这是很容易的。具有挑战性的是，把装饰有异想天开、色彩鲜艳、俏皮讽刺、 吸烟穿夹克的狗的图案的靠垫（**图 7**）视作艺术，而这种作品恰恰是 20 世纪早期达达主义提出的反传统艺术（anti-art）的艺术观点的具体表现。

万物皆仰赖于其用途。纺织品大概是最能游走于普通物品和贵重艺术品之间的物品了。由于制作过的纺织品——如贴布绣和拼缝——常常包括创造经过仔细斟酌的并置物品，所以在纺织品艺术中，拼贴并不是新鲜事。正如道恩·杰洛·埃里克森的作品名称《占有与情感表现》（**图 6**），作品主题包括了拼贴和收集。它向佛教徒们标志性的由昂贵丝绸碎片制成的幢幡致敬时，它的形式也证明这种拼接活动的古老。埃里克森采用了韩国 chogak po（用碎布拼成的包袱皮）的拼缝方式拼接这些碎片，这种方式从前也用来制作佛教徒所用的纺织品。通过此类特色建立起历史语境，对于精通纺织品语言的观者来说，这种附加的

6

共鸣也具有莫大的意义。

纺织品的“方言”众多，各有不同。有人已经察觉到这一点，有的艺术家会有意利用制造方法和材料选择方法之间的矛盾去制造矛盾意味。杰克·朗菲德就是如此，通过她真人大小的作品《纸战士 I》（**图 10**）中的不协调元素，她用看起来短促的缝线和纸板将她的战士变成一个脆弱的人类形象，并让这个作品“开放面对复杂而又个人化的解读，激起诸多层面的讨论”。相对而言，索尼娅·安德鲁在她的作品中则更进一步，她探讨了关于作者意图和观者解读这一后结构主义的争论。安德鲁基于她曾祖父（一位贵格会教徒，“一战”期间出于信仰拒服兵役而被监禁）的经历创作了作品《束缚 II》，她寻求观众对作品的解读，并询问观众是什么影响了他们的解读（**图 83**）。谢丽尔·布里加特在她的自由风格、如梦似幻的机绣图像中，简单地“让观众……用他们自己的故事来解读我的作品”。相反，叙述是许多作品的重要补充，无论是像莉安侬·威廉姆斯的《我的时间》（**图 8**）和卡罗尔·沃勒的《脚本 2》（**图 80**）那样直接将叙述渗透到作品中，还是像在玛莎·麦克唐纳的表演作品《哭泣的衣服》（**图 89**）中那样通过艺术家的姿态激活叙述的表现手法。纳西姆·达尔比就是受到一个遭受蔑视的妇女的叙述情境启发，创作出整个装置（**图 2**）。装置基于一位 19 世纪西约克郡的纺织巨头和克里夫城堡所有者的美国妻子从巴黎写来的信件，中心部分的灵感来自于其中的一封信，在信中，她对“亲爱的没心肝的丈夫”恳求道，“如果你的心不是被钉在了克里夫城堡，至少写信给我”。叙述在创作和纺织品应用中具有如此核心的地位，在第四章中会有更详尽的讨论。

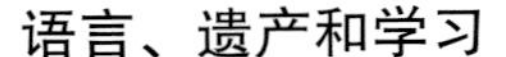

语言、遗产和学习

文本（text）和纺织品（textiles）有着同样的基质，甚至更多共同点。不管是不是在纺织品领域，文本和纺织品的交叉都是如此之多，以至于在互联网上同时搜索这两个词的时候能产生成百上千条的“结果”。搜索“结果”中值得注意的是拉脱维亚首都里加的电子文本和纺织品项目，它调查了“文字和纺织品在不断变化的技术中的位置”，经由“线”（threads）创建了网络杂志，并宣称“对文学和文化篇章（cultural text）的‘编织’成为了一个过程，既和拼缝类似，又和网状物（互联网）类似”。[9] 每种语言中，有关纺织品的隐喻都很丰富。我们可以确认的是，思维的过程就是一种交织的过程，不管它涉及跟上思路还是胡编乱造（follow the threads 和 spinning a yarn，这两个短语都是和纺织与思维有关的短语，原意分别为“跟随缝线”和“纺纱”——译注）。要讨论思维的过程，似乎不可能离开基础的纺织品制作活动和纺织品特征而开始。用作家玛丽琳·弗格森的话说，“在精神上产生连接是我们最关键的学习工具，也是人类智慧的本质：建立联系、超越所见，看到模式、关系、背景”。[10] 伊尔卡·怀特对于其

7

6. 道恩·杰洛·埃里克森（Dawn Zero Erickson），占有与情感表现，2003 年。

丝网印花、染色的，并以韩国 chogak po 的方式缝制的真丝和大麻面料。埃里克森去过许多地方，他发现，“艺术是我们共同的语言，连接我们共同的人性”。

7. 印第安绣工，抱枕，收藏于 2003 年。

这个靠垫的表面是贴布绣和刺绣。它幽默的风格吸引了安·斯坦贝这位收藏家、教师，她在加利福尼亚州戴维斯以 25 美元的价格将抱枕购入。

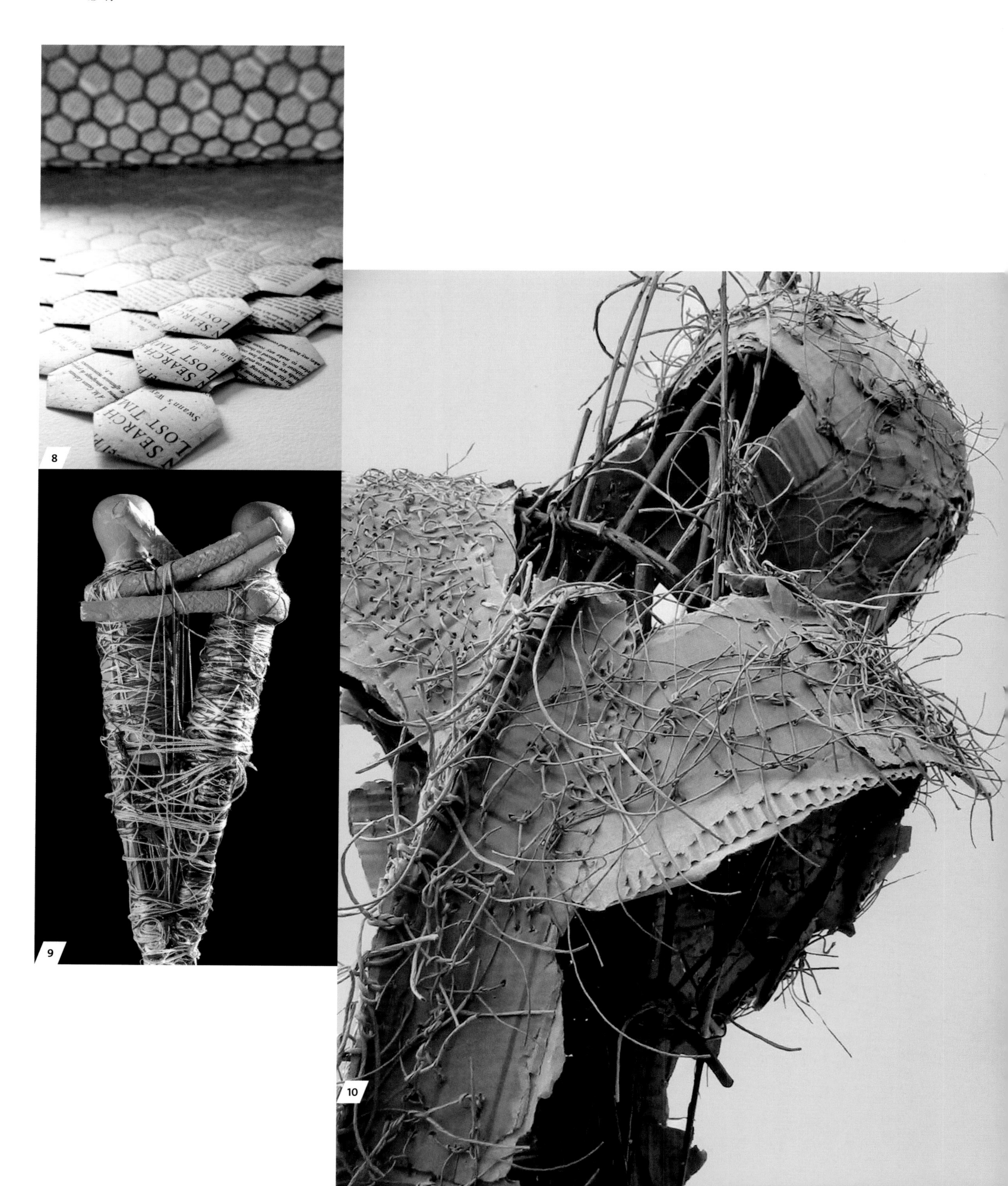
8
9
10

作品《纠缠》（**图 11**）的表达就非常清晰地体现了这一观点：“考虑到……无数种形式的联系，微小也好，巨大也罢。就像胸口被天空的流畅感所震撼时，你的意识越出躯壳……正如量子物理学家所说，我们生活在一个彼此纠缠的宇宙里。”

谢里·特克是一位从事社会科学研究的教授。他提出，工具会催生我们的思考方式的变化。这也证明了几位人类学家和人种学家的理念，他们坚信，几千年前篮子编织技术的出现刺激了人类大脑的发展。[11] 认知科学家唐纳德·诺曼告诉我们，当我们无法让一个小玩意成功运转时我们会自责，而实际上这非交际性（non-communicative）的小玩意只是没有设计好罢了。[12] 纺织品就没有这个问题，即使在生产它们的过程中，技术和设备很复杂，它们仍然是带交际性（communicative）的。很久以前，纺织品就是认知过程的基本模型，为人类提供了用机器代替手工的方法（16 世纪晚期的编织框架即利用弹簧锁装置替换人类手指）和电脑运算（受到 19 世纪早期穿孔卡片式提花编织机的启发）。潜意识的认知使我们凭直觉知道了包括数学和心理学在内的许许多多的概念，而舒适的毛毯最能体现心理学因素。纺织品证明了我们具有把握这些大概念的能力。在克莉丝汀·阿特金斯的系列作品《寻找家园》（**图 13**）中，她探讨了“对意义和归属感的深思”，她用手做的“巢箱”书籍强调了人们对建立精神联系的需要。徐恩京精心附上的《100 朵漂浮的泪花》（**图 1**）同样说明了将强烈的感受进行视觉化的冲动，而我们必定好奇阴影中潜伏着什么。欣赏这样的作品，我们需要触觉感知，而纺织品为此提供了最丰富的教程，不仅能训练我们的手指，还能训练我们的眼睛。这里有一个充足的证据，应该是科学家乐意找寻的，他们要找到能够“用手指思考”，并且生来即是操纵物质材料的好手的基因。例如，迈克尔·布伦南－伍德（**图 141**）和凯·千木万智（**图 14**），都是入行多年的艺术家，他们在长期的职业生涯中发现，自己的祖先也曾经参与制作纺织品。看来，这些必要的技能会随着基因遗传下来。

纺织品的视觉语汇展现了几千年以来连接全世界不同文明的漫长“对话”。包括对动物或人的描绘在内的圆形纹章形式是体现这种连接的一个出色的例子，我们不妨追溯它的历史航程。古埃及“永恒的保护”的象形文字是一个神圈，用一条横线上的圆代表比较程式化的绳圈，表现了纺织品及其结构围绕和环绕的本质特性。这一形状偶尔也会延长成一个椭圆形轮廓以“守护”一个高贵的名字，通过程式化的图形和动物表现出来。虽然象形文字的使用在基督教时期的早期几乎绝迹了，但遗留下来的埃及纺织品仍然证明了形象化的圆形纹章仍在流通，尤其是在亚麻服装中的小块织锦羊毛镶嵌装饰中（**图 112**）。类似的圆形图样还出现在大约同时代的与波斯萨珊王朝（224—642 年）有关的丝绸上，这是我们所知最早的有图形的机织布料，不同颜色的纬纱几乎完全覆盖经纱，

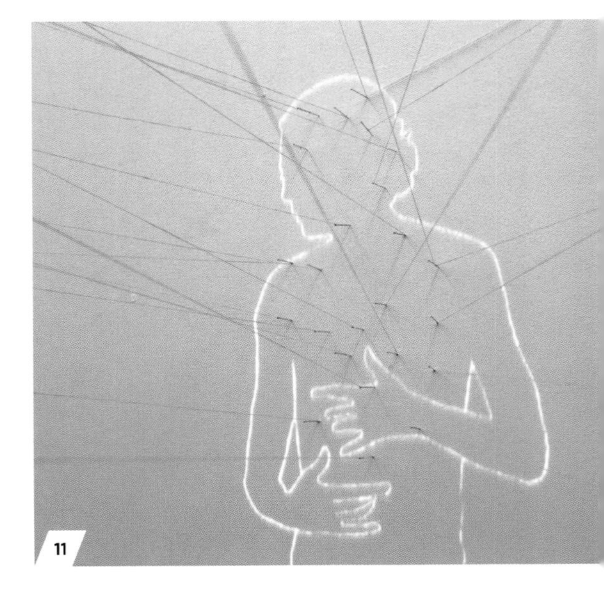

8. 莉安侬·威廉姆斯（Rhiannon Williams），我所谈论的时间：普鲁斯特堆绒（细节），2008 年。

七个针缝作品之一，取材于马塞尔·普鲁斯特的《追忆似水年华》的每个章节。威廉姆斯预期要用 14 年时间完成这一系列，它属于一个更大型的作品——《批判性布料》的一部分，整个作品利用“慢时间”的方法批判了资本主义文化。

9. 朱迪思·斯科特（Judith Scott），双胞胎，年代不详。

斯科特是凭直觉操控纤维的典范，她是一位没有经过训练且患有唐氏综合征的聋人艺术家，从 1987 年到 2005 年她去世的时候，她创作了许多竹子板条或其他废弃材料构成的支架，并用打结的布或纱线把它们围裹起来。

10. 杰克·朗菲德（Jackie Langfeld），纸战士 I，2008 年。

属于 5 个用纸板箱、细绳、纸绳、柳条和钢材做的真人大小的形象之一，具有讽刺意味的作品名反映了作者的观点，即“人在这个星球上的地位，他的脆弱、虚荣心和不可避免的死亡……即使能够使用更大型的武器”。

11. 伊尔卡·怀特（Ilka White），纠缠（细节），2008 年。

投射的光、细线、钢质大头针以及空间是这位艺术家的创作材料，她将它们整合在一个装置中，去探索相互间的关联以及“身体与精彩纷呈的世界之间的相互交流”。

13

14

并且用了一种叫作金银丝线织锦或六股丝锦缎的混合斜纹结构。从波斯和中亚的伊斯兰索格代亚纳（或索格代亚纳，位于撒马尔罕中部）开始，这些丝绸（**图12**）被作为礼品和交易物资散布在丝绸之路上，向北甚至到达斯堪的纳维亚半岛（**图111**），然后又被索格代亚纳的织工带到东亚，最后重新回到唐朝时期的中国（618—907年）。在唐代的中国，圆形纹章与佛教法轮或生命轮回的标志一起，成为宫廷和宗教场所的象征形象，不仅在中国（**图108**），日本（**图113**）和印度（**图12、115**）等国家同样如此。圆形纹章慢慢被丝绸织工们修成弯曲的形状，后来成为意大利文艺复兴时期图案的特征（它们本身受到伊斯兰某些被教主哈里发禁止描绘具体图案的地区产出的丝绸的影响）（**图104、105、107**），它独特的外观还在各种其他纺织品中作为持续和幸存的标志使用，保持着自己的地位，从贴布绣到刺绣都会用到它。最终，曾经象征神圣罗马帝国的被圆形包围的鹰，在北美变成了美国的国徽，和其他形象化而又带装饰性的圆形纹章形式一起，出现在不计其数的机织和贴布绣覆盖物以及刺绣样本上（**图116**）。圆形的图样常常是成对的并且相互之间是对称的，或者说是“面对面”的（在王朝时期的埃及艺术中也可看到这种形式），这种形式同样广泛传播（**图92—103、107**）。

在类似的情况下，人们可以追踪更为复杂的交流，例如从17世纪开始的东西方贸易中，为适应每个不同的市场而设计的印度印花棉布。印花棉布最初的底色为彩色，为了迎合特定的消费者，如英国人和法国人，他们也生产了白色

12. 东印度织工，丝绸锦绣，15世纪到16世纪早期。

小型带翅膀的猫科动物，每个宽8.5厘米（3⅜英寸）。一组重要的印度手工提花织机织出的丝绸上用的装饰，发现于中国西藏。比莫卧儿王朝时期遗存的丝绸还要早，以人或动物为主题的圆形图案在1000年以前就已经被其他亚洲国家用在手工提花机织出的丝绸上。

13. 克莉丝汀·阿特金斯（Christine Atkins），寻找家园，2009年。

这本手工制造的书由压缩的吉尔福德草（鸢尾科）制成，包含了云母、手工染色材料、棉线、机缝和手缝材料，以及蚀刻的黄铜。门的下方写着“一棵树平静的出口”。

14. 凯·千木万智（Kay Sekimachi），迷你篮子，1993年。

这件作品由黑色和灰色的棉绳分股堆叠编织而成。千木万智从1976年开始探索分股技术，灵感来自于印度的骆驼肚带，一般由男性制作，颜色为黑色或原色。她说：“这是项便携的技术，你所需要的……就是股线……和一个钩针。”

的底色，而与此同时，英国人和法国人的丝绸、刺绣和印花很快也接受了这种印度特色（**图 136、137、139**）。

文化历史学家和精神分析学家简·格拉芙认为，“图案是宇宙的缩影”，但她也指出工业化的影响破坏了我们对古代图案的理解，结果“不幸的是，图案能让人有所感触——但不能表达意义”。找寻前文艺复兴时期灵感的艺术与手工艺设计师们复兴了圆形纹章等图案（**图 114**）。受唯美主义文艺思潮影响的设计师喜爱的 bosses（一种环形的日式图案，源于圆形纹章，同时也源于佛教禅宗的圆形［enso］（**图 91**））也是如此（**图 106**）。源自印度的纺织品又一次受到关注，尤其是受到威廉·莫里斯的关注（**图 132**）。纺织品的这一面暗示了人们是由于喜爱而非文化统治才如此借鉴图案。因此格拉芙能够猜测出“虽然我们冲过了现代主义和后现代主义的海市蜃楼，但我们似乎仍在通过生态学以及我们与其他文化的接触来寻找新的可能性。图案可能在此方面还可以为我们做许多事情”。[13]

如今与纺织品有关的语汇常与文化和个人的记忆以及二者经由时间产生的变形有关，比如在玛丽－劳伦·伊利的作品中，对她来说“面料最重要的内在要素之一就是它与人体之间的历史和社会联系”，这一观点也得到了许多其他纺织品艺术家的认同。伊利的作品使用现代技术来留存形象化的图像，而记忆表达出来的往往是非形象化的。复古纺织品的应用便是一个恰当的例子。路易莎·简·欧文将她自己比作一个来自家庭的强势女人，加上她在土著文化传统女性纺织品工艺活动中广泛的一手经验，最后产出的作品“运用了成百上千双祖母的老丝绸和尼龙袜，或大量面料，(它们)都是以某种方式找到或使用的，都有回忆在其中”（**图 82**）。金姆·舍恩伯格的《无题》拼缝作品，使用了成千上万只回收茶包，缝在一个踏板缝纫机上，将看不见的过去呈现给观者（**图 84**）。每个茶包都能唤起她和已故的母亲一边品茶一边进行的不同对话的回忆。这种自传式的细节应该也是无形的，但是作品看似有些破损和脆弱的表面却传递了一种深深的爱的情结。在纺织品中出现对于过去的共鸣是很自然的，不管它们是否采用回收材料，所有始于纱线和结构的创作都能给纺织品艺术家提供调色盘：正如拉尔斯·普莱泽尔所说，“谈及起源或从前”。丹尼斯·斯坦顿的作品《无题》，幽灵般的手工毛毡人物恰恰以过去和现在为题（**图 88**）。这是为伍德柴斯特公馆创作的一幅维多利亚时代的哥特式杰作，但是作品在 1873 年被不明原因地遗弃了，只完成了一半。

许多纺织品艺术家对纺织品的文化历史颇为好奇，他们常常将之与人类对环境的影响联系起来。这个主题与纺织品直接相关，因为这一领域不仅包括了像棉这样的纤维——众所周知， 棉花生长需要大面积喷洒农药，而且在印花、漂白和其他生产过程中也使用了大量有毒化学品。可持续发展的天然纤维无法满足全世界的穿衣问题，因为它们实在是不够的。这就意味着以石油为基础合

15. 黄卡利林（Oei Khingi Liem），蜡染纱笼（细节），约 1910 年。

印尼蜡染艺术家们受荷兰明信片、墙纸设计和印花棉布的启发孕育出了现代蜡染。这件纱笼上，水鸢尾这种早在十年前流行的欧洲设计图案，被放置在传统的斜线条的底布上。

16. 菲利克斯·奥伯特（Felix Aubert），水中鸢尾花，1897—1898 年。

这个法国设计师的作品与水中鸢尾花紧密相连，这块由著名的阿尔萨斯制造商施尔·劳思公司制作的滚筒印花棉绒就是例证。这个图案强调对称构造，而非与新艺术风格有关的鞭绳曲线，符合北欧的品位。

成制作纤维（例如涤纶和腈纶）的生产商必须研发出这些化学改性产品回收利用的方法。与诸如 TED（伦敦艺术大学纺织品环境设计研究所）咨询公司的合作产生了“可回收”以及可持续的纺织品和时装设计（**图 18**）。目前，卡罗尔・克莱特是寻找可再生纤维方面的领头羊，她是伦敦中央圣马丁艺术与设计学院未来纺织品方面的准教授。她的“生物蕾丝”项目被设计为“通过研究植物系统中细胞形态发生的程序，探索生物化生产未来的潜能”，在项目中她“想象着一种能生产出草莓果实又能从根部得到蕾丝样本的杂交草莓的诞生”[14]。

不论是创造环境、对环境发表评论、与自然环境相互作用，还是让建筑环境变得人性化，包括像西尔克・巴赫、安妮・菲尔德、艾米・乔治、曼迪・甘恩、希拉・克雷恩、海可・雷乌尔、纳达・瑟尔斯和维特・桑赛特（**图 127—131**）等艺术家那样，让我们深入并重新思考我们将世界看成整体后的行动和期望。克莱德・奥利维尔的小堆用线绳捆绑的板岩——《小石冢》（**图 125**），就暗示了许多世界上最边远的区域，也已经被人类所控制，并且根据人类的需要进行了改造。

色彩和全球视野

色彩可能是纺织品最显而易见又最不易被看见的方面。常年来令人满意的纤维着色剂使纺织品不采用具象化的图案也能达到令人震撼的效果，正如本章包含的示例所示。最早的着色布料是古代秘鲁的几何图案纺织品，纺织品遗址在 19 世纪 80 年代由德图考古学家最先开始挖掘。现代主义编织与包豪斯息息相关，特别是包豪斯的魏玛时期（1919—1925 年）和德绍时期（1925—1932 年），按理来说都体现了对这些古代纺织品的赞赏。约翰内斯・伊顿在魏玛包豪斯创立了现代主义的两块基石：基础课，以及至今仍被许多人认为是那个世纪最重要的色彩理论——首个根据每个色相的对比属性，包括饱和度来定义配色方法。伊顿显然对纺织感兴趣，1924 年他离开包豪斯之后，在包豪斯毕业生根塔・斯托尔策的帮助下，于苏黎世附近建立了安托士纺织作坊。一年后根塔回到学校，1927 年成为了纺织作坊的负责人（**图 23**）。

现代主义艺术家试图探寻一种通用的语法来交流“事物的本质”，这导致了哲学上对“色彩和情感能量的连通性”的理解。（伊顿离开包豪斯是因为他的拜火教哲学所导致的，许多现代主义的先锋，包括罗伯特・德劳内、马歇尔・杜尚、瓦西里・康定斯基、保罗・克利和彼埃・蒙德里安都是通神论者。他们研究吠陀教、道教、佛教、犹太教、基督教、拜火教和伊斯兰教传统。）主要活动于伦敦的纺织品收藏家和贸易商埃斯特・菲茨杰拉德指出，在 19 世纪末 20 世纪初信奉伊斯兰教的苏门答腊和乌兹别克斯坦地区，这两个地区令人惊叹的抽象緙织织物有同样的色彩关系，在更早期的汉传佛教和藏传佛教的纺织品中也可见到同样的色彩关系。菲茨杰拉德将这些作品作为“现代主义同样从神秘

17. 秘鲁织工，立像边缘的纺织残片（细节），1000—1476 年。

这件棉质镂空网眼织物来自秘鲁中央海岸的昌凯文明，宽 51 厘米（20 英寸），带有交替的绣花方格。它连接着一条纬面织造的驼毛（羊毛）窄带状织锦，与织锦的部分纬纱一起组成了经面织锦的流苏。

主义思想的熔炉中汲取灵感”[15]的物证。目前尚未确定这些亚洲纺织品是否对现代主义色彩理论有直接的影响（**图 22、23**），但可以肯定，伊顿培养的包豪斯艺术家安妮·阿尔伯斯，那位 1933 至 1949 年间在北卡罗来纳州的激进派学院黑山学院任教，并由其教学影响而闻名的人，描述了秘鲁纺织工的布料，并在她的书《论编织》（1965 年）中将他们誉为“伟大的老师们”。

阿尔伯斯并非第一个在美国将现代设计师和艺术家的作品与非西方纺织品联系起来的人。从 1915 年开始，就有一个纽约团体开始推广这项议程，团体中的人们来自博物馆、设计学校、纺织品生产商、零售商和之后命名为《女装日报》的杂志。而且他们的涉及范围十分广泛：美国、非洲和大洋洲的本土纺织品为各类型纺织品，甚至各类艺术提供了抽象图案的灵感来源。直到 1933 年，纽约现代艺术博物馆的展览“现代艺术的美国源泉”同时展出了前哥伦布时期的艺术藏品（包括纺织品）和现代艺术品，早期抽象表现主义和“原始的过去”之间的关系才得以厘清。[16]在织工方面，艾格尼丝·美特尔·纳尔逊已经在《秘鲁织物分析：秘鲁织物对加利福尼亚大学纺织品教师们的启发》（1926 年）中谈到他们。这本书似乎对研究之前无人探寻的独特的西海岸形式主义编织方法的早期发展有所助益。其内容到 1934 年纺织品设计师多萝茜·利贝斯在旧金山建立她的第一个工作室的时候，得到了清晰的验证。

这里有少数几个像利贝斯一样的 20 世纪织工，他们擅长为工业生产制作手工编织原型，保留了手织布生动的特性。换句话说，也就是保留了手织布的情感内容。其中包括英国的伯纳特·克莱因、玛格丽特·莱赫纳、蒂伯·赖希和玛丽安·施特劳，都出生在欧洲或者至少在欧洲受过训练。在北美，欧洲出生和欧洲受训的织工也非常有影响力，其中包括阿尔伯斯的同辈、包豪斯的学生玛丽·埃尔曼和芬兰织工玛丽安·斯特伦格尔。利贝斯也是如此，他曾经当过伟大的法国手织工保罗·罗迪耶的学徒，访问过意大利织工。这些中世纪实用主义的织工，他们共同呈现出的作品使用了被埃德·罗斯巴赫称之为“当代”大胆的用色和让人始料不及的材料或质感，保留了艺术与手工艺运动“忠实于原材料”的理念。同时，他们通过在自己的作品中注入对非西方布料结构的透彻理解，避免了模仿其图案，令之改观。例如利贝斯，她不仅研究艺术，还研究人类学，并与危地马拉和墨西哥的织工一起磨炼自己的技艺。罗迪耶从当时的法国殖民地收集了一些纺织品，尤其是柬埔寨的纱笼（裙布），它是一种围裹在下半身的长矩形布，通常用传统的丝绸、斜纹面料和扎染色织图案制成。

或许还可以举出其他的例子，但秘鲁纺织品的影响似乎是关键性的。阿尔伯斯收集秘鲁纺织品，也收集墨西哥纺织品；施特劳也收集它们，他从瑞士收藏家弗里茨·伊克尔那里获得了许多“二战”之前的藏品。他自己的安第斯纺织收藏品，其特色在拉乌尔·德哈考克的代表作《古代秘鲁纺织品和技术》（1924

18. 梅勒妮·鲍尔斯（Melanie Bowles）和凯瑟琳·朗德（Kathryn Round），垃圾时装，2010 年。
在这件数码印花的双绉连衣裙上，印有一件复古的服装，它代表了受到“情感留存”设计方式启发而来的可持续设计方式。这件裙子是为在伦敦科学博物馆的展览“垃圾时装：废品新设计”所创作的，它是伦敦艺术大学纺织品环境设计（TED）项目中的作品之一。TED 探索了设计师如何在对环境影响较小的条件下创作纺织品。

年出版，最近的一版出版于 2002 年）中有所分析。从 1945 年开始，这些安第斯纺织品同伊克尔的其他纺织品一同被巴塞尔民俗博物馆（文化博物馆）收藏。[17] 早些时候，几乎所有的欧洲博物馆都收藏着一些安第斯纺织品样本，纽约大都会博物馆早在 1882 年就收到了古代秘鲁藏品。很明显，后来欧洲和北美的现代纺织工人能够读到、看到甚至拥有秘鲁纺织品，这和他们对其纺织结构的巧妙运用是同样值得钦佩的。事实上，许多纺织品样本已经有 2000 年到 4000 年的历史了。

20 世纪 70 年代，洛杉矶国家艺术博物馆（LACMA）已经逐渐成为美国西部最大的纺织品收藏机构——它从约翰・怀斯那里获得了 100 件秘鲁纺织品。作为一个纽约的纺织品收藏商人，约翰・怀斯因为收藏超过 2000 年以上的前哥伦布时期的纺织品而广为人知，其中最早的藏品来自公元前 5 世纪。恰好博物馆对民族纺织品和西海岸纤维艺术的繁荣状况很有兴趣。埃德・罗斯巴赫喜欢用“纤维作品”（fiberwork）这个词指代这些作品，并称这一时期为“后现代”，换句话说，就是与功能本身无关，但与不带偏见地探索生产多功能或者有用的布料或篮子有关。这无疑标志着等级制度的消亡。此后，艺术家、设计师与技能娴熟的工匠，城市工业与农村作坊，传统方法与现代化的方式之间的界限也开始逐渐瓦解，所有这些使得亲身参与世界不同种类纺织品的制造，成为现如今纺织艺术家不可或缺的方面。

所有设计师所特有的尝试让纺织品又再次回到从前的角色：设计师的尝试涵盖了一切，从模仿小件的珠宝到体型巨大的装置。就和纺织品相关语汇一度被用来表达对教堂或国家的崇敬一样，现在则重视整体性，采用将会产生“慢”纺织品——即手工艺、感性、具有强烈反思意味的——工作模式，或拷问现状的方式。[18] 布伦南德－伍德在作品《花瓶袭击美国旧金山》（**图 141**）中探索了二维和三维之间的错觉空间，第一眼看去，作品是漂亮的，但进一步看就会看到一些比较阴暗的画面：矿山、军帽上的徽章、制服徽章、战争演习和颅骨。作为一位英国官方的战争艺术家，罗珊・霍克斯利的许多作品都表现了在交火中被抓获的人所面临的困境。在作品《外科医生的装备》中，她讨论了战争灾难性的后果和缝合伤口时针线所扮演的角色（**图 85**）。一些表现濒危物种和濒危文化的作品更加公开地表现出政治性（**图 121—123**）。 有人认为，艺术的解放有消极的一面：“表达的内容、适合的形式、使用的材料、保留或新命名的体裁，所有这些问题从现在起不得不重新摸索……艺术已经完全变为一种漂泊无定的存在。”[19] 然而，对于纺织品艺术家来说，纺织品本身显然已经形成了一个坚实的基础。它是一个网络，连接着对过去的崇敬，对当下的审视，还有对未来令人振奋的畅想。

19. 法国绣工，一对嵌花和绣花的门帘（细节），1630—1640 年。

分别在羊毛毡底布上以不同的丝绸提花点绣制，将边缘以及花样的枝条绣好后，形成花柱。高 2 米（79 英寸），这个布片可能非常昂贵，并且由专业的技师制作。

20. 印度尼西亚工匠，经絣的筒衣或裹裙（细节），约 1976 年。

在金色和薄荷绿的布上加上浓烈的色彩是为了迎合西方市场品位，这块布料于 1977 年由旧金山千花公司进口。注意在下边缘形成的纬絣。

21. 中国绣工，儿童围领，20 世纪。

这件引人注目的偏硬的围领由绣花丝绸缎子和锦缎组成，衬里用纸填充，边缘是黑色的棉布织带。

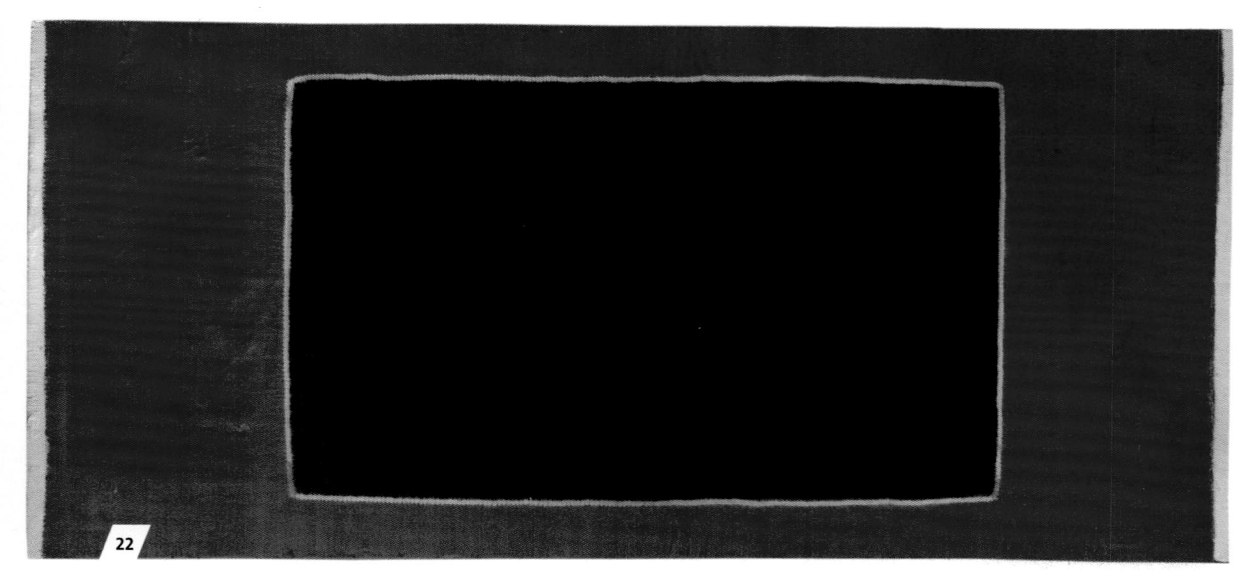

22. 巴邻旁（Palembang）工匠，三件手织 lowans，19 世纪中晚期。

在印度尼西亚苏门答腊岛，这些礼仪用布料会在结婚仪式上献给妻子。每块尺寸大约为 81 厘米 ×200 厘米（32 英寸 ×79 英寸），它们都用当地的丝织成，并用缝结防色（tritik）工艺进行了防染染色。

23. 根塔·斯托尔策（Gunta Stölzl），无题，2011 年。

这件作品源于大约 1927 年绘制的一种图案，它是 15 条毯子中的一条，每条毯子都是 2.45 米（8 英尺）见方，在手工纺织的羊毛和马海毛上手工打结。它是为伦敦的克里斯托弗·法尔制作的。

24. 班尼（Banni）工匠，Odhni（细节），约 1900 年。

在这件古拉特女性的丝织斜纹面纱布或头巾上，采用有限的配色强调了醒目的几何图形。用平针和 abhala（一种绣花针法）绣成，锁眼线迹可以固定镜面玻璃片。

25. 埃里卡·格里姆（Erica Grime），庆典，2009 年。

双层织物结构让这块面料中的棉和亚麻都有着明艳的色调，内部加入金属丝让织物具有延展性。

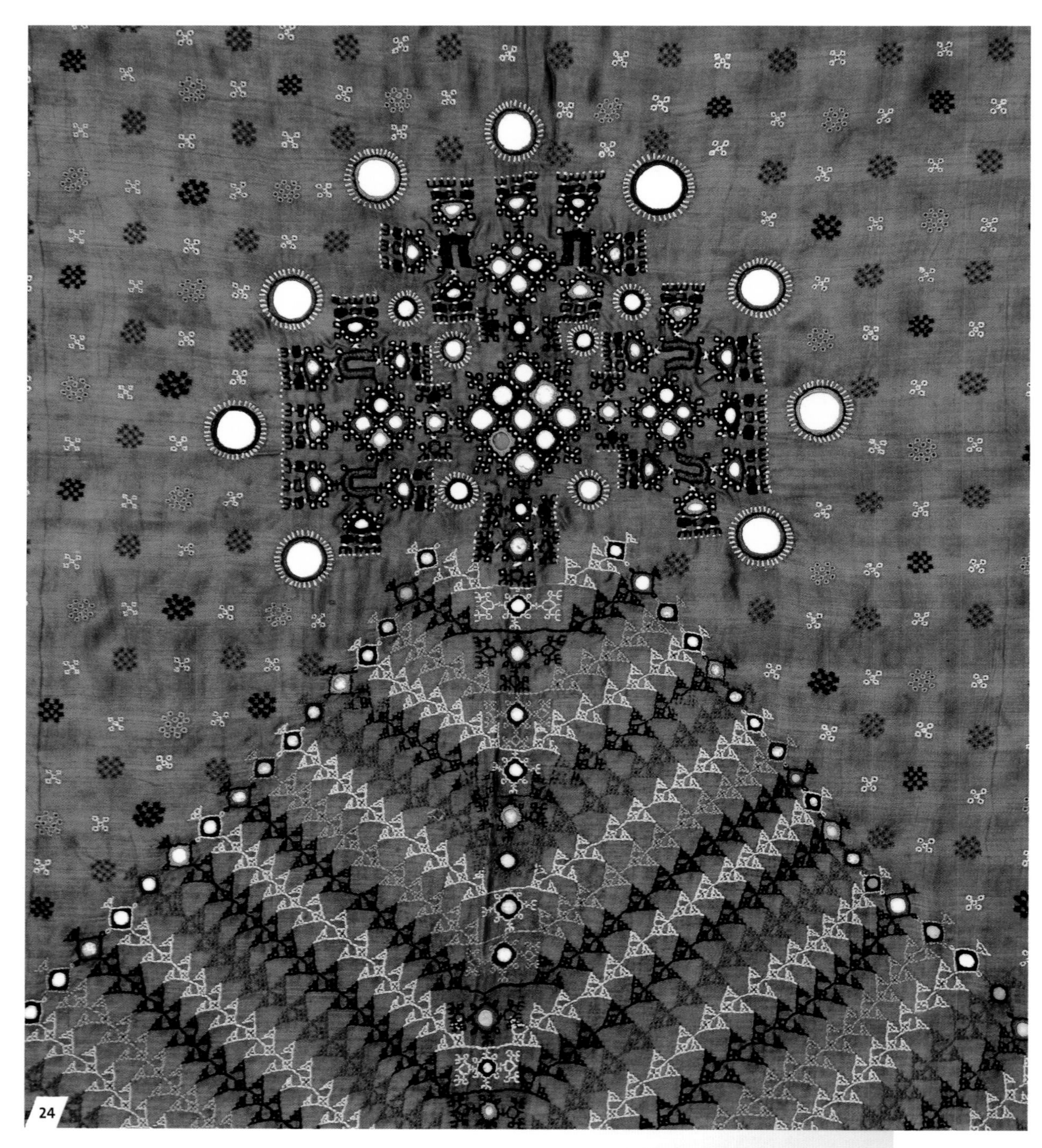

24

25

26. 乌兹别克斯坦工匠，拼合的布片（细节），20世纪20年代。

通过淡红色的絣染工艺，在丝质条带上加强了斜向排列的粗犷的色彩效果。

27. 埃维（Ewe）织工，条织棉布（细节），1920—1940年。

印加人也曾织造类似醒目的棋盘图案，在1438至1533年间，他们控制了美国西南部的大片区域。同一时期，埃维人迁移到了非洲海岸的加纳东南角。

28. 老挝织工，匹头布（细节），2002年。

这块补充纬纱装饰的布料于老挝万象的早市上获得，它由手工织造并手工染出底色。为吸引西方游客，人们又通过金色染浴，将其再次染色，以使色调更为柔和。

29. 法国工匠，手工印染棉花缎，约1925年。

花缎的套印创造出了支离破碎的色调，它采用了手工木版印刷或是由一种丝网印刷的早期形式印制。

26
27
28
29

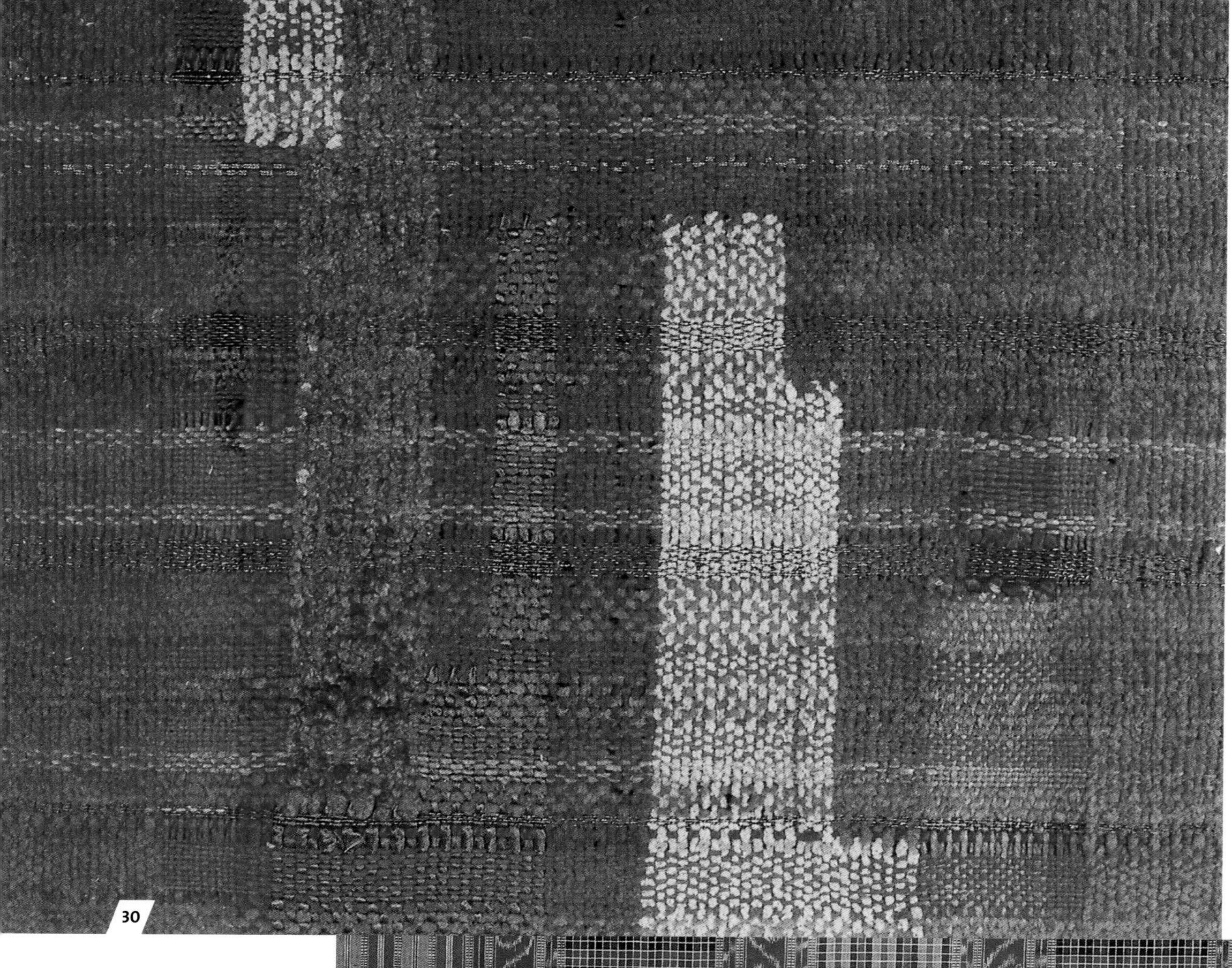

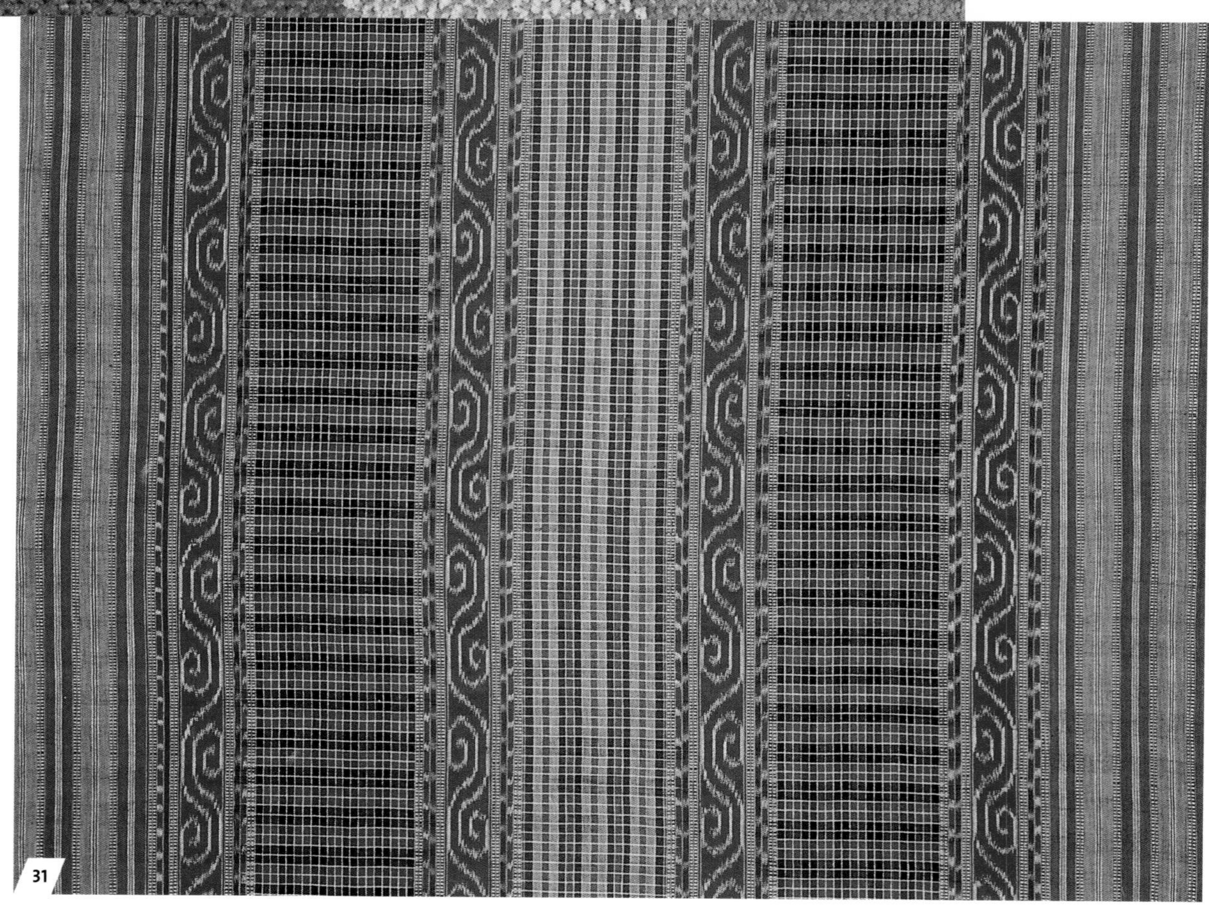

30. 多萝西·利贝斯（Dorothy Liebes），手织样片，1938—1968年。

用棉绳绒线、金属线、丝和棉手工织造的样片小品。

31. 印度工匠，棉纱丽，1956年之前。

这种有着交织图案的条纹和格子，纵向带盘卷纹样的条带，是通过织前先将经线染色制成的，这种方式也就是“絣织”。

32. 中国的机器印花工，服新（一种长筒裙）（细节），2002 年。

这件纺织品购于老挝的勐新市场，在那里，对有色织物的需求量很大，导致有人开始仿制这些印花涤纶。这块布料用 mat（绑织工艺）和补充纬线装饰，模仿了筒裙的样式。

33. 瓦哈卡（Oaxacan）织工，用于节日的一种套头穿的连衣裙（Fiesta huipil）（细节），1968 年。

这件女孩的节日服装是在背带织机上手工织造的，其织锦条带中包含了色调鲜艳的棉线，与采用双重纬线捻后编织且带有鸡形图案的带状部分交替出现。

35

34,35. 佚名机器印花工，匹头布（细节），20 世纪。

这块印花布模仿了典型的巴拿马圣布拉斯岛的莫拉斯的鲜艳色彩和复杂的反向贴花技术。

36. 桑德拉·罗德斯（Zandra Rhodes），高级军官，1964年。

罗德斯现在是一位国际知名的时装设计师，她曾经在皇家艺术学院学习纺织设计，在她毕业的时候，她为希尔公司设计了丝网印刷的装饰织物，由许多勋章混杂构成。

37. 多琳·戴尔（Doreen Dyall），洋娃娃的房子，1962年。

多琳·戴尔是伦敦皇家艺术学院纺织系的毕业生，她在20世纪50年代和60年代期间，将波普艺术的影响带到装饰织物中。这件丝网印花的作品是她为伦敦希尔面料公司所作，而希尔公司在这一时期因生产前卫派的纺织品而闻名。

38. 威廉姆·克罗泽/鸽舍工作室（William Crozier/Dovecot Studio），复活节，2008—2009年。

这块壁毯有许多色调变化，是克罗泽和爱丁堡鸽舍工作室的大卫·科克兰、内奥米·罗伯森、乔纳森·克利弗以及首席织工罗纳德·格里尔森合作的结晶。

39. 乌兹别克斯坦工匠，丝棉纱线絣织，约1900年。

其深黄色是来自藏红花的植物染料。

40. 马戈·卢尔斯（Margo Lewers），橙色经历，1975年。

亚麻上的绘画染料旨在“剔出一个人经历过的感受或是得到的印象，并用形式和色彩再次将它们表达出来”。卢尔斯是一位澳大利亚抽象表现派画家，早在20世纪30年代他就在伦敦与约翰·法利一起学习纺织设计。

41. 印度手工印花工，围巾（细节），约1990年。

从合成染料中获取的灿烂色彩令这块棉巴厘纱布异常醒目。纱布为出口所制，本例则是为世界超市（Cost Plus World Market）所制，那是一家1958年成立于旧金山，经营“全球集市”的美国连锁店。

42. 帕坦（Patan）家庭，派多拉绸样品，约1978年。

在印度语中，派多拉指的是双纱线絣织技术，其中经纱和纬纱都要在织布之前预先染好。这件作品获取于1978年，当时只剩两个家庭在继续使用这种复杂的传统方法。

43. 托勒密·曼恩（Ptolemy Mann），装饰墙面的三片布（阿尔伯斯之后），2010—2011年。

这件三幅一联的拉伸织造布片与阿尔伯斯在1925年早期墙面装饰布上的几何构造相呼应。曼恩的目的是“唤起它们的美，向现代纺织的标志性人物致以崇高的敬意……重申我作为织工的本质身份”。

44. 乌兹别克斯坦工匠，纱线扎染布的片段，20世纪早期。

一块丝棉经絣布。

45. 普瑞提·吉拉尼（Preeti Gilani），丝绸围巾，2008年。

传统手织技术与电脑技术结合的手工染色方式让吉拉尼能够表现出光泽和柔软的质感，增强了丝绸的华贵感。

41

42

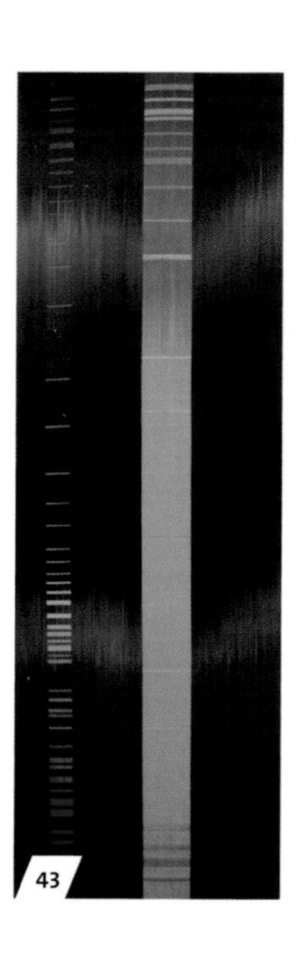

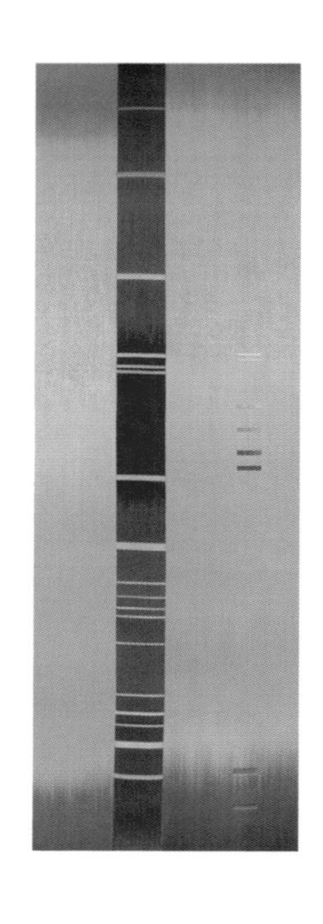

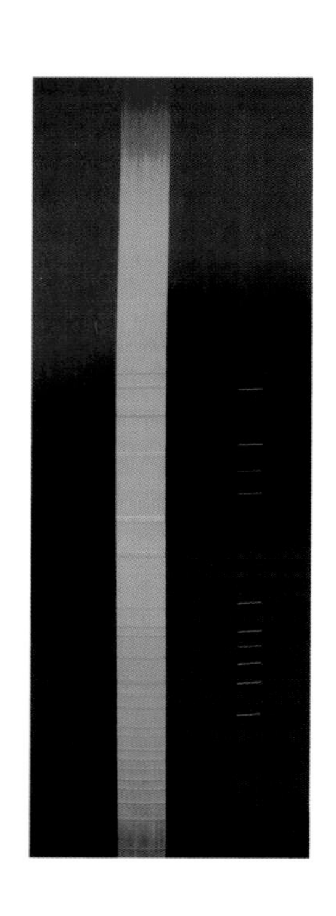

46. 西比尔·海宁（Sibyl Heijnen），剧院帷幕，2006年。

荷兰斯宾惠斯普林的施皮格尔剧院的这块合成纤维的帷幕，由剪切、捻、弯曲、旋转的实验性工艺手法制成。这块帷幕由近100节组成，每一节都可以单独旋转，创造形式和色彩的缓慢变化，后者的变化包括了23克拉镀金层。

47. 玛丽·雷斯蒂奥（Mary Restieaux），无题絣织织品，1980年。

纺丝絣织，经面平纹结构。采用酸性染料给平纹和絣织的条纹上色，织造之前就先浸染了纱线。

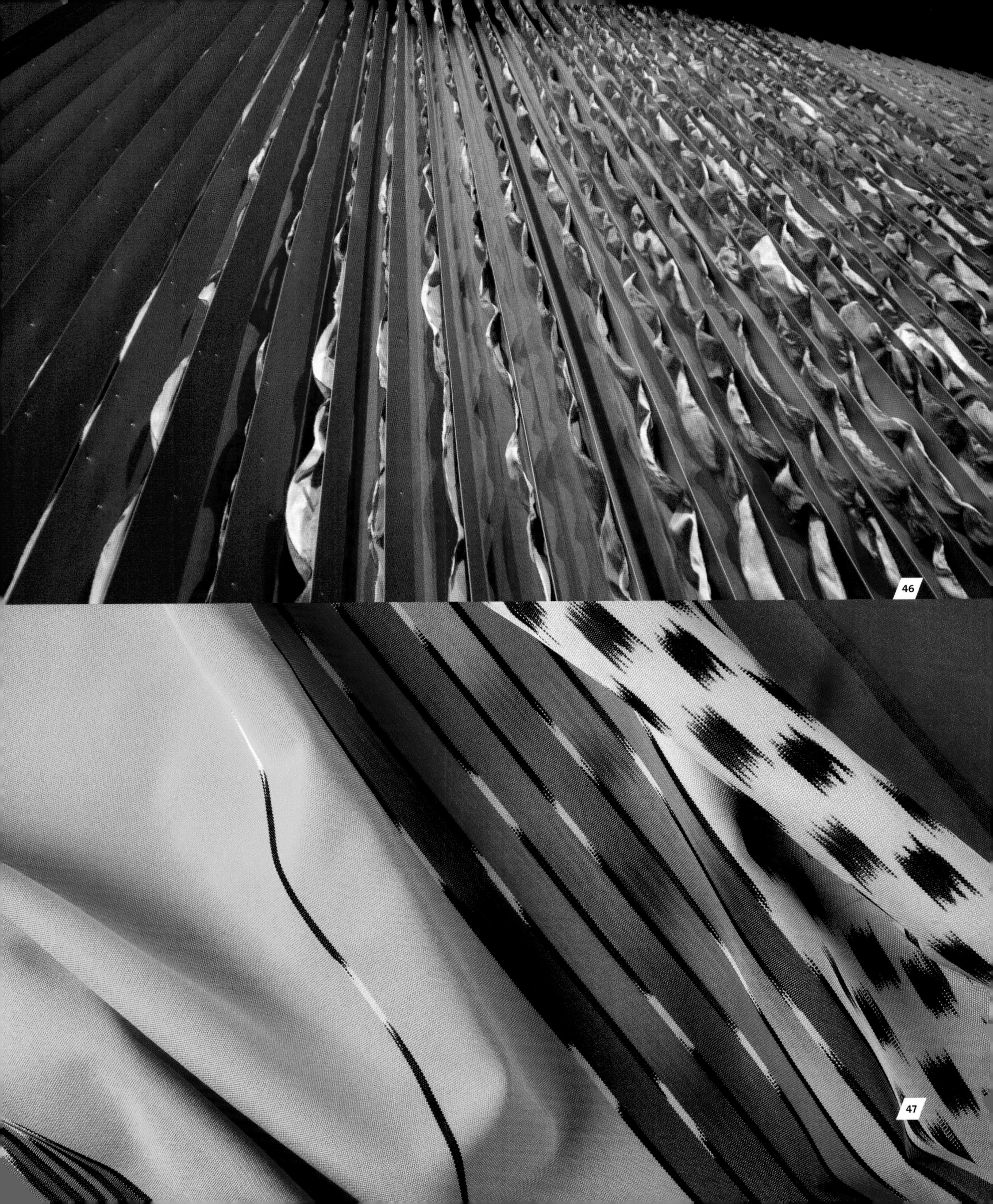
46

47

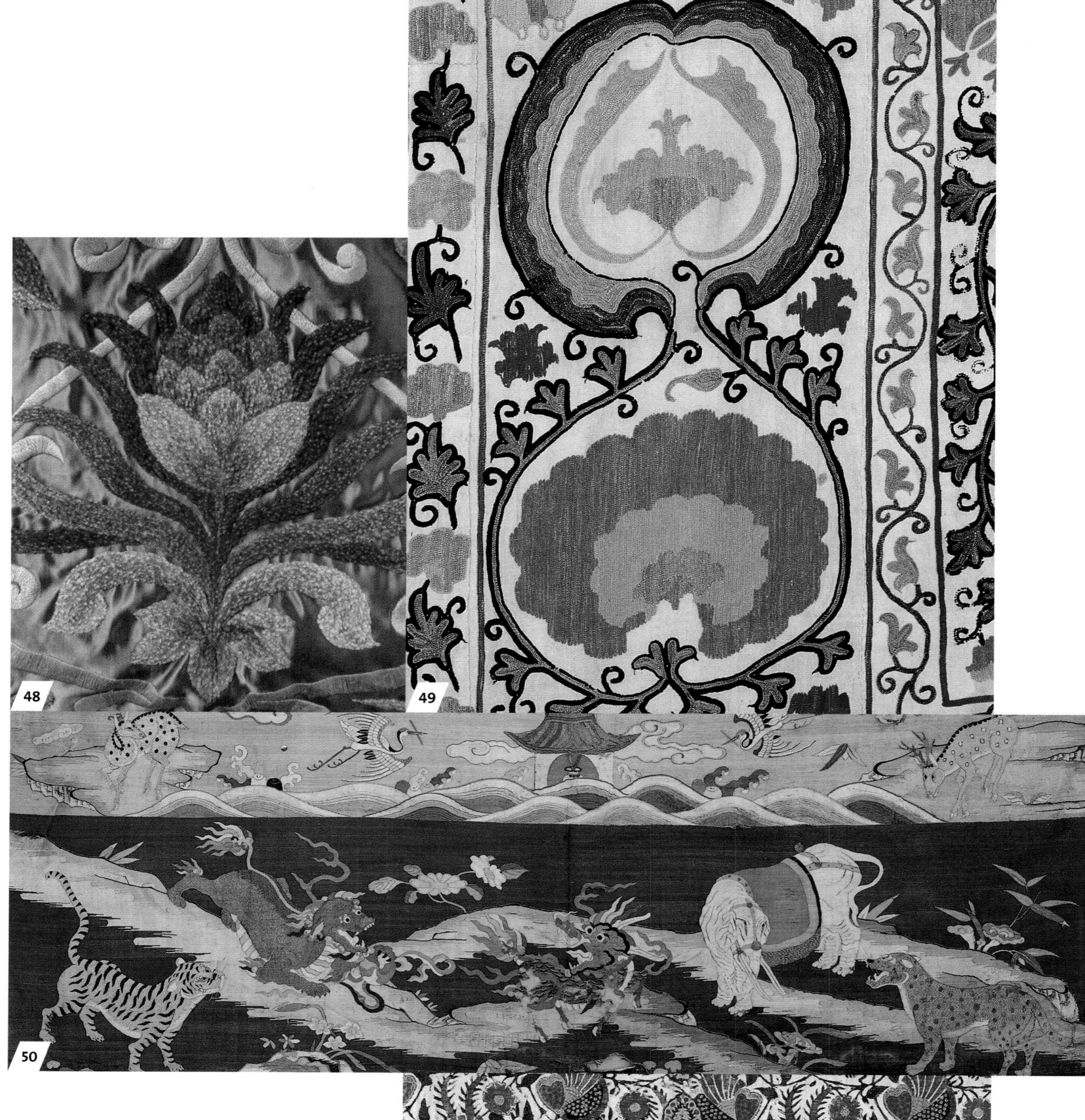

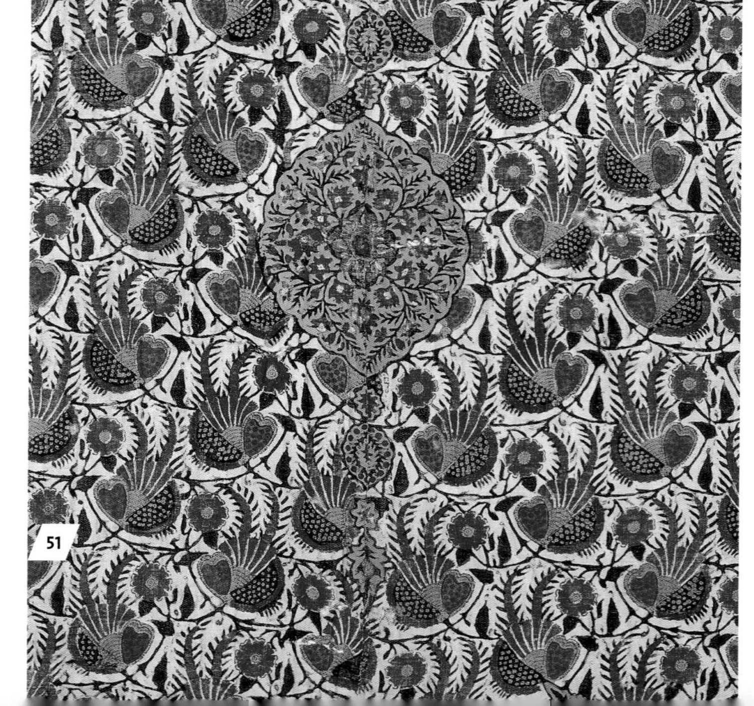

48. 英国绣工，格拉斯哥国际展皇家接待室的布片（细节），1888 年。

这块布片为佚名的绣花工和设计师所制，可能与伦敦皇家刺绣学校有关，它是在蓝色的绸缎上用绣花绒线（一种绒状线）和金线缝制的。它展示了与皇家学校有关的“艺术刺绣”的配色。

49. 乌兹别克斯坦工匠，刺绣装饰部落纺织品（细节），19 世纪 60 年代。

这件作为嫁妆的绣品来自乌兹别克斯坦布哈拉地区，是在棉布上用鲜亮的丝线绣成的。

50. 中国织工，明代绰丝（细节），17 世纪晚期。

这块丝绸织锦的下边缘是代表帝王的龙和代表胆量、勇敢以及力量的三种动物。

51. 印度工匠，床罩（细节），18 世纪早期。

印度印花棉布展现出了丰富的配色，致使其在东西方都受到追捧。这件棉布床罩是用固色媒剂绘制和印花的。

52. 路易斯·琼斯（Lewis Jones），沃纳手工丝网印刷装饰面料，1937 和 1938 年。

1910 至 1953 年间，琼斯是伦敦希弗尔工作室的一名设计师，她采用鲜艳的背景色，以发挥丝网印刷既能印出纯色又能印出变化微妙的色彩的能力。亮色的纺织品表面具有亮漆般的效果。

53. 英国业余绣工，毛毡片（细节），18 世纪中期。

将上百片花瓣形的羊毛毡，染成渐变的颜色，用贴布绣和刺绣工艺创造出丰富的色调和三维立体效果。

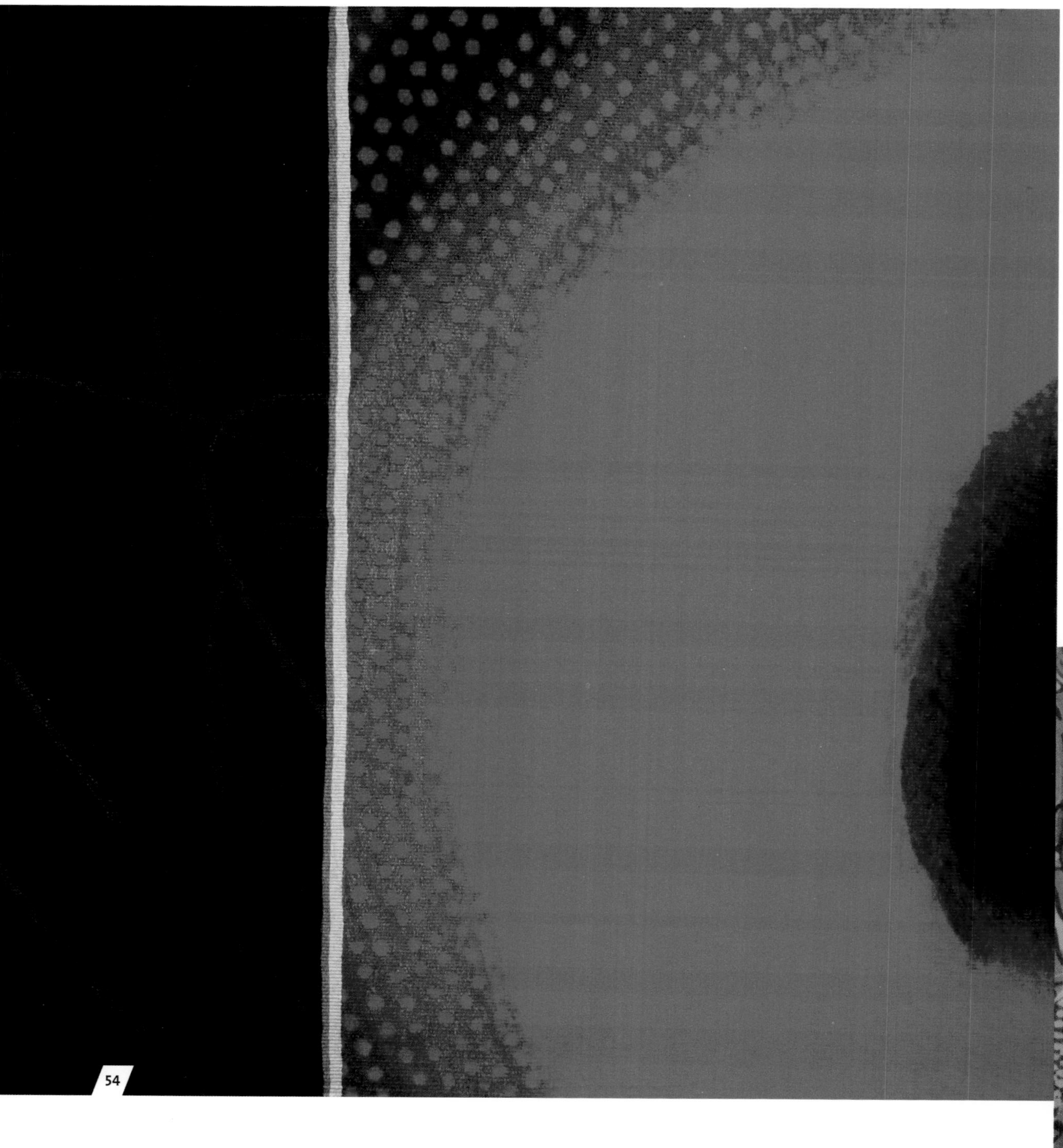
54

55

54. 乔·巴克（Jo Barker），生长的朱红色，2008—2009年。

巴克之前自由地使用摄影、抽象拼贴画、印花和绘画手法进行创作，后来她慢慢认识到，在织锦形式中，她的兴趣在于色彩带给人们的情感冲击。

55. 纽约—巴黎朗万，领带（细节），约1970年。

这件色彩鲜艳的丝织品可能是由手工木版印花的，它可能是一条领带。这是对传统印度图案的一种“异乎寻常”的现代化更新。

56. 马戈·卢尔斯（Margo Lewers），橙色和红色，1975年。

卢尔斯在67岁时创作了一系列基于早期水彩画的作品，他通过叠加透明色做试验，在生丝和涤纶上用染料绘画。1981年，卢尔斯的家变成了澳大利亚新南威尔士彭里斯地区美术馆，他的藏品则变为馆中的“卢尔斯遗赠”部分。

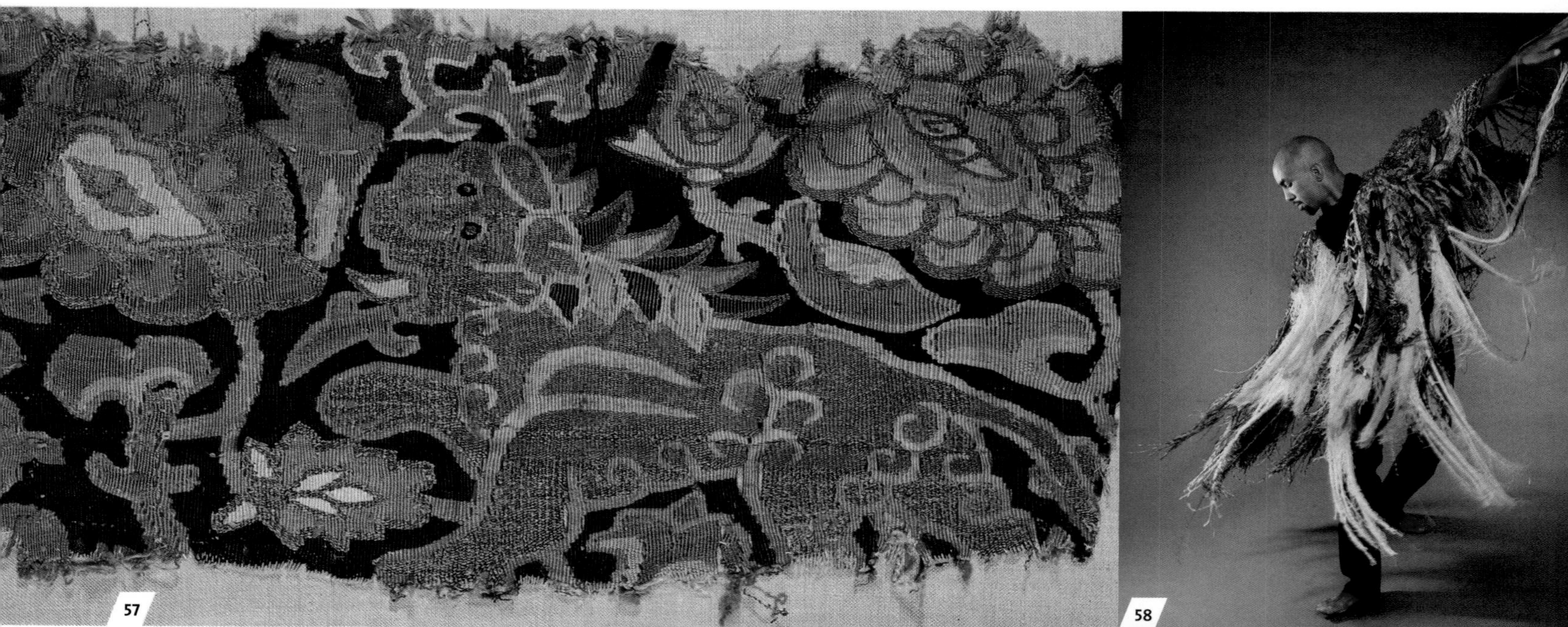

57. 中国织工，北宋缂丝残片，10—11 世纪。

那些稀有的丝绸织锦残片，就像这件一样，仍然保持着它们原来的明亮度。

58. 罗伯特·赫列斯塔（Robert Hillestad），纤维草地鹨，2007 年。

这件作品用套结技术将丝线和合成纤维手工编织在一起，并且运用了斜纹的窄长条丝织物。它捕捉到了西部草地鹨胸前充满生气的黄色闪光。

59. 珍妮特·史托义（Janet Stoyel），试验（细节），2007 年。

史托义是激光印花和剪裁的先锋。这里的试验是先在丝绸上用激光和超声波进行处理，然后将这块丝绸夹在玻璃中并且烘干，产生色彩斑斓的效果。

60. 安娜－玛丽·沃里（Anne–Marie Wharrie），玛丽姑妈（细节），2010 年。

这些色彩欢快的棉线卷来自艺术家姑妈工作过的家庭工厂，还加上了旧珠子、钩针编织部分和包装纸。

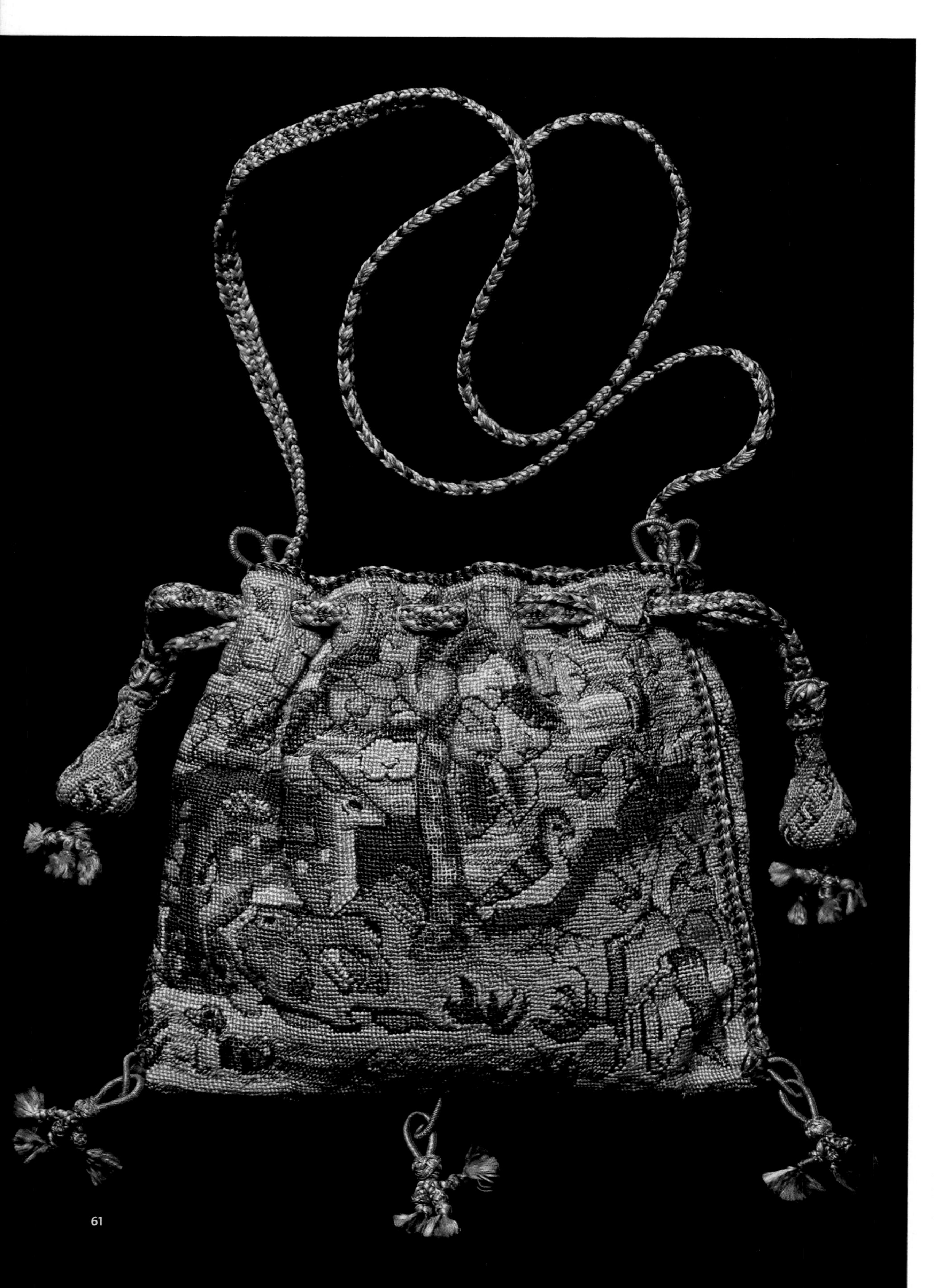

61

61. 英国业余制作者，甜食袋，约1600—1630年。

这个袋子，在帆布上做了精美的点针绣，呈现了非同寻常的田园风光。里面填充薰衣草时，这种小袋子就和衣服及亚麻布一起储藏；填充香盒或硬币的时候，就是很贵重的礼物。

62—70. 来自不同的制作者，包和手袋。

长期以来，包一直可以用以表达身份，比如“外交信袋（diplomatic bag）”一词以及今天的“高档包（status bag）”。作为“办公室的身份徽章”这样一个饰品，意味着包并不一定需要功能性，比如20世纪中叶正式的突尼斯填塞平绒手形袋（图68），上面用丝线和金箔、亮片和珠子装饰。还有一些精美的案例，比如用丝线和镀银包裹的线织成的拉绳钱包袋，可能制作于1700年的英国（图70），是新郎给予新娘的“嫁妆钱包”。20世纪日本絣织图案的麻制小袋（图63）同样小型。制作于2003年的印度晚宴包则稍大一点（图65），它缝上了小玻璃珠和塑料亮片。那只大约23厘米（9英寸）高、前面饰有小玻璃珠的包（图69）和羊毛纬纱嵌花的编织袋（图62），后者是19世纪后期西部平原印第安人的典型物品。草绳打结、边缘钩编的例子，来自危地马拉，20世纪20年代（图67）。20世纪50年代的秘鲁流苏棉袋（图64），装饰图案采用补充纬线的手法。20世纪60年代伊朗的羊毛毡包（图66）是其中最大的，有40厘米（16英寸）高。

62

63

64

65

66

67

68

69

70

71

71. 埃塞俄比亚工匠，钩编帽子，2010年。

工匠通过选择并且并置大量不同颜色的交替条纹，创造出醒目的变化。杰恩和乔斯·格雷姆是著名的伦敦收藏家和贸易商，他们走遍世界寻找纺织品。这组帽子是杰恩在加利福尼亚拍摄的。

72. 塔吉亚娜·亚尼施维斯凯（Tatyana Yanishevsky），洞穴状的愤怒，2010年。

这件作品焊接有钢材与LED灯，包裹在手工编织的纱线里，高91.5厘米（36英寸）。

73. 安妮·菲尔德(Anne Field),片段2004AD,2004年。

部分被火毁坏的手织棉布，放置于哈维·布雷的陶瓷片上：产生的结果就好比“考古学挖掘中发现的生命痕迹，纺织品的发现非常稀少，所以我做了这件作品向早年的织工们致敬……致敬这些就像我们一样，活过、爱过、历经死亡的人们”。

74. 维姬·梅森(Vicki Mason),花束,2011年。

作品由带有粉末涂层的黄铜、红铜和纯银，手工染色的PVC，聚酯纤维、人造丝和黏胶线构成。梅森将家居和文具中残余的塑料与纺织和金属制造技术相结合，创造出“一种跨越媒介/材料的语言”，挑战了“珠宝和纺织品应该是什么样”的分类标准。

76

77

78

75. 罗兰· 里基茨（Rowland Ricketts），九个物品 No.7，2004 年。

枫树种子和靛蓝色的羊毛形成了这件让人深思的作品。它的制作对艺术家来说，是“挑战我自己去更好地定义植物和我所使用的工艺的实质性意义”。

76. 珍妮弗·福尔克·林森（Jennifer Falck Linssen），深处之美（细节），2006 年。

这只手工艺篮子是用日式纸板印刷风格的手工雕刻纸（原本用于制作印花版），以及带有连续的盘绕线圈和线芯暴露在外的针缝结构制成的。所用的材料包括纯银、细银、棉档案纸、靛蓝、单丝、上过蜡的亚麻、油漆和亮漆。

77. 黛拉·里姆斯（Della Reams），卡塔尔植物，2009 年。

作品的花瓣部分是将羊毛和混合纤维纱线运用夸张法手工钩织而成，茎干部分则是由手工和机器针织而成。这些“花朵”被放在购买来的基座上，象征着发现石油以来卡塔尔的快速演变，尤其是“不断增加的不同文化背景的人以及越来越多的装饰卡塔尔女性传统黑色阿拉伯长袍（外出服）的色彩和图案”。

78. 梅勒妮· 西格尔（Melanie Siegel），容器，2009 年。

这件作品是用金属线在自由绣缝纫机上绣成的。由法国昂热让 – 吕尔萨博物馆的当代挂毯评判委员会接收，在第二十一届国际微型纺织品巡回三年展“有或没有水？”上展示。

79. 玛丽–洛尔·伊利（Marie–Laure Ilie），白日美人 / 夜间美丽，2009 年。

在丝绸上绘制并且热传导古代雕塑的图像，旨在“唤起永恒和恶化的感觉……石化的身体线条使人想起围篱、物质以及精神［和］一系列永恒的人类情感”。

80. 卡罗尔·沃勒（Carole Waller），脚本 2，2011 年。

在一件真丝透明硬纱的衣服上手工印花。沃勒在标签上写着：“我不是行走的帆布。”意思是在她的可穿着艺术中，服装和人体的动感都一样是她使用的元素。

81. 保拉·马丁（Paula Martin），记忆的地平线 No.2，2003 年。

着色的平纹细布和竹子结合成圆筒，令人想起了艺术家在原始林区的家，以及她对自然过程中 转瞬即逝的图案的兴趣。作品超过 2 米（7 英尺）长，阴影也同样是作品的一部分。

82. 路易莎·简·欧文（Louisa Jane Irvine），柱形物，2010 年。

这件混合媒介雕塑作品使用了灰泥填充，旨在推动观众“走出他们的舒适区域，在一个新的微妙空间里邂逅女性的形体。这个空间里，厌恶和吸引在默默相遇”。

83. 索尼娅·安德鲁（Sonja Andrew），束缚 II，2008 年。

这件三幅一联的作品由植绒、贴布绣和数码印花的缝制棉线构成，通过丝网和热转移印花，反映了艺术家的祖父信仰公谊会带来的后果。作品表现了第一次世界大战之初祖父因宗教信仰而拒服兵役，导致监禁的情形，以及之后反对者和反对者家庭遭受的持续敌意。

84. 金姆·舍恩伯格（Kim Schoenberger），拼缝（细节），2010 年。

手缝和踏板缝纫机缝制的回收茶包，“就像生活，既易碎又坚强，既脆弱又有适应力，带有蔓延的温暖舒适感”。

85. 罗珊·霍克斯利（Rozanne Hawksley），外科医生的装备（细节），2003 年。

这件是多媒体装置《女裁缝与海》的一部分。保证水手在海上生存的外科针线和缝针手段在此被展示成和家用针线及针缝手段一样，而正是由于家用的针线，女裁缝才能在岸上生存。

81

82

83
84
85

86. 安妮·杰克逊(Anne Jackson)，猎杀女巫的恶行(悼念)，2007年。

古腾堡印刷术发明后，人们得以印制更多警告世人应当害怕女巫的威胁、将女巫处决的文章，并广泛传播，欧洲很快兴起“处决女巫”的风潮。这块用打结织锦织法织成的棉麻布上描绘了这些早期出版物上木刻印版印制的画面，包括《女巫之锤》，暗指现代哗众取宠的媒体也在“猎杀女巫”。

QUIBUS DEORUM MUNERE
DATUM EST AUT FACERE
SCRIBENDA AUT SCRIBERE
LEGENDA , BEATISSIMOS VERO,
QUIBUS UTRUMQUE .
HORUM IN NUMERO AVUNCULUS
MEUS ET SUIS LIBRIS ET TUIS
ERIT .
QUO LIBENTIUS SUSCIPIO
DEPOSCO ETIAM , QUOD INIUNGIS

ERAT MISENI CLASSEMQUE
IMPERIO PRAESENS REGEBAT .
NONUM KAL . SEPTEMBRES
HORA FERE SEPTIMA MATER MEA
INDICAT EI APPARERE NUBEM
INUSITATA ET MAGNITUDINE ET
SPECIE .

USUS ILLE SOLE ,MOX FRIGIDA ,
GUSTAVERAT IACENS
STUDEBATQUE . POSCIT SOLEAS
ASCENDIT LOCUM , EX QUO
MAXIME MIRACULUM ILLUD
CONSPICI POTERAT .
NUBES , INCERTUM PROCUL
INTUENTIBUS , EX QUO MONTE (
VESUVIUM FUISSE POSTEA
COGNITUM EST) ORIEBATUR ,
CUIUS SIMILITUDINEM ET
FORMAM NON ALIA MAGIS
ARBOR QUAM PINUS
EXPRESSERIT .

NAM LONGISSIMO VELUT
TRUNCO ELATA IN ALTUM
QUIBUSDAM RAMIS
DIFFUNDEBATUR , CREDO QUIA
RECENTI SPIRITU EVECTA , DEIN
SENESCENTE EO DESTITUTA
AUT ETIAM PONDERE SUO VICTA
IN LATITUDINEM VANESCEBAT ,
CANDIDA INTERDUM ,
INTERDUM SORDIDA ET
MACULOSA , PROUT TERRAM
CINEREMVE SUSTULERAT . ERAT
MAGNUM PROPIUSQUE
NOSCENDUM , UT ERUDITISSIMO
VIRO , VISUM .

87. 埃尔斯·万·巴雷（Els van Baarle），普利纽斯的信，2010年。

万·巴雷从遭受风吹雨打的古物和结构遗存中获得灵感，作品用层层堆叠的蜡和染料展现了“近距离观察时，华美珍贵的细节”。

88. 丹尼斯·斯坦顿（Denise Stanton），无题3，2008年。

这件手工毛毡材料的雕塑装置作品是为了回应19世纪一座未完成的大厦而创作的，该大厦在伍德柴斯特公园，靠近格洛斯特郡的斯特劳德。

89. 玛莎·麦克唐纳（Martha McDonald），哭泣的衣服，2011年。

麦克唐纳穿着这件由绉纸做成的维多利亚风格服装进行表演，唱着哀悼的挽歌，同时用水喷湿衣服。纸的颜色被冲掉就好像“落泪”一样，表达了麦克唐纳“盼望回家，以及有关非永久和临时性的更深刻的观点”。

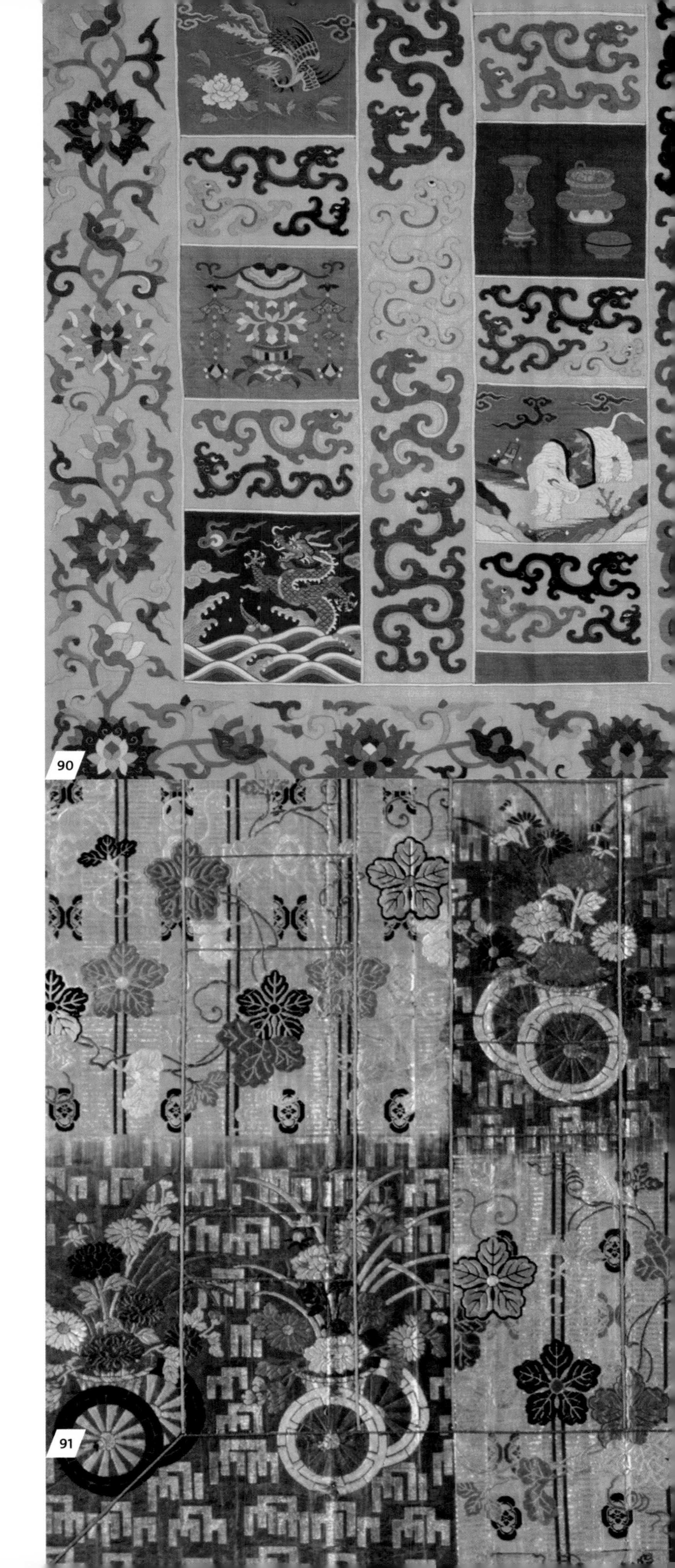

90. 中国织工，僧伽支，1644—1700 年。

这件佛教徒的僧伽支（斗篷）是由一位缂丝（织锦）织工用丝线和金属箔包裹的纱线织造的。其图案排列成正方形，代表了用废布衲成的百衲衣，这种百衲衣最初代表了僧侣对世俗观念的拒绝。这里展示的两件斗篷都由贝拉·马布里收藏。

91. 日本织工，袈裟，1775—1825 年。

这件作品在丝绸斜纹底布上织入了丝线和薄片（金属箔片），由此形成凸花纹，用絣染的经纱创造出色彩交替的区块。阶梯式的块状图案是 kara-ori（唐织）能剧服装的一个特征，它被认为是捐献给寺庙的一件佛教徒袈裟。

92. 英国专业绣花师，额头巾、扎头带或三角巾，约 1610 年。

用丝线和金属包裹的纱线绣出对立的鸟，置于银色的亮片和卷绕的包着银丝线的花茎中间，是一种变化了的复合线圈绣。这种布料一般会和头巾一起佩戴，与之完全相符的头巾现藏于伦敦博物馆。

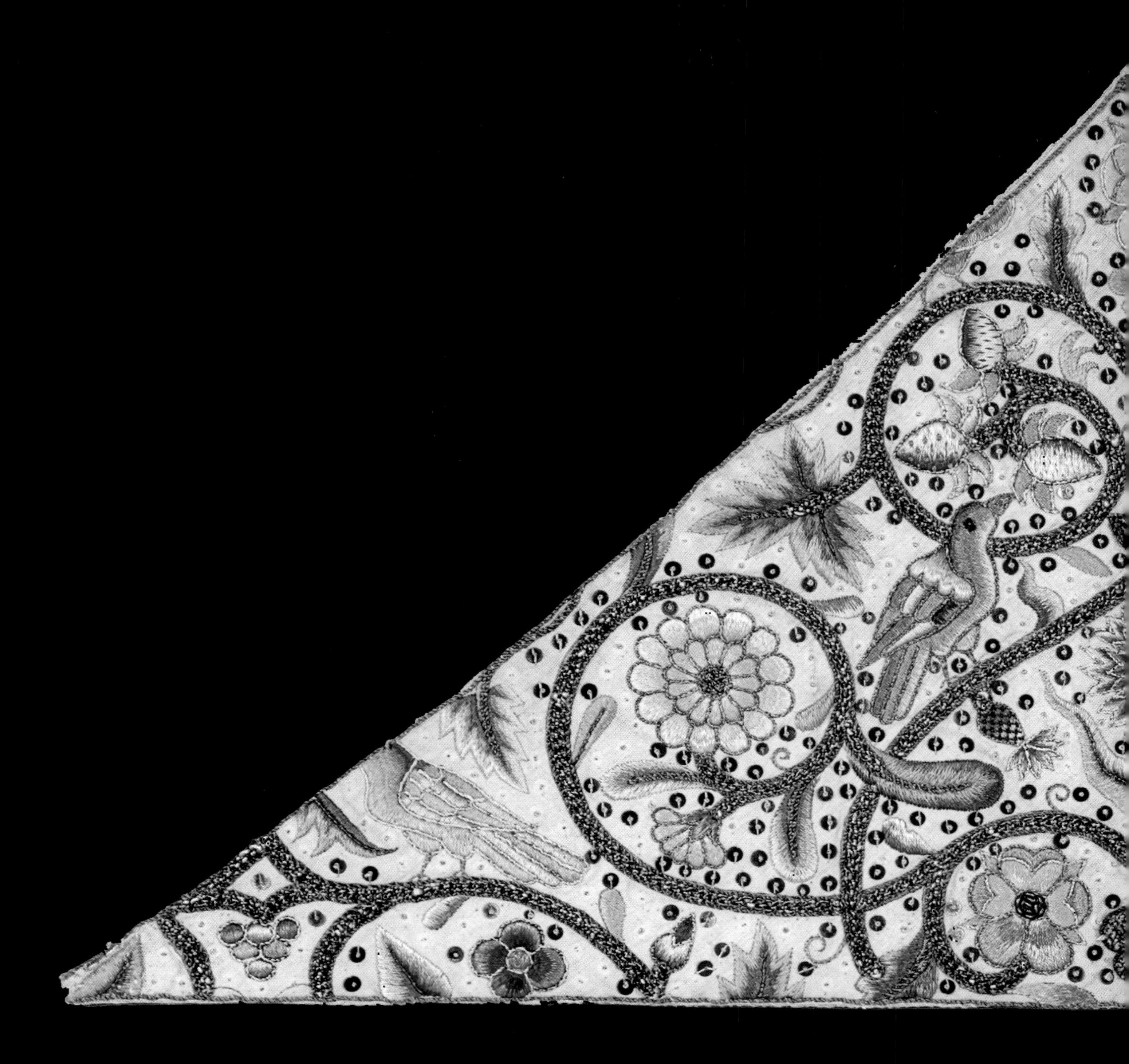

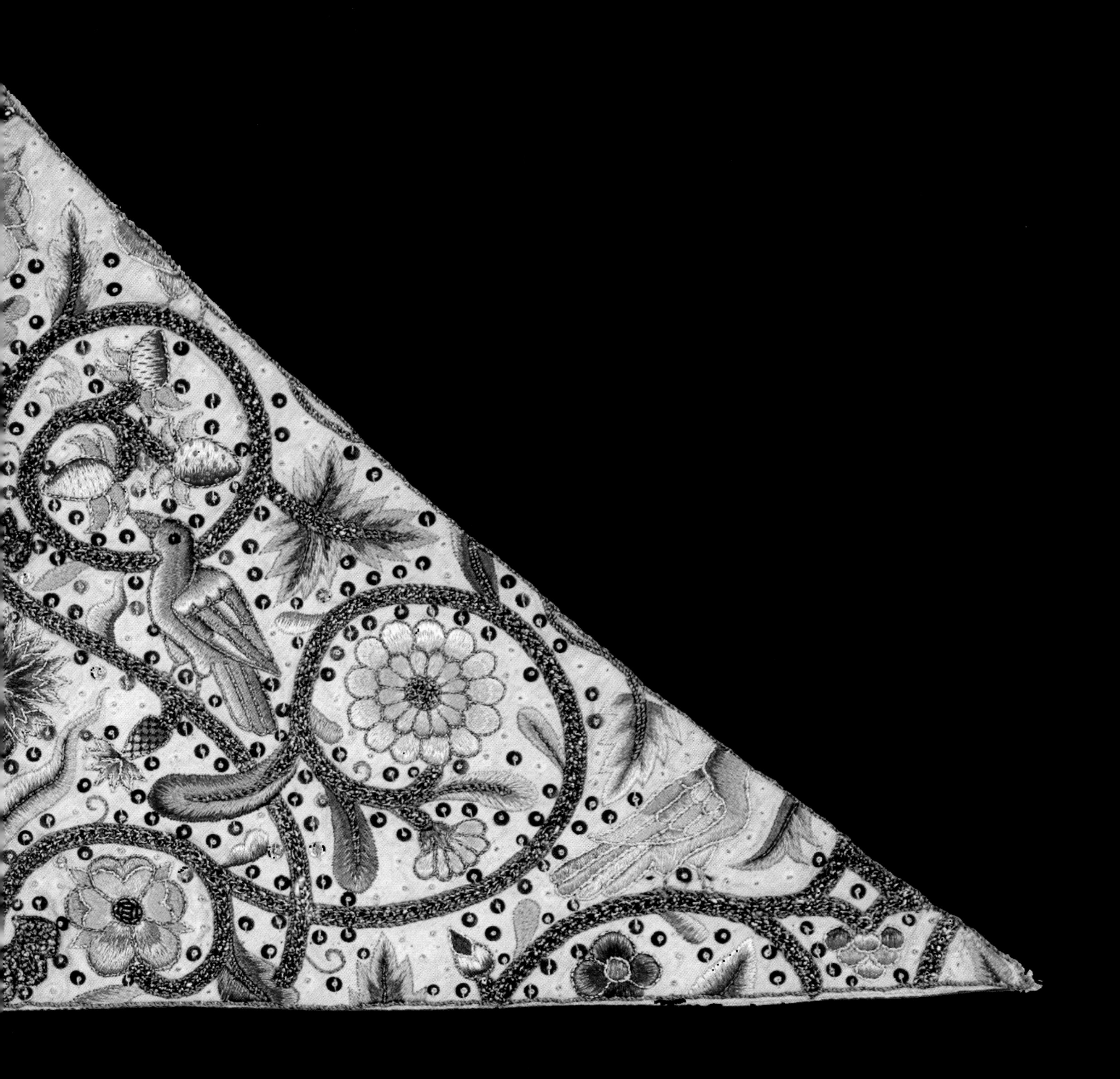

93

94

95

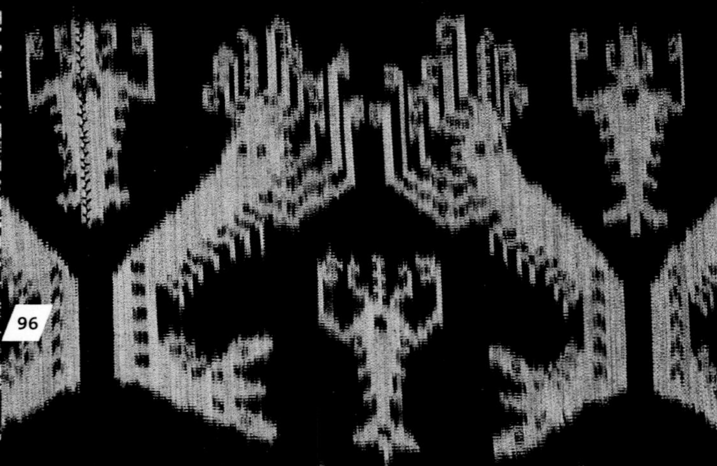

96

93. 翁布里亚织工，毛巾（细节），约1550—1600年。

像这种亚麻毛巾，尾部用靛蓝色的棉制补充纬线装饰，在一个意大利生产中心生产后，被称为“佩鲁贾毛巾”。其图案被认为来自马穆鲁克的纺织品，结合了哥特式欧洲的图案，在那里，狩猎主题也同样受欢迎。

94. 危地马拉织工，套穿连衣裙裙片（细节详图），20世纪50年代。

这块棉布的图案由靛蓝色的补纬制成，沿垂直和水平方向轴对称，构成更复杂的排列，这种图案排列方式通常与逊尼派穆斯林和穆德哈尔人有关——也就是基督教在当地占领统治地位后仍然留在西班牙和葡萄牙的摩尔人。

95. 西班牙或意大利织工，片段，约1600年。

这件复合织物是用丝线和金属线织造的，描绘了未加冕的威严的狮子，与哈布斯堡王朝的统治者有某种关联。

96. 松巴工匠，松巴毯（细节），19世纪晚期。

这件靛蓝色纯棉经纱的絣染丝绸改自印度的帕托拉绸。它可能是印尼精英人士穿着的腰布和肩布。

97. 古吉拉特珠饰工，镶饰片，19世纪晚期。

这一片纺织品来自西印度的索拉什特拉地区，图案采用“网状编织”技术，用小珠子做成对立的鸟和对称的树。

98. 印度绣工，绣花粗棉布（细节），20世纪中叶。

这块绣花棉布可能是一块摇篮布，由艾德和凯瑟琳·罗斯巴赫于20世纪下半叶收藏，同时还有枕套（图100）和刻版印花的案例（图101）。

99. 苗族绣工，绣片，20世纪90年代。

用拼合布料做边框的十字绣棉布片，长宽皆约20.5厘米（8英寸），制作于中国或泰国的苗族村落。

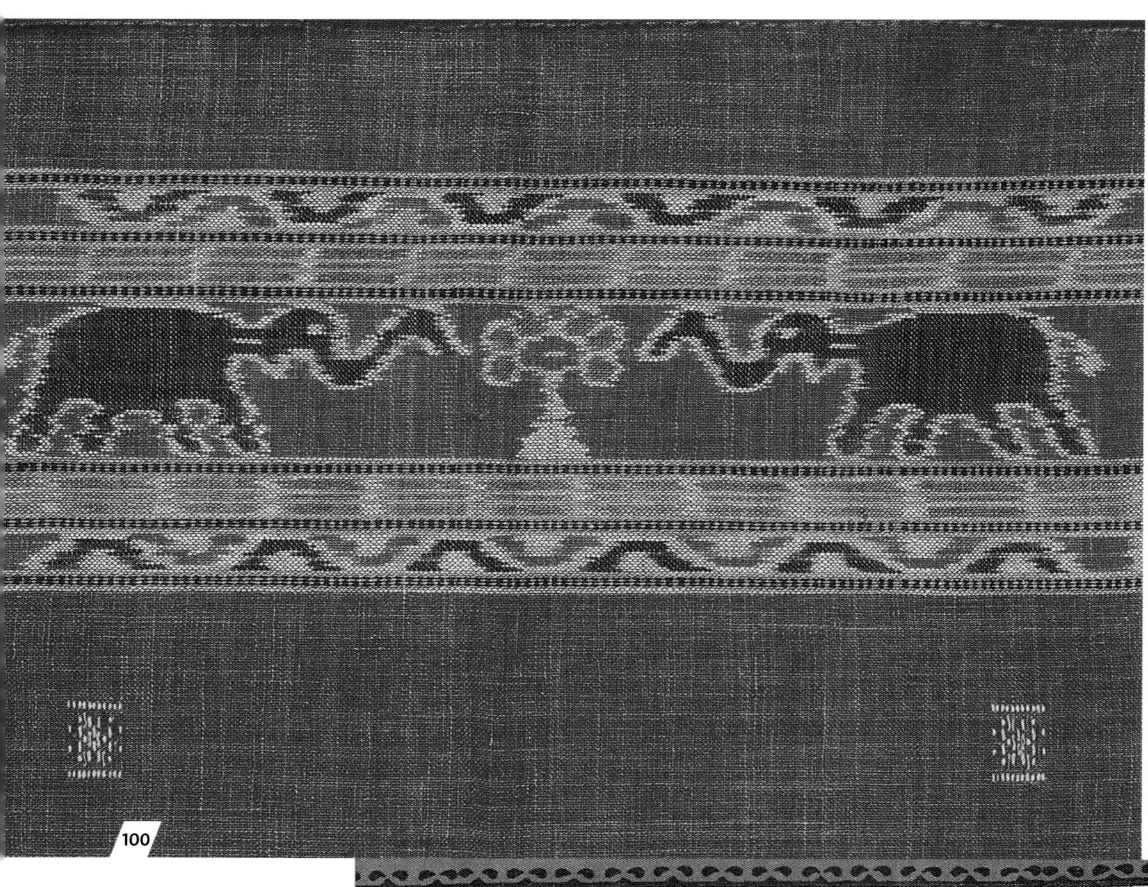

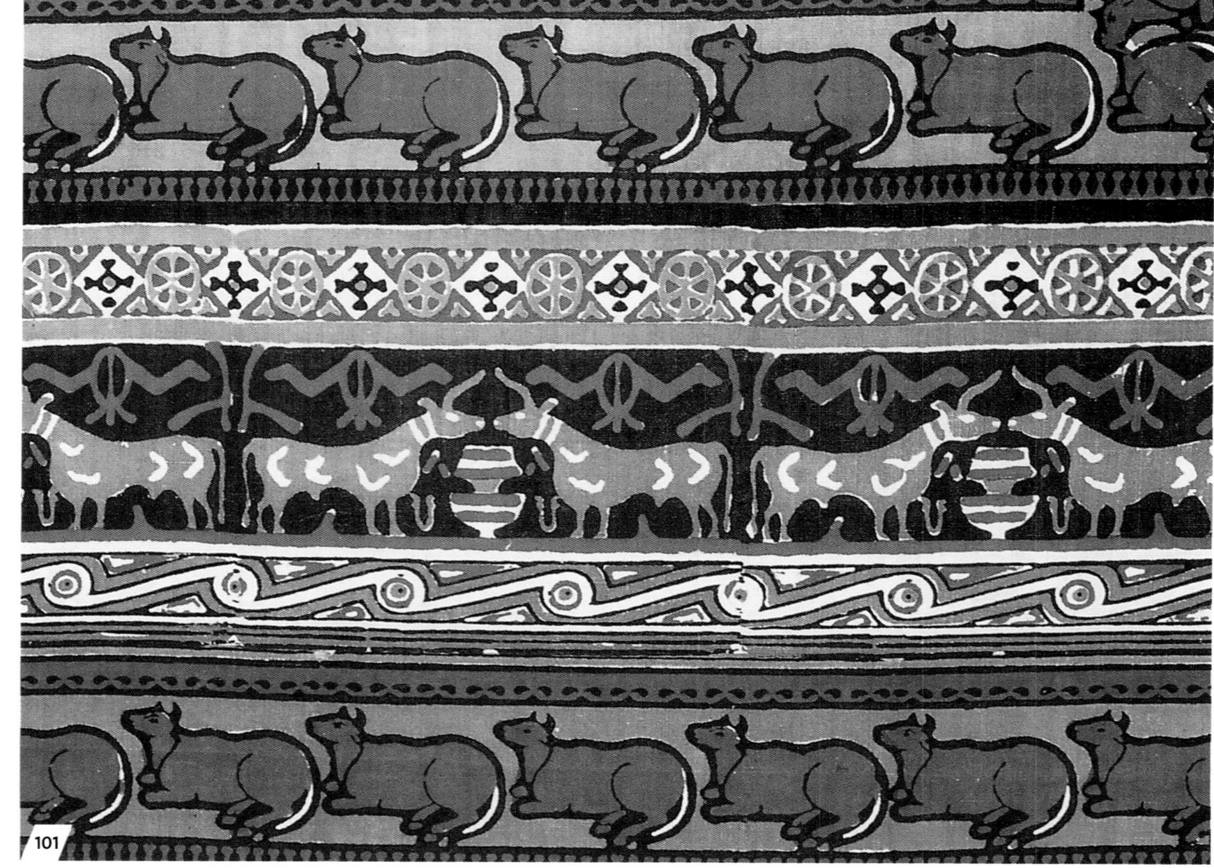

100. 印度织工，奥里萨邦织枕套（细节），20 世纪中叶。

垂直或经纱方向镜像对称的双边图案是先在织机上织好的，在许多其他类型的纺织品中也发现了这种图案。双边对称在自然和人脸中普遍可见，许多社区和宗教都将之赋予深意。正如这件枕套所反映的，奥里萨邦织工因他们的絣织技术而闻名。

101. 印度制造商，机器印花，20 世纪中叶。

这件作品的机器印花模仿手工模版印花，也描绘了两两相对且对称的动物。

102. 艾宰穆尔(Azemmour)绣工，装饰带（细节），约1820年。

这块摩洛哥海岸亚麻布上的图像，是用以锈红色（锈染色）为底色的丝所进行的之字绣，这是地中海地区常见的类型。和其他地方一样，它象征着连接自然和精神世界的宗教仪式和叙事手法。

103. 老挝织工，门帘或棺材盖布（细节），约1995年。

手工织造，红色的棉布底上装饰着连续和非连续的补充纬线。

104. 土耳其织工，丝绸织锦，约 1570—1600 年。

这块既稀有又极其精美的土耳其纺织品的例作表现的是郁金香。这些花是土耳其帝国中亚根源的象征，同时也代表“阿拉”这个词，因为在阿拉伯语中，两者字母相同。这块丝绸表达了波斯的多种观念，包括普遍君主制（一种君主制观念）、复兴、和平、神秘的迷醉状态和世俗的权力。

105. 西班牙织工，丝锦缎片段，1500—1550 年。

这种包含动物轮廓和风格化花饰的尖顶式网状形式，令人回想起早期的圆形纹章。

106. 蒙戈（Mungo）设计，四叶苜蓿形餐巾，2011 年。

斯图尔特·霍尔丁对几个世纪以来以手工制作复杂设计的织工们充满敬意，受这种情怀激发，他在 1998 年成立了“蒙戈设计”，以复兴传统纺织工艺。这件连锁圆形的例作是在南非一个农场的无梭多尼尔织机上织造的，用的是当地生产的亚麻纱。

107. 穆迪哈尔（Mudéjar）织工，丝绸彩花细锦缎，15 世纪晚期。

在这件安达卢西亚复合织造的丝绸上，加冕的狮子在劈开的棕榈叶下相对跃起。它可能织于格拉纳达，从 14 世纪起，当地就因其高质量的丝绸而闻名。这样的图案最初织造于伊斯兰纳斯里德王朝统治末期，并在后来的几十年中继续为新的基督教神职人员制造。

108. 中国印花工，丝绸片段（细节），20 世纪 50 年代或更早。

这里的圆形纹章包含了一条五爪龙，是中国历朝历代帝王的象征。这块布样曾经列于旧金山纺织和表演艺术家凯斯克・王的纺织收藏之列。

109. 日本制造商，包袱布（细节），20 世纪。

鹤的图案代表长寿和好运，是这种仿棉蜡包裹布上发现的若干圆形饰章图案之一。

110. 沃尔特・克兰（Walter Crane），四季（细节），1893 年。

这是托马斯・沃德尔公司为伦敦利伯蒂百货制作的机器印花布，底布是日本真丝料，克兰使用了文艺复兴时期的典型图案曲线圆形纹章，但仍保留了“包围圆环形绳索”的样子。

111. 瑞典织工，斯科纳粗毛毯（细节），约 1850—1900 年。

这件交织了羊毛的手织亚麻长条地毯，其圆形纹章图案至少从 1500 年开始就在斯堪的纳维亚使用，这些纹样会先印染到布上，并用石灰覆盖。

112. 科普特织工，服装片段，6 世纪。

早期埃及基督徒（或者叫科普特人）的墓室肖像非常有名，他们的作品透露出对精神上的自省的关注。早期的埃及基督徒们，或者说科普特人，也会将织造完整的羊毛织锦片加到亚麻布中做成衣服，并且通常会加入具有保护意义的圆形饰物。

113. 日本制造商，机织人造丝织锦缎（细节），1988 年。

从 7 到 10 世纪，粟特织工向东迁移，将这些古老的圆形纹章图案传到东方，现代日本仍流行这些图案。

114. 伦敦利伯蒂，自由艺术面料片段，约 1895 年。

这个圆形纹章图案是在柞丝绸上用手工木版印花而成，纹样源于中国纺织品中的“联珠纹”，而“联珠纹”又来自中亚的粟特圆形纹章。

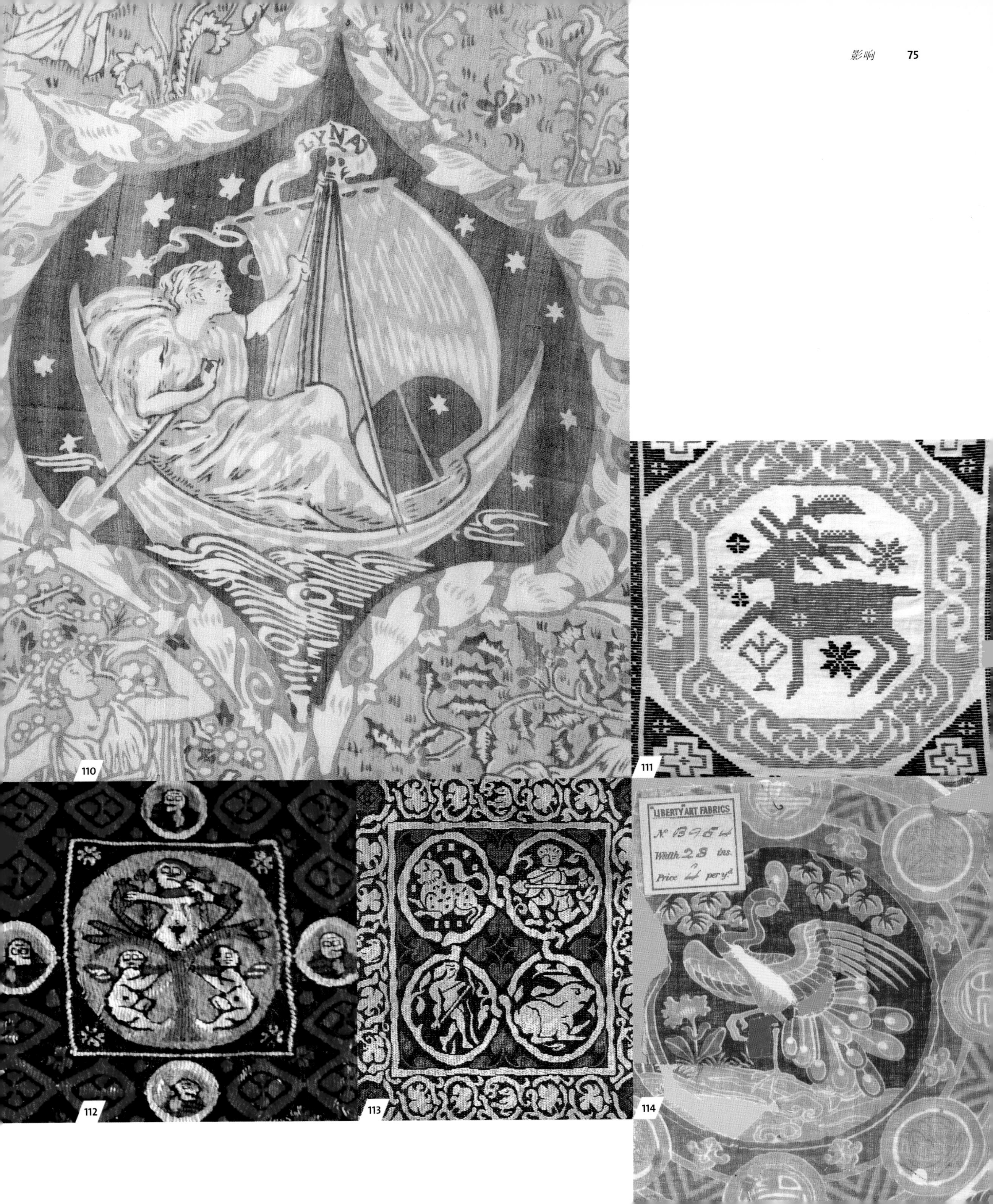
LYNA
110
111
112
113
114
"LIBERTY" ART FABRICS
Width 28 ins.
Price per yd.

115

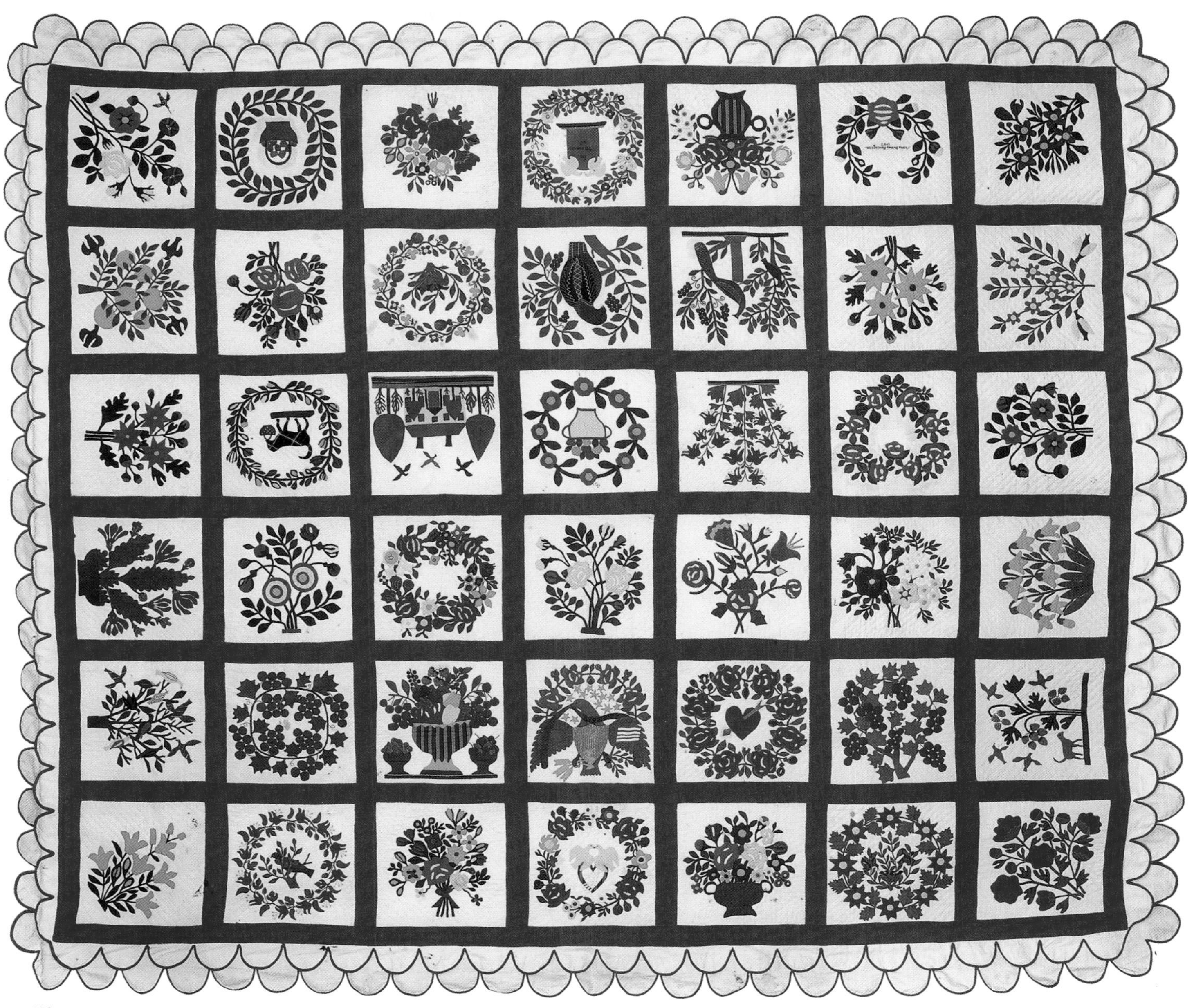

116

115. 印度织工，丝绸锦绣（细节），15世纪。

这里说的锦绣是一种纬面斜纹结构，其中主要经线完全被底线和制作图案用的纬线隐藏起来，只有接结的经线是可见的。图案的织造结构首先与萨珊王朝有关，图案样式也承袭了相同的文化。

116. 安娜·帕特尼·法林顿（Anna Putney Farrington），纽约州拼被，1857年。

这件拼被的42块贴布绣片中有很多都展示了连续应用的圆形纹章。倒数第二行中间的那片描绘了美国鹰在圆形纹章前的场景。

118

117

117—119. 凯瑟琳·麦斯威尔(Katherine Maxwell)，苏格兰工人与突尼斯工人，几种格子布。

正如我们在这条大约于1970年由突尼斯印制的条纹样式的庆典用皮革垫子套（图119）中看到的条纹图案，它经常暗指猎人勇士。19世纪80年代，维多利亚女王对苏格兰格子呢的喜爱使格子呢流行起来，这样的图案很适合制作年轻男孩的衣服（细节，图118）。它们经由苏格兰牧牛工和牧场传到美国西部。凯瑟琳·麦斯威尔就在燕尾服（细节，图117）的某个细节中采用了这种图案，燕尾服制作于2010—2011年，采用回收利用的棉/莫代尔材料，在圣达非工作室用手工织机织成。麦斯威尔留下垂挂的线头，让穿着者领会这些纺织品的制作方式。

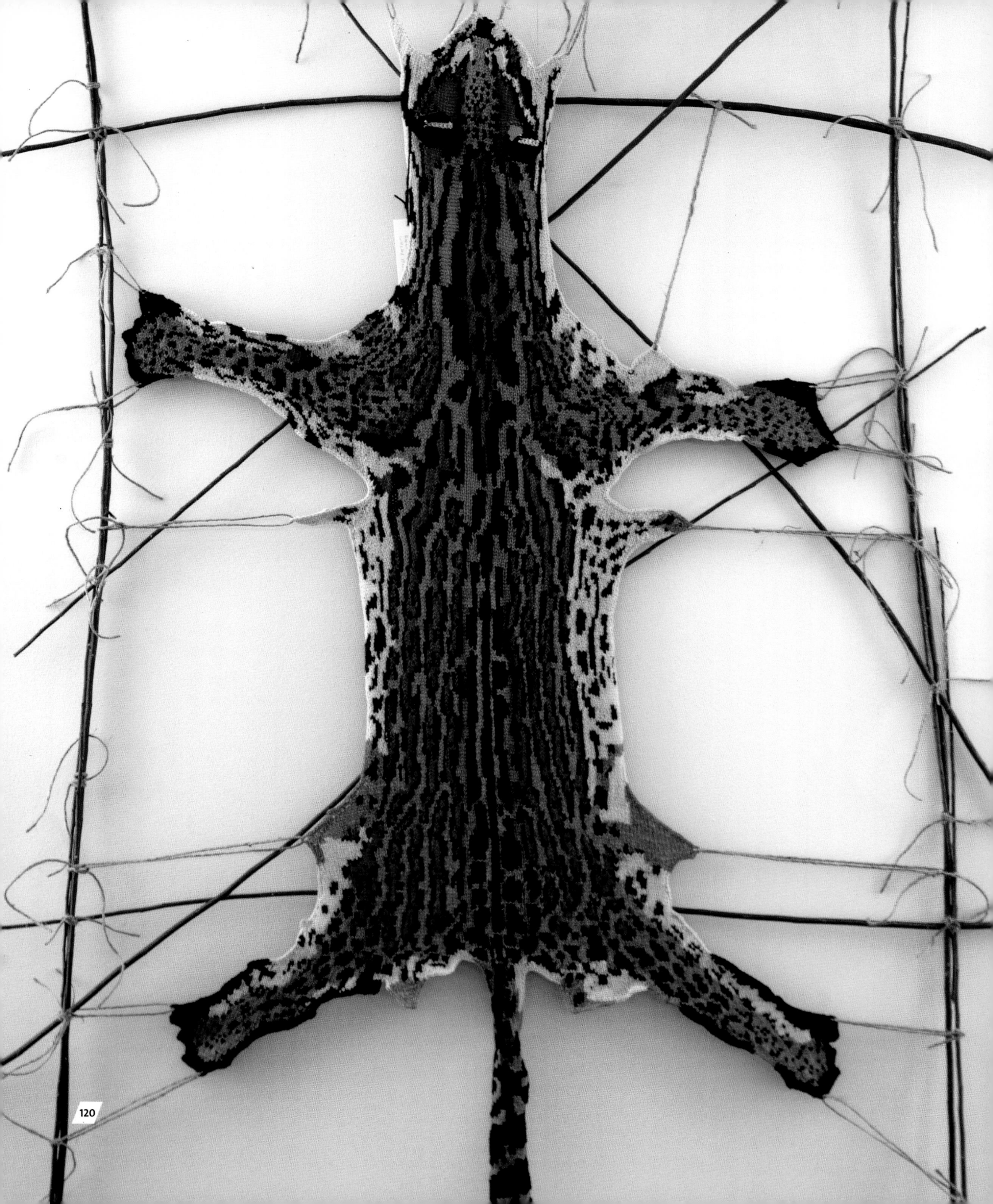

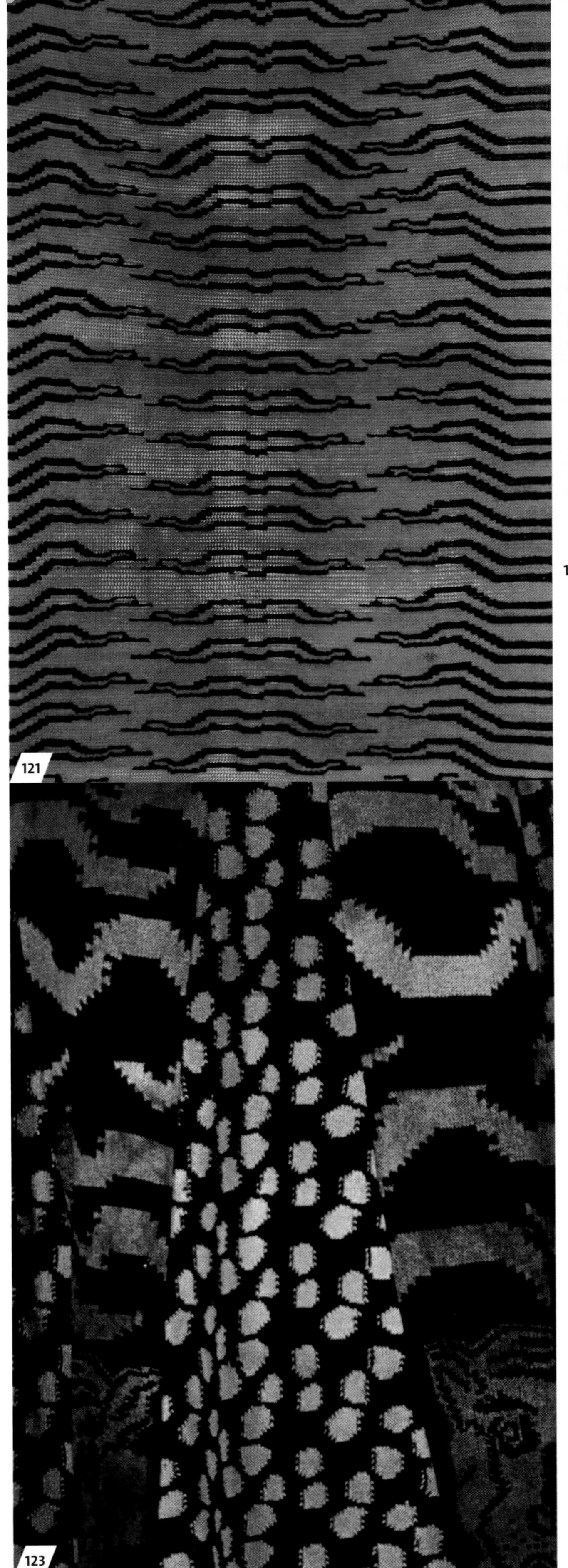

121

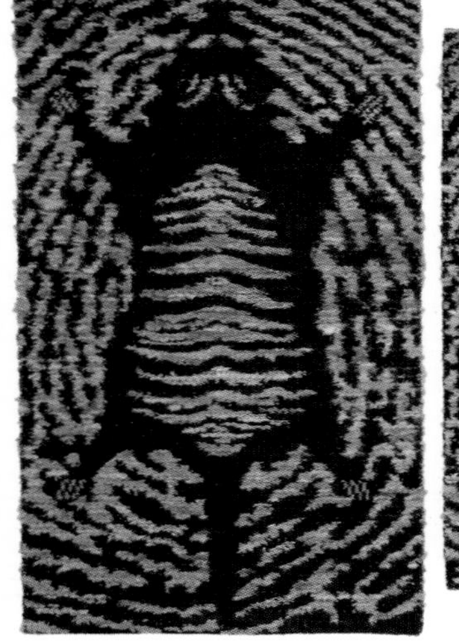

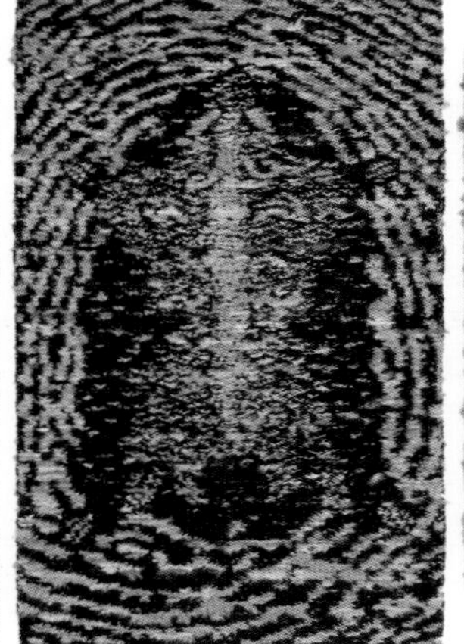

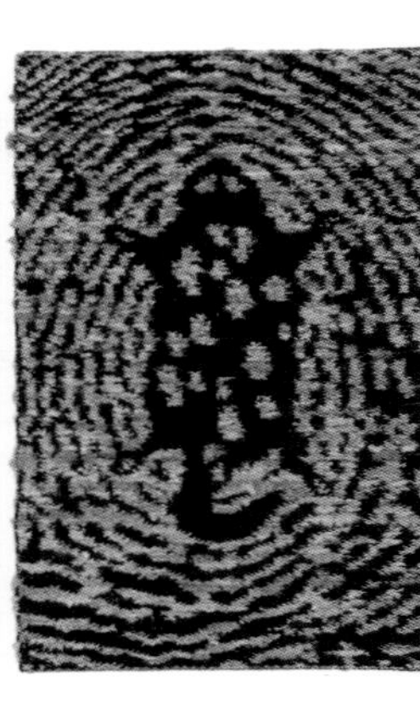

122

123

120. 露丝·马歇尔（Ruth Marshall），4号豹猫，2010年。

这件手工针织纺织品表现了一只母豹猫，艺术家研究了1929年收藏于委内瑞拉，而今在美国自然历史博物馆的一块真正的生毛皮，在此基础上制作了这件作品。

121. 中国西藏工匠，地毯，19世纪80年代。

这块稀有的地毯，尺寸为115厘米×84厘米（61英寸×33英寸），它在羊毛绒上采用西藏特有的手工打结方式制成。西藏当地的人们认为虎和虎皮能给予人们力量并彰显权力。据米米·李普顿所言，西方人直到1979年才知道西藏的老虎地毯。米米是这方面的专家，这件例作曾经归她所有。

122. 贝丝·哈顿（Beth Hatton），塔斯马尼亚虎、毛鼻袋熊、袋鼬（绝种或濒临灭绝的物种，第5系列），2001年。

用转换自袋鼠皮边角料、羊毛和棉经线中的红棉线等材料做的块状织造。这件作品有意识地呼应西藏老虎地毯的形式，很多支持不应当使用真虎皮的人认为，人类指纹的加入暗指人类的责任，而捕杀获取的袋鼠皮则“传达了另外的信息，通过我的手……面对这种材料时的矛盾感驱使我工作了十年，而且至今仍令我不安”。

123. 珍妮特·利普金（Janet Lipkin），西藏虎（细节），1990年。

一件羊毛和丝混纺的机器针织浸染大衣。

124. 伊维蒂·桑赛特（Evette Sunset），南澳大利亚犹太教会堂的天空之门屋顶散步地带，2003 年。

为了做出这块屋顶散步地带，果木枝被放在地上做经纱，长藤条被包裹、固定当做纬纱，和地上的果木枝与干燥的卷须状物互相扣住。

125. 克莱德·奥利维尔（Clyde Olliver），小石冢，2010 年。

坎伯兰的石板顶部有一个大约 9 厘米（3½ 英寸）高的立式砂岩卵石，由剑麻系着。它们暗指英国湖区，那里岩石嶙峋的景观给艺术家带来了材料和灵感。

126. 纳尔达·瑟尔斯（Nalda Searles），灌木丛中的袋鼠夫妇，2008 年。

用常见的牧场干草做成人物形象的头部，穿的衣服是回收的（棕色的打底衣服是艺术家的母亲 1975 年制作的），采用植物染色及草树苞叶暗缝。如今，瑟尔斯被认为是使用当地的纤维和环境中已有的物品进行创作的创新者。

126

127. 艾米·乔治（Amy George），油质的绝境改造，2011年。

作为对2010年英国石油公司深水石油钻井平台石油泄漏事件的回应，乔治用丝网印刷将立体黏合剂（puff-binder ink）印到真丝绉织乔其纱上。无论采用数码印花还是做纺织品防水处理，水都是乔治作品的核心。

128. 希莉娅·克莱因（Sheila Klein），舒适地带，2004年。

这块永久的“幕帘”令人想起毯子、披肩和其他家用纺织品，它用不锈钢线钩编而成，在比利时定制，作为华盛顿、西雅图港景医院的外立面装饰。它意图使外立面看起来舒服并让建筑内部的人们感到舒适，同时它还参考了曾为建筑物增色的门廊。

129. 西尔克·巴赫（Silke Bosbach），纺织大地艺术，2011年。

巴赫的《纺织大地艺术》是在大自然中产生的。她用纸绳就地编织，使景观和材料本身联系起来。

130. 曼蒂·冈恩(Mandy Gunn),浪涌,2009年。

这是《浮动的土地》上的装置。《浮动的土地》是一个在澳大利亚努莎举办的有关气候变化艺术创作的盛会，参加者还包括土地已经被海平面吞噬了的图瓦卢岛居民。收割的欧洲蕨棒被搓成10米（33英尺）的长度，然后加捻浮于水面上，模拟渐渐入侵的波浪和被淹没的土地。

131. 高拉夫·贾伊·古普塔(Gaurav Jai Gupta),浅绿色的皱围巾,2009年。

这是来自Akaaro工作室的一件手织丝巾，古普塔生产用于服装和室内装饰的可持续发展的面料，其目的是让人再度欣赏当代印度纺织品。

132. 威廉姆·莫里斯（William Morris），Cray，1884 年设计。

《Cray》是一种需要 34 块木版印花的装饰面料，在 50 年中，Cray 持续生产并拥有多种颜色。它蜿蜒的线条、精致的藤蔓和异国情调的花朵组合，追随了欧文·琼斯在《装饰的规则》（1856 年）中的理论，也参考了印度纺织品。

133. 古吉拉特（Gujarati）绣工，德干被单（细节），18 世纪。

这床棉被单为出口欧洲所制，采用丝线绣花，绣着朝气蓬勃的花卉图案，正如图 139 一样，图中有一棵分叉的树，这一图案常见于印度床罩。不论是这条被单制作的时期还是之后的艺术与手工艺运动时期，花朵和叶子内部精细的图案都极大地影响了欧洲设计师。

134. 安娜贝拉·科利特（Annabelle Collett），融合，2008 年。

迷彩图案上绣了威廉姆·莫里斯的“菊花”图案，斜纹织物。根据艺术家所说，这件作品“探索身体及其覆盖物如何像共振器一样反映社会历史、性别态度和个人评述……（以及）隐藏或显示，宣告或伪装”。

135. 伦敦希尔弗工作室（Silver Studio），芬托纳，约 1902 年。

这块手工打结的羊毛地毯，由希尔弗工作室设计，爱尔兰多尼哥的亚历山大·莫顿公司为伦敦利伯蒂公司制造。它利用一棵分叉的树作为基本图案。这种图案以及边缘卷曲的叶子都是那个时期的特征，灵感来自于两个世纪以前的印度图案。

136. 英国或欧洲工匠，描花丝绸法式长袍（细节），约1740年。

这件丝质云纹绸长袍曾是莱斯特郡克利夫庄园的第27世勋爵和德·克利福德夫人的财产，上面描绘了多色的充满异国情调的植物和花朵。它向进口印度印花棉布致敬，而闪闪发光的白底则是北欧人的偏好。

137. 英国印花匠（可能是布罗姆尼·霍尔），铜版印花棉布，18世纪70年代。

雕刻的铜版印花能够印出之前的木版印花不能印出的精美的线条细节——这一特性从羽毛般的叶子上就可以看出。蜿蜒的植物主干上这些风格化的花源自印度纺织品和中国艺术。

138. 土耳其绣工，枕套（细节），17—18世纪。

这是与土耳其有关的一件作品，在精美的亚麻布上用丝线、镀金包裹的丝线和扁平的金色金属条带做了密集的绣花。此图案本身来自于莫卧儿祖先们。

139. 印度工匠，描花和印染的棉布床罩，18世纪早期。

床罩在科罗曼德海岸制造，出口到英国或美国，因其经过清洗不褪色而价格不菲。这促使欧洲印花工翻版印度的印花方法，同时也影响了欧洲其他类型的纺织品。

140

140. 珍妮特·库珀(Janet Cooper),猴子连衣裙,2009年。

来自“派对服装”系列,探索了艺术家“对废弃物非传统的爱和依恋……以及我对正装和‘正确性’的厌恶……人物形象是空缺的,没有特意设定任何个性”。制作材料有面料小样、报纸饰花、塑料包的荷叶边、跳蚤市场里扔掉的衣服以及钩花,这些钩花旁边还有一系列珍贵的猴子形象。

141. 迈克尔·布伦南德–伍德(Michael Brennand–Wood),花瓶袭击美国旧金山(细节),2009。

这一装置作品采用电脑机绣的花朵、丙烯颜料、玻璃、金属丝、木模型和木制的抽象拼贴画制作而成。

1

材料

2

II.

材料

纺织品生产，从原材料的收集加工到最后的成品，是一连串特殊而又复杂的过程。而其所用材料的重要性深深地根植在“material”（材料）一词中。在所有西方装饰艺术中，这个词用来表示可操作处理的物质，但只有在纺织品艺术中，它还表示半成品，也就是布。在词源上，“material”与“matter”相关。那么，从字面意义上讲，正如有用的东西（facts that matter）就叫作“材料”（material），布也和物质或内容有莫大的关联。当材料被转化成布、穿戴用品，或成为用来使用、欣赏和引发深思的物品后，形式则通常——虽然并非总是——才出现。本章探讨了各种不同的物质，细细观察了组成“材料”的成分，这对纺织品来说非常重要。

通过生活中对纺织品表面及其视觉特性的了解，我们已经在潜意识里认识到了纺织品材料成分的诸多特点。纺织品消费和消费行为以及纺织品心理学的权威们也试图揭开我们对这些特性进行认知的秘密，因为它们能告诉我们图案对人们的影响、适销性和人类行为。我们的认知不仅能够帮助我们辨别出纺织品面料，在纤维生产商和加工商要用某种物质模仿另一种物质的时候，我们的感知也是他们要实现的一种非常重要的参考特征。用一种材料去模仿另一种材料，是自 20 世纪中叶以来人造纤维和合成纤维发展的显著特点之一，但它同时也是一种古老的实践活动。随着时间的流逝，它越来越有助于改变对任何一种纤维的适用性和可取性的评判标准。为了领会这一点，让我们先从材料当中最简单但最重要的方面开始说起：它们那种天然的赋予发明创造灵感的能力。

发明

纺织品艺术领域包括了一切可以被做成一股线的天然材料或人造材料，不论是通过缠绕、缝制还是打结。到目前为止所有的历史证据证明，绳子是人类

1. 詹妮·舍瑞欧(Jenine Shereos)，叶子（深褐色），2011 年。

这件作品是将人的头发成绺地缠绕、打结，缝制在水溶性的底料上。一绺头发与另一绺的交叉点上，全都做一个微小的结，让整片可以保持形状。

2. 安德里亚·艾姆克(Andrea Eimke)，家（细节），2008 年。

自由式缝纫机缝制的蕾丝花边由纸、桑树树皮布、柠檬木槿树皮纤维、涤纶线、可溶性稳定剂和金属丝构成——塑造出一种螺旋上升的样子。

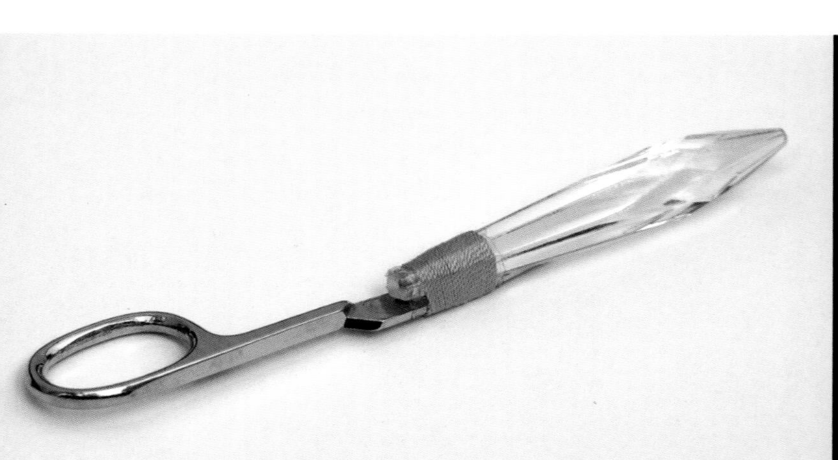

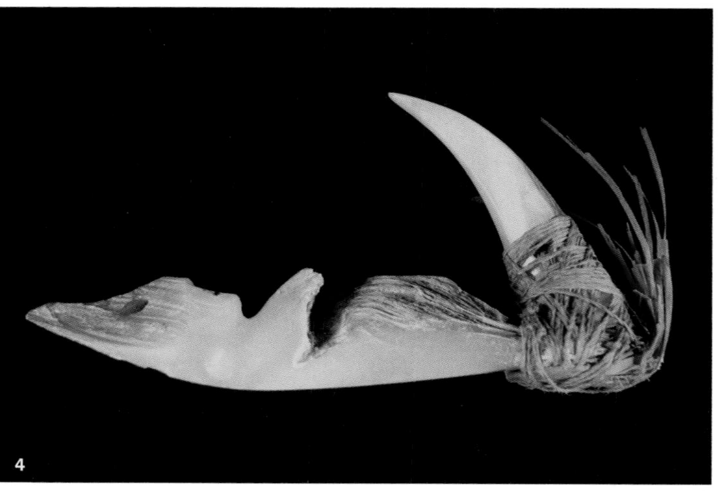

重大进步的主要跳板。从缝纫到航海，线、纱、细绳和绳索对社会的形成来说是非常基础的物质，它们使得高效的狩猎和畜牧、遮蔽和贮藏、勘探和迁徙成为可能，也使对文化凝聚力而言至关重要的美学表达——即使个人装饰品和群体信仰与群体身份的外在认定成为可能。从最上乘的丝线到最结实的绳索，它们共同的关键用途在于，都具备加捻的特性，可提供结实且灵活的捆绑力和牵引力。捻度大大增加了每一种材料的拉伸强度，在自然界中非常容易被观察到。比如，自然界中缠绕的藤蔓的承载力，而人造物品中强韧的网球球拍线，通常由动物肠线捻制而成。尽管现有最早的针可以追溯到大约公元前 23000 年，而绳索大约可追溯到公元前 16500 年，但是，使用它们的证据——即穿制或缝制的石珠和牙骨骨珠这种形式——却始于公元前 38000 年。[1] 这些人造物品证明了人类很早就开始在“所有东西”上从制造工具转到制作个性化装饰，而“所有东西”证明了一个事实：当时并没有出现与金属加工发展相关的物件，直到公元前 3200 年左右青铜器时代的到来。

如此久远的使用先例确保了针与绳的持续使用。几千年以后，纺织品艺术家们继续从史前系扎或贴附技术（比如安装手柄）中找到灵感。万达・坎贝尔的《清晰的剪裁》（**图 3**）非常机智地使用了字面和文本的结合：许多工具都通过将石头绑在棍子上使用，“haft（柄）”也有“handle（处理）”之意。芭芭拉・夏皮罗的“力量服装”系列中的作品《年轻的猎人》（**图 5**），有效地利用了捻制而成的线，发挥了它的紧固作用，同时令人回忆起无数被人发现或是制作的那些用来装饰纺织品的物品，它们来自各个时代、各种文化，不论是祈祷身体健康的护身符，还是社会地位的象征物，抑或是保护人不受真实伤害或幻想的恶魔所害的护身符。存在已久的宝贝贝壳（旧时亚非部分地区用作货币的小贝壳）、甲虫翅膀和羽毛等装饰物（**图 19、20、26、28**），是自然力量的象征，同时本身也具有交换价值，它们与纳尔达・瑟尔斯和凯・千木万智的当代作品相呼应，二者的作品分别将澳大利亚特有的苞叶（某种叶状物）和海胆刺结合到可穿戴的作品中（**图 21、23、24**）。像纽扣、亮片和玻璃

3. 万达・坎贝尔（Vanda Campbell），清晰的剪切，2010 年。

作品用线将一把剪刀手柄和切割的玻璃绑在一起。坎贝尔基于历史上的腰链创作了这件作品，腰链是一种女性或管家围在腰间的装饰性的链子，用来绑钥匙和其他家庭日常物品。她设法把想法、媒介和背景都减少到最纯粹的地步。

4. 美洲原住民制造者，锥形穿刺或刻绘的工具，19 世纪晚期—20 世纪早期。

这件鲍鱼或牡蛎壳珍珠母锥子类似于克劳人、内兹帕斯部落和夏延人的工具。手柄和分开的锋利而又弯曲的“鹰嘴”用干燥的筋丝纤维捆绑起来。它可能也兼具护身符的作用。

珠这类人造物，继续在全世界被用作装饰，这些小装饰品在西方已经失去了它们之前的神秘内涵，卡特里奥娜·福克纳通过在自己作品的装饰元素中加入令人讶异的实用黄铜安全别针表明了这个观点。嵌入的物品越出其不意，评价就越有意义。例如，苏茜·弗里曼与利兹·李博士以及视频艺术家大卫·克里奇利合作的“药典”系列（**图32**）中的《摇篮到坟墓》，在这一作品中，艺术家将一辈子都吃不完的药丸放到编织口袋中，证明现代萨满教仍然存在。而这些也是祈祷身体强健的护身符、社会地位的象征物或日常生活中的保障品。

在我们称为纺纱（或者在丝绸领域叫作制丝）的工作过程中，好奇心、实验和玩乐让我们能直观地理解其复杂的物理原理。而引导我们实现从观察到构建、从发现到人工制造这一巨大转变的核心思想，仍然是材料艺术的重心。一个出色的例证就是身为织工和教师的詹姆斯·巴斯勒的作品《商店》（**图6、70**），它完美诠释了人类的发明能力。在新学期的第一天，巴斯就计划要让学生了解纺织品艺术在人类早期历史中的重要性。“我提出疑问：‘人们发现了什么技术，然后制作了纱线？’直到他们细看了我分发的纱线之前，没有人知道答案。‘是纺！’我随后又问他们，我们有哪些现成的材料是可以制造纱线的。为解答这一问题，我看到桌上一个乔氏超市的（购物纸）袋……我告诉他们，他们的第一个作业就是从（一个纸）袋开始切割和纺纱，而且我演示了如何去做。下一堂课我们得出了许多不同的结果，但大多数是相当好的，甚至有两三个比我做得还要好（这也难怪，我不是一个纺纱工）。”巴斯勒接着继续开始了对牛皮纸纱线进行编织的过程。只有在编织的时候，他才想去模仿购物袋的形式，这样做并非为了创造一个实用的东西，而是“为了吸引人们的注意力，让人看到手工编织的东西也可以创造出三维形式，（特别是）可以一边感受一件手作物品的美”，一边“感受一种简单、现成的材料的诚挚与美”。他不是唯一一个评估现成材料价值的人，其他这样做的艺术家还有尼斯库·尼姆库拉特，他的一件比较缥缈的作品《看见纸》（**图69**）也用到了纸纱线，杰克·艾布拉姆斯则用经过深思熟虑做出的篮子——《智慧》（**图137**），将回收的干洗袋和录像带合并起来。

巴斯勒还用作品《商店》强调容器在古代历史中所扮演的重要角色，当然，容器现在也非常重要。单就材料方面而言，它们带来的影响有着重大意义，因为容器——包括那些20世纪后半叶复兴的篮子编制技术，这在第三章中会有所提及——能在装饰性和构造性上混合使用多种已知的材料。杰克·朗菲德的作品《愚人的黄金III》（**图7**）以及丹尼斯·斯坦顿的《无题》装置（**图8**）都展现了众多可用的材料，从DIY和包装纸残渣到毛毡制品。尽管两件作品有惊人的差异性，但它们都使用了容器，在视觉上表现压缩。材料的选择是随手可得的——由于纸和毛毡通过压力制成——从纸到发酵纤维素（树皮和植物干茎的主要成分，包括纸莎草和细茎针草，同样还有棉纤维和麻纤维），从毛毡到湿羊毛和其他毛发纤维。毛毡和

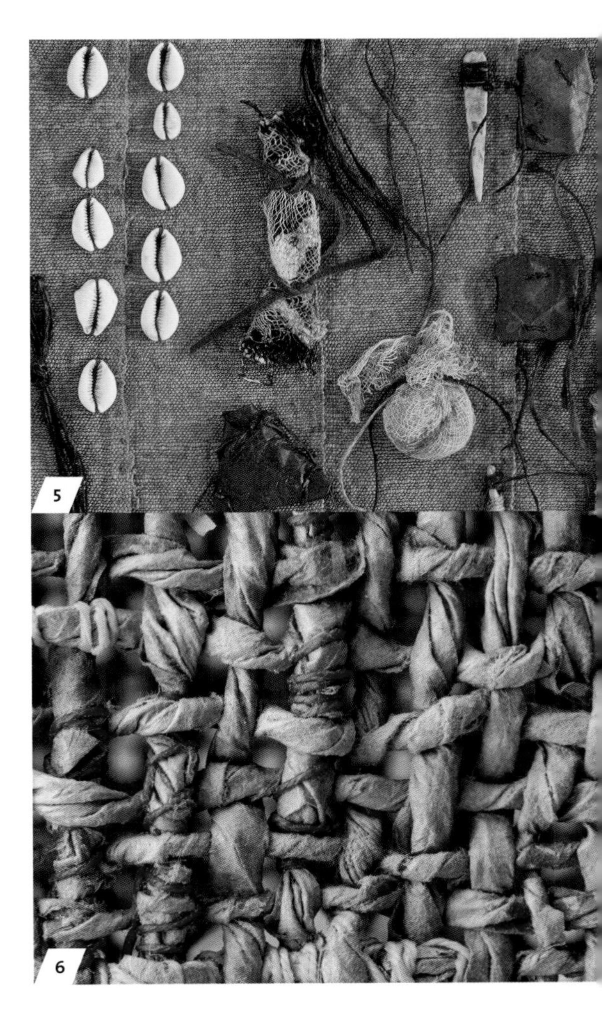

5. 芭芭拉·夏皮罗（Barbara Shapiro），年轻的猎人（细节），2003年。

这件“T”形的衬衣，灵感来自马里猎人穿的衣服。它由手织的丝带构成，还包含贝壳、原始材料以及用酸性染料和颜料处理过的捆束，束扎在衣服表面。

6. 詹姆斯·巴斯勒（James Bassler），商店（细节），2009年。

巴斯勒的包用大约8个购物纸袋编织而成。他断断续续用了两三年时间完成这件作品，巴斯勒的学生之一——珍妮弗·马耶塔协助制作了很多棕色纸纱线制的紧密的纺球。

7

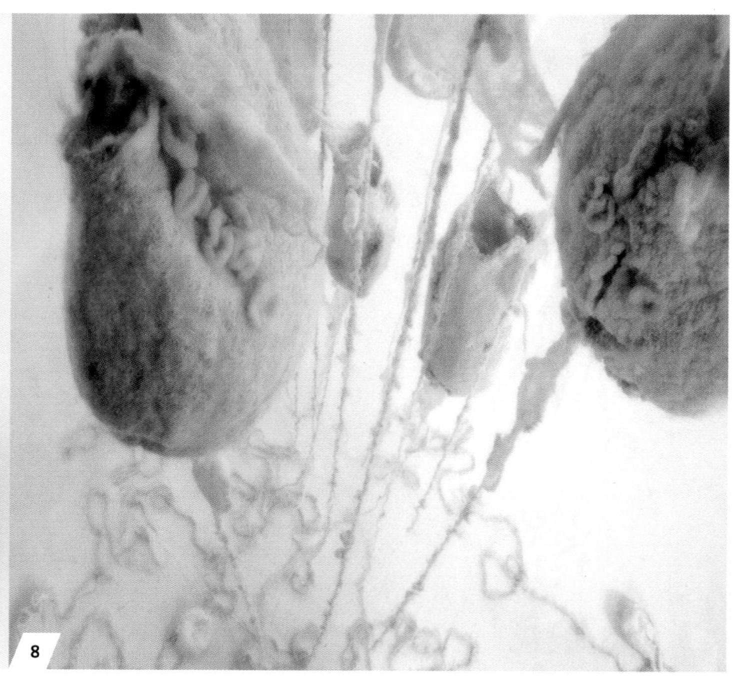

8

纸都是古代就有的材料：毛毡早在大约公元前 6250 年就出现了，虽然我们能够确定的最早的样品来自于安纳托利亚的贝策苏尔坦，并且出现在大约 3000 年后，这段时间也有埃及人使用纸莎草的记录。中国的布浆纸从约公元前 150 年开始留存下来。他们机械的生产方法来源于一些观察：一是自然界大多数哺乳动物的毛发会自然结成团状，另一个是我们的纤维素（植物）纤维最终会形成有延展性的一团。加入颜色和树叶、种子或线等其他元素后，这两种材料都仍然能够维持团状，同时还保持着紧密黏结的状态。另外，它们同样可以使用广泛的装饰技术，从卷绕、交织、缝合到印花和压纹。这两种材料有共同的历史，它们都能够启发标志制作，也能够启发那些历经几个世纪，一直为我们带来创意的生产技术。1994 年，波莉·布莱克尼·斯特林和她的助手小高幸子在位于澳大利亚新南威尔士的工作室中，利用这些古代理念发展出了 nuno（织物）毡呢布料，达纳·康奈尔和埃琳娜·珊达莱的作品《深渊深处》诠释了这种面料技术（**图 9**）。这种技术将松散的、优良的纤维（通常是羊毛）压成一种薄的、组织疏松的材料，像真丝绡、纯棉巴厘纱、透明硬纱、平纹细布或尼龙。通常是将几层松散纤维按直角堆叠（制作纸莎草纸的方法），由此产生的布料有纯羊毛毡没有的流畅感，很适合制作有型的服装，如果其中的成分在湿的时候毡结在一起，甚至可以做成无缝的。

意图

尽管毛发和纸，一种来源于动物，另一种来源于植物，但它们在纤维特性上有所关联。所有天然纤维都有捆绑和缠结在一起的倾向，这使得它们可以转

7. 杰克·朗菲德（Jackie Langfeld），愚人的黄金Ⅲ，2010 年。

在硬纸板上缝上纸做的粗绳，并装饰玻璃宝石和仿制的金叶子。这件作品故意用廉价的材料来制作，以表现愚弄和愚蠢。

8. 丹尼斯·斯坦顿（Denise Stanton），无题（细节），2007 年。

这件装置作品探索了手工制毡肌理的可能性，且平衡了细细的茎蔓上看起来比较重的形式，创造出一种缥缈的效果。

变成长而柔韧的股线——人造合成纤维和绳索模仿了这一特征。被称为“人造”的纤维由再生植物材料组成；人们通过不同方式煮、搅拌或挤压“人造”纤维材料，而它们的特征与所有纤维素的纤维特征相同，例如棉、麻就是这样。在人们的观念里，人造纤维与毛毡、纸密切相关。另一方面，合成纤维是从聚合物中以化学方式提炼出来的——并且通常是石油化工产品——人们不能从自然界中收集到它们，且它们必须经过特殊的改造后才能做成诸如涤纶和腈纶一类的纤维。不论它们由什么构成，其纤维性越强，股线之间的聚合就越多，因此高纤维的羊毛用于制毡，而低纤维的丝线和细软合成线则被用于如刺绣之类的工艺，是为了能更顺畅地通过布料的组织结构。我们也可以通过比较两件作品的材料看出来，一件是詹妮·舍瑞欧用人类头发创作的作品，即编结的《叶子》(深褐色)(**图1**)中对表面可见的细小卷曲的描绘，另一件是拉尔斯·普瑞瑟的作品《用声音进行编织》(**图10**)中自由起伏的音频线。

由于艺术家谨慎选择材料能够让他们的意图更加明显，所以他们对股线的使用不仅仅依据其物理特性。例如，詹宁·希尔奥斯将头发和树叶的掉落暗指为“自然系统的转换、生长和衰亡”。普瑞瑟使用立体声音频线手工织成面料，并且与头戴式耳机相连，听者可以听到他织的声音：这和他的作品相呼应，在其创作过程中，他的织机传出的声波衍生出了一系列的图案，每一个都是对他编织上一个图案时织机节奏和速度的反映。在作品《透明? ——渎职、希望、最后八个，下一个八个？以及常有的事》(**图58**)中，乌拉·德·拉里奥斯使用不同透明度和不可透性的丝和羊毛评论政府的透明性：“丝和羊毛，需用同样的(织造)工艺制成，就类似于不同的政府对国家的影响——丝保持了它的结构和透明度，羊毛则紧缩成一团密集不可透的纤维”。

有时艺术家会用现成的布，因为这些布能够唤起人们的情感。派蒂·哈特利的面料选择对作品《解放“他的”》和《解放“她的”》(**图13、14**)来说是必须的。在这两件作品中，艺术家使用解剖时的工具，将之置于艺术家家人的衣料中：蓝色的面料来自工人的工作服，艺术家的身为机械师的父亲已经穿了很多年；还有一块红格子的面料，让人想起乡下的桌布，它也来自于哈特利家中。这些可靠的、值得信赖的机织棉布与那些工具透露出的残忍意图形成鲜明的对比。让·卡西塞多为作品《揭露》(**图15**)选择了多年前她在一个面料商店找到的制作外套用的厚重的“麦尔登”羊毛呢。她利用“麦尔登”羊毛呢暗指西装用的传统面料，由于羊毛呢是种保暖的材料，它暗指有生命的东西。生命的意义是至关重要的，玛丽·伊丽莎白·巴伦对回收衣服的再利用也体现了生命的意义(**图97**)，玛丽主要使用她自己和她家人、朋友的旧衣服：“里面装有他们的记忆和共有的经历。不论是物质形态还是情感回忆都能引导并激发形式。”马蒂·乔纳斯把自己形容成一个关注工艺和技术问题解决方式的形式主义者，利用找到的面料和记忆去激

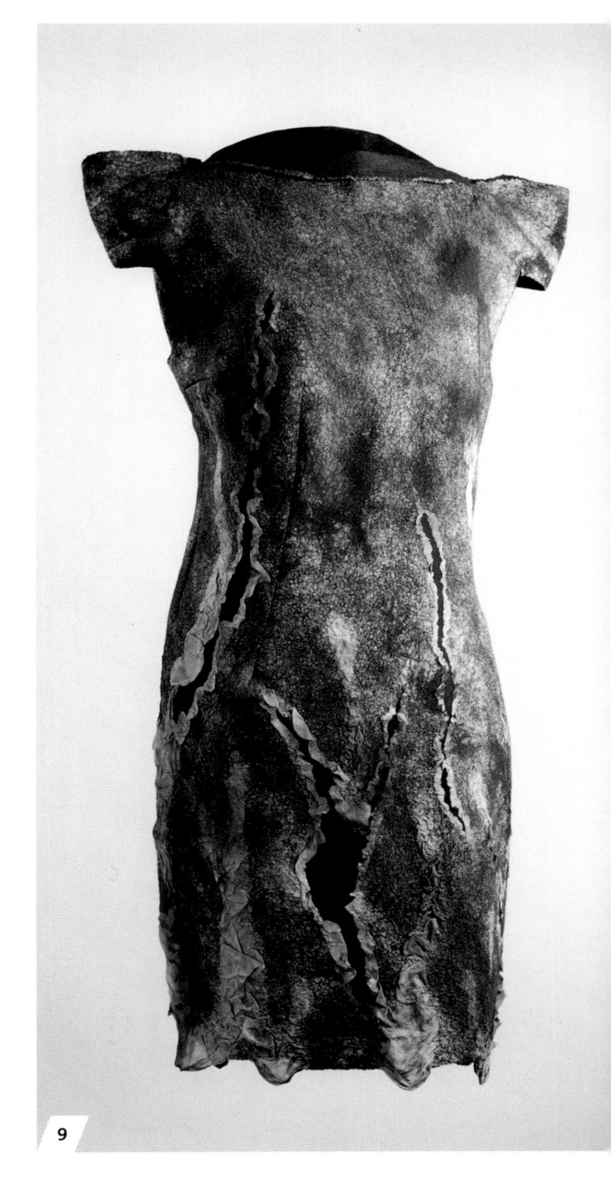

9. 达纳·康奈尔(Dana Connell)和埃琳娜·珊达莱(Elena Shandalov)，深渊深处，2011年。

由康奈尔设计和制作的努诺毛毡面料，被用在埃琳娜·珊达莱设计和制作的一件连衣裙中。

发观者的想象力和回忆（**图 98**）。她说：“我母亲教我针织、钩针编织和缝纫，而我父亲教我锤、锯、焊接和钻孔。我记不起有哪个时间我是不在做创造性的东西的，我用线和布，用我的手……纤维是我声音的延伸。”

反之，许多既简单又漂亮的布是由于人们发现天然纤维和染料的特质而制作出来的。正如提姆·帕里－威廉姆斯解释的：“要描述个人劳动成果通常是比较困难的，‘产品’的开发可能是缓慢的。但是对我来说，方法和结果同样重要。我对编织工艺的想法与一位日本朋友的美好的言辞相互呼应，他将之描述为‘倾听材料的声音，然后构建一首歌或一个故事’。”米卡·麦肯生于东京，居于夏威夷，他使用夏威夷当地的植物创作《篮子》（**图 11**）。他讲道：“我的灵感从材料开始。当我触碰材料的时候，我就看到了图像，它们飘浮在空中。这些幻象就自动地从纤维里出来了。”[2] 外馆和子，日本茨城筑波艺术博物馆馆长，在谈到精通靛蓝色染料的大师福本保子的作品时也提到了这一点：“一些（染织）艺术家总会努力适应面料的性质。这是因为面料不仅仅是一张画布，将颜色放上去就可以——只有当具有染料性质的物质和面料的材料浑然一体时，才会开辟新领域。那么可以说，和西方染布的感觉比起来，相较于西方单纯将图案印在布料上，采用某些染织方式的艺术家（几乎也就是在日本艺术中）拥有对材料的独特感觉。”[3] 艺术家自己讲道：“靛蓝的特性与我的特性同步。随着靛蓝染色进程的发展，我的感受也随之加深。靛蓝让我能够与自然互动。”[4]

靛蓝属于特殊自然染料，具有不溶性且必须发酵后使用，它需要在冷染缸里利用低氧的状态溶解和沉积在纤维周围。工匠反复把布料提出缸外，利用氧气使染料回到不溶状态，慢慢显色。这就意味着图案必须通过绘制或者采用防染糨糊（或蜡染中的蜡），或像“shibori（扎染）”那样的物理防染技术来创作。Shibori 是一个来源于日文并被普遍接受的术语，指浸泡染料之前通过绑、缝、折叠、绞或其他压缩布的工艺形成图案的过程（在西方，这种方法最初被叫作“扎染”［tie-dyeing］）。卡罗·安妮·格罗川的作品《靛蓝和骨螺》（**图 100、101**）采用靛蓝染料创作，通过扎染表现了这种着色剂的五种自然来源，但所有这些自然染料都在 1897 年合成靛蓝染料出现后黯然失色了。然而近些年，天然靛蓝染料在世界上重新得到重视，这也得到了一位曾经在中东和北非生活和工作过的英国人——珍妮·巴尔弗－保罗的帮助，她对靛蓝染料的研究、写作和创作长达二十多年。巴尔弗－保罗说：“每一年我都非常喜欢种植我自己的日本靛蓝属植物，然后把它们同来自世界其他地方的天然靛蓝染料融合，做出一个国际的发酵染缸。”此外，她还进一步展示了探索其他植物染料（它们萃取自热染料浴）这一现象的广泛兴起，对此她的评价是“将靛蓝染料和其他天然染料做对比非常有趣，不论是和来自西非可乐果的铁锈色对比，和墨西哥胭脂虫的丰富粉红色对比，还是和来自自家种的黄木犀草的黄色对比”（**图 106**）。

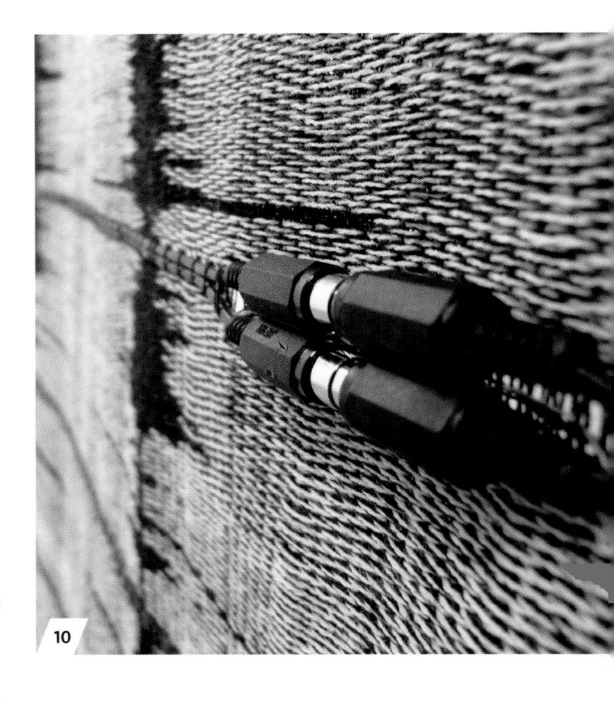
10

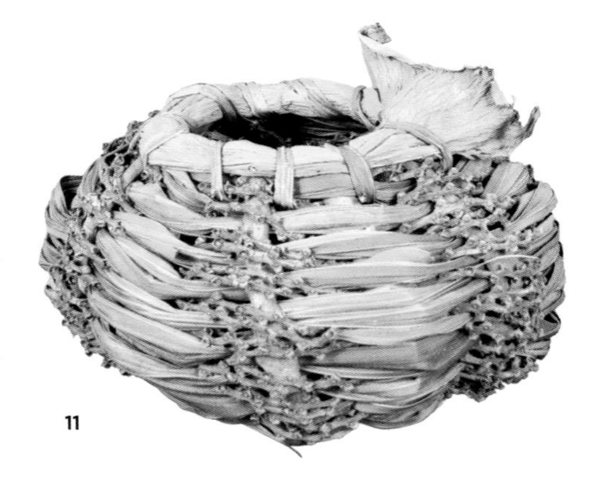
11

12

很多曾经被归类为墨水一类（虽然它们常常是染料，详见第四章）的材料也重新回到舞台。在作品《治愈的佛经》（**图 128**）中，艾琳·恩迪科特用胡桃墨水在家族女性传承下来的古老的棉布上留下痕迹。这些痕迹代表心理的创伤、创伤的来源，以及通过制作可见、发自肺腑的物品，能够帮助自己恢复创伤："涂抹在面料上的墨水有自己的思维——它脱离了我的控制，开始做它自己的事。将墨水滴落在潮湿的布料上是非常神奇的，看到所谓的'伤口'扩大，在我眼前成形……这完全和我做针织时需要控制的程度相反。"尽管富田淳在手工编织之前使用合成染料对经纱进行着色或扎染（**图 127、129**），他利用 kasuri（絣织工艺）做出的艺术品也表达了对这种偶然出现的方式的类似情感："我的灵感来自于我从周围的田野和森林里看到的色彩，以及时间在老房子的墙壁上留下的变化印记。在一面墙上能看到的生活并不能够由任何有关历史或传统的语言表达出来，墙面所展现的只是时间的堆叠，还有不小心在墙上留下的痕迹，让人感到……深度和情绪。"[5]

艺术家们的选择还取决于有哪些可用的当地材料，特别是那些不是全球分布的材料。希拉里·巴克兰用南美苏铁棕榈和澳大利亚本土棉花作为她生命的两段历史的隐喻。小时候她住在英格兰兰开夏郡，当地工厂加工处理进口棉花原材料，生产着世界上绝大部分的棉布，她当时就认识到了那座城市对工业革命的历史意义。后来，作为一位澳大利亚移民，巴克兰学习了纺纱、织布以及用当地植物染色，而且她的轧棉方式比 1794 年艾利·惠特尼发明机械轧棉机后的轧棉方式还要早几个世纪。在作品《我们播种时……》（**图 51**）中，材料的使用让巴克兰自身的移民故事与棉布以及"几个世纪以来全球使用的布料"之间产生共鸣，"并且为了使用这些布料，人们曾经产生了许多非可持续性的、破坏环境的实践活动和生产方式，这和

10. 拉尔斯·普瑞瑟（Lars Preisser），用自己制造的声音进行编织（细节），2009 年。

这是一块由棉、羊毛和音频电线组成的手织面料，连接了耳机和 CD 机。它悬挂在一片有机玻璃上，被自身的重量压弯成一个拱形。

11. 米卡·麦肯（Mika McCann），篮子，1988 年。

麦肯被认为是毛伊岛首屈一指的制篮工，他将夏威夷喜林芋属、喇叭兰属的植物捻成的线编成条并上色，凸显它们不同的纹理和颜色。

12. 福本保子（Fukumoto Shihoko），银河（银河系），1998 年。

在棉布上做靛蓝扎染和褪色，折叠并车缝。

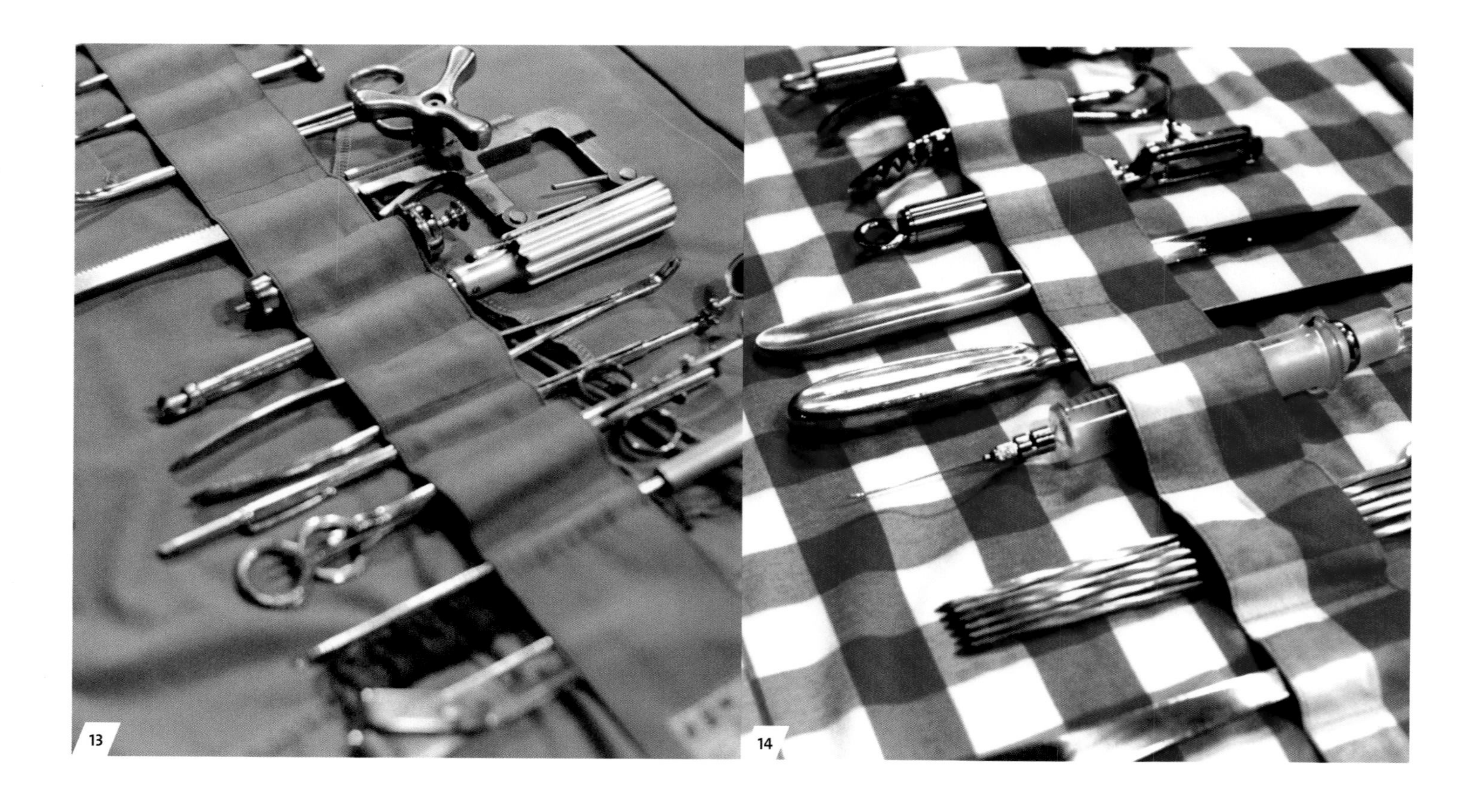

西方移民、工业化、全球化的理念相互呼应”。作为一个身处成员关系紧密的波利尼西亚岛社区的欧洲局外人，安德里亚·艾姆克也用材料去表达个人主观经历和关于文化身份的模糊感，从而创作了作品——《家》（**图 2、36**）。家为我们提供了一个“包围着沉思想象空间的壳……是个安全区域”，她把波利尼西亚本土的塔帕纤维布（树皮布）、kiriau（树皮纤维）与诸如可溶性稳定剂、内衬，以及来自她“科技文化”背景的缝纫线等非织造合成材料相混合。关于树皮材料，艾姆克的解释是：“塔帕纤维布的拉伸强度较低，但湿的时候可塑性高；晾干后则具有牢固的属性，并且从一定程度上来说比较硬。只要顺着纤维生长的方向，就很容易撕开塔帕纤维布，但逆着纤维生长方向，则需要剪开。如果打薄，它就像蕾丝花边。不论是在古代还是现代的波利尼西亚，这种材料的使用都是基于其本身的特质和使用方式，而不是装饰上传达的信息。”她对蕾丝的使用“暗示了一种微妙的情感，即我们需要解决跨文化的人的立场问题，（并）暗示了一个局外人立场的脆弱性”。

13,14. 派蒂·哈特利（Paddy Hartley），解放“他的”（解剖器材套装）和解放“她的”（解剖器材套装）（细节），2000 年。

图 13 中这件极大的外科手术器材套是由艺术家的父亲所穿的外套做成的，装了他父亲车库里的工具和外科手术及验尸的工具。这些可怕的用具包括碎骨钳、锯子和一把扁桃体铡除刀。这些器械是利兹皇家兵工厂为住院医生实习期使用而生产的一部分，反映了参与者在家里遭遇的暴力和冲突。这件作品（戏谑地）使用了“采用犯规手段逃脱材料约束的概念”。条纹桌布（图 14）装了厨房用具，包括一把类似皮肤移植工具的蔬菜削皮刀。

点金术

尽管科技在进步，但是有些东西看起来仍然很神奇，比如植物转化成染料、金银矿石转化成缝纫线、柔软的物品变得坚硬，或者一块“精美”的布变得锈迹斑斑或部分损坏。将贵金属编入纺织品的活动可以追溯到公元前 2300 年，在古代特洛伊织机的压重物里发现了金珠，这意味着他们曾经像印第安人将贝壳编入贝壳串珠腰带中一样，将金珠编在纺织品中。最早将纯金线用作缝纫线的例子来自于公元前 1800 年的安纳托利亚。此后直到今天，最珍贵的纺织品也有细窄的金银条装饰，金银条被锤平（薄板样式）或缠绕在一个纤维核心中当作更灵活的纱线使用，或者和金箔纸或金漆一起使用（**图 76、77、94、95**）。

长期使用这些材料的经验促进了“智能面料”或“智能纺织品”的发展，比如那些导电的纺织品，或者那些包含了黄铜、不锈钢、铝、铜、镍的纤维和纱线的纺织品。它们可使用的范围是不同的：从构成人造肌肉的电活性聚合材料到光纤传感器，以及满足穿戴者需求的热敏感面料。（这些发展不仅局限于金属纤维，它们常常是建立在像组织工程学的针织支架这样的成熟技术的基础上。[6]）弗朗西丝·吉赛跨越了电子技术纺织品的科学性和艺术性两个方面，使用工业防护和热塑性的无纺布与土工布——这些可渗透材料（这些材料用在土壤中，能够起到分离、过滤、加强、保护和排水的作用），她在这些材料上还采用了电镀工艺。她的《躯干》系列（**图 91、92**）是用热熔型聚丙烯材料做出服装的外观，并在电镀前应用导电涂料，在这一工艺加工过程中，这个慢慢成型的金属开始能够自己立起来。吉赛因的《冷冻水果布丁》系列（**图 16**），将找到的小瓷人嵌入不同的材料中，用材料包围小瓷人。她所用的材料包括纱丽布料到工业防护布等，并用铜、锌和镍进行电镀，让材料具有导电的性能。作为这种技术以及其他一些相关技术的发起者，吉赛因讲到她的探索，“我靠直觉工作。这真的是在玩耍”。

很多纺织品都带给人玩耍的感觉，特别是那些带有意想不到的成分的纺织品：例如，卡罗尔·沃勒的玻璃包装板（**图 146**），或是黛布拉·拉波波特用裙撑改制的箍帽（**图 139**）。雅各布·施莱弗是一家专门做定制面料的瑞士公司，公司由马丁·路佛德管理，雅各布每一季都会带来一些令人吃惊的材料，从镀铜的面料到激光切割的满是羽毛的薄纱（**图 131、132**）。努诺（Nuno）的联合发起人须藤玲子，因其将传统技术、最现代的生产工艺和生态意识结合运用而闻名，她做出的面料总有一种既明亮又令人愉悦的触感（**图 35**）。而诺尔玛·斯达兹科纳做的面料表面看上去就像拥有随机堆叠层次的汞合金，有些表面看起来是磨光过的。但是这些施莱弗和努诺制作的面料，实际上是经过大范围而且严格的实验得出的结果。斯达兹科结合扎染、染以及印花工艺，使“电影般、半透明发光的数码图像和丝网印刷媒介的效果，包括通过同时采用热反应丝网印刷造成的，加入与图像相应的热敏性材料，然后用绿锈侵蚀得到凸面效果”。这带来了“纺织品的一个新类型，即层层积叠，几乎是有形的连续体的一部分”。在所有我们举出的这些例子中，没有艺术家急于依赖或放弃某种技术或媒介；相反，他们培育出了新想法，这些想法通常需要很长的时间，并最终具有相当大的影响。

一个有名的例子便是斯达兹科纳合理采用的生锈和弄皱工艺（**图 17、120**），

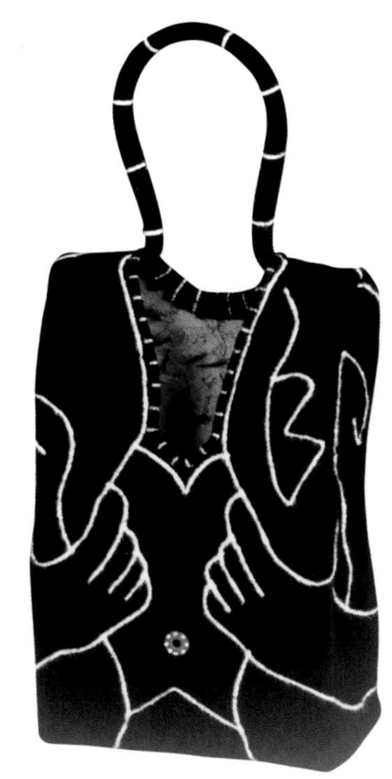

15

15. 让·卡西塞多（Jean Cacicedo），揭露，1999 年。

这个包诙谐地模仿了一个穿衣的身体躯干，包由染色和缝制的羊毛、石膏粉和聚合物构成。羊毛面料是很多年以前卡西塞多从纽约的一家面料商店中找到的。

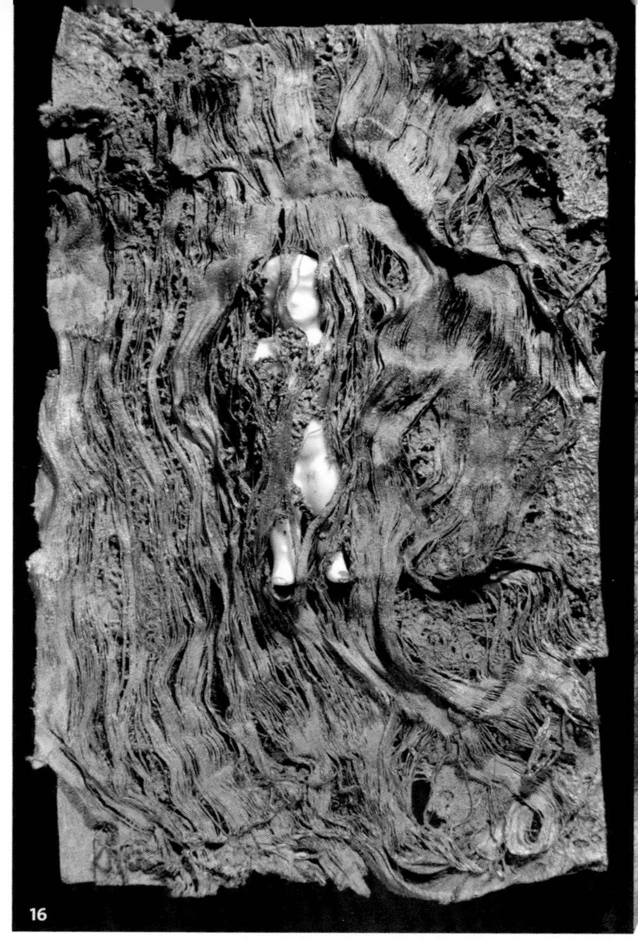

这种工艺开始于 1990 年她为时装设计师三宅一生制作纺织品。那时候涂料印花（与扎染压皱和制作技术截然相反）在日本被认为是一种较差的方法，斯达兹科的这种方法则“有效地弥合了日本传统和‘西方’审美之间的分歧，使实验性印花成为可能”。1992 年，努诺开始专注于为印花纺织品做准备，斯达兹科纳的压皱印花技术后来影响了设计师菱沼良树，2006 年，菱沼良树将这种方法用到了普拉达的春季服装系列中。对此，斯达兹科纳指出，“这可能被认为是一个来自日本的概念”。斯达兹科纳的工作室生产的纺织品经常两面都会经过热活性颜料、氧化铁、压花和铜锈液处理——商业印花要采用这种方式进行批量复制还是太过复杂。我问过她对于新材料和新技术方面的看法，“啊啊啊！”她说道，“这取决于人们怎么使用它们。还有很多没有用上的技术，例如采用纳米技术和微囊化技术生产能够提供对健康方面有好处的感官纺织品。”然而，对于自己的作品，她给予这个忠告：“技术只是一种工具，因为机器的本质就是机器，必须确保对方法的敬畏情绪不会凌驾于自己的目的之上。在这方面，日本人曾经非常擅长颠覆机器生产而做出有特质的产品，而非统一的、完美的产品。”[7]

新井淳一作为 1984 年努诺的联合创始人，是最后的日本大师。新井淳一有着太多的创新活动可以回顾，玛蒂尔达・麦奎德，这位纽约库珀・休伊特国家设计博物馆的纺织品主管，这样总结新井的成就：“不论他是为了破坏纺织品的表面，创造出比原纺织材料更美的东西，还是在新材料上使用传统方法，他

16. 弗朗西丝·吉赛因（Frances Geesin），冷冻水果布丁3，2002 年。

这是十二件系列作品中的一件。每一件都是将找到的小瓷人嵌入到经过电镀金属化的纤维和面料中。

17. 诺尔玛·斯达兹科纳（Norma Starszakowna），生锈的符文墙（细节），2011 年。

将热反应颜料和稳定颜料，包括蓬松黏合剂和氧化的铁锈，用丝网印到真丝欧根纱面料上。斯达兹科纳的材料和工艺反映了“在一个纹理凸显、政治敏感的环境下”，留存下“不可避免的时间侵蚀”。

主要的遗产就是对试验的信念，这体现在他所有的工作中。”[8] 那些传统的纺织品不仅仅是日式的：1968 年，新井作为面料生产的技术指导走访了中美、东欧和东南亚， 这也许可以解释体现在其材料中的“人性化”感觉，即使是在他交织了精细不锈钢和铝纱线的面料中，也带有这种人性化的感觉（**图 99**）。正如新井所说：“有些表达可以用来形容我，其中一个就是‘梦想编织者’。但梦想不是自发形成的，也不是很快就能达到的。你必须一直梦想着那个梦想，并长期坚持。而且你需要意识到那个梦想，它不只是一个无意识的东西。如果你有意识地努力，有时梦想就会朝你而来。我把东西拼凑起来，并且我不知道即将发生什么，但是我一直梦想着我想要的结果，（然后）结果就来了。”[9]

其他人也有梦想。正是对城市景观变化的想象，推动了触感工厂（Tactility Factory）的发展，也使 Girli 混凝土设计系列得以兴起。纺织品设计师崔西・贝尔福德和与他同在贝尔法斯特阿尔斯特大学（University of Ulster，Belfast）的建筑师露丝・莫罗合作，得到的专利技术为 Girli 混凝土构建了基础。她们提供定制的设计和工艺服务，并与预制混凝土的商人合作，增加产量，“Girli 混凝土系列的秘诀在于设计出和混凝土一致的面料。这些设计面料能够保持在混凝土的表面，并和混凝土完全融合”而不会剥落。纱线必须承受混凝土所有严酷的碱性环境，所以他们会用亚麻布。尽管这些来自于树皮内部，或某些树木和草本植物的韧皮纤——在这一例中使用的则是亚麻纤维——在北爱尔兰的纺织品遗产里至关重要，但是也会有来自古代纺织品的灵感，他们会加入金叶子和植绒材料，最终为混凝土的预期视觉效果和触觉效果带来极多的变化（**图 87—90**）。

瑞士刺绣公司的福斯特・罗内尔发起了一个项目，旨在改变另一方面的预期。这个高端的公司与拉珀斯维尔技术学院，以及瑞士布赫斯技术学院联合进行了一个研究项目，创造一般邮差包能用的时尚替代元素，为邮差包加入集成的既薄又灵活的太阳能电池板。其成果就是太阳能手提包（**图 18**）。太阳能手提包由哥本哈根 Diffus 设计公司生产，而哥本哈根也正是设计师汉娜・路易斯・约翰内森和米歇尔・古列尔米的故乡。另外，位于丹麦的亚历山德拉研究所和软件创新中心也帮助其开发这一项目。他们将光伏材料（单晶硅）微型化，转化成为较大的“亮片”，这个太阳能手提包可以用传统方法制作，它的表面结合了常规刺绣和导电刺绣。它可以利用太阳能亮片给可循环利用的锂电池充电。除了能够为移动设备充电，如果在夜间或黑暗环境中打开这个包，它还会激活附着于内侧的光纤，产生扩散亮光，这样就更容易找到包里像钥匙那样的小东西（**图 138**）。这些缝上去的小片，令人联想起公元前 400 年那些在阿尔泰山巴泽雷克鞍褥子中发现的那些小片。太阳能手提包是持续创造力的象征，而持续的创造力激发了大多数科技纺织品的创造——从包的椭圆形状来看，我们得到了一个隐喻的概念，就好比“太阳和月亮之间的关系——即光明与被照亮的物体之间的关系”。[10]

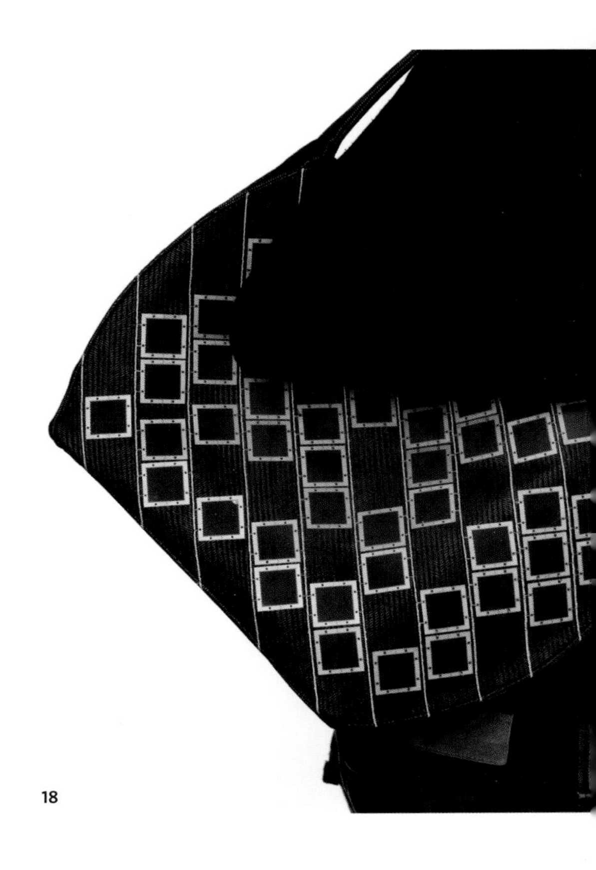

18

18. 福斯特・罗内尔（Forster Rohner）公司和Diffus设计公司，太阳能手提包，2011年。

这件作品是将太阳能电池板与传统刺绣结合。Diffus 设计公司的助理斯泰恩・拉格福吉德和亚萨明・扎法尔创造的太阳能采集板表面非常高效，能够提供最大限度的设计自由。

19. 罗马尼亚制帽工，年轻男士的帽子，20世纪。

羊毛毡帽上饰有 rotta de panni，五排同轴的孔雀羽毛用蜡贴附在黑色的棉针织绳下。这是特兰西瓦尼亚北部拿索的年轻男士喜爱的一种帽子款式。

20. 印度绣工，晚装面料（细节），1845—1850 年。

这是块为出口英国而制造的面料，精致的细棉布上加有金色的闪光亮片、捻线以及来自“珠宝”甲壳虫的翅膀，闪闪发亮。

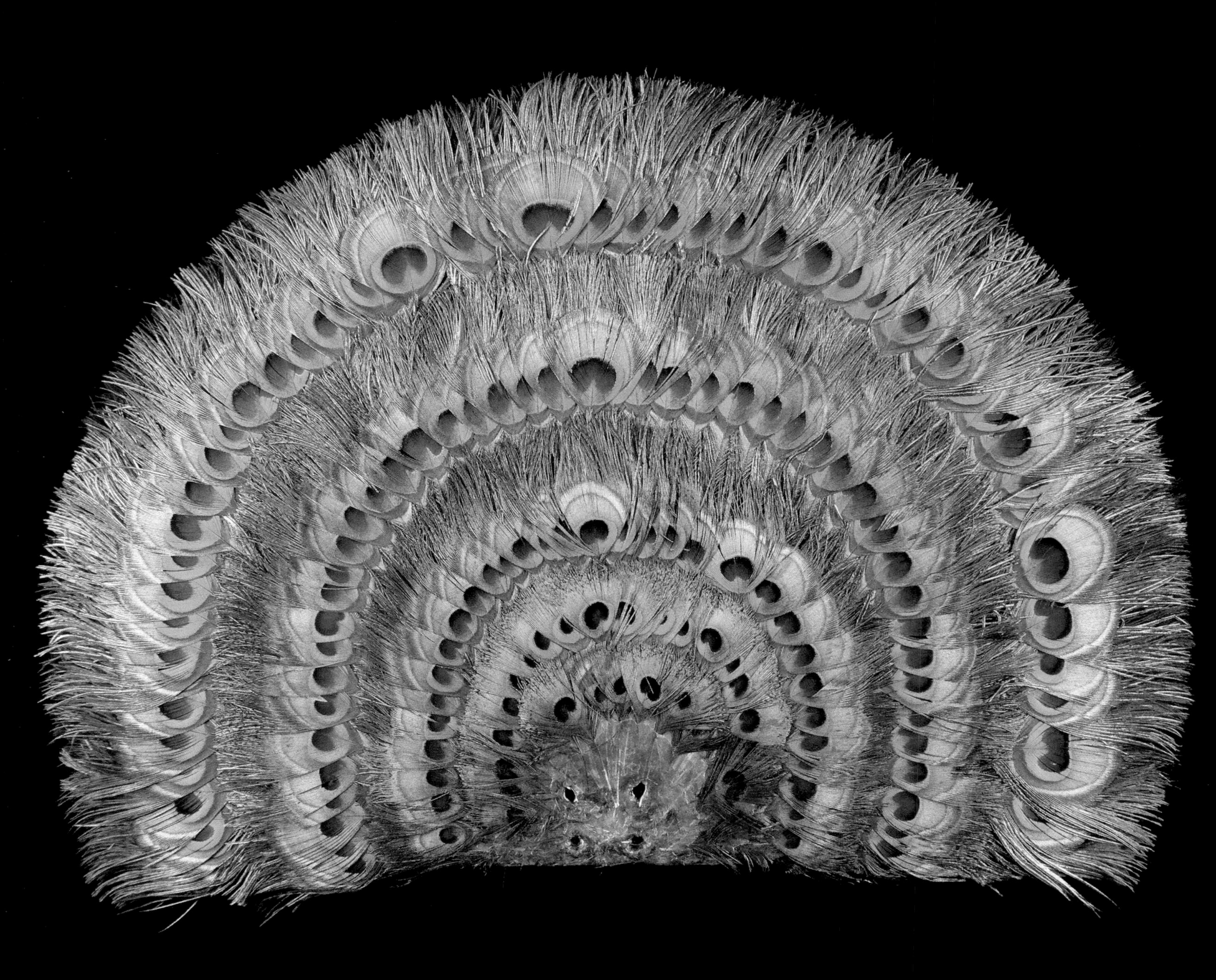

20

21

22

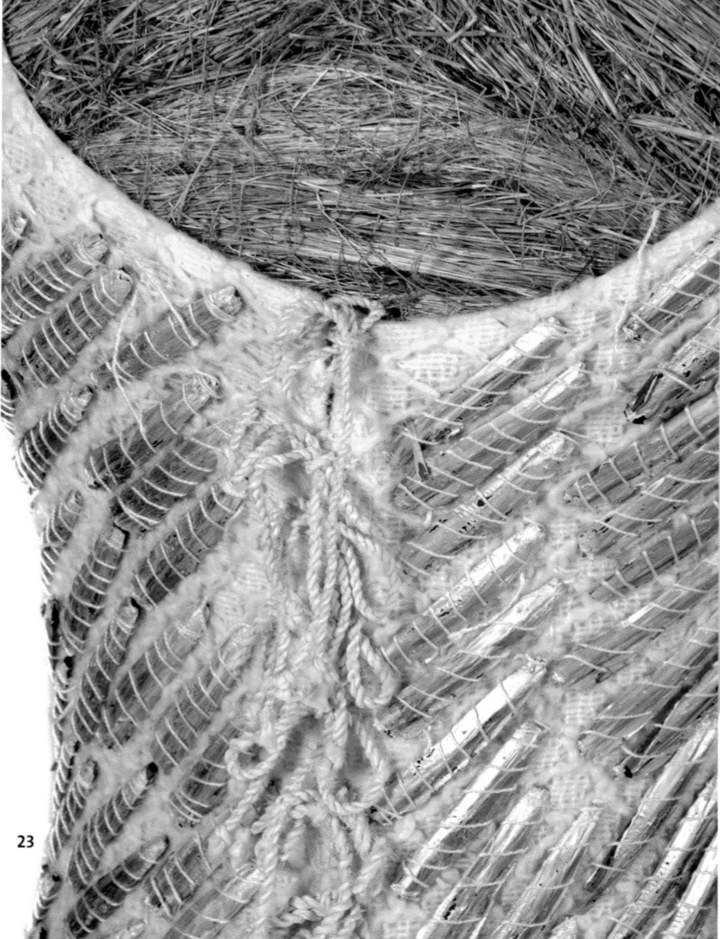

23

24

21. 纳尔达·瑟尔斯（Nalda Searles），小桉树叶西装，1997年。

一件回收利用的有皮革扣子的平纹西装，上面饰有天然的小桉树叶，用亚麻线一片片缝到衣服的前面和背面。这些叶子是从一条被暴风雨折断的树枝上取下来的。

22. 美国工匠，新奇服装，20世纪30年代。

将各式各样的益达口香糖包装纸粘在一件薄纱棉布的衬裙上。

23. 纳尔达·瑟尔斯（Nalda Searles），肯加女服（细节），2008年。

一件白色的贴有巴黎标签的复古羊毛裙装，上面饰有涂有丙烯颜料的草树苞叶做成的“珠子”，用回收利用的丝绸衬衫的丝线系绑这些“珠子”。袋鼠部分（作品头部为袋鼠——译注）是常见的草甸干草纤维做成的。

24. 凯·千木万智（Kay Sekimachi），11根刺，2011年。

这条项链长40厘米（16英寸），由11根海胆刺和双股纸绳组成，使用了分股技术。

25. 萨达纳·彼得森（Sadhana Peterson），茶话会(细节)，2011年。

作品采用的材料包括机织的花边、塑料玩具、茶杯、纸、泡沫材料、回收利用的窗帘、桌布和一件婚纱，艺术家的灵感来自于孩子的茶话会和“用泥团做馅饼的乐趣”。在此，孩子深深地沉浸在玩耍中，以至于她‘纷飞的想法’把她自己变成了茶话会”。

25

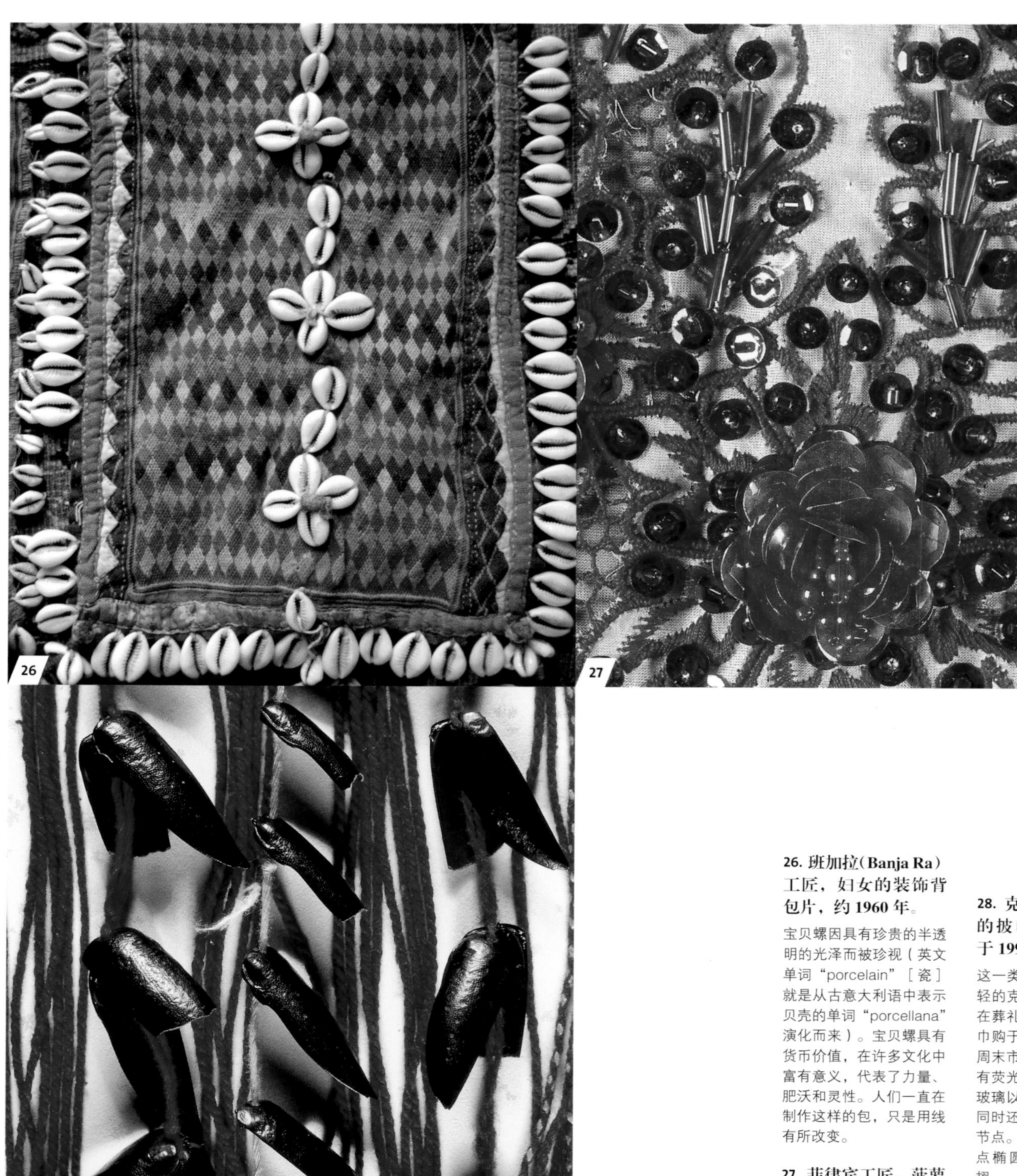

26. 班加拉(Banja Ra)工匠，妇女的装饰背包片，约1960年。

宝贝螺因具有珍贵的半透明的光泽而被珍视（英文单词“porcelain”［瓷］就是从古意大利语中表示贝壳的单词“porcellana”演化而来）。宝贝螺具有货币价值，在许多文化中富有意义，代表了力量、肥沃和灵性。人们一直在制作这样的包，只是用线有所改变。

27. 菲律宾工匠，菠萝纤维面料的大衣（细节），约1960年。

上面的花由闪光的粉色亮片和中间的红色玻璃花蕊组成，下层是大片红色刺绣和针绣花边，以此固定以红色珠子为中心的亮片和玻璃制成的长条形串珠。

28. 克伦族工匠，唱歌的披巾（细节），购于1991年。

这一类型的棉披巾，由年轻的克伦族女孩制作，是在葬礼上穿戴的。这件披巾购于泰国北部的恰图恰周末市场。它的边缘装饰有荧光绿和银色的珠子、玻璃以及塑料纽扣，纽扣同时还装饰了每个交叉的节点。流苏的结上饰有绿点椭圆吉丁甲壳虫的硬翅。

29. 阿富汗工匠，库特奇服装（细节），1990年之前。

这件黑色棉布女性服装是用丝绣、珍珠母和塑料扣子、圆形黄铜制品以及玻璃和金属珠子装饰而成的。

29

31

32

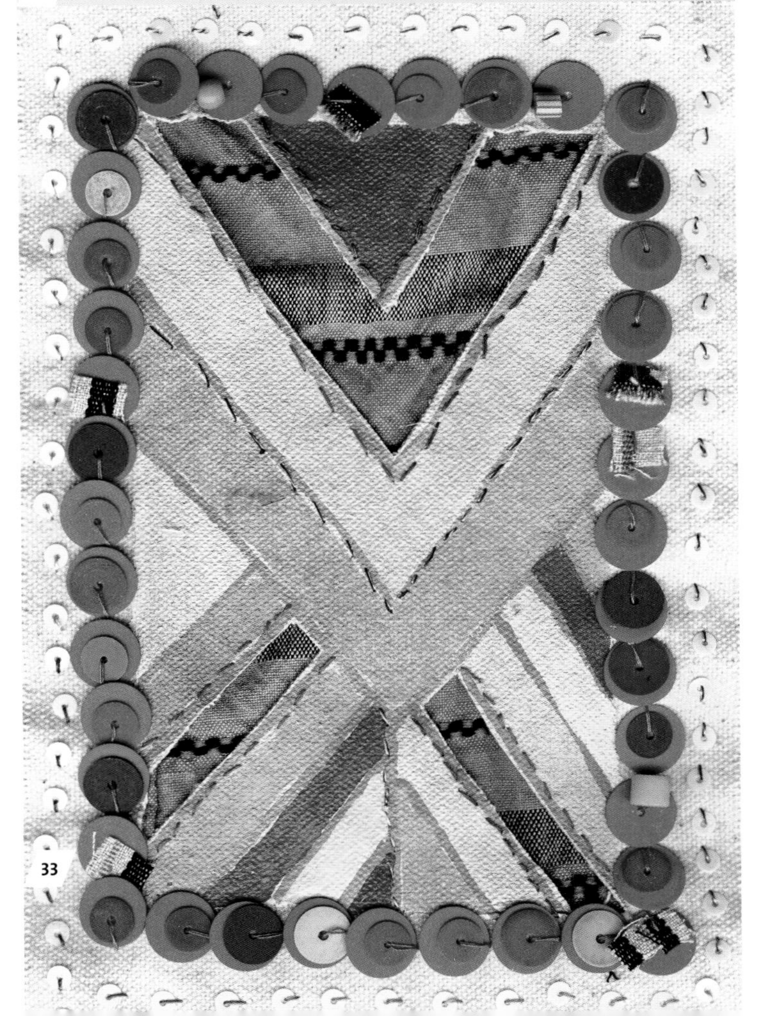
33

30. 埃及工匠，锡瓦绿洲婚礼长袍，20 世纪。

尼龙与金色金属条带交叉编织，用丝绣和珍珠母、彩色塑料扣、彩色玻璃“石头”装饰，还附加了银铃铛、贝壳和流苏。

31. 萨拉·诺丁（Sara Nordling,），致辞，2010 年。

为了纪念印第安纳大学的一组被转换为数字图像，然后被丢弃的摄影幻灯片而制作的四件织物之一。诺丁沉迷于幻灯片，他对“遗失感到悲痛……它们意味着一个时代的结束，（并且）意味着人们制作幻灯片和保持幻灯片目录时的努力”。

32. 苏茜·弗里曼（Susie Freeman）、利兹·李博士（Dr Liz Lee）和大卫·克里奇利（David Critchley），从摇篮到坟墓（细节），2003 年。

某个人的药丸日记，有 24000 颗药夹在尼龙单丝口袋编织的支架里。这件装置的尺寸为 1.5 米 × 13 米（4.9 英尺 × 43 英尺），2003 年由汉丽埃塔·利驰博士为大英博物馆制作，并在伦敦韦尔科姆收藏馆的展览“活着和死去”中展示。

33. 珍妮特·利普金（Janet Lipkin），无题，2005 年。

这块反面贴花的小布片，高 17 厘米（6¾ 英寸），由着色和针缝的帆布以及补纬条状的棉布组成，用不同大小的亮片框起来，有的亮片上还装饰了珠子和碎布。

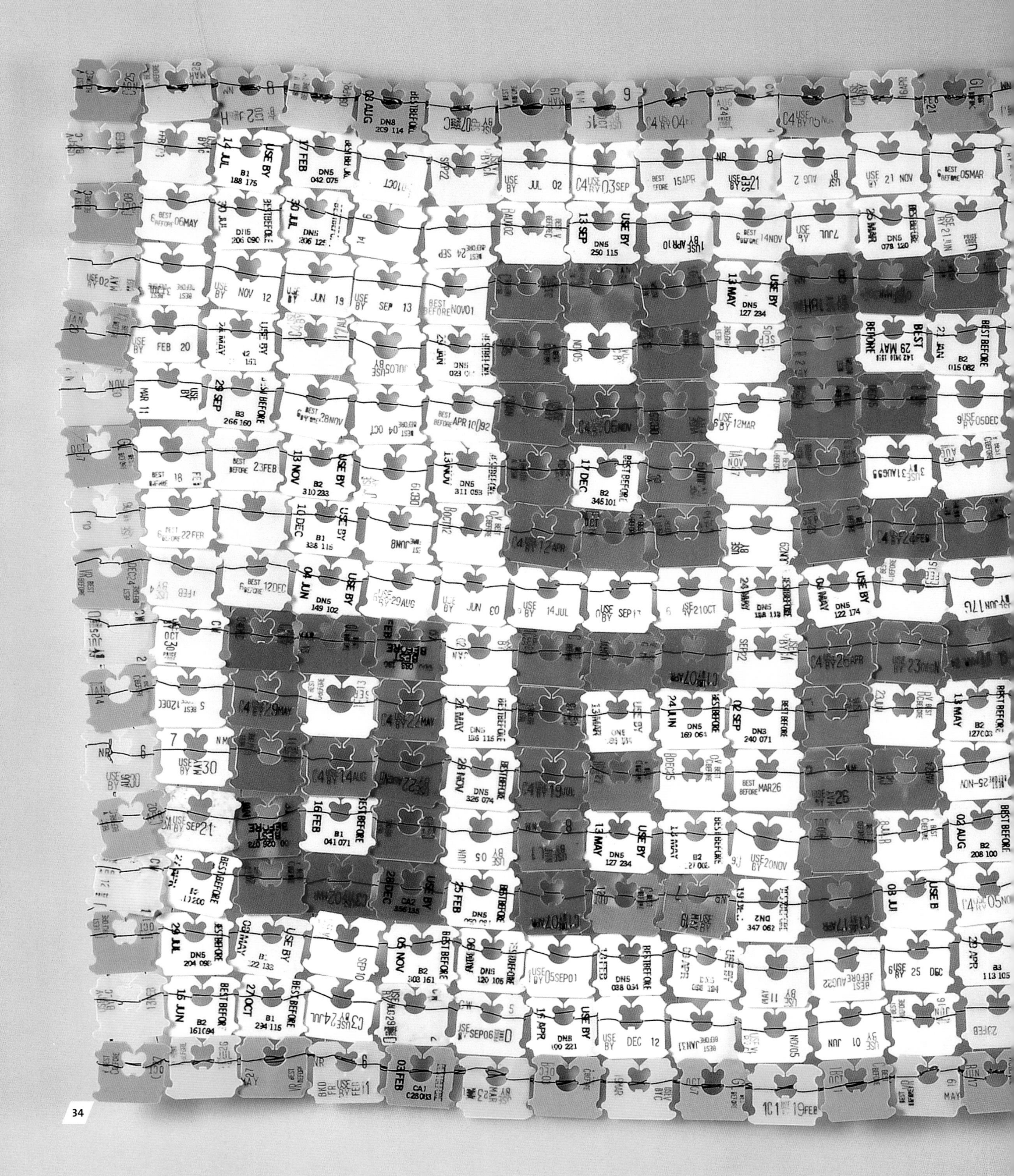

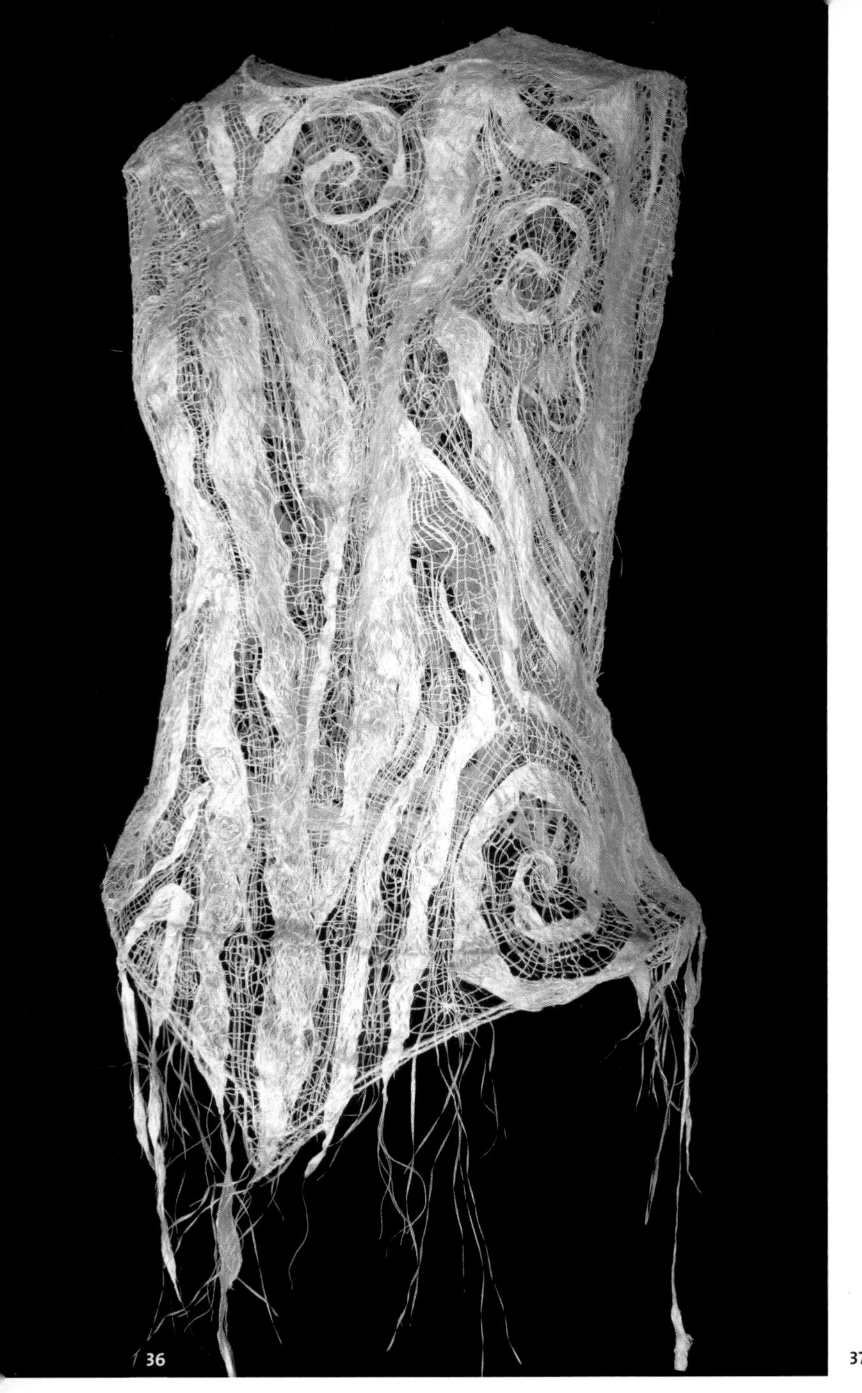

36

37

34. 贾尼斯·阿普尔顿（Janice Appleton），最佳使用日期，2006年。

这是一块床边垫，尺寸为39厘米×66厘米（15.35英寸×26英寸），用金属丝将塑料质地的面包标签以回式针迹连接在一起，婉转地表达了艺术家对她的异性恋婚姻终结的感觉。

35. 须藤玲子（Reiko Sudo），管状的婴儿头发（细节），2006年。

这件作品中包含了棉（75%）和萨纶，具有耐火性和高吸水性，后一种纤维的纱线掺杂了铝酸锶，这种磷光色素颜料可以储存日光并在黑暗里发光，更适用于安全服装和装备。

36. 安德里亚·艾姆克（Andrea Eimke），家，2008年。

自由式缝纫机缝制的蕾丝花边是用桑树树皮布和柠檬木槿树皮纤维制成的，这些锤打后的布被"解构、系结、交叉，用像无纺合成纤维材料一样的可溶性稳定剂以及聚酯纤维线织成花边。通过这些方法，各成分可以相互作用，跨越自身物质材料的局限，超越各自的潜能"。

37. 乔安妮·瑟克尔（Joanne Circle），蝴蝶变成美洲豹，2009年。

艺术家从杰克·夏伯特的绘画作品中的蝴蝶标志里获得灵感，将手制毛毡扎染的卷须与马毛、丝线、棉线相结合，做成毛毡容器，用胡桃和苯胺染料上色。它的形成暗示了"男性和女性力量的平衡"。

38
39
40
41

42

43

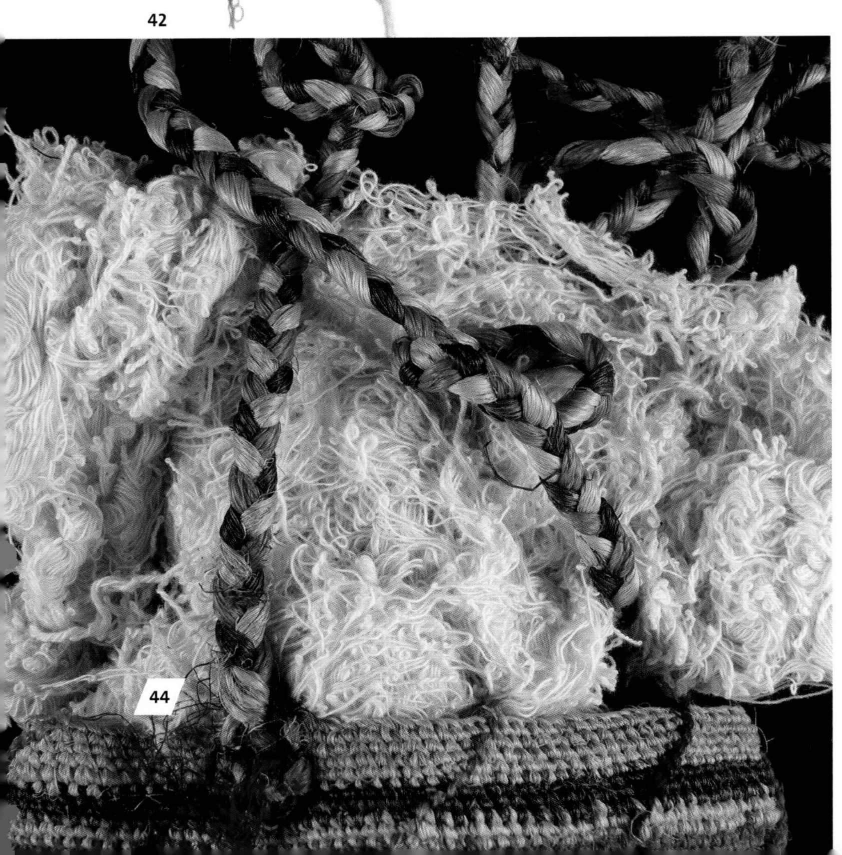

44

38. 喀麦隆（Cameroonian）工匠，Tse Nteng（细节），20 世纪。

这个仪式上用的帽子可能来自班组恩王城，是将染色的酒椰叶纤维束进行辫编，形成由天然酒椰树纤维制成的粗纱环形女帽，线条经过加捻以增加其强度。

39. 夏威夷制篮工，带把手的篮子（细节），1990 年之前。

整个篮子由四个部分组成，用的是编织的有棱的棕榈树叶。

40. 瑞斯科隆纳（Rathcrona）晒干草工，纤维绳束，1973 年之前。

这种干草在爱尔兰共和国被称为"sugawn"，是苏珊·罗森伯格·汤普森送给艾德·罗斯巴赫的礼物，她是罗斯巴赫之前的一个学生，当她住在爱尔兰西部瑞斯科隆纳的克莱尔县克梅勒村庄时收集了这些绳子。

41. 酒椰树叶绳。

来自热带酒椰棕榈树的叶子——从历史上看与马达加斯加岛有关联，但也生长在非洲和中南美洲的热带地区——酒椰树纤维很粗糙，是少数不能用于纺线的天然纤维之一。

42. 海伦·冯·阿蒙（Helen von Ammon），帽子，约 2000 年。

这个帽子用的是平针织法和短纱线（织边），使用大针做针织，尾端悬挂在表面作为流苏（而非将前面的针织纱线打结）。冯·阿蒙在一台安东尼·卡达尔里纺纱轮上纺线，并将有异国情调的纤维合成掺入一股线、两股线或绉织纺纱、打圈的纱线中，例如来自蒙古的驼毛、南美洲光滑的羊驼毛、喜马拉雅山最软的羊绒，以及来自意大利和印度养殖的和野生的蚕丝。

43. 英国绣工，椅背饰面，18 世纪晚期。

这件作品用提花做出边缘，上面的图案描述了对田园牧歌式生活的追求，包括收割亚麻和纺亚麻纱的场景。

44. 奥塔瓦洛（Otovalo）纺纱工，厄瓜多尔，棉线，约 1974 年。

一个多彩的剑麻小篮子里装着刚刚离开纺锤的棉线。棉线的内部结构呈螺旋形，更容易加捻。湿的时候，这种特性会引起微小的旋转——就像在小小的旋转干燥器里——这意味着纤维能很快变干。

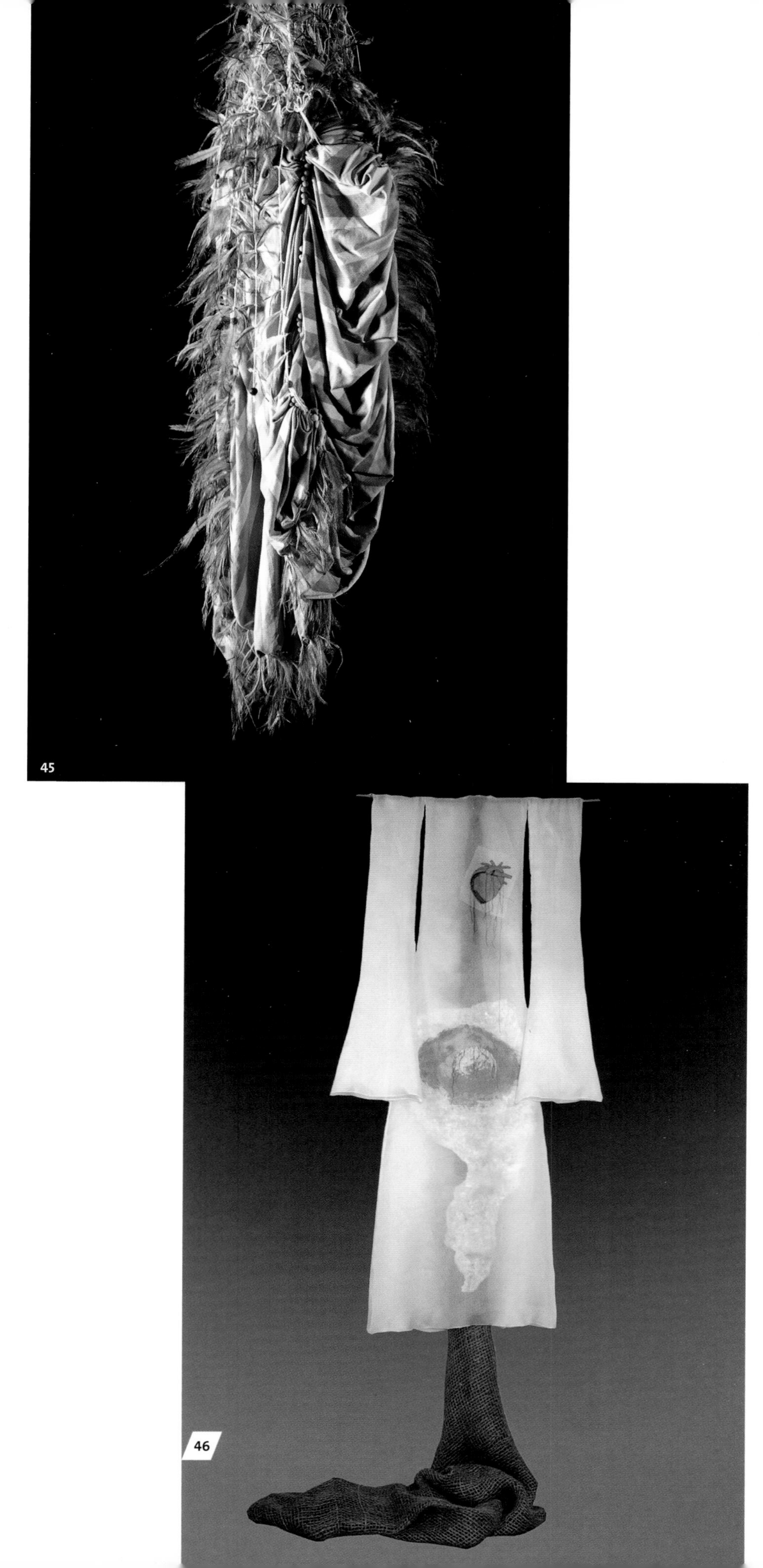

45. 玛格丽特·巴奈特（Margaret Barnett），梦中的小相思树，2007 年。

这件现代的扎染雕塑作品，其灵感来自半干旱的昆士兰景观，为纪念这一地区的拓荒者所制。它由手工打结的网模仿鸸鹋羽毛，网的材料是生长在达尔比附近的天然有色的当地棉花。巴奈特将之喻为“用起来非常棒的材料，垂挂时非常美丽”。

46. 玛丽亚·奥尔特加（Maria Ortega），自画像，2006 年。

这件真人大小的雕塑作品采用天然材料拼缝和拼贴。采用的材料范围很广，从优雅飘逸的野生蚕丝透明纱到粗犷结实的印度纸和厚实粗糙的酒椰树叶。

47. 亚尼内·麦考利·博特（Janine McAullay-Bott），篮子。

艺术家把金山葵叶和喜林芋叶交织在一起。这个“灌木雕塑家”的作品致力于将澳大利亚西部的努噶文化可视化并加以尊重：“我的编织是有文化象征的，并且不断进步，我将我的人群、他们的文化、他们拥有的幽默的独特感觉用可视化的方式进行表现。”

48. 中国西藏工匠，鞋子，1976 年之前。

由细捻的剑麻制成的鞋身和厚剑麻的鞋底组成。上部边缘有单独的蓝绿色线，鞋面有灰色墨水绘制的蝴蝶图案。

49. 贝丝·哈顿（Beth Hatton），引进的物种，2007 年。

作品使用新威尔士州中部乔治湖区的亚麻线缝制技术和植物材料（红色的花药沙袋鼠草和木麻黄的种子），以及苏格兰蓟花和约克郡绒毛草进行制作。模型参考的是悉尼一家博物馆制作的复制品，这件作品是为了纪念他们这一地区的“犯人”——第一批欧洲定居者，他们就像“一群大大咧咧的人……身份虽低但不屈不挠”。

50. 贝丝·哈顿，献祭 #1（再生系列），2008 年。

采用当地的缝卷绕技术局部包缠一个老旧的圆盘犁，犁是乔治·格伦迪送给艺术家的。格伦迪是一位来自新威尔士州南部乔治湖区的农夫，他正为雨季后的干旱导致表层土壤流失而犯愁，只有种植当地的草皮才能维持他的牛群的生存。沙袋鼠草和袋鼠草的结合意味着生命和希望。

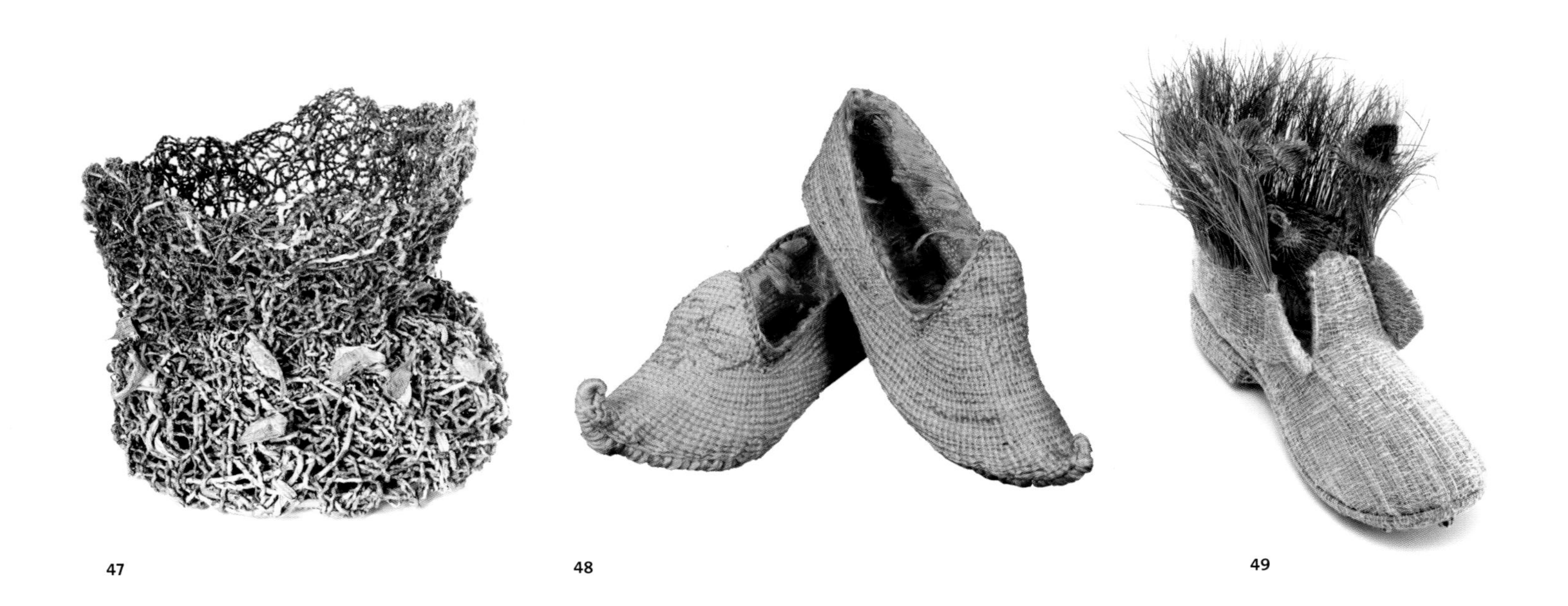

47 48 49

50

51

52

53

51. 希拉里·巴克兰（Hilary Buckland），我们播种时……（细节），2011 年。

来自澳大利亚佩斯的棉籽被镶嵌在这件手缝的 2 米（6½ 英尺）宽的真丝片中。

52. 路易莎·简·欧文（Louisa Jane Irvine），无题（细节），2011 年。

一件混合媒介的壁挂，用破碎和抽褶的白棉布片制成，在缝制之前，它们被浸在蜡里，变硬后再进行制作。白棉布能够承受这一工艺，因为它是由未经漂白且相对较厚的棉纱线平纹织造而成的。

53. 安·理查德斯（Ann Richards），莫比乌斯装饰围巾，2004 年。

理查德斯是一名由生物学家转行的织工，她发现，活着的动物为她提供了灵感，“尤其是生长和形式的基本规则。我用了对比鲜明的材料来创作具有高度肌理感的弹性纺织品，它们的特性在纤维、纱线搓捻和织造结构相互作用时会自然浮现”。这里的亚麻褶裥是根据丝 / 钢线的“记忆力”手工折叠完成的。

54

56

55

54. 井田育子（Ikuko Ida），和服面料，2012年。

手工编织的布料上微妙的变化凸显了这些由天然染料染制的丝绸的色调。井田，一名和服织工，与提姆·帕里－威廉姆斯合作，她将他们的哲学描述为“简约、功能性以及两者平衡之美；想法非常好，同时又带有一种熟悉的吸引力”。

55. 艾莉森·莫顿（Alison Morton），亚麻擦手巾，2006—2011年。

又长又结实的亚麻纤维使它们能够适应所有频繁清洗所需要的功能，这也让亚麻逐渐变软。纤维令布料有一种微光，并适合织造肌理图案（多方面不同的反光可以产生明暗色调）。

56. 上原美智子（Michiko Uehara），上升的水蒸气×2以及白和白，2005年。

精致的手甩丝线，大多数生产于艺术家位于日本冲绳县的花园中，她用其创造了独特的abezuba（一种薄透型织物）或蜻蜓翅膀纺织品。粉红色的上升的水蒸气是用紫草和胭脂虫染料染色的。暗调来自栀子花、洋苏木和月桃。白色用的是未经染色的真丝和凤梨麻（菠萝纤维）。

57

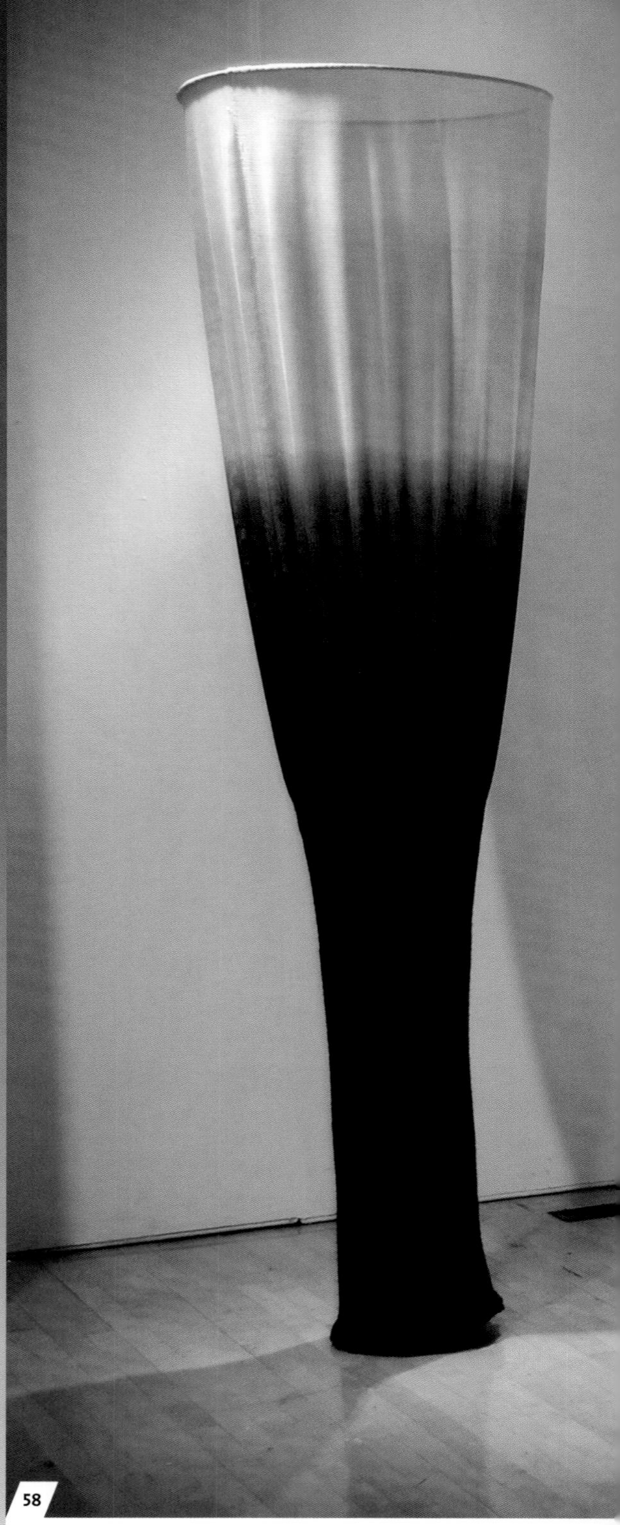

58

57. 伊冯·若林(Yvonne Wakabayashi)，菠萝纤维海葵，2009年。

采用受扎染启发而来的束、绑技术操作菠萝纤维，选择此材料是因其透明性和“保持三维形式的能力以及看起来脆弱缥缈的特性”。

58. 乌拉·德·拉里奥斯(Ulla de Larios)，透明?——恶行、希望，最近的八个，随后的八个？以及意料之中，2009年。

这些柱形物是手工织造、手工染色的，通过相同织法的真丝和羊毛的不同反应来成型——探索了透明这个主题。

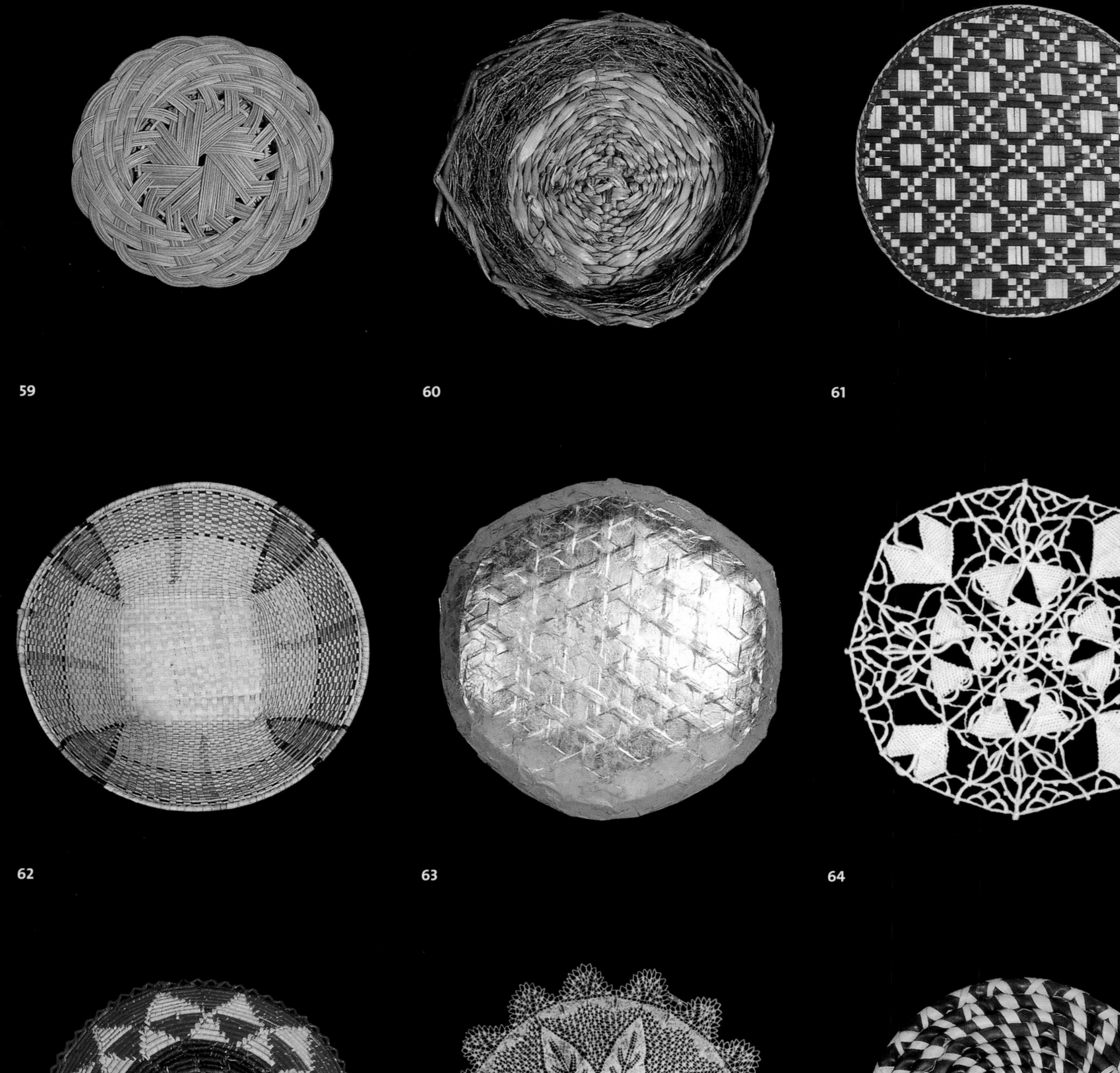

59

60

61

62

63

64

65

66

67

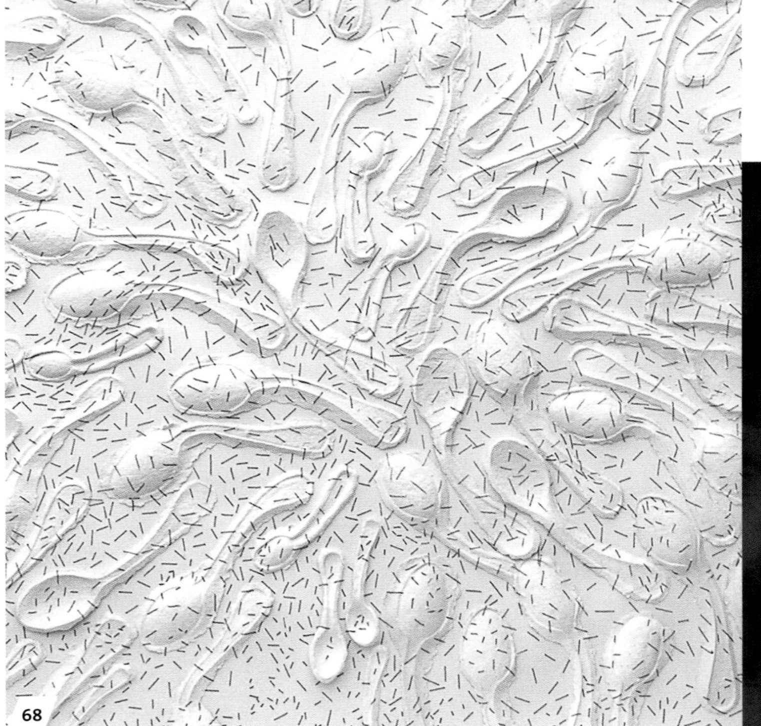

59—67. 植物材料提供了众多的可使用的股线，从粗的到细的，从未被加工的到可纺的。它们可以在自然状态下使用，就像这个草和棕榈树叶组成的带有茎秆辐条和上边缘的韩国篮子（图 60）。这些干燥时可能相对容易弯曲或更加坚硬的材料包括藤（图 61）、甘蔗（图 59）和竹子（图 63），它们都是从树皮或树叶上剥下来然后劈成条。这里展示的例子来自 20 世纪 60 至 80 年代，全都采用交叉编织，分别来自斯里兰卡、菲律宾和日本，后者还用镀银的纸做了里子。更灵活的还是那些用常见棕榈科植物树叶，比如海枣和非洲棕榈树叶制成的条，马里的富兰尼人用它们和剪成条状的芦苇交叉编织（图 62）。露兜树属包括了从西非向东到夏威夷发现的 600 个物种，这里举出的例子是来自巴基斯坦（图 65）和纳米比亚（图 67，在甘蔗之上）的盘绕编织的篮子。由亚麻内皮纺成的纤维既细又结实，可以做像针绣花边这样复杂的操作，比如来自法国（1917—1918 年）的这个装饰垫（图 64）。棉也非常细，而且更脆弱，从美国这个 20 世纪中叶的钩编垫杯盘的小饰巾中（图 66）就可以看出。这几件作品都曾在艾德和凯瑟琳 · 罗斯巴赫的收藏之列。

68. 保拉·马丁（Paula Martin），……它们的原料流，2010 年。

一块装订的铸涂纸片，125 厘米（49 英寸）见方。马丁认为“这件作品使人想到溪流流动时的旋涡图案，以及从景观角度来说，让人想到在山谷和丘陵中穿过和分流”。

69. 尼斯库·尼姆库拉特（Nithikul Nimkulrat），看见纸，2005 年。

纸和纸绳在金属线材上打结，做成了这件 1 米（39 英寸）高的“浮动”雕塑。这位泰国艺术家的兴趣在于创作过程中物质材料的非物质性，以及“通过一种缓慢且缜密的方式处理感觉和材料，将手工制作的过程当成是逻辑思维的过程”。

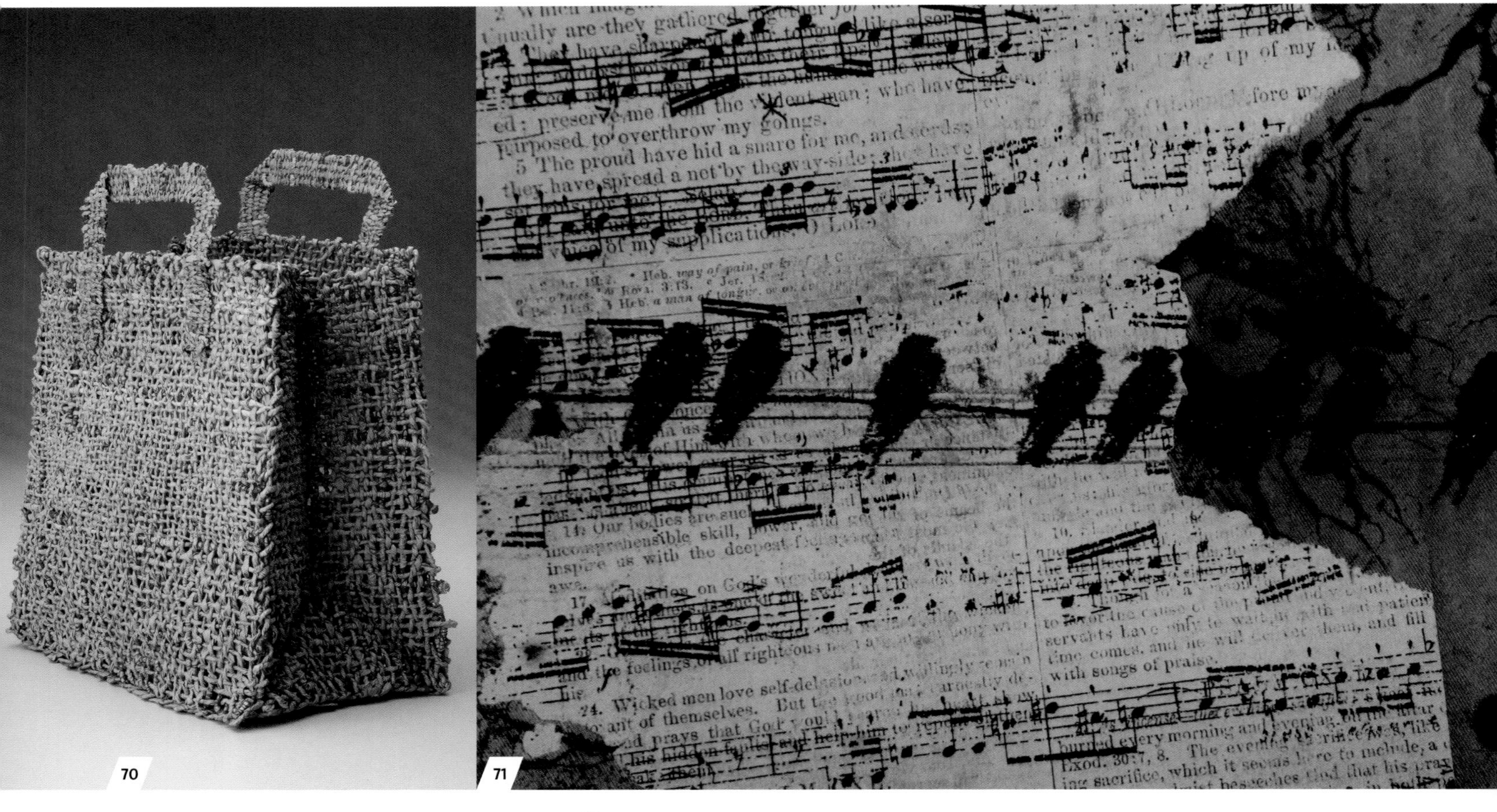

70

71

72

70. 詹姆斯·巴斯勒（James Bassler），商店，2009 年。

用大约 8 个纸袋的线织成的一个纸袋。巴斯勒认为，制作是学习一切学科的一种途径："最好的方法就是让我们的手主动地操作材料，这些材料能够呈现出早期人类面对了什么。"

71. 简·邓恩伍德（Jane Dunnewold），练习曲 25：小号，合唱，埃莉诺（细节），2011 年。

这件作品包含手工染色的茧绸和混合的复古《圣经》页面（通过印花机加入乐谱），使用防染图案印花和丝网印打磨工艺——"其实就是把纸片打磨到面料中"。

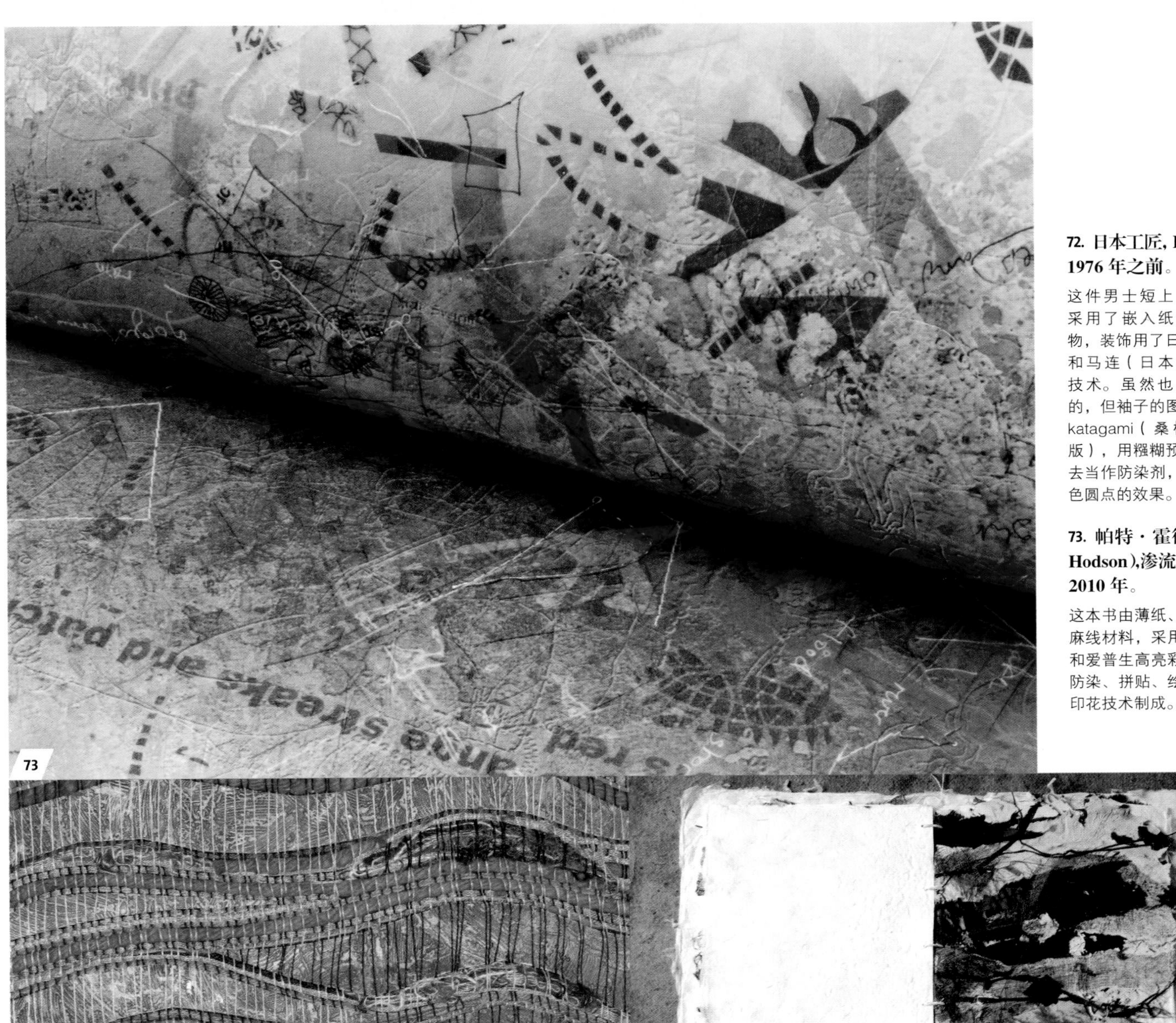

72. 日本工匠，Hippari，1976 年之前。

这件男士短上衣的背面采用了嵌入纸中的网状物，装饰用了日本水墨画和马连（日本印刷版）技术。虽然也是直接印的，但袖子的图案模仿了 katagami（桑树纸漏字版），用糨糊预先涂覆上去当作防染剂，创造出白色圆点的效果。

73. 帕特·霍德森（Pat Hodson），渗流（细节），2010 年。

这本书由薄纸、真丝和亚麻线材料，采用蜡、蜡笔和爱普生高亮彩墨水混合防染、拼贴、绘画和数码印花技术制成。

74. 布里奇特·艾玛格尔（Brigitte Amarger），这本书的痕迹，2003—2007 年。

这本书是由纸、纤维、线、塔勒丹薄纱和墨水手工制成的。参照了“人们留下的第一抹痕迹……在像白纸一样的墙上绘画……就像古老证词一样，作为在覆盖身体的第二层皮肤上留下的刮痕”。

75. 波萨里·比斯瓦斯（Boisali Biswas），我的奥秘（细节），2008 年。

手织的布片上插入了条状的着色墙纸和各种不同的纱线。“我深深地痴迷于印度的传统文化形式，我的一些风格就来自它迷人的传统图案和丰富的色彩配置”。

77

76. 孟加拉织工，皇家坚达尼平纹细布（细节），约1910年。

坚达尼（织锦工艺）在织造过程中加入了不连续的补充纬线。这里采用银薄片（金属薄带）包裹非常精细的未染色手纺棉线，由此形成布底。银线还在经线下面穿梭。孟加拉因最精美的手纺棉线而久负盛名，这种棉线织物后来被称为平纹细布。

77. 阿尔及利亚绣工，Tanchifa或Bniqa（细节），18—19世纪。

这块头巾是为富有的女性在土耳其浴室穿戴所制的，用了手纺的亚麻。底布采用真丝和金线，所有薄片和平带都用下面的丝线挑绣在布料表面。

78—82. 克劳迪娅·穆勒（Claudia Moeller），时尚羊毛系列(细节)，2011年。

2011年，穆勒的晚装系列受到称赞的原因部分来自其复杂的面料。之后，她就创作了这一独立的系列作品。这些面料混合了天然色调或轻度染色的真丝雪纺、乔其纱和缎带、超精美的美利奴粗纱（纯的或混纺了真丝、羊驼毛或羊绒），以及复古花边的片段。“时尚变成了留存记忆和表达情感的另一种语言”。

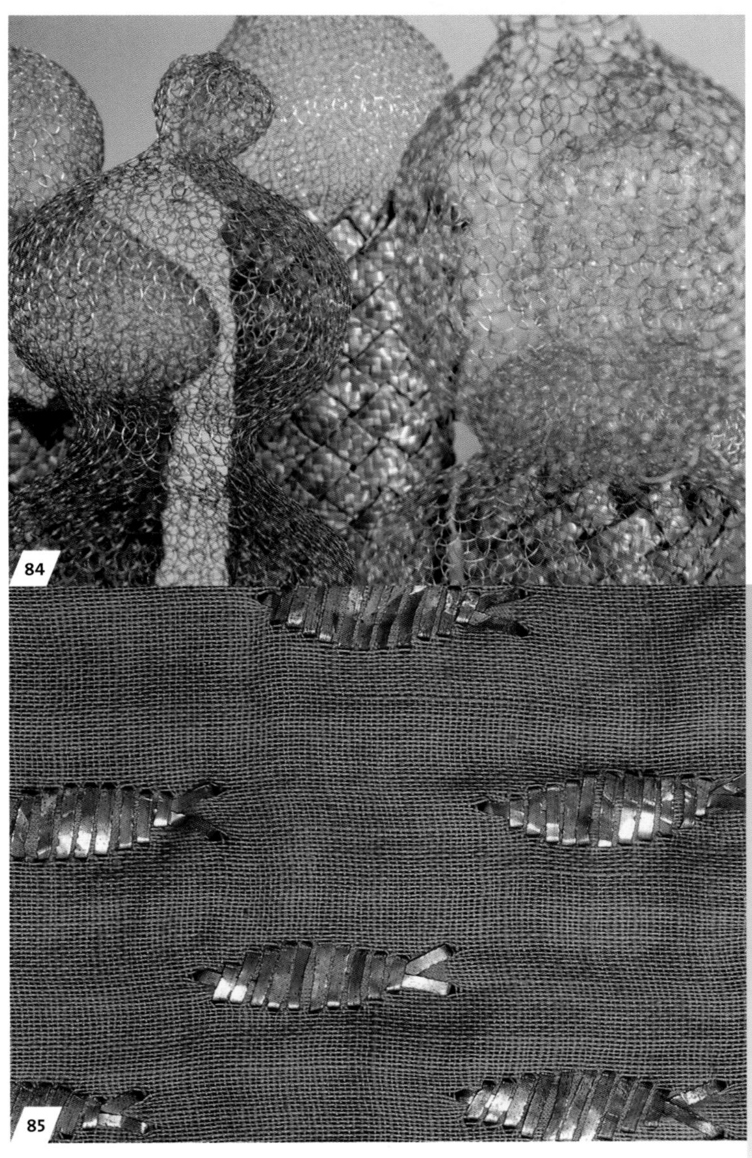

83. 菲奥娜·姬斯汀莉（Fiona Crestani），漂流，2009 年。

这件作品由金属丝和亚麻打褶，有意识地使用锈色，进一步提升了表面的质感。

84. 萨拉·诺丁（Sara Nordling），希望，2010 年。

编织的篮子，内部有金属丝编结出的造型。矛盾的材料使用否定了人们关于金属是坚硬的而稻草是轻软的这种界定。

85. 突尼斯工匠，Dohlja（细节），19 世纪晚期。

这件来自莫纳斯提尔的棉质婚礼短袍衫的许多图案是用 tai（一种平的金子或镀金的金属）绣上去的。

86. 厄休拉·戈伯·森杰（Ursula Gerber Senger），现今的游牧民族，2011 年。

青铜网和加热（氧化）上色的黄铜部分熔化在一起。“这些雕刻品形象呈现出在这样一个越来越多的人在不同的信仰、文化和国家之间移动的时代，背井离乡的人们的渴望”。

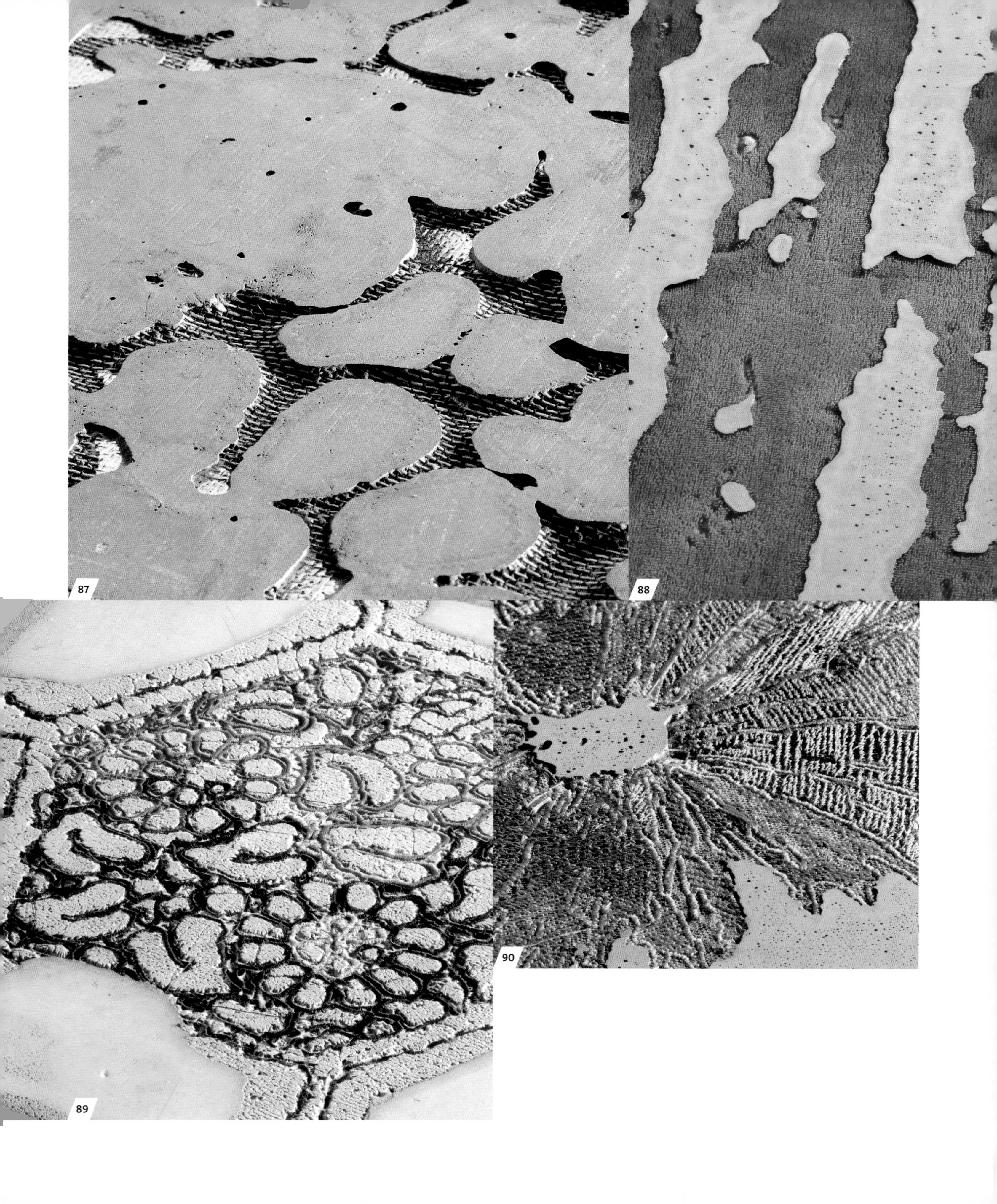

87
88
89
90

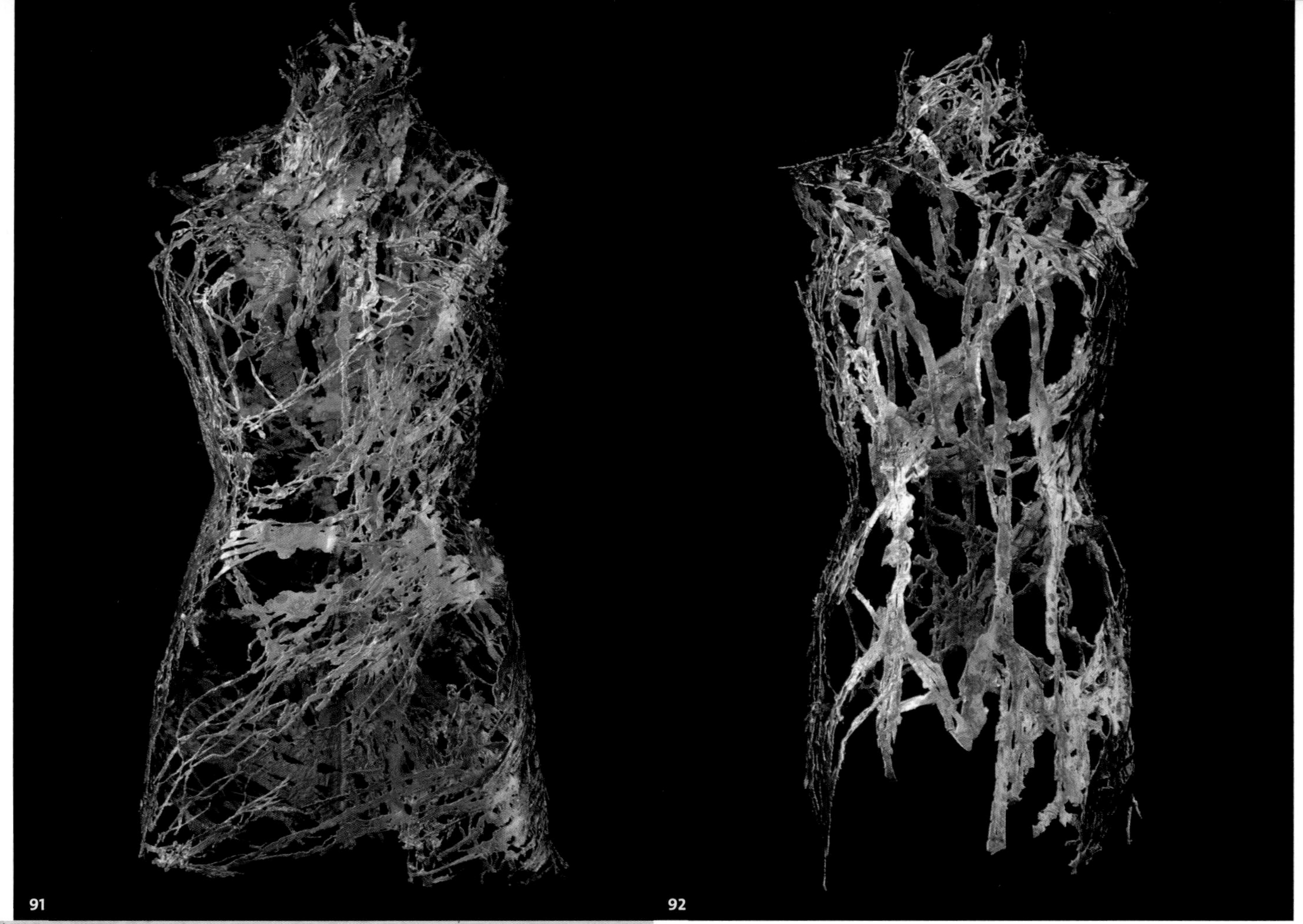

87—90. 崔西·贝尔福德（Trish Belford）和露丝·莫罗（Ruth Morrow），Girli 混凝土，2009— 2011 年。

贝尔福德和莫罗管理的触感工厂是阿尔斯特大学的一个研究和开发单位。他们通过缝制将纤维表面完全结合到混凝土中（图 89、90），把缝迹、金箔和亚麻结合起来——之所以选择亚麻是因为它可以承受混凝土的碱性环境（图 87），作品还加入了手工染色的天鹅绒。这里展现的装置（图 88）已被安装在贝尔法斯特的一个餐厅里。

91,92. 弗朗西丝·吉赛因（Frances Geesin），躯干 5 和 6，2002 年。

这两件作品来自一系列聚丙烯熔接成服装样式的作品中，该系列一共有 6 个这样的服装躯干。艺术家裁剪熔接后的聚丙烯，涂上导电涂料以电镀热塑性树脂材料，这一工艺过程被艺术家描述为“用金属画画，用纤维描绘形式”，作品本身可自立支撑。

93. 露西·新井（Lucy Arai），2004.11 愈合（细节），2004 年。

黑墨汁、靛蓝染料以及手工制作的厚纸上的镀金，通过传统的日式刺绣（从字面意思来看意思是“小刺”）结合起来——这是一种传统的装饰性加固缝法。

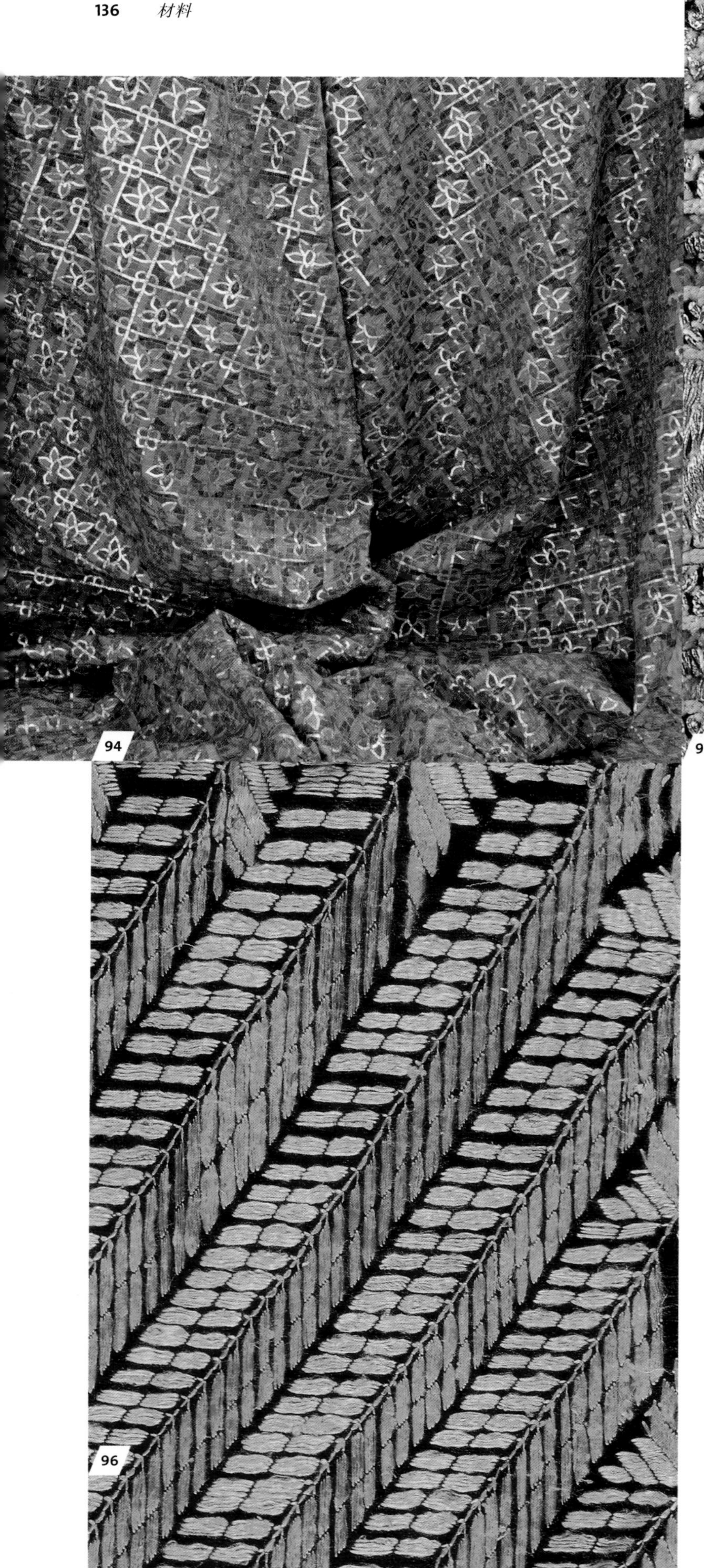

94. 孟加拉工匠，有黄金装饰的皇家坚达尼平纹细布，约1910年。

平纹棉布织入了不同颜色的不连续的图案补纬（织锦），用金薄片做奢华的挑绣。它是尼泊尔国王在1911年出访印度时赠予乔治五世的众多礼物之一。

95. 土库曼工匠，黑色罩袍（细节），1977年之前。

这件土库曼部落女性穿的外套或袍子购于阿富汗赫拉特，是黑色斜纹棉布，用原色线或金、铜包裹的线进行密集的贴花绣、背面缝之字绣和棉绳挑绣。

96. 无名工匠，刺绣织品片段，19世纪—20世纪中叶。

这块布片高4厘米（10英寸），用金丝线在棕色棉布上刺绣，斜行的图案是用长的平针针法绣制，用背部绣出线迹的线分开。

97. 玛丽·伊丽莎白·巴伦（Mary Elizabeth Barron），缝边——捻&转，2008年。

缝边是从旧衣服上剪下来的，主要来自艺术家的家人和朋友的旧衣服，用针织涤棉线盘绕成篮子："它们的第一次生命是衣服，既功利又实用，它第一次生命的目的赋予了它第二次生命艺术的特征"。

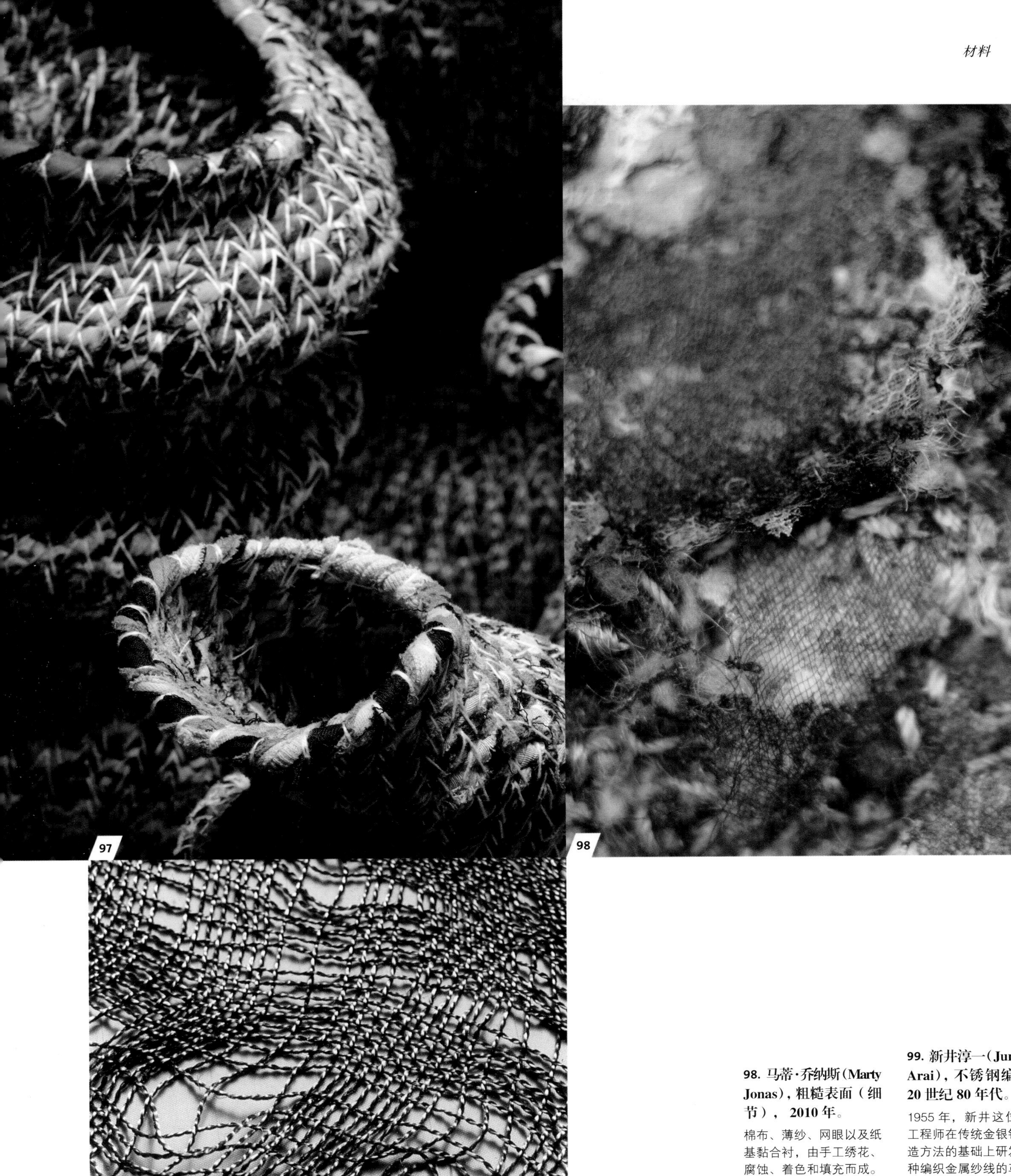

98. 马蒂·乔纳斯（Marty Jonas），粗糙表面（细节），2010年。

棉布、薄纱、网眼以及纸基黏合衬，由手工绣花、腐蚀、着色和填充而成。“纤维和纱线的触觉特性，结合表面图案工艺”，这为乔纳斯提供了用视觉表达的机会。

99. 新井淳一（Jun-ichi Arai），不锈钢编织，20世纪80年代。

1955年，新井这位纺织工程师在传统金银锦缎织造方法的基础上研发了一种编织金属纱线的革新方法，他是首个探索用宏纱编织的人，这种纱线看起来像真丝，实际上是一种不锈钢超细纤维。

100

101

Strobilanthes cusia

100,101. 卡罗·安妮·格罗川（Carol Anne Grotrian），靛蓝和骨螺（细节及全貌），2008年。

这是用棉布和棉絮拼缝的一整块布，采用了靛蓝染色，并使用了日式刺绣。每一片外部的布片都代表了一种靛蓝色的来源，即产生靛蓝染料的植物的成分。从左（图101）至右，依次是：槐蓝属，从印度和非洲到新世界的植物；菘蓝属或菘蓝，几个世纪以来在欧洲都很重要；骨螺贝类，一种古老的、略带紫色的蓝色染料；来自亚热带的亚洲的马蓝；在日本深受喜爱的蓼属植物（图100中亦可见）。

102，103. 英国印花工，美国蓝色防染床罩（细节），18世纪。

它们白色的区域用的是木版印花的防染剂，这样的靛蓝色防染剂与哈德逊河谷、长岛和康乃狄克州西部的防染技术有关。本例在英国制造，主要是为了迎合美国人的品位。

104. 日本工匠，包袱布（细节），20世纪。

这块包裹和搬运用的包袱布，上面的鸟的图案采用的是针缝和扎染工艺，平行的线和那些代表鸟的翅膀的线会先进行折叠再针缝，这些工序都是在将整块布浸入到靛蓝染缸之前完成的。

105. 巴厘工匠，蜡染长布（细节），19世纪晚期。

靛蓝和巴戟天红创造了这块及踝长度的蜡染棉布上的所有颜色。从传统意义上说，这种布的整个表面都有装饰，两端经常有饰边；它被认为比纱笼更正式，男女均可穿。

106. 珍妮·巴尔弗-保罗（Jenny Balfour-Paul），只是染色，2011 年。

绳子上晾着的是用来自孟加拉国和萨尔瓦多的天然靛蓝和墨西哥的胭脂虫红色染料染色后的成果。

107. 芭芭拉·夏皮罗（Barbara Shapiro），马里篮子（细节），2007 年。

靛蓝色的酒椰树叶纤维卷绕在用铁丝围起的纸灯心草上。

108. 埃及工匠，圆形纹章残片，2—3 世纪。

这一残片是少数较晚期的古代紫色织品之一，人们已经证实这种紫色来自骨螺贝类。残片中也交织了装饰性的纯金线。

109
110
111

109. 罗兰·里基茨（Rowland Ricketts），无题（te-lta 之后），2009 年。

石头外面包缠着深浅不同的用靛蓝染色的卡拉库尔羊毛。从传统意义上来说，卡拉库尔羊毛由于其强度而被用于织造最精细的波斯地毯。羊毛的染色能力仅次于丝绸。

110. 珍妮·巴尔弗-保罗（Jenny Balfour-Paul）和露西·戈芬（Lucy Goffin），副产品，1997 年。

这块布采用针缝防染，颜色是在尼日利亚的天然木蓝属植物发酵靛蓝色染缸里染成的。就像制作者解释的："针缝防染和靛蓝染料是天生的一对；靛蓝染料会氧化，移除缝线时能创造出无数不同的深浅度和大理石花纹般的效果。"

111. 罗兰·里基茨，固有的蓝色（细节），2009 年。

这件装置作品的前景是干了的靛蓝植物。作品也包含了靛蓝染色的 kibira 布片，这种织造结构松散的麻布是半透明的，在日本常用作门口分隔空间的帘布。

112. 日本工匠，长方形织品（细节），20 世纪。

棉布上的图案用 katagami（漏字版）粘贴防染，然后用靛蓝染料染色。浅一点的蓝色是通过较少次数的浸没创造出来的，也就是说，这些区域一旦达到需要的色调就会用糨糊覆盖起来。

113. 日本染色工，糨糊防染小样，20 世纪 80 年代。

这块靛蓝防染染色的棉布上跃动着鲜明的色彩，购于加利福尼亚伯克利的卡苏里染色工作室。工作室由和田良子在 1975 年建立，作为民族艺术博物馆和商店，以日本纺织品和手工艺为特色。

114. 阿伊努（Ainu）绣工，外穿长袍，19 世纪晚期。

这是一件有方格图案的日本棉布和服，上面装饰了靛蓝染色的棉布带和白色的靛蓝链形针迹形成的传统集合图样，意在驱邪避凶。

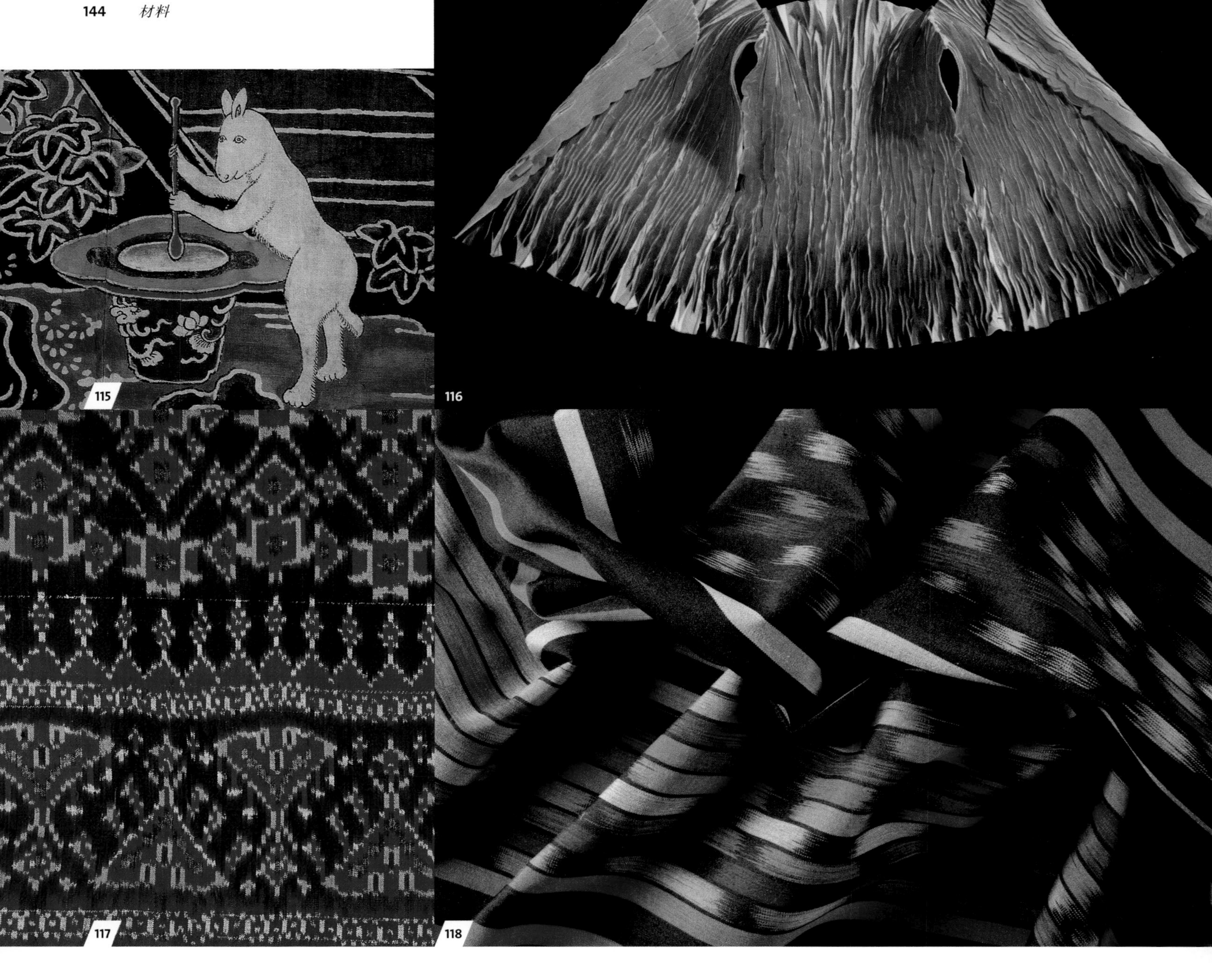

115. 中国工匠，婚礼服面料（细节），1939年之前。

此面料最有可能在福州获得，在靛蓝染色中，手工绘制糨糊防染保护了白色的区域，其他颜色也由手工绘制。提取红色染料需要一个热缸，就像这图案中描绘的那样。

116. 安娜·丽莎·海德斯托姆（Ana Lisa Hedstrom），背心，2008年。

扎染的涤纶面料通过热转移印花能让人感觉到有些细微的阴影。“我认为面料就是对话。它可以是微妙的、大胆的、诙谐的、诱惑的。扎染技术创造了复杂的图案，这或许可以解读成一种语言或一部剧本”。

117. 柬埔寨工匠，管状的真丝絣织（细节），1975—1979年。

用檄树素苷（来自巴戟天树根部树皮的红色）和靛蓝进行套印，形成黑色。我们可以在很多亚洲絣织作品中找到这种方法，它与吉庆场合有关。这件来自柬埔寨的作品中的绿色是靛蓝和一种金色染料套印的结果。这件絣织物来自泰国清迈的肯·巴拉德地区。

118. 玛丽·雷斯蒂奥（Mary Restieaux），真丝纱线絣织，1978年。

雷斯蒂奥认为没有什么能媲美经纱染后的颜色，“尽管过程可能是艰苦的，但当经纱移动盘绕到织机上时，却让人兴奋且感到不可预料”。从此以后她一直专注于探索平行排列的颜色以及颜色的浓度，并且充满热情。

119
120
In the end, there is no
substitute for the value
of one's own words
SPEAKING IN
tong
121

119. 坎迪斯·科尔（Candiss Cole），无袖束腰外衣/背心（背部细节），约2004年。

这件服装是为乔·安·斯坦贝定制的，面料由手工染色的生丝和多彩纱线手工织造，之后用扎染和额外的套印进行修饰。

120. 诺尔玛·斯达兹科纳（Norma Starszakowna），乡音II（细节），2003年。

在真丝透明硬纱面料上双面丝网印花，创造了复杂的表面。双面印是这位艺术家的典型特征，也是对色素颜料和釉彩的探索。

121. 西比尔·海宁(Sibyl Heijnen)，神奇的房间分隔帘（细节），2008年。

这件作品特别为荷兰皇家TenCate集团总部的会议室设计，由镀铝的合成纤维织成。作品基于百叶窗的原理，可以让纵向的布片旋转，整个结构可以折叠起来。

122

123

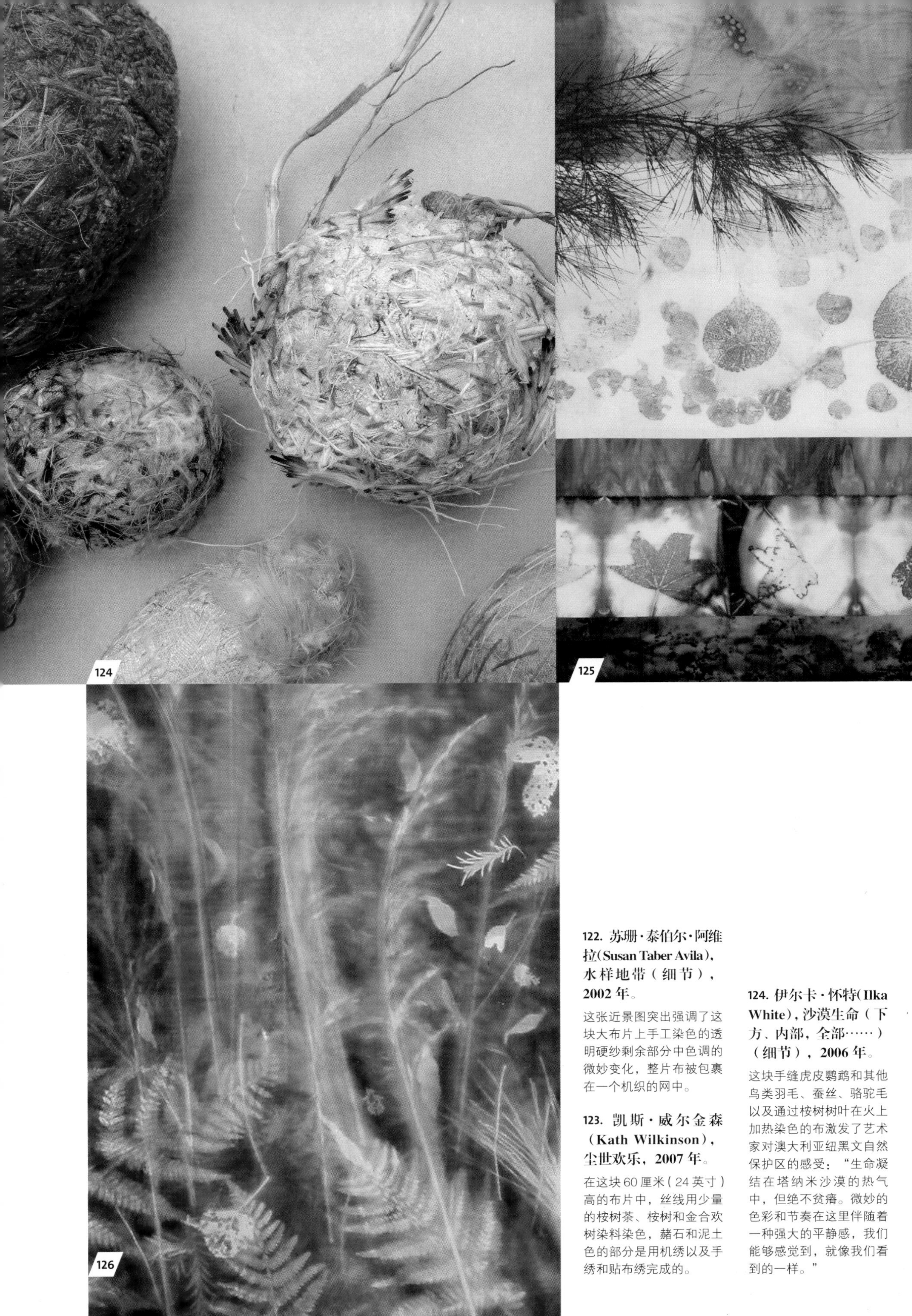

122. 苏珊·泰伯尔·阿维拉(Susan Taber Avila)，水样地带（细节），2002年。

这张近景图突出强调了这块大布片上手工染色的透明硬纱剩余部分中色调的微妙变化，整片布被包裹在一个机织的网中。

123. 凯斯·威尔金森（Kath Wilkinson），尘世欢乐，2007年。

在这块60厘米（24英寸）高的布片中，丝线用少量的桉树茶、桉树和金合欢树染料染色，赭石和泥土色的部分是用机绣以及手绣和贴布绣完成的。

124. 伊尔卡·怀特(Ilka White)，沙漠生命（下方、内部，全部……）（细节），2006年。

这块手缝虎皮鹦鹉和其他鸟类羽毛、蚕丝、骆驼毛以及通过桉树树叶在火上加热染色的布激发了艺术家对澳大利亚纽黑文自然保护区的感受："生命凝结在塔纳米沙漠的热气中，但绝不贫瘠。微妙的色彩和节奏在这里伴随着一种强大的平静感，我们能够感觉到，就像我们看到的一样。"

125. 安妮·莱诺（Anne Leon），秋日海滩之梦，2011年。

实施生态可持续发展的实践需求驱使艺术家去探索植物染色技术和基于水的丝网印花，产生了用叶子压印做标记的细微差别，每一个都是不可预料且独特的。

126. 玛丽－特雷泽·维斯尼欧斯克(Marie-Therese Wisniowski)，沃拉维——旅行者的聚集点(局部)，2011年。

这位艺术家的个人特征是用复合散开染色升华技术，在缎面布上分散染色，用多重手工印花防染剂，并用澳大利亚本土的许多植物染料做套印。"沃拉维"指的是一个原住民喜爱的休闲之地，是为"短期丛林流浪"时碰面而设置的。

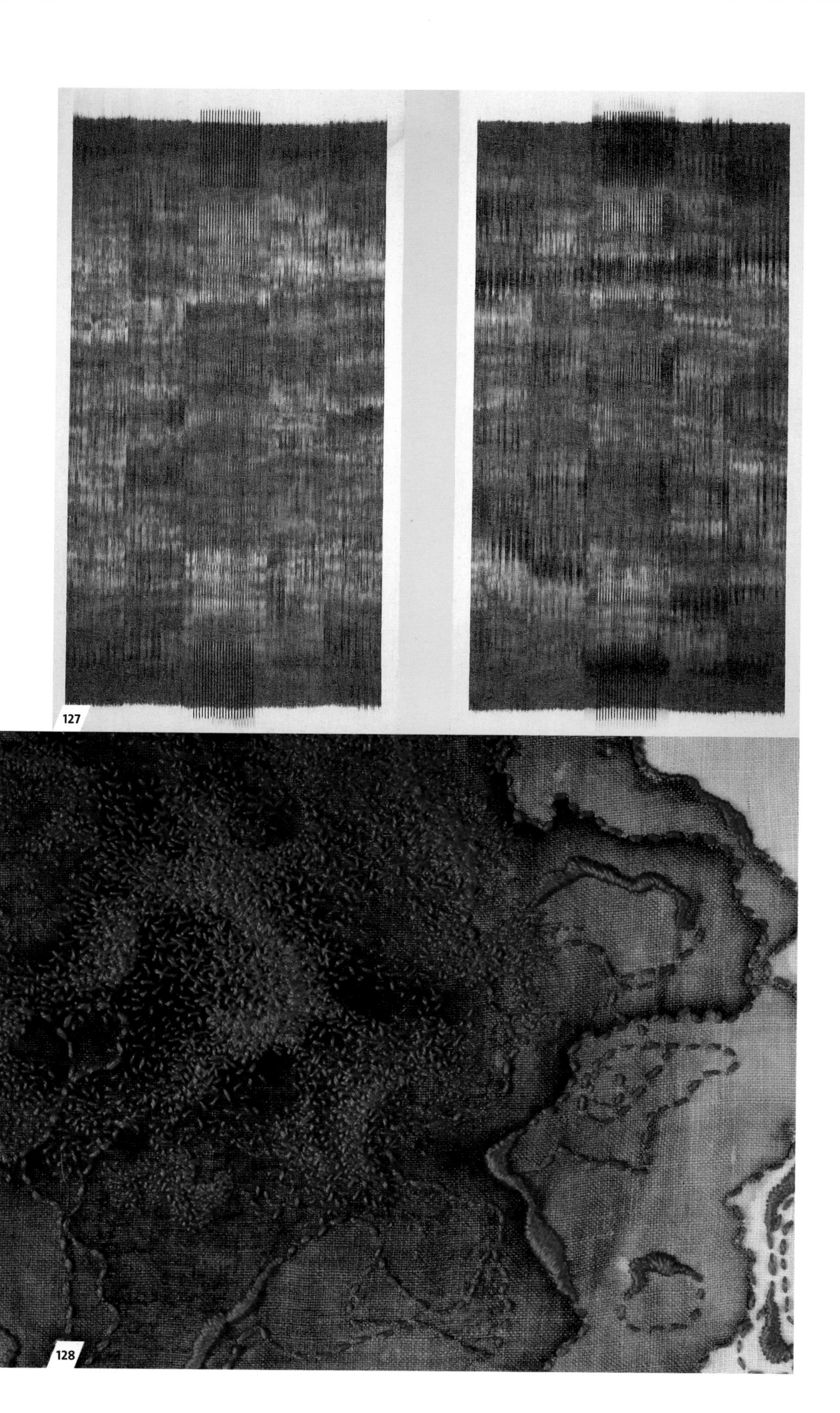

127

128

129

127. 富田淳(Jun Tomita)，Kasuri No.38—1 红与白，1986 年。

这是一件亚麻经纱与真丝纬纱纺织的 Kasuri（经纱扎布）。经纱是用合成染料手工上色的。

128. 艾琳·恩迪科特（Erin Endicott），治愈的佛经（细节），2011 年。

在一块有胡桃墨水渍的复古棉布上手工绣花。针迹象征静脉、根、细胞结构或种子，“一次一针，一个小时又一个小时……这就是治愈之道”。

129. 富田淳，Kasuri No.206 红与白，2008 年。

这块真丝面料高度超过 2 米（6½ 英尺），经纱是用合成染料手工着色的，传达了艺术家“创造一种空间和时间，在其中观察者可以体验独处，就与我在自然面前感受到的类似，在那里我可以感觉到一个充满平静的时空”的意图。

130. 西非工匠，印记条布（细节），约 1990 年。

这块手织粗棉条纹布的底色源于可乐果，图案本身是用树叶和含铁的河泥染上去的，压印图章是雕刻后的酒椰棕榈。

132

131

133

131. 雅各布·施莱弗（Jakob Schlaepfer），马列维奇，2011年。

这块超轻的涤纶面料用铝进行表面覆盖，喷墨印花。用于室内装饰。

132. 雅各布·施莱弗，绣花样品，2010—2011年。

这是为高级定制服装所制的与众不同的双层绣花，有的里面填充了不同大小和不同颜色的羽毛。

133. 伊莎贝拉·维尔瓦（Izabela Wyrwa），白—黑，2005年。

这件作品中的金属丝、金属网和线看起来很生动，其尺寸是300厘米×250厘米×200厘米（118英寸×98英寸×79英寸）。

134. 伊莎贝拉·维尔瓦，空气中的某些东西，2010年。

金属丝、金属网和塑料被缚在一个3米（118英寸）高的结构中。它们不仅看起来很轻，还否定了关于纺织材料和技术的传统预想。这件作品在罗兹市中央纺织博物馆的第十三届国际织锦三年展上获得了银奖。

135. 丹妮拉·鲍尔（Daniela Bauer），绕轨道而行，2010年。

这个手缝的帽子是艺术家对自然的循环和永不停息的运动的可视化表现，比如一颗行星的运行轨道。由菲律宾蕉麻制成的像稻草一样的纤维，做成旋涡状的裙撑绕着橙色的鸵鸟羽毛梗盘旋而上。

134

135

136. 菲奥娜·姬斯汀莉（Fiona Crestani），无题，2010年。

艺术家利用一种薄纱织法，将鱼线和丝线创造出一种轻盈流畅的形式。

137. 杰克·艾布拉姆斯（Jackie Abrams），智慧（细节），2011年。

这件作品将回收的干洗袋、录像带和银色丝带作为基础，用珍珠棉线盘绕而成。“坐在我的工作室里，手边的材料总是我满足、沉思、挫败和满意的源泉……旅行，尤其是到非洲的旅行给我带来了深刻的影响……我正学习简化事物，只表现重要的”。

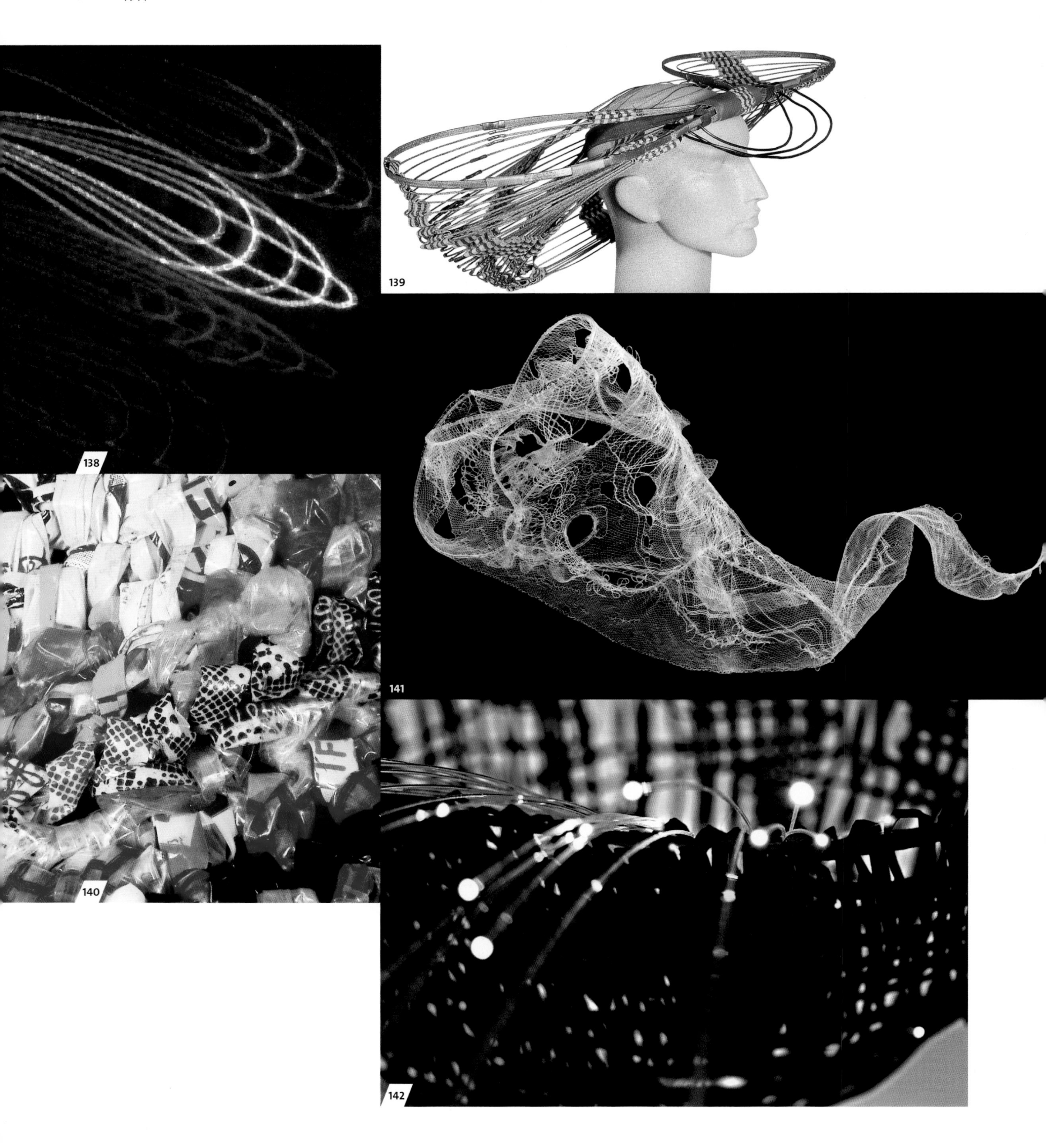
138
139
140
141
142

143

138. 福斯特・罗内尔（Forster Rohner）公司和Diffus设计公司，太阳能手提包（展示了太阳能光的内部细节），2011年。

该设计团队专注于纺织品、计算机生成系统和太阳能领域的传感技术、软性电路和低能耗光照领域。这种光被结合到包的内部，是一种特殊的找到放在手提包里的东西的解决方法。

139. 黛布拉・拉波波特（Debra Rapoport），箍帽I，1985年。

这件作品中所使用的裙箍——由棕色和白色的线包住金属线，加上扁平的金色条带穿过并且通过银色的金属搭扣固定在棕色和白色的棉带上——已经被折叠起来，用丝带捆扎，形成一个头部两边各有一个凸缘的帽子。原来的腰带面料和扁平的金属带已经用金色和玫瑰红色着色。

140. 美国制作者，圆形垫子（细节），20世纪60—80年代。

塑料袋条用单钩和双钩从圆点出发钩成同心发散的带子。这件作品由艾德和凯瑟琳・罗斯巴赫捐赠给了UC戴维斯设计收藏馆，这可能是由他们或他们的学生制作的。

141. 加布里尔・格罗曼（Gabriele Grohmann），劳赫，1996年。

这件作品来自柏林CMP的"雪茄"展的一部分，可穿戴也可放在房间中。它是由各种颜色以及不同直径的鱼线组成的，它将梭结花边技术和新的结构结合，意图是将雪茄的烟雾外观转化成花边蕾丝。

142. 玛丽埃塔・托尼娃（Marieta Toneva），光的动态（细节），2010年。

将光纤和纸绳交织，创造出一个大型的照明形式，宽240厘米（94½英寸）。"特殊材料的特性对我来说也非常重要。尽管它只是一件艺术作品的一部分，它仍然有自己的特性"。

143. 罗珊・霍克斯利（Rozanne Hawksley），白色镜子（细节），2004年。

赋予废弃物品新的生命力是这位艺术家处理材料时的关键。他在上光的骨头上缝上了珍珠、亮片、羽毛和各种面料，还有线和绳子，赋予镜子新的生命。它本身暗指简・科克托1950年的超现实主义电影《奥菲》中的主张，即生命通过一面镜子来去。

144. 帕特·莫洛尼（Pat Moloney），伦敦遇见计划（细节），2007—2008 年。

这件作品由一种手工栽绒地毯技术织成，包含了橡胶、塑料、反射材料和一组颜色变化的光纤。“我认识到，通过留意不可预料和不可预见的想法，就能创造机会，带来手、思想和数码美学之间的转换”。

145. 珍妮弗·谢拉德（Jennifer Shellard），项目 1，2007—2010 年。

对光反应和光感应材料的调查产生了这件手织的真丝和不锈钢纺织品，其中使用了荧光材料，此处可以看到它在 UV 光下的样子。

146. 卡罗尔·沃勒（Jennifer Shellard），玻璃包装板，2005 年。

这是为伦敦的切尔西花卉展创作的，艺术家用染料在一块真丝和黏胶纤维混纺的面料上绘画，然后置于玻璃夹层中。织物里包含蛋白质和纤维成分，使得腐蚀工艺成为可能，由于只选择性地和人造丝的纤维成分反应，织物局部被腐蚀，留下半透明的边际模糊的图案，正好与染印上去的浓密色彩相互补。

147. 西比尔·海宁（Carole Waller），水（海伦·凯勒）（细节），1999 年。

透明的塑料卷被裁切成大约 20 厘米（7⅞ 英寸）高，绑在一起，立在树脂玻璃上。整件作品占地 1 平方米。艺术家意图让人们把塑料看成并感觉成水，利用了“手指的触觉”和触觉感知，让眼睛去“触摸”。

III. 结构

2

III.

结构

纺织品是三维的物体，即使是布的长度也是如此。纺织品的第三维，也就是厚度，是由于所有纺织品都是通过互相连结的形式所构成，不论是制毡过程中的毛发与毛发的变换、针织过程中一环又一环的样式，还是梭织过程中的经纬交织。纤维的特性和其维度，也取决于材料表面的连接或细胞水平上的连结。材料的韧性和股线直径，还有材料排列的密度，决定了成品的硬度和厚度。因此，材料组成成分的选择和制造方法互相依赖。本章重点强调相互作用，同时关注制造纺织品时所用连结的特性和不同种类。

除制毡、针织和梭织以外，还有其他许多途径可以制成一件纺织品，也就是那些被概念广泛的“构建”和“结构”所包含的方式。两者都指布料的“建筑”，它们本身就是合适的描述，因为很多古老的民居形式——比如帐篷、木屋和抹灰篱笆房——就曾经用到纺织品或纺织制造技术。如果一个人能注意到那些不依靠支撑就可以立起来的纺织品和纺织结构，那他就很容易理解，在不坚固，没有永久性支撑的情况下，它们需要某种固定形式。不论最终结果多么易变、不稳定，在制作任何一种纺织品时，都是如此。我们可以通过很多方式固定纺织品。制毡需要在压缩过程中有一个结实安静的放置处，而所有其他纺织结构至少需要一个组件具有足够的刚性，这种特性可能只是临时的，在被手或机器拉紧时才表现出来，或者也会由于材料本身的性质而永久存在。不需要织机辅助的技术令这种区别更加明显，这也是我们开始的地方。

无张力技术

篮子制作是无张力技术的主要案例，它所包含的材料当中，至少有一种能够随意控制的坚固材料，然后才能用手扣合篮子各部分。留存下来的最早的篮子来自埃及，起源于 10000 年前到 12000 年前，但是生产它们的证据比这还

1. 蒂姆·帕里－威廉姆斯（Tim Parry-Williams），大型歌剧围巾（橄榄绿方格），2010 年。

手工生丝编织以及自然染料。帕里－威廉姆斯把围巾比作一件好的珠宝，不过他致力于研究微妙的表面和纹理，而不是“太过于突出，而是给穿着者的整体外观增强质感”。

2. 莫·克尔曼（Mo Kelman），阴暗面，2009 年。

将有扎染图案的弹力面料拉伸，用绳子拴在一个扎捆的竹子结构和墙面之间。染色方法是 mokume（意思是“木纹”），通过聚集一行一行的缝线，并在热染浴过程中让这种压缩后的形式有“记忆性”。“我的雕塑是有拉力的结构，它在寻找一个暂时的平衡点和一种临时的张力”。

要再早 8000 年。在编织篮子的活动中，机器始终没有替代手工制篮的习惯。这一情况促成了 20 世纪六七十年代人们对篮子编织的再评估，后来成为加利福尼亚大学伯克利分校设计学教授的艾德·罗斯巴赫在很大程度上推动了这一评估。他于 1973 年出版《作为纺织艺术品的篮子》一书，这本书讨论到了“篮子与工艺、材料和人类心血来潮的活动关联时产生的美学”[1]，并且到现在仍然是一本影响力很大的书。当时，罗斯巴赫，一位织布工就已经因将非常规材料与传统篮筐编织技艺——枝编、绳编、编制以及盘绕工艺——结合而闻名（**图 6、188**）。他的最终作品几乎包括了每一种纺织制造工艺，其灵感来自于他对人类学调查过程中保存起来的篮子的研究，以及现在世界各地仍然存在的篮子的研究。罗斯巴赫变成了一位劲头十足的篮子收藏者，十几年后他评论道：“我们的房子里充满了篮子。它们被储存到各处：在衣服立柜里、厨房碗柜里、香柏木箱里，但出现最多的还是在纸板箱里。我沉迷于篮子，它们令人窒息，但我的妻子（凯瑟琳·韦斯特法尔）和我还在买更多的篮子，而我也在做更多的篮子。它们一旦进来便很少离开这个房子，如果它们因为展览离开了，回来时就会发现自己的位置已经被其他篮子占了。但它们必须被放进来。它们就像罗伯特·弗罗斯特的诗中充满感情色彩的角色。”[2]

插图中收录有罗斯巴赫和韦斯特法尔收集的一些篮子，这是他们收集的成百上千个篮子中的一部分（**图 3、8、53—55、62—69、71—75**），插图中展示了两个——一个是鸟巢，一个是法式“巢型”篮（**图 4、5**）——这两个篮子显示出他对篮子的实质的喜悦之情：“能够将一些我们熟悉的植物材料，不用工具、不用机器，仅仅靠熟练的操作技艺，转变成有用的容器，谁不为此感到快乐呢？如此直接，如此自然，如此简明……”[3]

衣橱里和巢型篮相近的篮子是采用绳编和枝编工艺的篮子，不同之处在于其横向（纬纱）的“扭结”被安排为纵向部分的约束性的围合，并称之为“桩”。在基本的绳编程序中，每个桩的两条纬纱之间发生捻转（**图 75**）。在枝编工艺中，纬纱先是从前穿过然后从下穿过，通过交替地穿过桩前桩后，形成横向的路径（**图 3**），以此来完全围住经线，固定住桩。然而，概念虽然简单，结果却可能会因材料放置的密度和材料自身的宽度而产生很大差别。在枝编工艺中，纬纱可以很宽，如果在相距较远的桩上采用此种纬纱，就会产生相当光滑的表面（**图 62**）。窄的纬纱的结构会跟着竖向的桩的轮廓创造出呈脊状的表面。在表面上插入弯曲的薄木条能够增加对位的运动。而绳编工艺中，通过改变升到外层的纬纱，在制作每一行时，越过两个、三个或更多个桩，产生直对角线组成的纹理图案（“斜纹”），或者通过来回翻转，形成锯齿形和相似的几何图案。纬纱颜色的变化能够使这些图案更加明显，而三条绳线盘绕起来能够创造比两条绳线更加清晰的纹理效果和绳编设计（**图 71、74、83、164、166**）。通过增加或

3. 美国制篮工，鱼篮（细节），1988 年之前。

这个篮子由竹子和木材枝编而成，有滑动的木刻螺栓和芦苇圈形成的包围结构。

移动桩子，根据枝编和绳编物体的不同，篮子的外形差异可以很小也可以很大。发生这样的变化时常常需要在枝编技术中加入绳编技术，以保证桩的增加和移除。

纺织时纬纱的穿过方式——加捻或上下编——和篮子是一样的，它们太像了，以至于有的制篮工更愿意将桩视为“经纱”。然而，能够留下较大的延展空间和造型空间，是绳编和枝编工艺技术所用材料独有的特性，比如劈开的竹子、藤条，劈开的柳条，或者其他既有弹性又结实的草和树枝都有这种特性。枝编中的上下交叠编织手法在交叉编织的篮子上也有运用，交叉编织最简单的形式就是使用两种元素做直角交叉（**图63—68**）。即便如此，正如罗斯巴赫解释的，“经纱和纬纱，或者说当作基础的部分和捆绑的部分，这两种元素之间其实没有区别，所有的元素扮演着同样的功能，又都同样是活动的”。这些元素通常是平的、带状的，也是易弯曲的且具有凝聚性的。因此尽管两种元素相互交叠也类似于枝编交叉编织，互相交叉的两个元素也“必须在结构范围内相互作用；当一个元素围绕另一个元素转动时，这两股元素不论哪一股都不能保持静态和固定”（**图170**）。[4] 由于桩所采用的材料需要为所有的枝编提供稳定的支撑，绳编的时候也经常需要靠它支撑，所以许多材料不能用来做桩，这也就是为什么交叉编织特别适合热带气候，因为热带地区能够提供丰富的藤条皮，还有棕榈树和露兜树扁平、易弯曲的叶子。这也意味着交叉编织技术能形成比以桩为基础的制篮技术更轻、更可塑，但看起来更易碎的篮子，然而实际上它非常有弹性。

对现代制篮者而言，交叉编织技术意味着可以采用一些不可承重的材料，例如折叠的报纸、硬纸板、聚乙烯薄膜管和袋子、聚苯乙烯（泡沫塑料），以及其他形式的塑料条或纸质条带（**图60**）。（皮革条早已广泛用于鞋子、腰带

4,5. 艾德·罗斯巴赫（Ed Rossbach）藏品。

这件鸟巢（图4）由草、小树枝、纸、苔藓和细绳构成，表现了篮子的天然造型。它是1988年之前一种法式“巢”篮（图5）的代表，由细枝、树枝、铁丝和钉子构成。

和包的设计。）绳编工艺需要灵活易弯曲的纬纱，所以同样也引进了一些类似的非传统材料。同时可以使用具有圆形特征的材料当作绳编用的线，例如电缆和细规格的电线（**图 55**），枝编工艺中已有使用上述材料当纬纱的案例，但使用较少。在枝编工艺中，上下穿绕技术的变化更少，绳编中的纬纱拥有比较多变的通路，在这两种情况下，纬纱本质上都是横向穿梭——即使这意味着制作篮子时只能倾向一侧，像我们熟悉的“箍的”柳筐，一旦完工，便在把手基座下方呈现出水平方向的桩的优美曲线。交叉编织则与之相反，它可以通过引入更多元素，打破直角形式——元素可多达六股，在六角形基础上形成复杂的编排。

不同的制篮技术之间拥有相似之处，这早就激发了制造者将它们结合到一起，或交叉使用的想法。因此制篮者的手艺也是对观者技术是否娴熟的考验。不过，三种技术中，交叉编织特有的平整性使它最容易被“解读”。仔细观察交叉编织中的两股元素就会发现，平纹、斜纹、之字纹的交错方式和织布工用的那些方法一样，只是（织工使用的线明显细很多）以肉眼看是不明显的。

20 世纪六七十年代开始第一波篮子编织技艺的复兴以纺织人对制篮工艺的研究为驱动，他们对材料和工艺有着浓厚的兴趣；毋庸置疑，其他的纤维艺术也是如此。这种形式主义的方法自然而然瓦解了通过最终用途进行区分的理念。篮子变成了非功能性的东西，制篮技术被用于大规模的悬挂和装置中，并

6. 艾德·罗斯巴赫（Ed Rossbach），瓦格纳的莱茵河之旅，1987—1988 年。

灰薄木条、米纸和热转移印花工艺是艺术家的媒介，也是制作图像的方法，最后产生的形式是磨光的形式，反映出罗斯巴赫早期的制陶背景以及他对于“真人大小”的艺术品的偏爱。

7. 西尔维亚·亚金·肖尔茨（Silvia Japkin Szulc），空间历史学家的种子—1（细节），2010 年。

作者采用源于制篮技术的特殊方法，制作形状像薄木条一样的，带有摄影图像的平行条带。

且篮子的容器形式对不走常规路线的纺织品艺术家来说是一个重要手段。自古以来的篮子编织技艺的传承，还有传统意义上的篮子还在继续生产的状况，受到20世纪80年代发展起来的后现代主义思潮的赞赏，篮子既代表了对“普通”的认可，也可以看作是对日常事物的寓言和隐喻。这使得篮子和篮子的概念适合表达个人与社会的关系，同时，从更广的视角去看，还可以表达社会与自然界的关系。西尔维亚·亚金·肖尔茨将后一种方式用到创作中，把真实的世界转变成三维球状结构，表面用薄木条一样的摄影图像修饰（**图7、45**）。她经常说，“当代视觉艺术中的解构和重新建构已经通过与材料元素的分裂诠释了自我”，但在她自己的作品中，“它们发生质变后，我再重新把已经变化的部分恢复成原来的结构……一个球体”。接着，“我想在某种程度上表现我们对这个世界的不适应和重新适应”。通过利用一种大家熟悉的有机的方式——类似传统枝编工艺却又超出它的方式——肖尔茨引导观者去思索自然、过去和未来。她利用制篮工艺的核心，也就是对植被的地理特征的反映，探索了我们常常忽视的能力，即采用现代的或传统的、非正统的或预期的方式去解读材料的能力。

肖尔茨的结构也显示了盘绕，这是第四种主要的制篮技术，也是相对比较容易理解的一种。它也是基于一股在恰当的位置固定住另一股，但是固定的那一股在卷绕中称之为“底线”而不是桩。它占据水平方向，而不是竖直方向的位置，它从中心不断以螺旋状向外构成，底线可以是一根单独的粗糙的芦苇、一根或多根树苗干、成束的轻质芦苇、草或其他易弯曲的材料，包括亚麻、大麻和相关的韧皮纤维，或事实上可以被压缩成所需管状的任何东西。最上端最基础的结构和下端基础结构通过一股线死死地扣在一起，这股线包裹上层且同时和下层的包裹材料连接，或直接穿过底线本身，紧紧绑定在下面的基底上。虽然改变环环相扣的捆绑速度和角度可以带来质地和色彩图案的诸多选择，但底线的卷曲路线却总是清晰可见的（**图8、61、69、73、105、168**）。缠绕材料本身必须要能承受一种拉紧的拽力，因此绳子或纱线是必需的，或者是具有足够的抗拉强度而不会增加扭曲度的拉菲亚树或其他棕榈树的纤维。不管是选择纱线作捆绑用还是缠绕工艺用，从称之为“包缝”或“锁缝”的平式缝接开始，它们的过程并无不同，只是补充或加入了布或皮革。这些都再一次提醒我们：其实只有少数动作创造了无数的纺织种类。一个盘绕的篮子完成时是硬的，仍是一种缝合结构。将底线拿走，绑股线便会揭示相互连接的线圈排列，有线圈和编丝，这也是许多其他手编技术的基础。

8. 未知的制作者，有锯齿形边缘的卷绕托盘（细节），1988年之前。

这件作品的主体用天然的染成绿色、粉红色的棕榈树叶缠绕和捆绑而成。它由艾德·罗斯巴赫收藏。

套口、打结、编丝和捻线

仔细观察这个装饰性的意大利篮子，它的形状是由一个电线框框出的（**图9**）。疏松的区域采用交叉编织，密集的区域采用枝编，电线则采用类似于卷绕方式中垂直缝线的方式，但是在下一个锁缝线圈前又回头围绕自己一圈。有些采用卷绕手法的篮子采用这种打结法，在结绳方法中称为“半结”（**图 151**、**152**）。在缝纫和刺绣中，这属于扣眼锁缝技术，并且应用得很广泛，正如它的名称所指的那样，这种技术是用来稳定和加固纽扣扣眼部分以及其他任何需要强化的边缘的。更重要的是，在这里，它是针绣花边的基本针法，起源于达尔马提亚统治时期（1420—1797 年）亚得里亚海东海岸的威尼斯共和国。针绣花边从雕绣发展而来，在布料上剪出空缺部分，它通常采用亚麻材料，边缘用包边线缝或扣眼锁缝法，通常，疏松区域连着扣眼条，称为“连接狭条（brides）”（**图 143**）。与此相关的技术是抽纱技术——它是一种通过有选择地移除一些线，并用扣眼锁缝加固旁边的线，而形成的细网眼镂空质地——而“小网眼（reticello）”将线框增加到 1/2 英寸到 3 英寸（1.3 厘米—7.5 厘米）。在抽纱刺绣中，它的图案表现为一块网眼质地上的实心的布；在小网眼中，开阔的框架被紧密的扣眼锁缝针填满，形成既坚固又疏松的图案。作为第一个真正的针绣花边手法，透空花边（punto in aria）首先放弃了对布的使用（**图 153**）。作为替代，织边线用粗缝针脚缝在羊皮纸上（上面先画好图案）以拉紧线的着力点，这种手法创造了扣眼图案。一旦采用竖条布之间互相连接的技术连接了这些，就移走织边线，解开羊皮纸以便再次利用。小网眼和透空花边（“空气中的线圈”）的名称来源于意大利语，也起源于那里，它们只是两个例子，用来说明一种单一的连接方式如何出现在许多不同的运用中，水手、编篮筐工、做针线活的妇女、花边女工和刺绣工都会用到它。

让我们再次观察这个意大利篮子以及它的枝编和交叉编织工艺。两种技术也都会出现在梭结花边中，当线围绕大头针织造出基本的图案时，线圈能够提供张力（**图 10**）。每股线的上下编通路与枝编工艺相同，还有编织，创造了恰当地说叫作“薄麻布”（法语为“toile”）的实心区域。两者之间是连接狭条和网眼（réseau，也见于针绣花边中），建立了狭条型的交叉编织、捻线和打结技术（**图 148**）。

这里我必须插入一段对术语的解释。“交叉编织（plaiting）”有两个相关含义。第一个含义是像编篮筐工采用的那样，指的是两股或多股元素交织，并且不用从同一个起点开始交织，如果仔细观察八股元素编织出来的藤椅就很容易理解这种方法。第二个含义可以指“辫编”（braiding），也就是将三股或更多股的元素从同一起点出发，朝同个方向斜向交错。有的作者将所有的交叉编织描述为辫编，尤其是著名的策展人艾琳·埃默里，她还将这种结构称为“斜向交错”。反之，帕特·恩肖，一位在花边领域非常有影响力的收藏家和学者，则认为同方向的辫编应称为交叉编织，但她在之前出版的鉴定花边品种的综合卷本中提到，术语的用法多变会存在矛盾。恩肖突出强调了

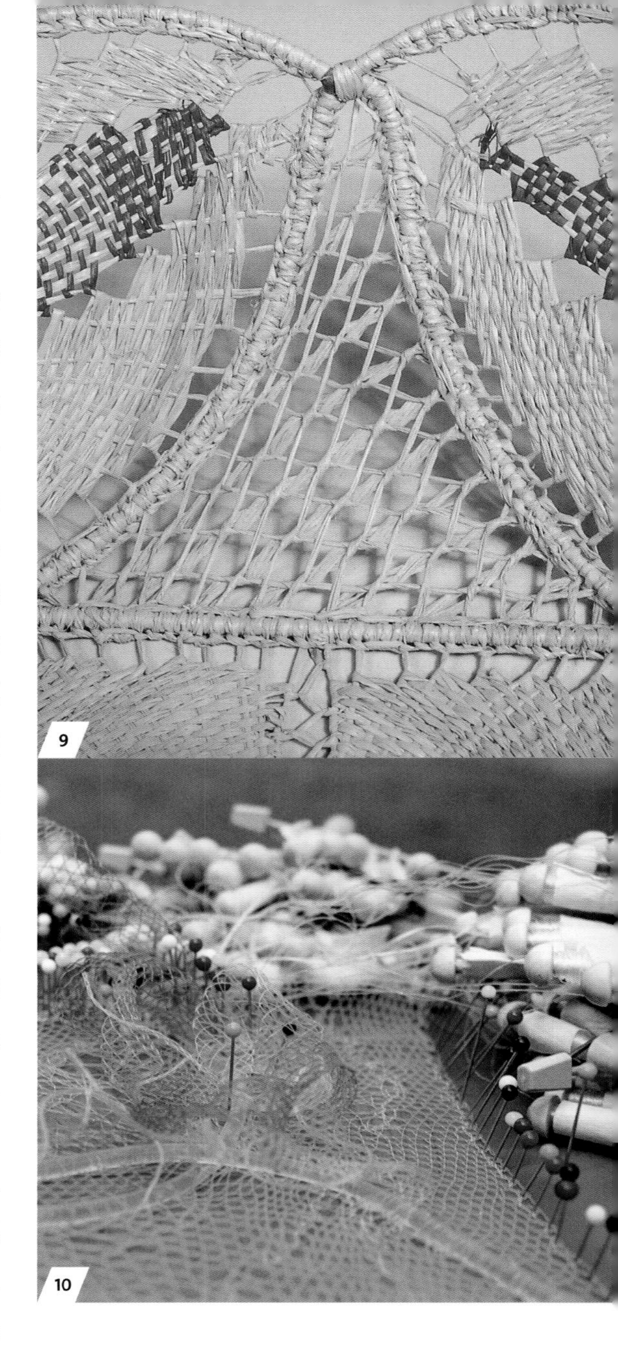
9

10

“needlepoint”这个词，在描述针绣花边时常常使用这个词（其中的“point［针尖］”在法语中指“stitch［针法］”），但是，这在美国就会引起混淆，因为在美国“needlepoint”是多种刺绣的统称。[5] 谈到针绣花边的扣眼锁缝，埃默里因可选的名字太多也感到困惑：“简单的套口（looping）技术已经在世界上的很多区域用了很长时间，人们将它用在不同的材料上，描述这种手法的结构时，术语也很多。有人用‘quarter knot（四分之一结）’，有人用‘single Brussels stitch（布鲁塞尔单针）’、‘point de tulle simple（单绢网针法）’、‘lace stitch（网眼组织）’、‘needle hitching（反锁针）’、‘loop stitch（套口线迹）’、‘single-loop technique（单线圈技术）’、‘buttonhole coil（扣眼卷绕）’以及‘cos-combing（余弦结合）’等词，这些词指代的意义有限，使用也有限。还有其他表述，像‘coil-without-foundation（无底线卷绕）’、‘knotless netting（无结结网）’以及‘lace coiling（花边卷绕）’，但最多只是间接指代，即使有时很明显，使用这些词就是为了指代简单的套口结构。”[6] 正如恩肖所指出的，许多术语的混乱与收藏家起了很大的推动作用有关，因为对纺织品的研究从 19 世纪中叶以来呈几何级数增长，像花边收藏的权威帕利泽女士（1869 年，她将藏品捐赠给了位于埃克塞特的皇家阿尔伯特纪念博物馆），恩肖认为：“很多时候她必须依靠自己对藏品进行归属和分类，因为没有其他的藏品可以对比参照”。“她独创的认定”，被认为“非常令人烦恼，并且看起来她的许多命名只是单纯来自于她购买的地方”。[7]

有人可能期望现在的收藏家能够给他们宝贵的纺织品进行更好的分类，但是在全球贸易中，手工艺生产很少显示技术信息，而互联网上现成的复古和古董纺织品图片也往往是依赖笼统的描述而非精确的认定。确实，这可以成为收藏家甚至博物馆馆长的乐趣之一。正如迪莉斯·布卢姆所说，她在费城艺术博物馆做杰克·M 和安妮特·Y·弗里德兰的服装和纺织品资深策展人时“就像一个侦探：当你得到了一些非凡或罕见的东西，而乐趣就在于追踪每一个可能的线索”。一个不错的着手点便是纺织品的结构，连同材料一起就可以指出某些特定的生产中心。虽然很多收藏者把焦点放在某一个最终成品上，但是采用一个结构性的方法同样也有令人满意的效果。例如，我自己对花边的兴趣——有一次需要为伦敦南肯辛顿的克里斯蒂拍卖行编目——就是由于我五年前从詹姆斯·巴斯勒那里学到的制篮方面的知识。观察熟悉的结构令人着迷，这个“分钟音阶”不能缺少细麻绳、丝线，还有——大约 1833 年之后欧洲能纺出的优质并且足够结实的棉。即使是细微的变化也能将网格（réseau）中不同类型的花边区分开，在这里也是如此，发现理想形式是六角形，这让我感到有趣，它的形状能最有效地创建既稳定又灵活的结构，特别是在透空式结构中（**图 11**）。在真正的针绣花边的先例中， 布拉图的方形网眼采用绳编技术，牵拉作

9. 意大利制篮工，有电线把手和支架的篮子（细节），1971 年之前。
将天然的和染成红色的酒椰棕榈树叶劈开，枝编、交叉编织。圆齿状的边缘和把手上用扣眼锁缝线覆盖。这个篮子是艾德和凯瑟琳·罗斯巴赫在伊斯基亚岛购买的。

10. 加布里尔·格罗曼（Gabriele Grohmann），烟（细节），1996 年。
在操作卷绕筒和剩余缝线的工艺中展示了不同维度的鱼线。这件作品采用传统和新的梭结花边 réseaux，或网眼，包括称为“droschel”的六边网眼，在制作过程中用大头针将作品固定。

11

业是通过在平纹梭织布上捆绑包缠线束而实现的，产生了一系列明显的、精致的几何图案；卷绕中也有这种方法，但对比还是巨大的。在布拉图的方形网眼和方眼花边网（第二种也叫作方网眼花边［lacis］，它和第一种的区别在于它的打结底线不同）（**图 149、158**）上用针做出图案，用一种花边、刺绣和缝纫中称为“织补（darning）”的方式来填补图案区域，“织补”采用的也是一种如同我们前面在枝编技术和二股交叉编织中提到的上下结构。

要做出蕾丝花边和相关纺织品，我们只需要针或线筒，或其他形式的小梭子，还有张力，不管这种张力是由针修花边中暂时保留的织边，还是梭结花边中开头固定用的大头针，或是绣花和溜针花边的框架所提供的。对于所有其他形式的套口、缝合、捻线和打结来说，只需要一边固定。比如说装饰结（macramé），最初是用布来固定，通过布，两边悬挂的经线在斜向连接的图案上打结，使对角连接的图案固定住（**图 82、146**）。梭编（tatting）是一种更精巧的打结形式，将线缠绕在手上，然后开始用梭子，尽管利用一种类似手工编织（纬线相互套结的形式）当中使用的针，也能够固定边缘。钩针编织也是手工固定，但它是用一个钩针形成相互套结的形式，一边利用类似于针织的方式将上一排线套结连接，一边在同一行也形成套结（**图 12、102、110、147**）。现在我们可以明显看到，这些提到的类别都有许多可能的变化。许多其他技术也能轻而易举做出同样有特色的样子。举例来说，穗带可以是紧实且平面的，也可以是管状的和三维的。利用这些技术创造的效果可以用作布料装饰（**图 136、144**）或形成布边；同样地，它们也可以一起形成独立的边饰，或者对装饰结、钩编和针织来说，构造成型的服装（**图 129**）和包括帽子、袜子、紧身裤、手套和包在内的配饰。采用编网的手法也同样可以做出这些东西，在 29000 年前，现在的捷克共和国所在的地方已经采用了这样的方法。由于使用的材料是结实的，不论是连结的（设想一个链式的围栏）还是套结的，网眼都既牢固又灵活，可以很紧密也可以间隔很宽，所以总能保持其固有的弹性（**图 57、77、145**）。

当然，这些技术也可以用于制作雕塑、壁毯和装置（**图 101、102、109、128、173—178**），对结构的重新思考在纺织品艺术中非常重要。例如，分股这种编带（braiding）的形式，它用的股线可以是无捻的，足以插入交叉的股线，而不是采用前后交叠的形式。拉贾斯坦邦长期运用这种技术制作捕猎动物的陷阱；东地中海国家以及尼泊尔、印度和日本，把它用作装饰性的织补。20 世纪 80 年代中期，埃罗尔·皮雷已经开始探索这一技术，他现在是印度国家设计研究院的纺织品专员，曾经在杰伊瑟尔梅尔师从（之后获得了工匠大师奖的）伊希瓦·辛格·巴蒂学习此项技术。皮雷做的东西包括从服装到容器等（**图 14、58、59**）。也有一些珠宝和其他物品的制作也运用了这种技术，并且不仅仅在其本土地区。彼得·科林伍德 1988 年出版的《分股编织技术》一书，成为这种技术从东方传输到西方的关键原因。科林伍德在印度学习了编带法，他之

11.（被认为是）美国制作者，绣花蕾丝款领带（细节），约 1900 年。

这件宽领带用金银金属线链缝、金色圆珠和圆珍珠装饰；由一块回收利用的机织绢网构成。1768 年，英国诺丁汉最早开始使用机器织造绢网。1809 年，约翰·希思科特优化了它的机械结构并取得了专利。约翰后来迁居到德文郡的蒂弗顿，并在法国蒂勒建立了一个蒸汽动力工厂——这种网眼织物的名称就以这个地方命名。

12. 希拉·克莱因（Sheila Klein），从事编织的人（细节），2008 年。

艺术家在此例中用茶叶染色的棉线进行钩编。“在我 2008 年游遍印度拉贾斯坦邦时，我发现多孔蕾丝般的窗墙与钩编结构是如此相像，都是由一系列的支承物和间隙形成，创造了一种几何层次结构”。

前就出版过一本《网眼编织技术：弹力线编辫》，此书出版于 1974 年，随即变成网眼编织（sprang）方面的典范性著作。这是一种古老的利用绷紧经线的技术制造弹性结构的方法，在结构中毗邻的线之间加捻，而由于这些毗邻的线向中心延伸，所以在中心用一根单独的纬线固定（**图 13**）。（最早在古代中国纺织品中发现的纱罗织法［leno weaving］或薄纱织法［gauze weaving］运用了相同原理，只是每条经纱都与一条纬纱拧索在一起，而且没有弹性（**图 91、127**）。）至少 1000 年以前，针织还未发展之前，网眼编织是最快制造弹性形式的方法，而且它使用两端固定的平行线，所以尽管它非常不同地只使用了一条固定的纬线，但还是具备了机织的条件。

13

14

织机编织

虽然织机的种类很多，但功能基本相同：都是在纬纱穿过时，用拉力固定住相应经纱。但是有些纬线路径不同（**图 94**），是直直地通过一个“甬道”或分开经线形成的梭口，其中有的经纱抬高，有的放低，或是保持不动，允许纬纱上下穿过经纱。经纱位置的顺序决定了布的肌理和图案。我们提到过制篮工艺中的两种基本图案。常用的上下交叠的方式被称为“无花纹”或“平纹”组织（**图 114**），而从上过三股，从下穿一股的结构造就了 3/1 的斜纹组织（**图 65**）。此外还有许多其他的编排，但我的目的不在于将它们一一描述出来，而是想强调梭口的自控作用。正如德西蕾·柯斯林在她对织机性质的权威性解释中提到的那样：“经纱梭口装置非常重要，从新石器时代的东西中就可以看出来。在引入经纱梭口时，相较于后来其他的织物一圈又一圈、一个连接又一个连接、一个结又一个结的繁重的构成方法而言，纺织飞速发展，剩余价值上了一个大台阶。机器的梭口是个巨大的突破点，因为这样我们就只需要一个动作就能利用梭口杆和综线杆将成百上千的经线升高或降低。”[8]

因此，新时期时代添加梭口的布料——尽管仍然依靠手工制作——仍然可以毫不夸张地被形容为生命的面料。几千年来，布料不仅是数量远超其他具有功能性和仪式性的人造物品，还容易运输。（这种区别在法语单词 meuble 中仍然明显，meuble 的意思是可移动的装饰织物，而纺织品［textile］与 immeuble 相反，指固定财产。）纺织品很适合游牧生活，也适合交换、贸易以及为不时之需准备的贮藏。直到文艺复兴时期发展出了架上绘画（通常是在帆布等纺织品上作画），画作才被用来直接挂在墙上并固定。在电影和电视拥有色彩技术前，纺织品始终是最丰富的“移动的画面”的来源。许多描绘了人或动物的快照可以记录生命暂时存在的场景并且将之变成永恒，塞西莉亚·布隆贝格的织锦作品《卢卡斯 II》（**图 183**）就把快照变成了经典。

织锦是与具象图案最相关的纺织形式，因为人们可以在需要颜色的地方采

用单独的纬线平纹编织“作画”。最早的留存实物发掘于塔里木盆地（现在的中国西部）山普拉的一个公元前3世纪到公元前2世纪的集体墓穴中。[9]它描绘了一个半人半马的人和一个士兵。它被认为是希腊式的，并因此成为希腊文化和中国之间早期联系的证据。它之前曾被做成一条裤子，这也许能让我们更多地了解其结构的精细度。北欧的织锦制作从14世纪早期（至少11世纪早期就在当地出现了）开始兴旺起来，织锦更加厚实，密集的羊毛纬纱能够像屏障一样遮住墙壁、提供温暖，还能做出生动的装饰，并常常采用金线润色（**图156**）。对流动的户主来说，比如那一时期的贵族阶层，它们就是财富和舒适的象征，就像今天的私人飞机。织锦通常使用亚麻纬纱，这种亚麻或羊毛的组合已经是全世界织锦的标准配置，但从来都不是唯一的选择。在中国，真丝纤维就是选择之一，也是必需品，因为很难获取羊毛，而且纬纱还必须要易于吸收染料。具象图案的布片在唐代就开始出现（618—907年），名为缂丝。在印度，有关的斜纹织锦在15世纪由中亚和波斯传入（**图16、163**），它被用来制作精美的克什米尔披肩，同一时期，缂丝开始应用到服装中。史前东南美洲的织锦技术是一项细致的技术，它只保留了线之间的紧张感和绝大多数手工选择的织机梭口，织锦方法在东南美州独自发展演变，并一直使用在纳瓦霍小型地毯中，它的图案是抽象的，但所表示的意味并不比具象的编织少。从巴尔干半岛到印度次大陆，这样的地毯被称为“平织地毯（kelims）”。

13.（被认为是）印度工匠，带子（细节），1986年之前。

这是一条展现了疏松（封闭）、可拉伸网眼结构的丝光棉伸缩带子。不均匀的蓝色调表明它用的是天然靛蓝染料。

14. 埃罗尔·皮雷（Errol Pires），和平环，2008年。

作品形状像花瓶，高45厘米（18英寸），用分股编织的方法，由四股染色的亚麻绳和置入的羊毛环编成。

15. 秘鲁高原地区织工，双层布织品（细节），1974年之前。

这件真正的双面织品展示了两面相同的图案，图案颜色相反。采用天然染料着色的库斯科羊驼毛手工制成，上面的符号是视觉隐喻，代表了盖丘亚族人物质和精神世界的关系。

16

正如我们从织锦上看到的，简单的设备完全可以制作出复杂的图案（它只是需要用更长的时间去制作），而且织锦的制作从未进入工业化。虽然如此，通过织造描绘图像，并且更快地描绘的强烈欲望，反映在了其他类型的织机发展上。在织机上编织时，首先需要依靠织工的记忆和技术增加额外的纬线，才能在材料上建立图案区域，这些纬线可以是从织边到织边的（补充用纬线［**图 20、26、27、30、131、157、162**］），或者是需要特定颜色时加入的（特纬［**图 17、137**］）。这可以通过一根梭口杆和综丝杆以及 40 根或以上的"织补"图案用的操作杆，将每个连续的纬线路径绘成一个完整的图案，它们在材料的背面，随着纺织进程的推进，可以移去或替换。用上综片后速度会更快（帧悬浮的中经，通过预设的经纱装置，被牢固地穿过），但由一个提花工将这一作业一分为二能更快并且麻烦更少，提花工的任务是在织布工的综线做出底部的布时控制形成图案用的经纱。手工提花织机的来源未知， 但可以肯定是来自中东或亚洲，并可能在 1400 年前就开始使用了，对那些大量有华丽图案的面料制作，比如在中国、波斯以及奥斯曼帝国和欧洲发现的那些丝绸织物（**图 17、125、134**）来说，手工提花机必不可少。这种织机被逐渐完善并最终在 19 世纪被穿孔卡片控制的机械提花机所替代（**图 159、184**），到 20 世纪 80 年代，又被电脑控制的织机替代（**图 113、126、130**）。但是在诸多织机的发展中，不论是手工的织机还是后来的电力驱动织机，最核心的理念都是越来越经济化地管理数以千计的用以织造图案的纱线。类似的西方图案构造和快速生产方面的发展发生在针织、网眼和花边（**图 179**）方面。现在，手动和机械动力织机的类型成千上万，可以生产出不同的织物结构，它们可以纺织特殊纤维、专门制作小型图案——每一个"变化过的有机体，都会适应并接受新的需求和功能"，而且各有主题。[10]

尽管图案纺织材料丰富，颜色和结构方面有所尝试的布料仍然能够闯出一片自己的天地（**图 84—94**）。它们常常是手工织造的，许多织布工不仅谈到花费时间与精力准备纱线、探索布料结构带来的满足感，还谈到由于知道自己代表并且正在丰富一门漫长而又有历史意义的手工艺，所以具有责任感。正如蒂姆・帕里・威廉姆斯所说："我们生活在一个与制造有用的东西愈来愈脱节的文化里，特别是机织纺织品。工业化早已把布料的制造放在'那里'的某个地方，并且由其他人完成，很快就能用，也因此廉价，没有太多考量。"

这种担忧与请求"慢食"的声音相似。"慢食"这项草根运动，于 1986 年由卡罗・佩屈尼在意大利创立，现已成为关注生活质量和环境问题的全球性现象。现在被称为"慢纺织品"（**图 60**）的概念则拥有更久远的历史。在织布工中，最重要的"慢纺织品"支持者是埃塞尔・梅雷（**图 19**），她是地质学家 A.K. 库马拉斯瓦米的妻子。1903 至 1907 年间她旅居印度，并住在斯里兰卡，

16. 波斯织工，皇家织锦，约 1524 年。

这块斜纹织锦用丝线和金属线织造，在它的中央是个年轻的男孩——沙哈塔赫马斯普王子，他于 1524 年成功登上王位。这块织锦可能是为了庆祝这一事件而制，男孩的形象被吉祥图案围绕，包括天使、鸟和带着礼物的有翅膀的人。

17. 里昂织工，锦缎丝绸，1730—1732 年。

这块丝绸具有设计师珍妮・雷维尔（1684—1751 年）的风格，用彩色真丝和银线织成锦缎。它展示了那个时代的设计师和手工提花织机织工在纹理和色调上达成的新的精湛技术。

在那里她教授并复兴了传统的斯里兰卡刺绣。返回英国后，她建立了“福音书（Gospel）”工作坊。这是间纺织工作坊，从事手工纺纱、编织和自然染色。她的书《蔬菜染色》（1916年）和《今日手织》（1939年）影响了不止一代织布工人，还有她的许多学徒。来参观的织工人数众多，其中包括彼得·科林伍德，他曾在“二战”期间当过医生，“在收到一个贝都因人的帐篷挂饰之后，他发现了自己对来自世界各地的纺织品的结构有着终生的热情，那礼物一直是一个珍贵的财产”。[11] 在科林伍德研究的结构中，有一种是压片机织，也叫卡片机织。因为这种古老的技艺包含了一套在拉力下直线排列的方形卡片，经纱穿过每个角上的洞孔，转动卡片，就会造成一个梭口，而形成的窄条的纹理可以是非常复杂的，也可以是非常微妙的（**图18、43、115**）。正如科林伍德在1982年所写的书中描述的，该书以此为主题，到现在仍然是一本标准参考书，而且这本书还激发了许多人去领略卡片织机技术。

科林伍德像罗斯巴赫、阿尔伯斯和梅雷一样，成为了少数不仅因为作品，还因为推进了对传统技术的探索和复兴而知名的纺织工之一。同样重要的还有杰克·兰诺·拉森在交织、机织、染色方面的著作，以及1986年（与米尔德里德·康斯坦丁合著）的两卷本《艺术面料》。这些人都从他们自己的第一手观察中获取知识，然后变得眼神犀利，并最终成为慷慨的收藏家。罗斯巴赫和他的妻子向加利福尼亚大学戴维斯分校的设计收藏部门捐献了藏品；科林伍德和梅雷的收藏品都在萨里郡法汉姆手工艺研究中心展出；安妮和约瑟夫·阿尔伯斯在康涅狄格州的贝瑟尼以他们的作品成立了基金会；拉森向纽约东汉普顿的长屋保护区博物馆捐赠了他在1992年创作的作品。

这些织工非常善于观察和分析结构。科林伍德就是此观点的典范，据说在他的书中，他“个人最喜欢的，并且最能深入其探究性思维的是《制作者之手》（1988年）一书，其中他用图解和照片分析了来自全世界 的100种纺织结构”。[12] 科林伍德在书中涉及的结构包括从美军吉普车座位的弹簧到博茨瓦纳啤酒过滤器，应有尽有。很明显，科林伍德和其他人都认为纺织品艺术与世界文化相联系是必须的。该书的许多其他撰稿人也同意此观点。例如，坎迪斯·克洛科特（**图43、80、115**），他回忆说被“作为艺术性表达的纺织品所吸引，是因为它们的触感和它们与所有人、所有文化之间的历史连结”。他们可能都会毫无疑问地赞同拉森的观点，拉森认为“在生活空间中感受艺术（是）独特的学习经验”。据说长屋的网站，在描述自己的“艺术关注点……放在人种志材料和手工艺方面”时，强调了两者都是“每个人想购买的收藏”，这又强化了一个要点，即纺织品是包罗万象的，并非精英主义的。[13]

18. 撒克逊（Saxon）织工，平板编织片段，9世纪。

这条英国真丝缎带用金色的金属线交织而成，边缘饰有窄的真丝辫和金属半球，曾经是一套牧师服装的一部分。这样的小器件经常用来加固接缝或边缘，是18世纪前除最权贵阶层之外的人可以享用的高度装饰的纺织品。

19. 埃塞尔·梅雷（Ethel Mairet），手织片段，约1925—1935年。

这块简单的格子布料是埃塞尔·梅雷在她东萨塞克斯迪奇林的工作室“福音书”中制作的，是她受到大多数来自欧洲的外来织工影响之前的典型作品。她用的是手纺的蓖麻蚕丝，会采用原色，也会采用靛蓝、茜草和其他植物染料手工染色。

20. 危地马拉织工，手织纺织品（细节），20世纪50年代或更早。

这件作品在靛蓝色的棉纬面织物上运用了密集的补充纬线，确保纬纱只在面料正面形成图案。它由家庭经济学讲师法勒女士在20世纪50年代收藏。

21. 西格蒙德·冯·威奇（Sigmund von Weech），家居装饰用品面料，1929年。

西格蒙德·冯·威奇和他妻子1921年在德国沙夫特拉赫成立Handweberei，这块面料就是在那里手工织造的。这块料子加入了绳绒线，最有可能用于该艺术家设计的钢管家具上。

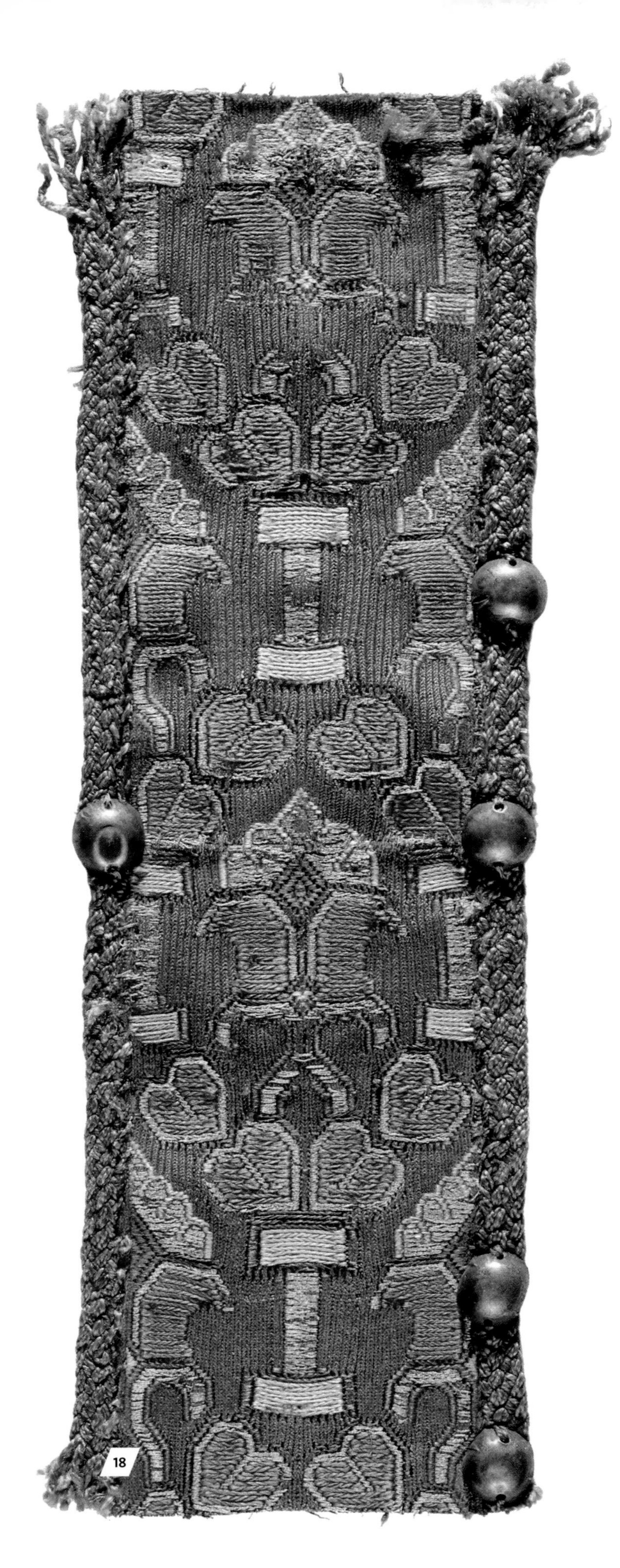

18

19

22

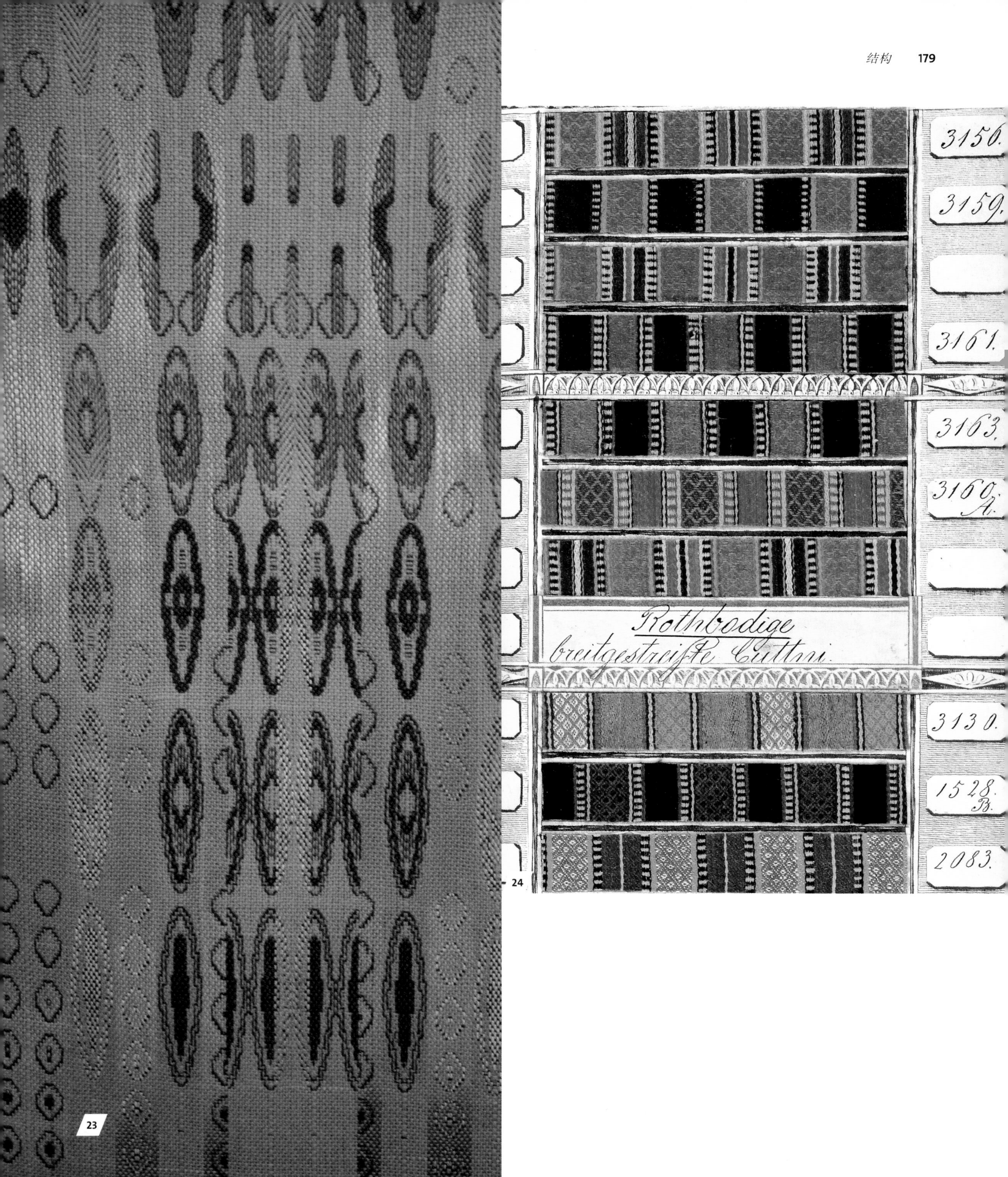
23
24
3156.
3159.
3161.
3163.
3160.
A.
Rothbodige
breitgestreifte Cuttni.
3130.
1528.
B.
2083.

22. 门迪（Mende）织工，Kpokpo（细节），20 世纪初。

这一大块条带织棉布，有 4 米（13 英尺）长，需要精湛的技艺制作风格粗犷但变化微妙的图案和手工染色，还需要对长期存在的传统塞拉利昂纺织有所了解。如此专业的生产常常是受托于某些事件，比如国家典礼，或展示财富和社会地位的葬礼。

23. 伊丽莎白·卡尔南（Elizabeth Calnan），生命的果实和种子（细节），2011 年。

双面织造，包含染色经线和单色染色的真丝。

26

24,25. 欧洲织工，条纹样品，约 1815—1835 年。

这些布样可能制作于诺威奇，那是这种精纺纱线的纺织中心，这些布料幸存于那时为销售者编辑的两本图案书中，而两本书共涵盖了 1000 多个样品。这些样品中补充经线形成的精细花卉是根据织缎的手法，采用多经线、少纬线的方法，制作出表面。

26. 马达加斯加织工，lamba akotifahana（马达加斯加语），约 1900 年。

这些纺织品曾经是给活着的人穿着，给死人包裹的，丰富的补纬图案用明亮的丝线结合几何图案的竖直条带构成，反映了拥有者的地位。这件作品是 1886 年马达加斯加女王瑞纳瓦罗娜三世赠予格罗弗·克利夫兰总统的 lamba 中的一件。

27

27. 危地马拉织工，有四条镶边的长方形织品（细节），20 世纪。

它的底布上覆盖了白色连续的补纬和亮色不连续的补纬，后者是模仿刺绣的织锦技术。布的反面展现了亮色的棉线只在需要它们的区域进行过处理。

28，29. 老挝织工，万象，服新（一种方形筒裙）（细节），1940 年或更早。

这是两件筒状的丝绸纱线染色裙子，带有深色的镶边，一件为红黑色棉布（右图，图中看起来是紫红色），另一件为红、绿、紫红和黑色真丝，而且有金色的金属补纬几何图案。下摆镶边是织成的，不是刺绣，表明这条裙子的制作时间早于第二次世界大战。

30. 老挝织工，万象，长方形纺织品（细节），20 世纪 90 年代。

这件纺织品可能是一块披巾，有交替的、密实的、条纹样且不连续的补纬。只有黑色部分是工业染色，其他颜色来自树皮和浆果。辛西娅·利康特于 1999 年因为加利福尼亚大学戴维斯分校的一个考察项目，去泰国和老挝时收藏了这块布。

31. 萨莉·韦瑟里尔（Sally Weatherill），采用口袋编织的领带，2011 年。

这条真丝领带上的抽象图案的色彩组合既强调又掩饰了图案，并且和口袋通过编织呈献的浮雕效果相互作用。图案采用手工提花，如此复杂的图案和织锦上的图案相互呼应，但是制作速度要快很多。

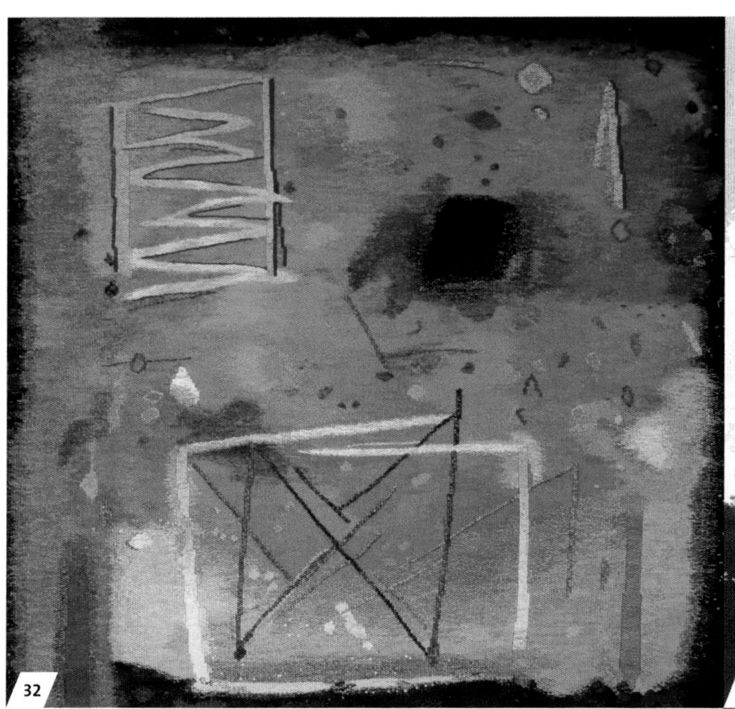

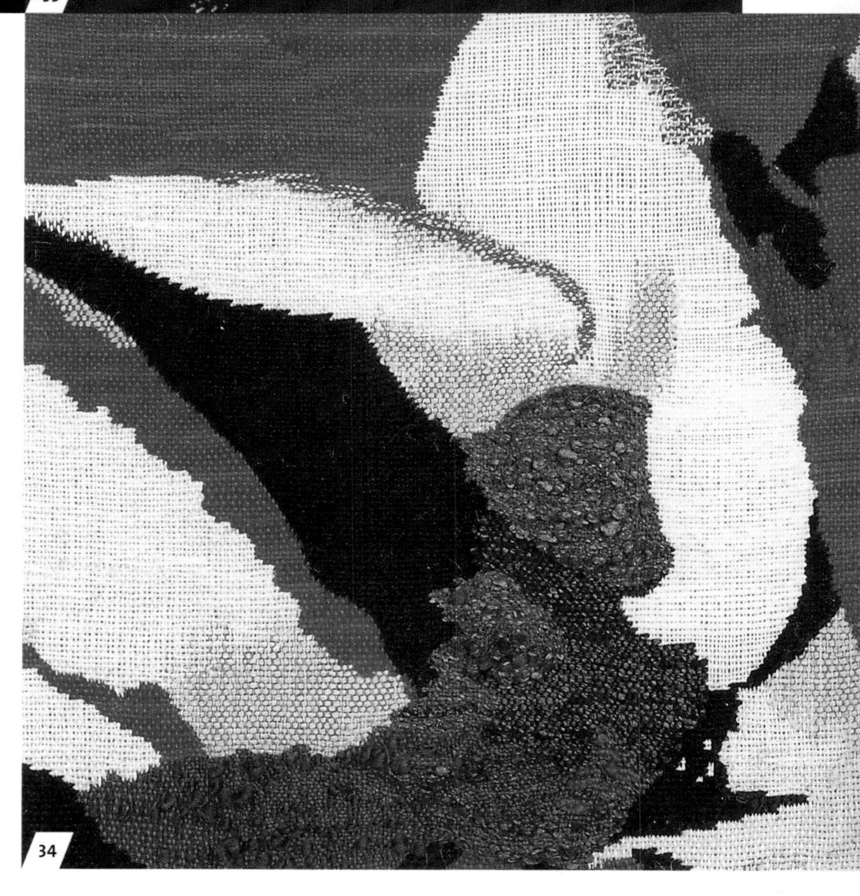

32. 格尔达·万·哈蒙德（Gerda van Hamond），墙上对话 1，2010 年。

这是一块棉经纱、羊毛纬纱织锦，138 厘米（54 英寸）见方。艺术家提及要生产更大的织锦需要花 500 到 700 小时的时间，一般三到四个月才能完成，她认为："想象力必须发展和培养。……我走了很多路。对我来说，要观察的是步伐，既注意到宏大的层面，也注意到细节。"

33. 萨拉·布雷南（Sara Brennan），白色、粉色的带子，2005 年。

羊毛、棉和亚麻制的织锦。这件相对较小的作品大约 81 厘米（32 英寸）见方，"它最初的灵感来自风景，采用简化和减少的形式。它是整体和个人反响的表达"。

34. 乔治–安·鲍尔斯（George–Ann Bowers），白色美人蕉 II，2005 年。

用棉、羊毛、人造丝和真丝机织的布片，带有由纺织结构结合毛圈花式线创造的纹理区域。

35. 亚历克斯·弗里德曼（Alex Friedman），束缚，2007 年。

这件三维作品包含阴影效果，打破了传统的长方形形状，然而它仍是一件纬面织锦。艺术家"没有依靠额外的支架设备，因此结果更像是浅浮雕的模式"。她使用"紧绷感作为这种效果的主要指引"。

36

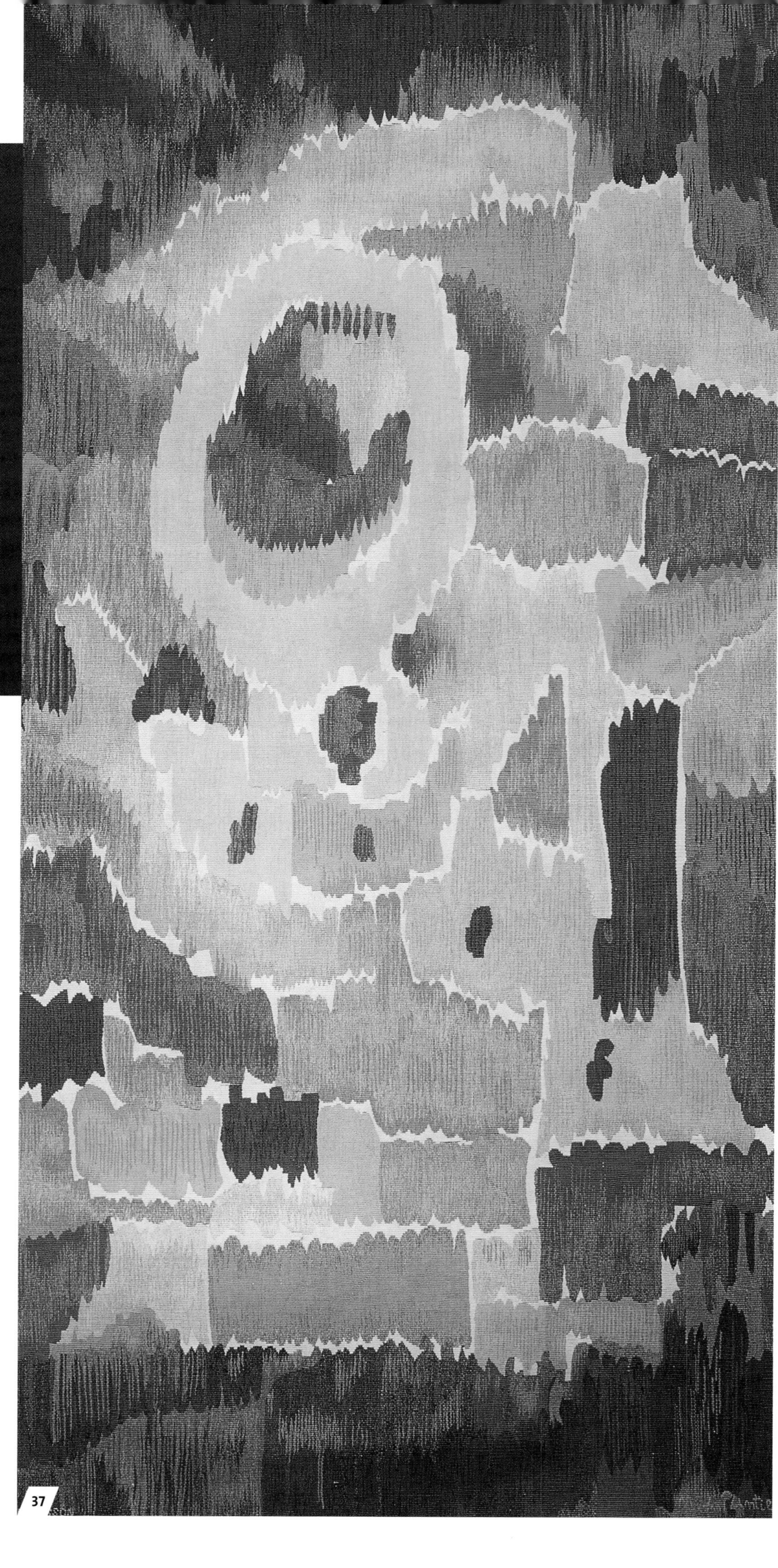

37

36. 克里斯蒂娜·弗雷(Christina Frey)，岩浆III，2008年。

这件裱好的小织锦只有13.5厘米(5¼英寸)高，是用真丝和亚麻织造而成的。

37. 马克·都·布兰迪尔(Marc du Plantier)，奥布松挂毯，20世纪50年代。

这件作品高超过3米(10英尺)，有抽象表达的体积、色彩和肌理，是受19世纪中叶成立于法国奥布松的潘东兄弟公司委托制作的。采用狭缝织锦技术手工织造而成。

38, 39. 乌拉·德·拉里奥斯(Ulla de Larios)，交叉#11，2005年。

艺术家探讨了她从瑞典移民到加利福尼亚的状态："通过织造，时间变成了纱线缓慢变化的证据……变形、染色、穿线、划过以及迅速掠过。疏松的纺织结构展现了'处在中间位置'的矛盾状态。在布片中间的小人明显指向每年大量背井离乡的世界人口。"

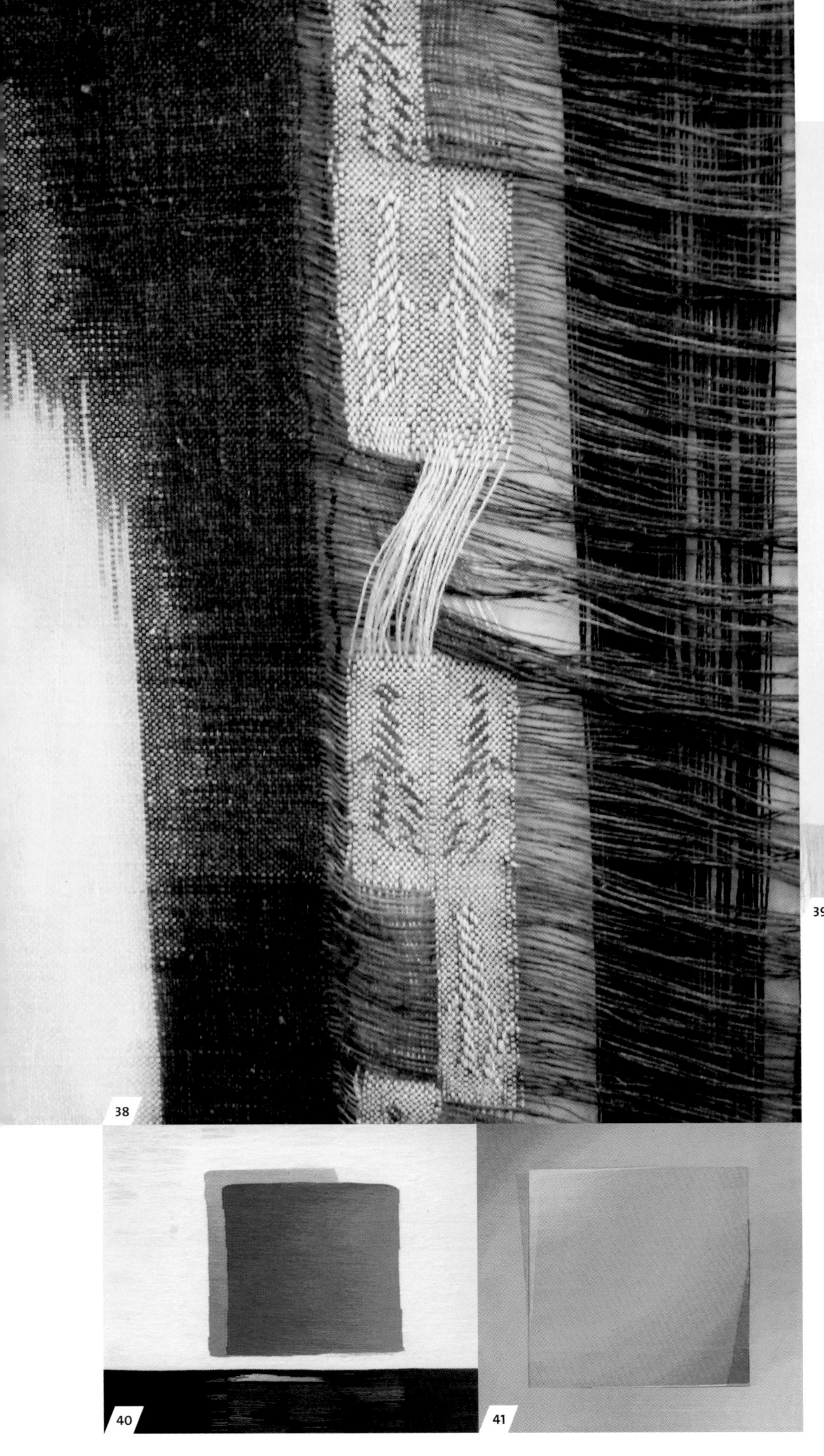

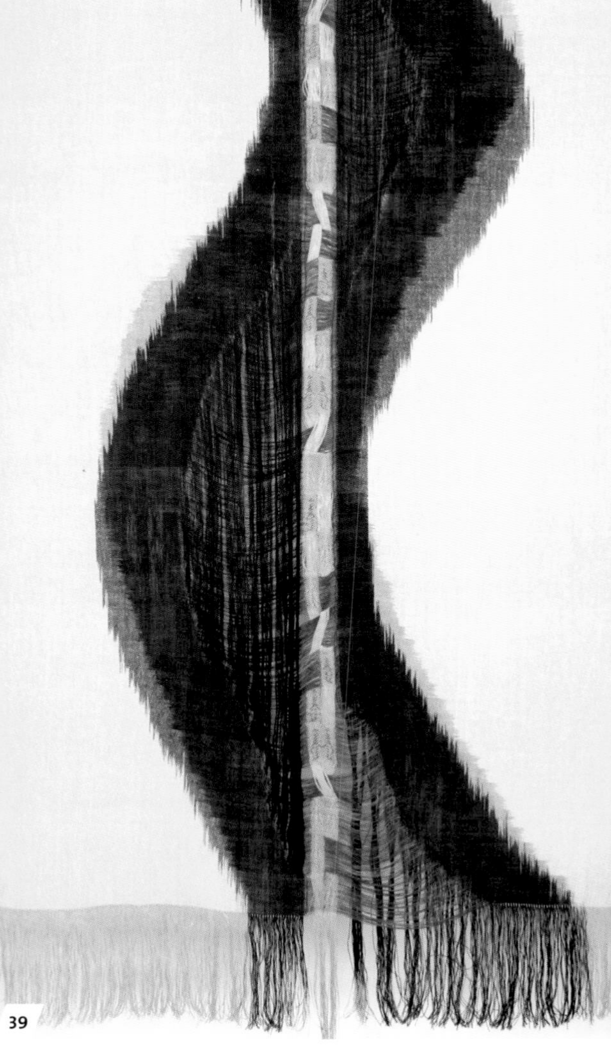

40,41. 希尔卢·列贝尔特（Hillu Liebelt），白色上的蓝色和进入未知，2008年和2010年。

两件作品均为长60厘米（24英寸）的方形人造丝棉织锦，但《白色上的蓝色》含有真丝和拉丝铝。“对我来说，色彩几乎是创作的起点……有时我只是从选择架子上的纱线开始，然后将它们分组放在旁边，直到一周后感觉对了……在设计的过程 中，目标总是为了提炼最初的蓝图，消除掉不必要的，去改进并且构造”。

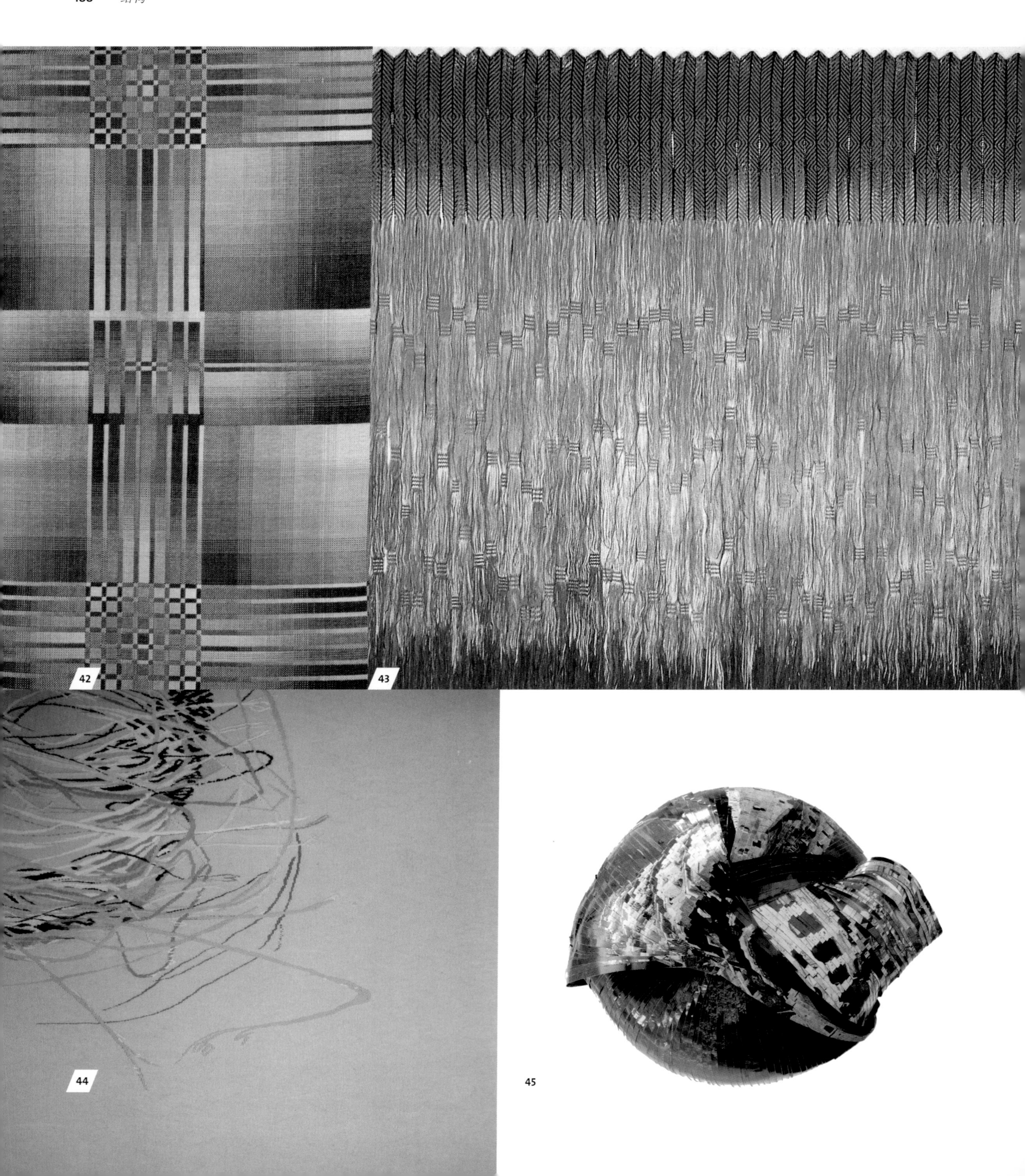

42

43

44

45

46

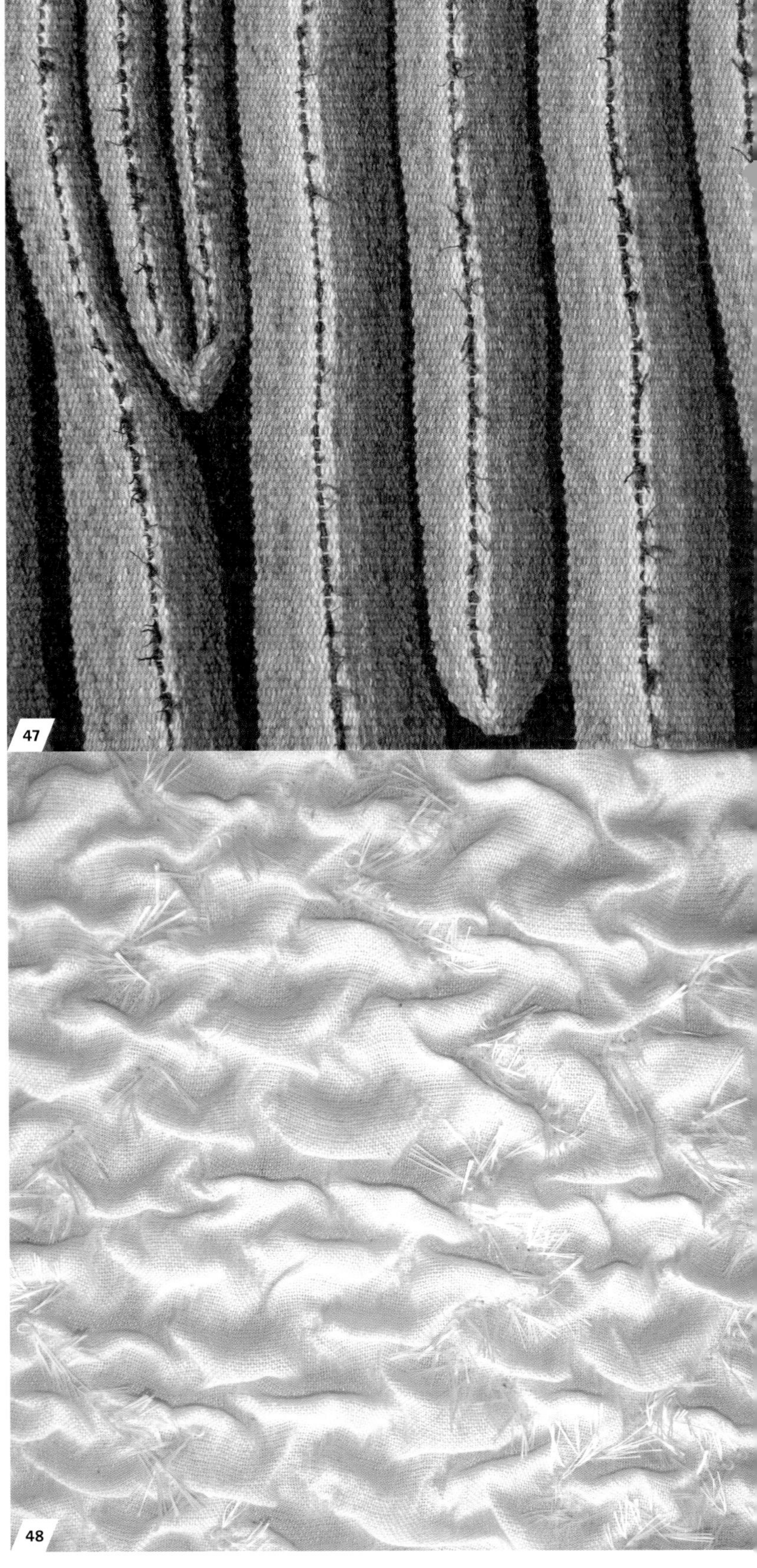

47

48

42. 南茜·米德尔布鲁克（Nancy Middlebrook），城市 5，2010 年。

在这块高 66 厘米（26 英寸）的小布片中，双面织法可以控制并做出微妙的透视和色彩效果。棉纱手工染色的灵感来自艺术家选中的调色盘，因此它们"在网格中对话"。

43. 坎迪斯·克罗克特（Candace Crockett），水 #3，2008 年。

这块布片宽 134.6 厘米（53 英寸），由大约 60 条卡片机织的棉和麻组成。棉和麻都由艺术家染色并且绘制，他是卡片机织方面的权威和创始人。

44. 英奇·诺加德（Inge Norgaard），巢 02，2009 年。

这是系列织锦中的一件，艺术家想要捕捉"鸟巢线条的移动和有序的随机性，并且将之简化到最少"。

45. 西尔维亚·亚金·肖尔茨（Silvia Japkin Szulc），空间历史学家的种子—1，2010 年。

亚金将有摄影图片的条带重新装配到一个球体中，创造了一个象征世界的地球造型，以及当今视觉艺术中关于解构和重构的讨论，这在材料成分的分解中常被提及。

46. 玛格丽特·克洛瑟（Margaret Crowther），方丹戈舞，2007 年。

这件作品直径大约 1.3 米（51 英寸），用剑麻织造，"旨在传达热情洋溢和兴奋的感觉……织的时候没有用任何织机和框架。这种自由的'只用手'生产的技术产生了一些即兴的决定和意料不到的效果"。

47. 林恩·哈特（Lyn Hart），树形仙人掌，2010 年。

这件小的织锦是对艺术家位于美国西南的工作室边，一棵巨大的仙人掌的肉质棱进行的颜色值研究。它由亚麻、柿子提取物染色的亚麻网格，以及原色和合成色的羊毛手织而成，都织在亚麻经纱上。

48. 史黛丝·哈维–布朗（Stacey Harvey-Brown），雪地，2011 年。

这件针缝装饰的双面布是在一台十六轴的织机上手工织造的，表现了大雪覆盖的干草地，同时也做出了一根"纱线难以融入另一根纱线的样子，感觉就好像牙线"。

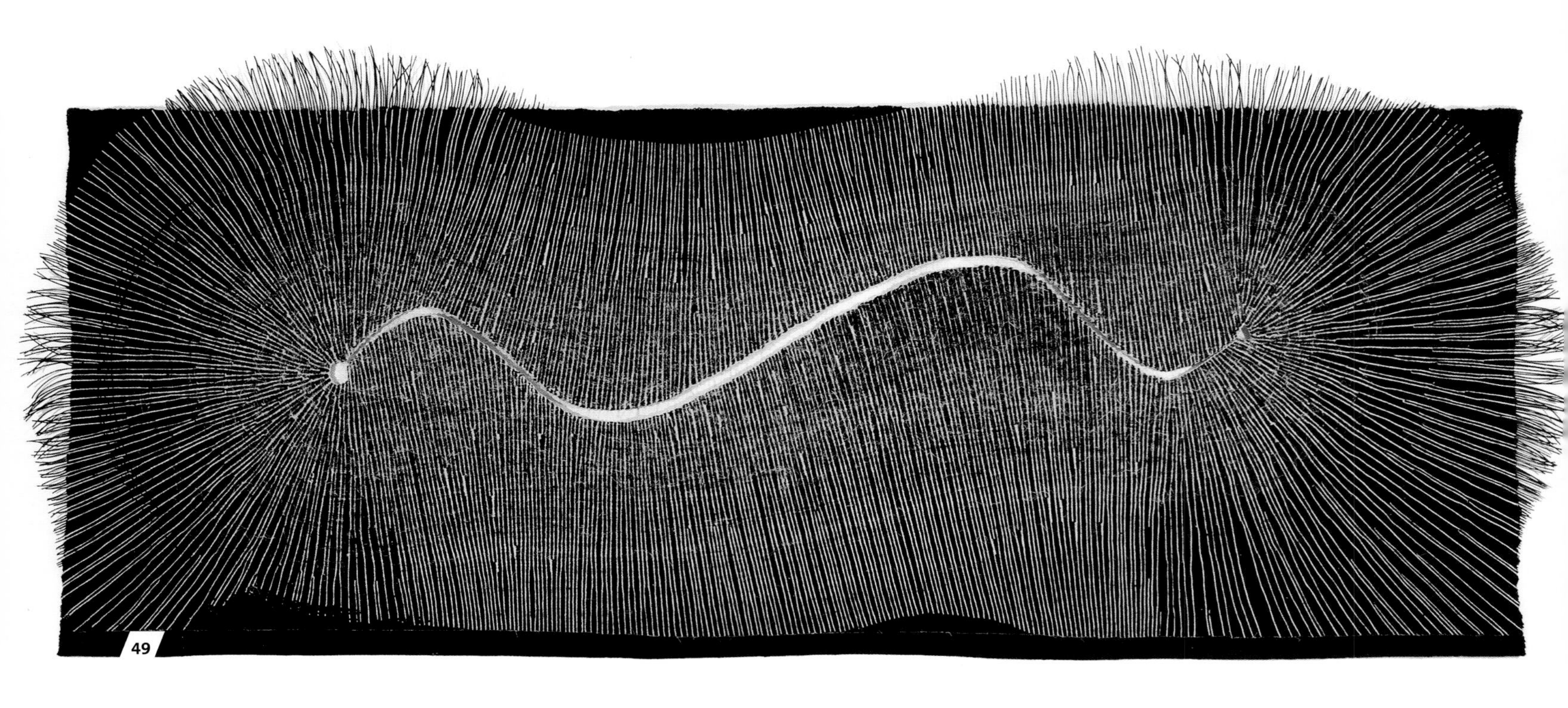

49

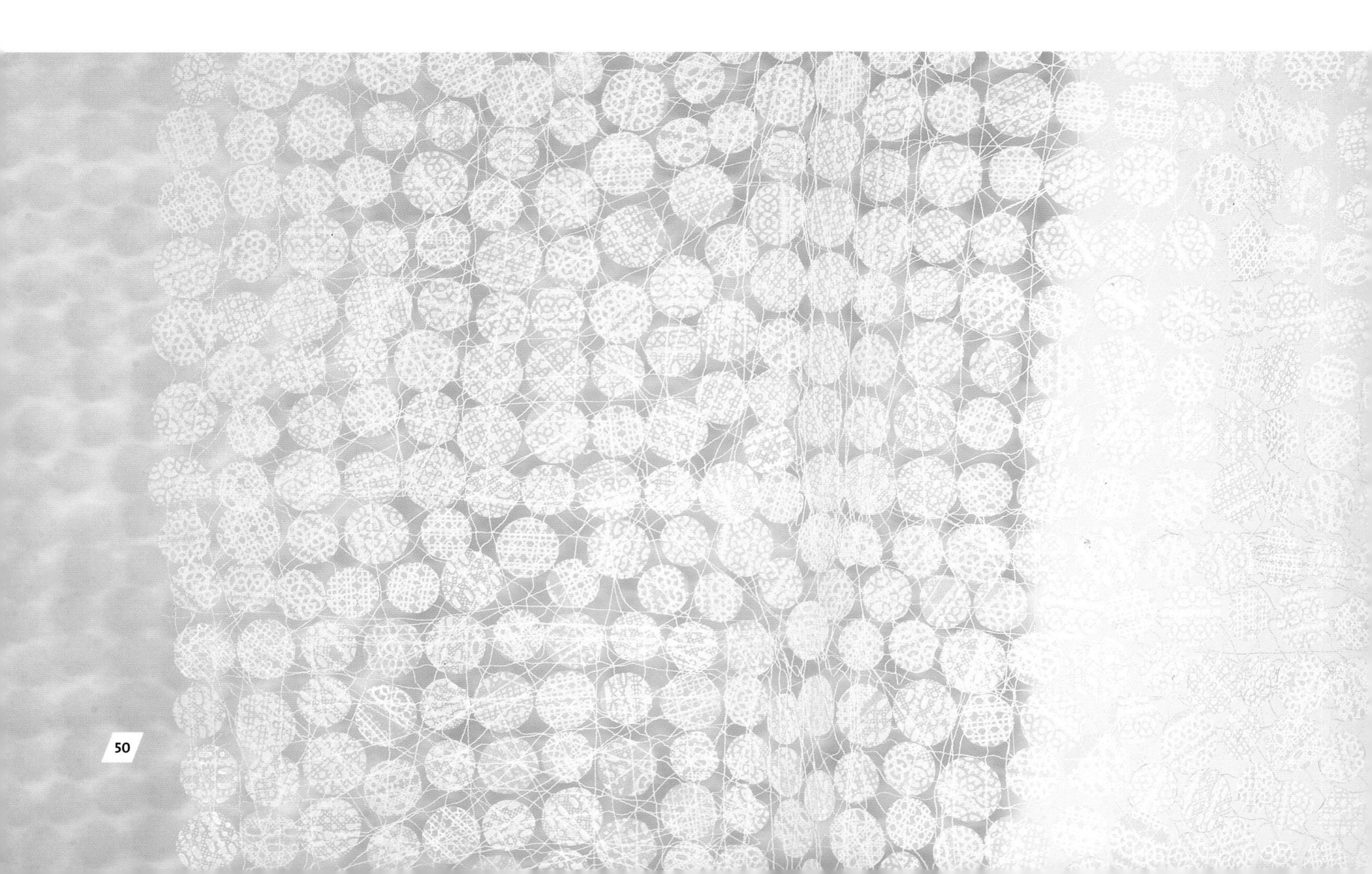

50

51

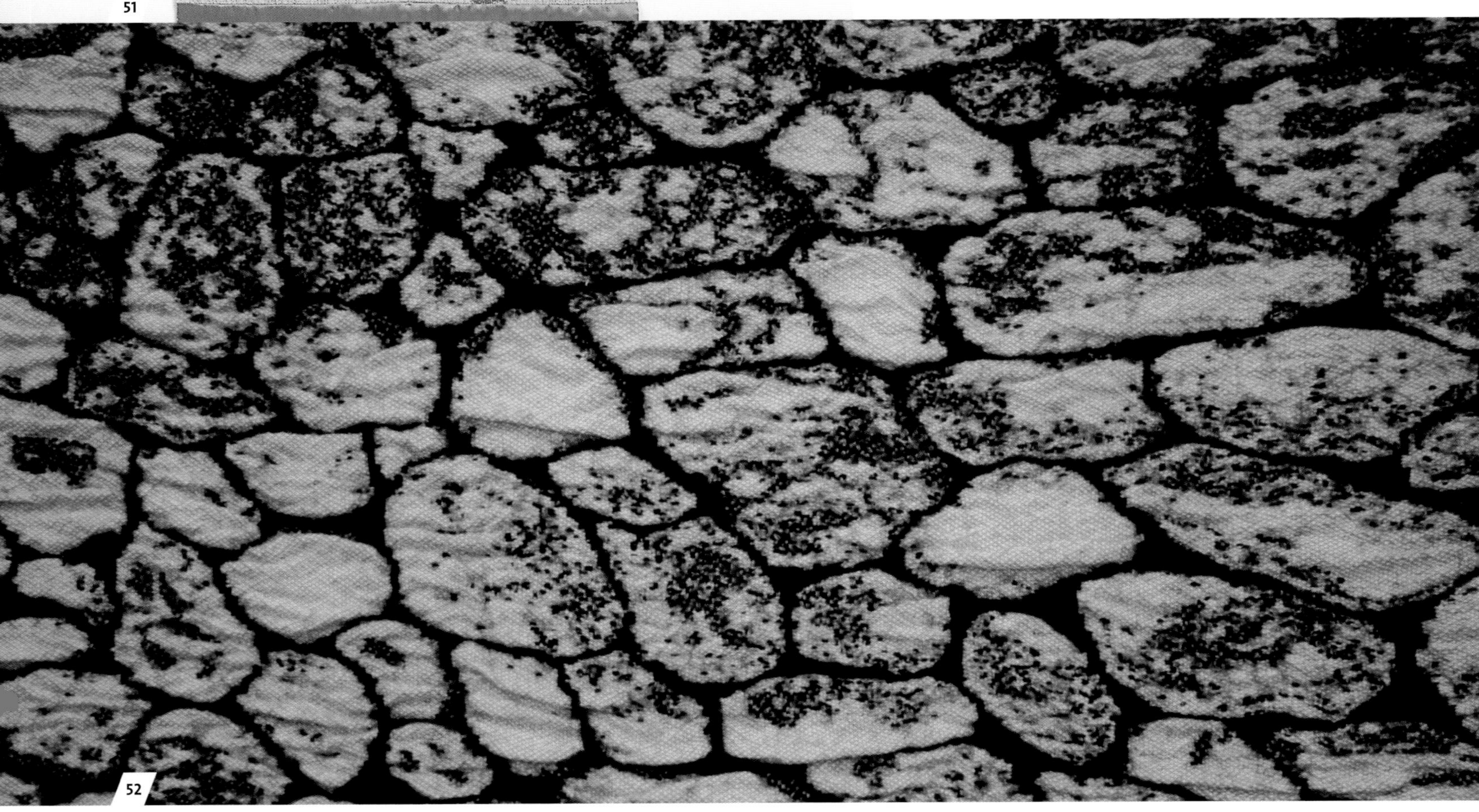

52

49. 西甘·沃齐米日(Cygan Wlodzimierz)，风扇，罗丝大奖，2007年。

这件3米（10英尺）宽的羊毛和剑麻圆形织品表现了艺术家“想要建立或发现织造品的意义……我已经放弃使用织机做出框架，我不想被限制。我发明和构建简单的设备，让我自由使用经线”。

50. 塞西莉亚·赫弗（Cecelia Heffer），现代花边：白色影子，2006年。

赫弗参考了16世纪的威尼斯花边，在可溶性底布上缝上真丝。她探索了“通过整合记忆、图案和技术，将人与历史联系起来的观念”。

51. 乔治–安·鲍尔斯（George–Ann Bowers），条纹，2005年。

这件和服使用了棉、羊毛、人造丝、真丝和素绉缎面料，有三层织法的编补技术和经纱着色或絣织工艺。

52. 史黛西·哈维–布朗（Stacey Harvey–Brown），干燥的石头墙，2010年。

这是一件由电脑控制，手工提花织造的单面和双面布料，在抛光的过程中，将纱线不同程度地缩水，制造出三维效果。

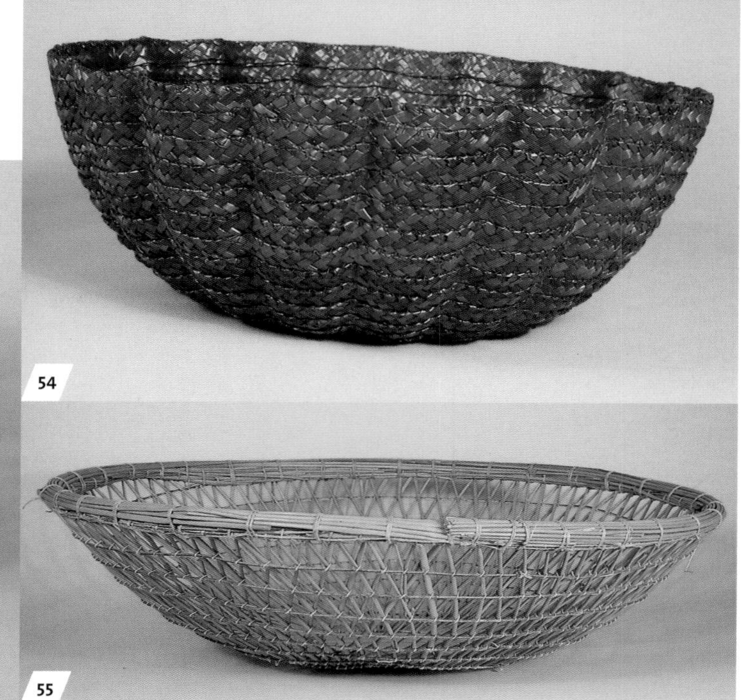

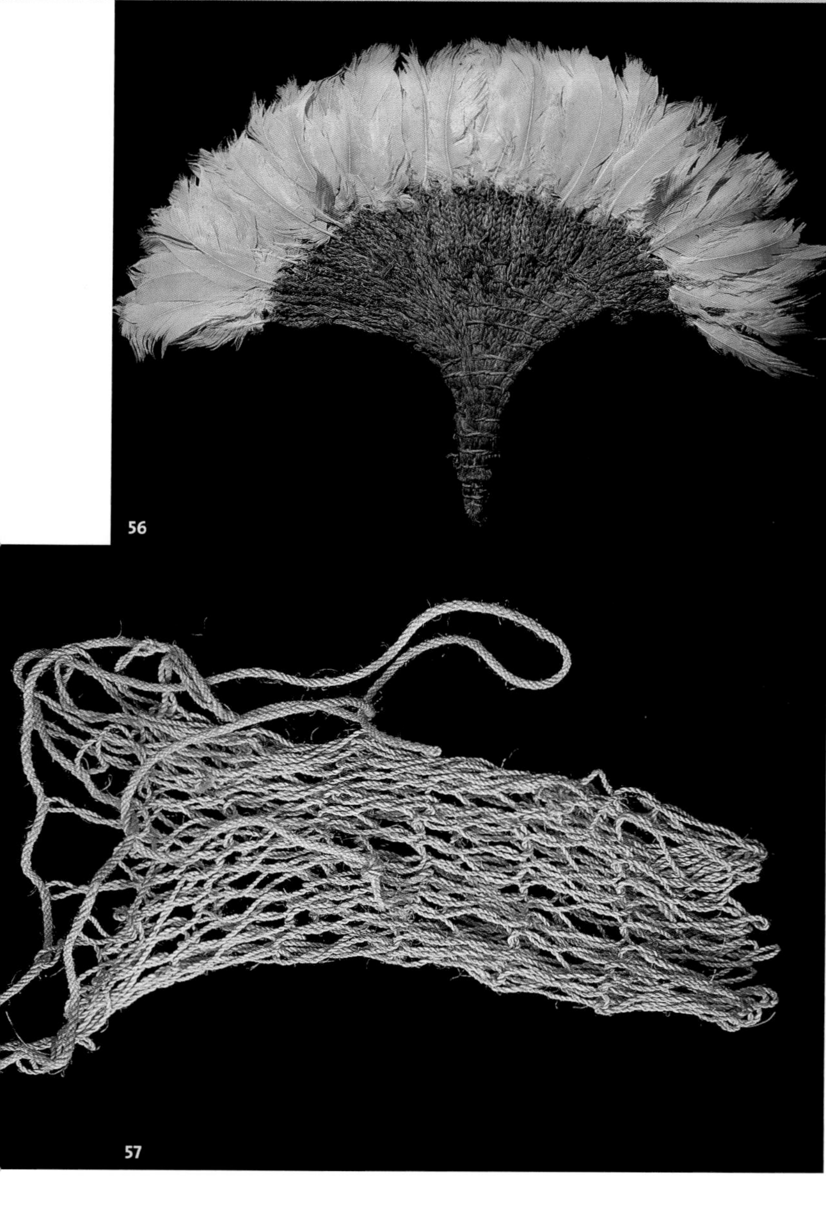

53. 米丽娅姆·普劳特尼考(Miriam Plotnicov)，枝编的篮子，约 1960—1975 年。

这个枝编的篮子是普劳特尼考用俄亥俄州的柳条做成的，她是世界各地原住民珠饰方面的权威人物，同时也是工艺品策展人。

54. 意大利制篮工，扇形边缘的交叉编织篮子，1975 年之前。

采用机器交叉编织染成紫色的织物茎秆，制成扇形。

55. 西西里岛制篮工，鱼篮，1971 年。

金属丝纬线在其与藤条的交叉点处捆绑住藤条，以固定斜向重叠的藤条。用棉绳包缠藤条加固边缘。

56. 纳斯卡（Nazca）工匠，秘鲁南部海岸，羽毛扇，约 600 年。

这把稀有的扇子通过交错编织绑住并且固定羽毛。

57. （被认为是）巴西工匠，可扩展的网状携带容器，1986 年之前。

由分股并交叉编织的剑麻绳织成的几乎不打结的网。

58,59. 埃罗尔·皮雷（Errol Pires），和平容器和三脚容器，2008 年。

两个都是用分股辫编，白色的容器高 15 厘米（6 英寸），由未经染色的棉束做成的四股棉绳构造而成。另一只篮子的大小是它的三倍，则是用四股染色后的棉绳制作而成的。

60. 洛伊斯·沃波尔(Lois Walpole）和凯特·格林（Kate Green)，眼速动的篮子，1987—1998 年。

沃波尔和她的丈夫将印刷后的平的瓦楞纸板条再次上色，然后由外包工将其编织起来。本例是艺术家凯特·格林为可持续发展的篮子生产而制作的“迷你工厂”的一部分。沃波尔解释说：“消费产品和包装还有很长的使用寿命……这些材料已经有自己的历史……悬疑的、愉快的或其他类型，能够刺激到观者和使用者。”

61. 卡瑞尔·西森(Karyl Sisson)，卷尺容器，约 1998 年。

这件作品是将回收利用的棉卷尺用聚合物和线扎紧，上面还有一个老式电木盖子。“我的焦点是通过建立形式，改变代表了生物机体、当地建筑或陶土容器的结构，将这些熟悉的物件变形。这些值得收藏的物件具有构建所需材料的功能，而任何制篮或针线技术都能提供构建方法”。

58

59

60

61

62—68. 这些篮子的细节显示了织机会用到的同种结构。

在一个草绳和天然着色的木条制作的盆篮（图62）中可以看到基本纬纱围绕桩子（经纱）的上下编织法，在其他的例子中可以看到更为复杂的编排，它们都是交叉编织的。这些篮子中包括两个哥伦比亚篮子，拥有用棕榈树叶编成的三上一下斜纹组织（图65），一个用竹子编成的反向的斜纹组织，后者是由图卡诺印第安人制作的（图64）；还有两个印度尼西亚的篮子，运用了方格图案，一个用的是红黑着色的竹子（图66），另一个用的是天然和染色的棕榈树叶（图68）。拥有多色斜纹方格图样，采用细致的天然及染色稻草编织的篮子来自马达加斯加（图63）。在斯里兰卡的篮子（图67）上可以看到犬牙花纹变形，其中的经线和纬线都有两条本色的和染色的棕榈“丝带”交替出现。这些篮子都由艾德和凯瑟琳·罗斯巴赫收藏，有些在艾德·罗斯巴赫1972年出版的《作为纺织艺术品的篮子》一书中有所描绘。

69. 努比亚制篮工，带盖子的盘制篮子，1971年之前。

这个篮子是在一个芦苇基底上，用染成黄色、棕色、黑色的棕榈树叶和未染色的棕榈叶一起构成几何图案。

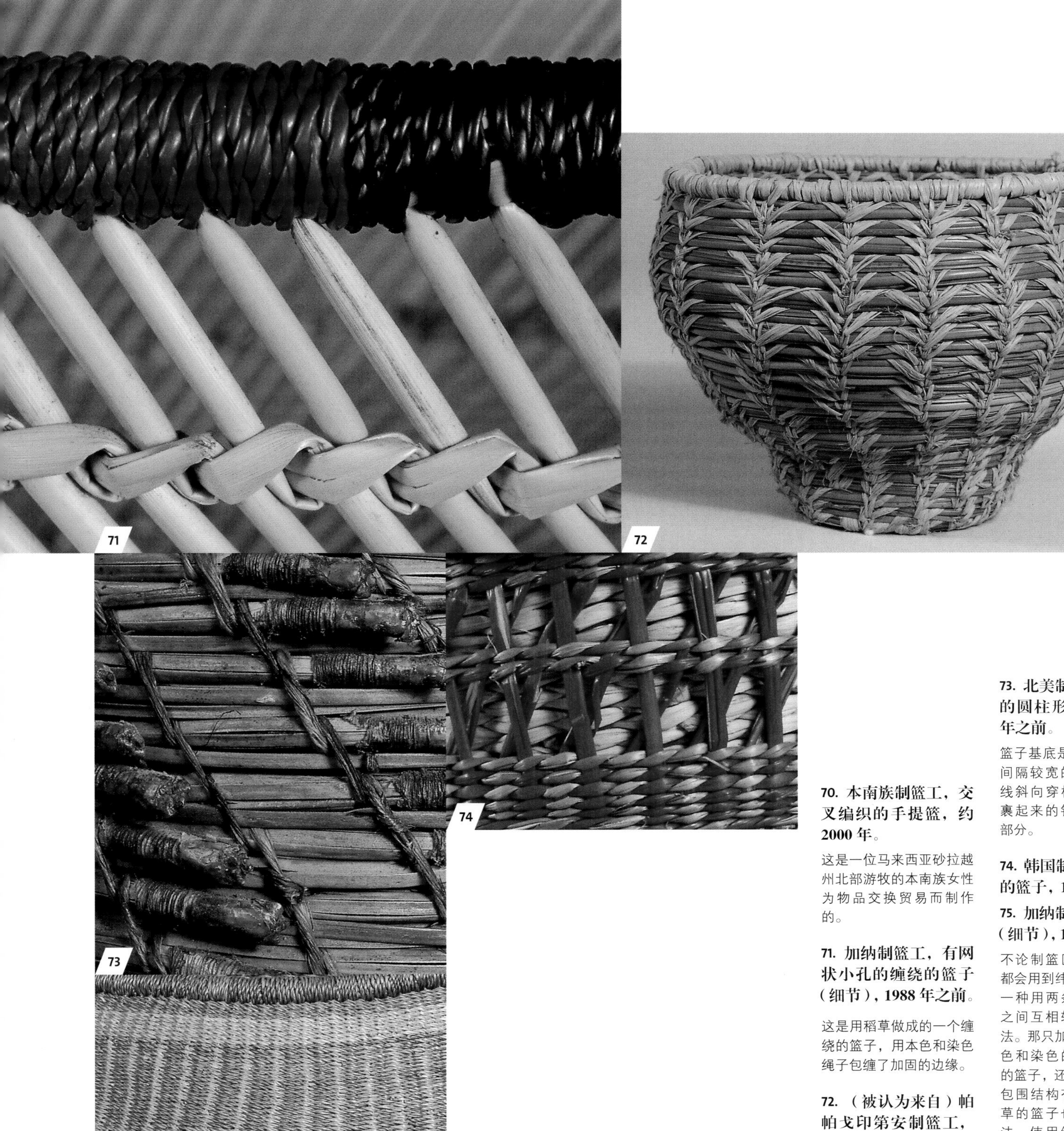

70. 本南族制篮工，交叉编织的手提篮，约2000年。

这是一位马来西亚砂拉越州北部游牧的本南族女性为物品交换贸易而制作的。

71. 加纳制篮工，有网状小孔的缠绕的篮子（细节），1988年之前。

这是用稻草做成的一个缠绕的篮子，用本色和染色绳子包缠了加固的边缘。

72. （被认为来自）帕帕戈印第安制篮工，盘制的篮子，1987年之前。

在草和针叶混合的基础或者中心上，固定用的酒椰叶纤维采用装饰性针法，盘绕而成。

73. 北美制篮工，盘制的圆柱形篮子，1988年之前。

篮子基底是松树针叶束，间隔较宽的用来固定的线斜向穿梭，强调了包裹起来的针叶束的顶端部分。

74. 韩国制篮工，有盖的篮子，1988年之前。

75. 加纳制篮工，提篮（细节），1988年之前。

不论制篮匠还是纺织工都会用到纬线绳编，这是一种用两条纬线在经线之间互相转动捻起的方法。那只加纳的，使用本色和染色的纤维线制成的篮子，还有韩国那只双包围结构有盖并用到海草的篮子也用到这种方法。使用织机时，纬线绳编会将材料整个跨过经线，苏马克（soumak）织锦中，则会跨过一些经线。如果我们将这些都旋转90度，就是经线绳编和薄纱的织法了。

76. 曼蒂·冈恩（Mandy Gunn），WeAVE，2003—2004年。

边缘用一圈铆钉固定，生锈的旧钢制捆扎带被切割并且编织进5米（16英尺5英寸）长的装置中。“我感觉自己通过重新利用已为大家知晓的材料，把人们的注意力吸引到了我们充满浪费的社会……但是我也喜欢材料内在的历史，以及历史的作用方式……并且它常常成为作品的中心”。

77. 哥伦比亚工匠，松散的打结手提容器（细节），1968年。

手工打结、染色的双股剑麻绳。

78. 危地马拉织工，Cinta（细节），1984年之前。

这块头巾由顶部有绒球花的长流苏做成。将一排排的人造丝线剪断并做成类似羽毛的样子，垂在底部，下面挂有白色人造丝线圈。外层包裹能够固定上述部分和人造丝线流苏。在托托尼卡潘，不论男女都会制作这种类型的纺织品，然后在危地马拉几乎所有的旅游市场售卖。它们会被当做腰带和帽带使用，相对现代而言，20世纪30年代到60年代期间它们在玛雅女性当中更受欢迎。

79. 新墨西哥花边工匠，科尔查被单边，约1820—1850年。

这种多彩的扇形羊毛和交叉编织的花边装饰是科尔查被单一个与众不同的特征。这些钉绣的床单、窗帘、祭坛帏帘和其他室内纺织品是在现属于美国的一个地区制造的，但这片区域在1821年到1846年间属于墨西哥。

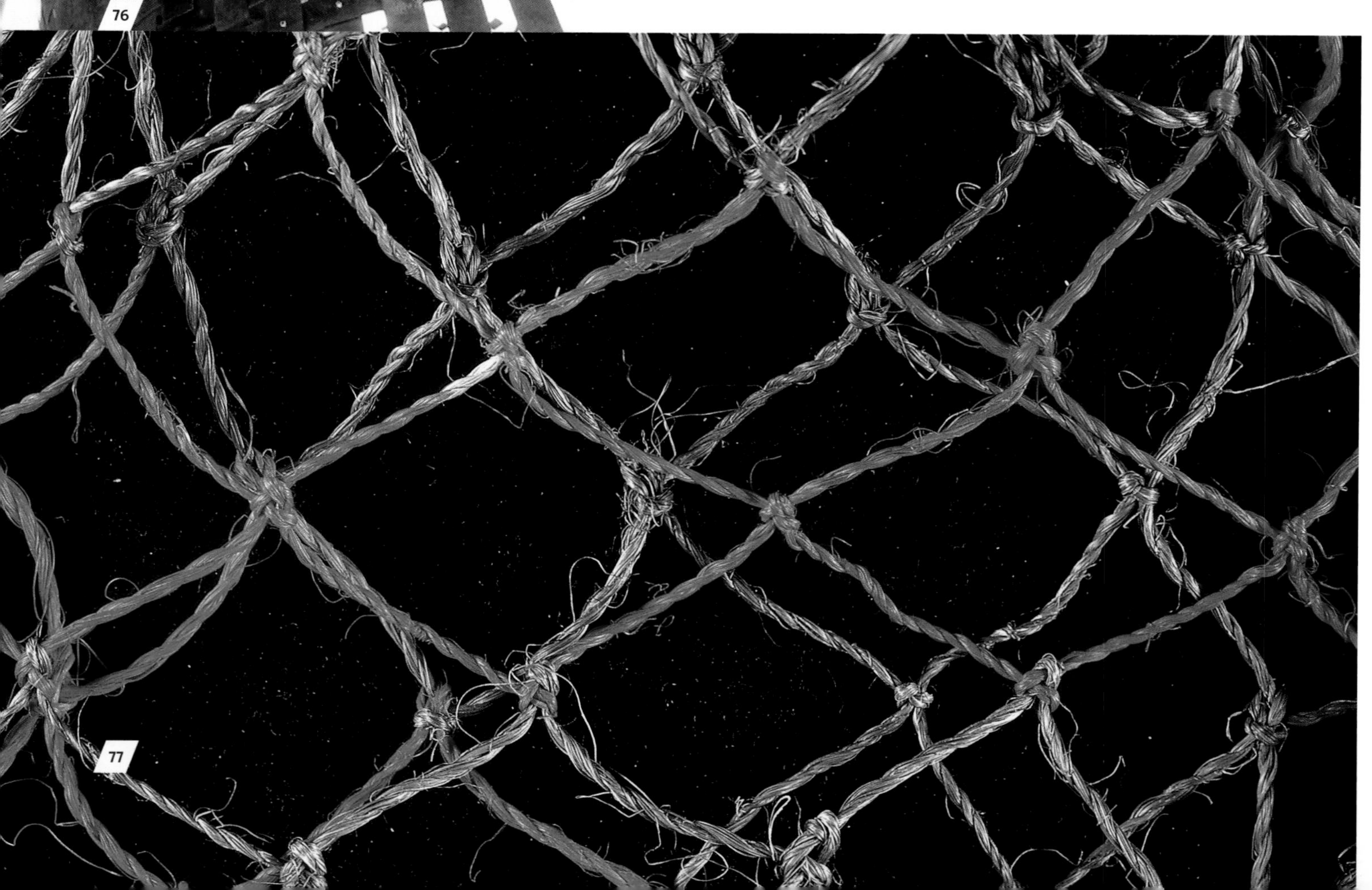

78
79

80

81

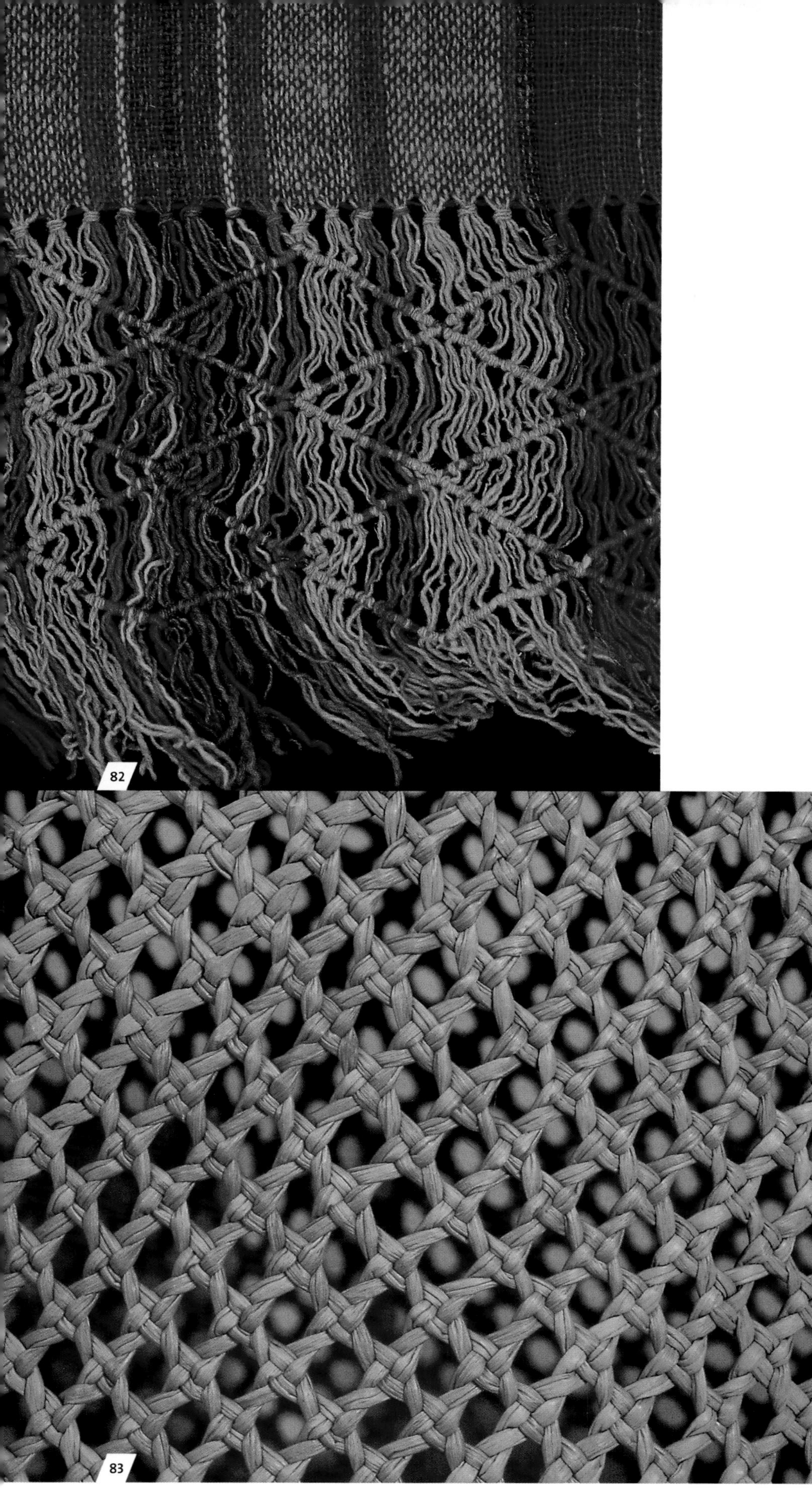

80. 坎迪斯·克罗克特（Candace Crockett），庆典袋子，1975年。

主体部分采用机织，除了羊毛以外还添加了木头纽扣和卡片织机织出的部分，打结和包裹的流苏穗子是在卡片纺织机纺织时加入的。

81. 秘鲁织工，庞桥斗篷（细节），1974年之前。

用库斯科高地的羊驼毛纺织而成，庞桥斗篷的流苏由单独的线在较窄的穗带上结成环然后拧转而成，穗带使用半环针固定。

82. 墨西哥织工，雷博佐围巾（细节），1986年之前。

这种羊毛披巾的流苏由经线构成，从围巾和流苏边缘算起，流苏长18厘米（7英寸），它代表了这种编结工艺的传统功能。

83. 厄瓜多尔工匠，绳编篮子（细节），1989年之前。

在橙色和绿色的酒椰叶上采用像钢笔斜线一样的绳编，表现了这种几乎没有打结的结构和装饰结及相关编结技术之间在概念上的紧密联系。

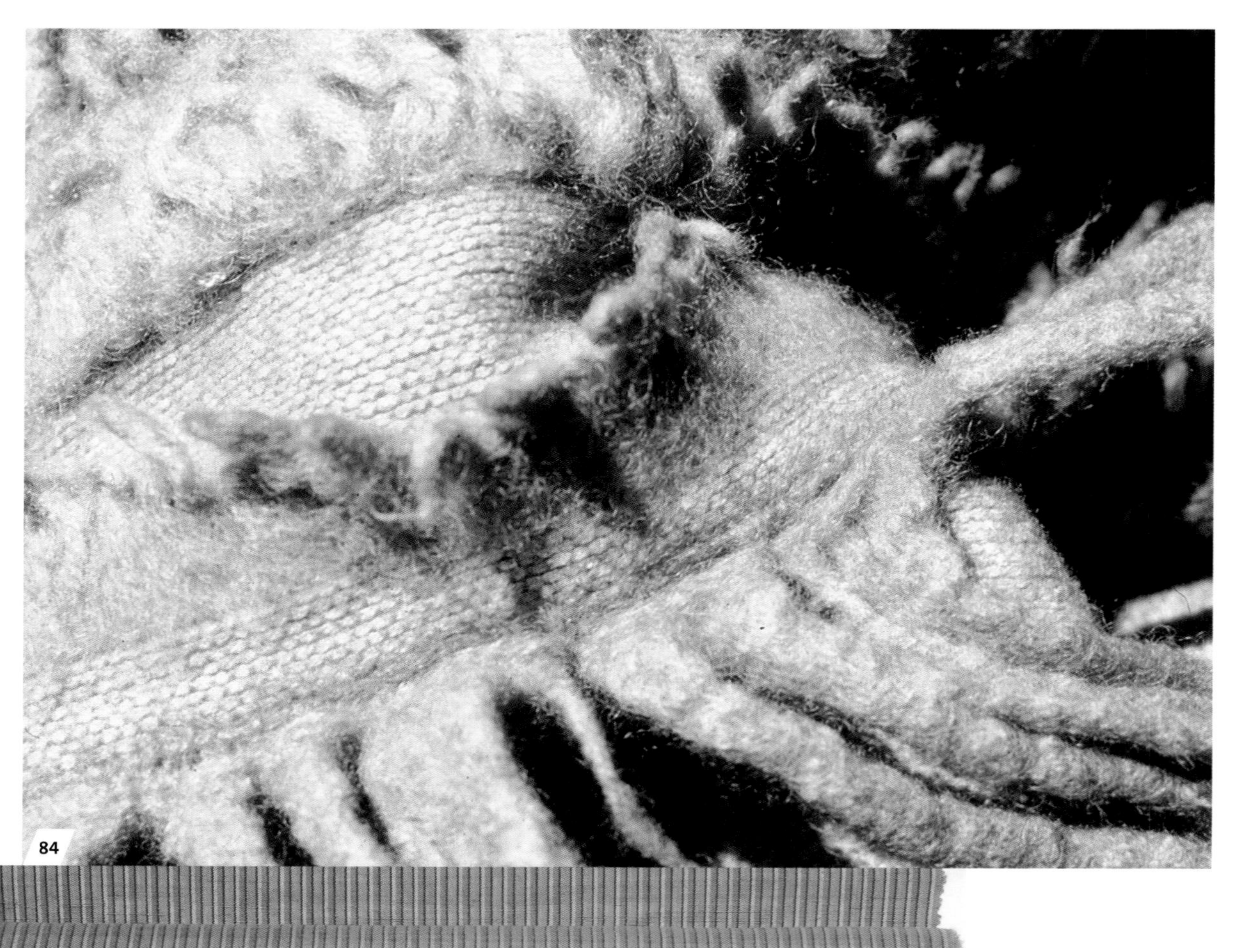

84

85

86. 克莉丝汀·凯勒（Christine Keller），围巾清风，粉扑围巾，1997—2001年。

作为德国手织玫瑰商店——一间因雇佣不同才能的员工而闻名的小型手织商店的主要设计师，凯勒开发了丝光棉和美利奴羊毛手织以及手工制毡的面料。这件围巾是无意间开发的：“一个织工织一块面料样品时织得太松了，在毡合过程中，肌理分裂开来……我们的总监……剪下了这一块围在她的脖子上。”凯勒改善了这一技术，最终成果就是这件获奖的设计。

84. 新井淳一（Jun-ichi Arai），无题，约1987—1993年。

这块布上磨损和打结的效果用的是经编纺织的方法，这种方法会用上由完全成线的经纱织成的织物，羊毛和棉线经过切割，和经过高强度碾磨（或者制毡）时的不同反应会导致这样的结果。新井是他们家族中的第六代和服及和服宽腰带面料纺织匠人，他们家族的磨坊早在1900年就已经在日本的桐生市建立。

85. 井田育子（Ikuko Ida），和服面料（格子花纹），2008—2010年。

手织的生丝和丝线，天然染料染色。每一片都是12米（13码）长、39厘米（15¼英寸）宽——是传统的尺寸。

87. 蒂姆·帕里－威廉姆斯（Tim Parry-Williams），布3（细节），2009年。

这块布是用真丝和亚麻混纺而成，并且用酸性染料和直接染料染色，它出现在一个“未来手工艺”的研究项目中，表现出了一种特别的哲学，“它深深根植于我的工业……经验和理解（生产系统、设计方法论、周期等）……通过一块小心翼翼的手织的布表达出来”。

88. 玛丽安·斯特劳布（Marianne Straub），沃纳动力机织家具装饰织物，1952—1968年。

这些布都是给斯特劳布带来植物染色和手工纺线知识的手织原型。右图中的布样最先在英国的公司售卖，包括华纳父子有限公司、希尔家具、帕克·诺尔以及厄尔科家具公司。

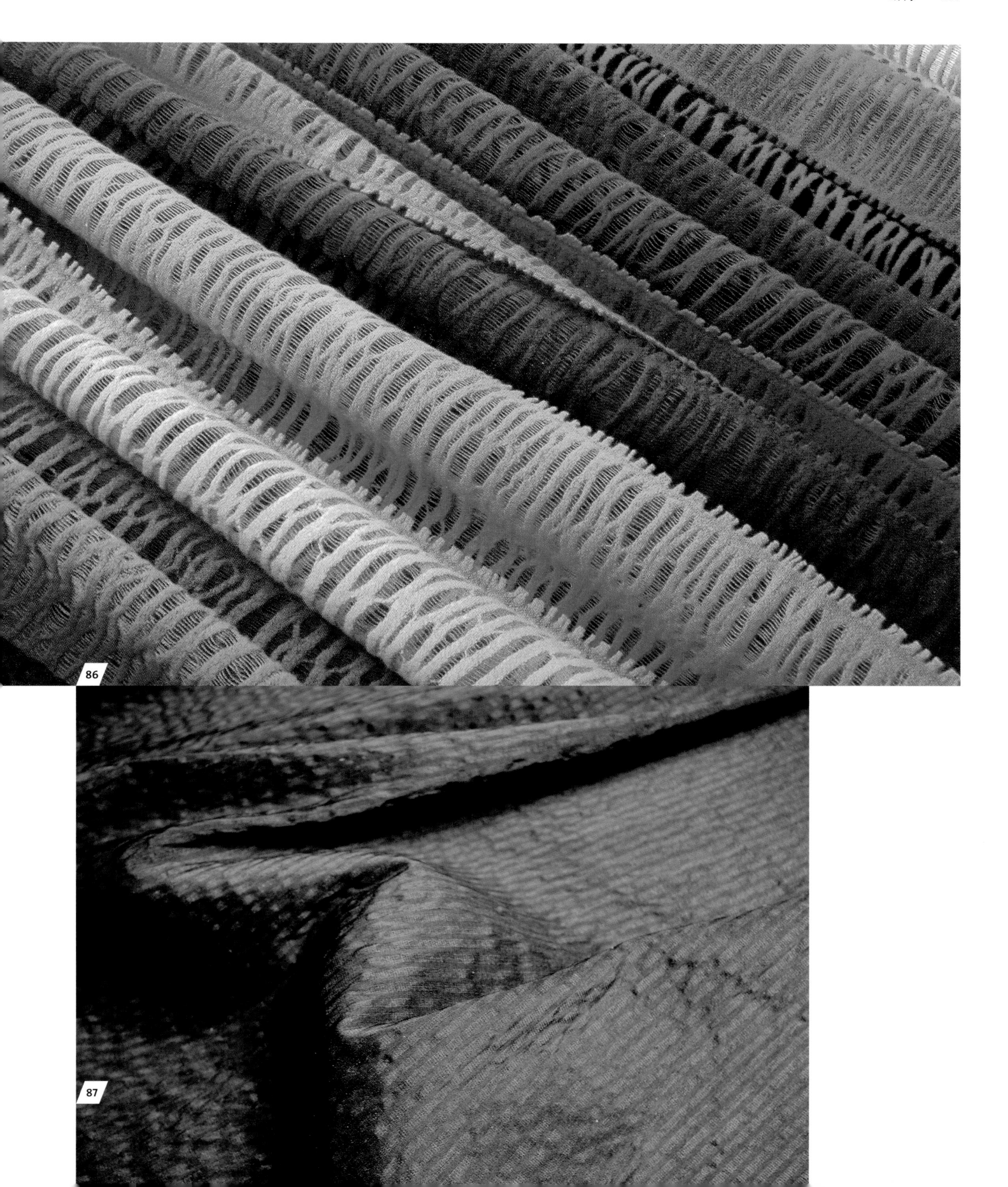
86
87

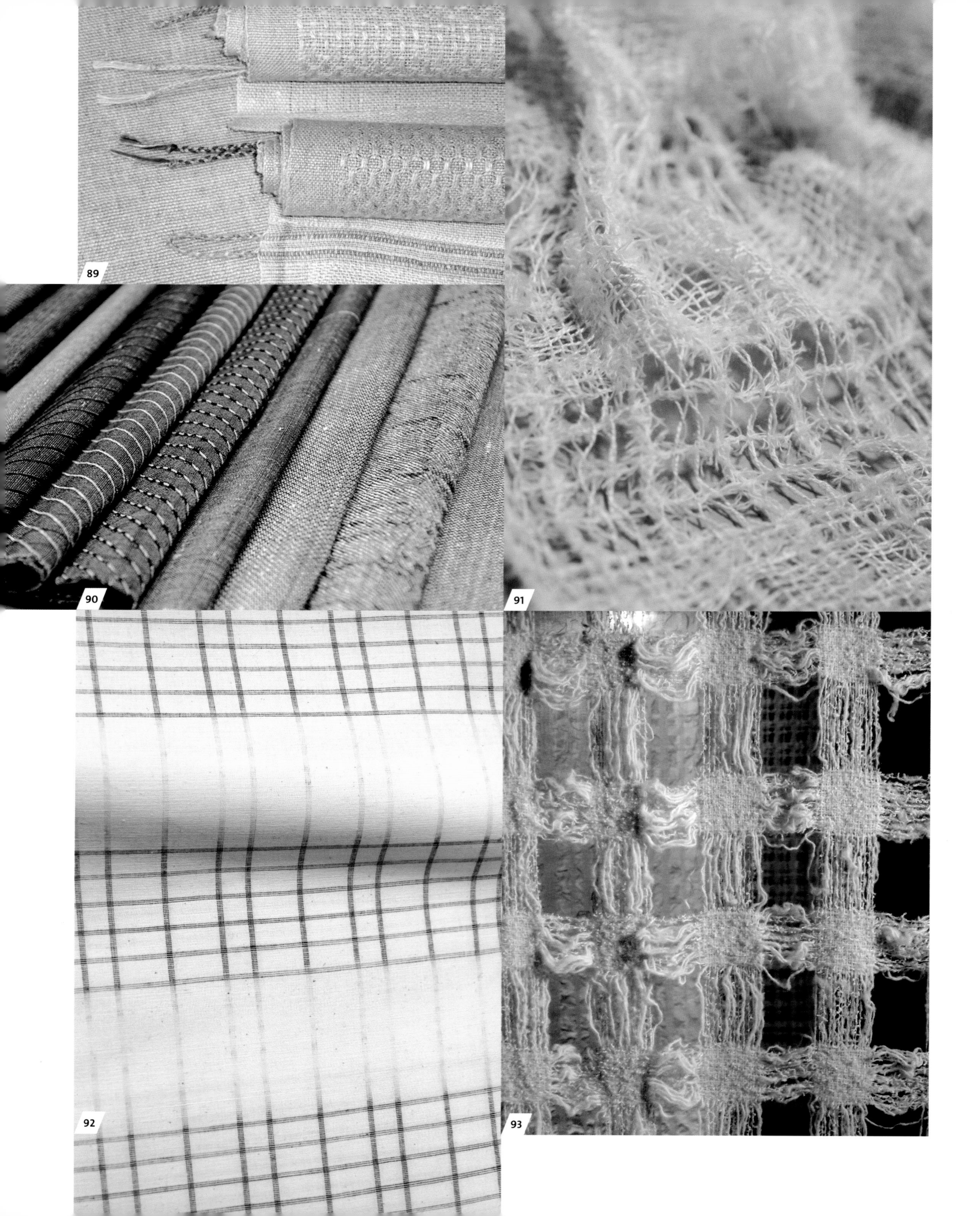
89
90
91
92
93

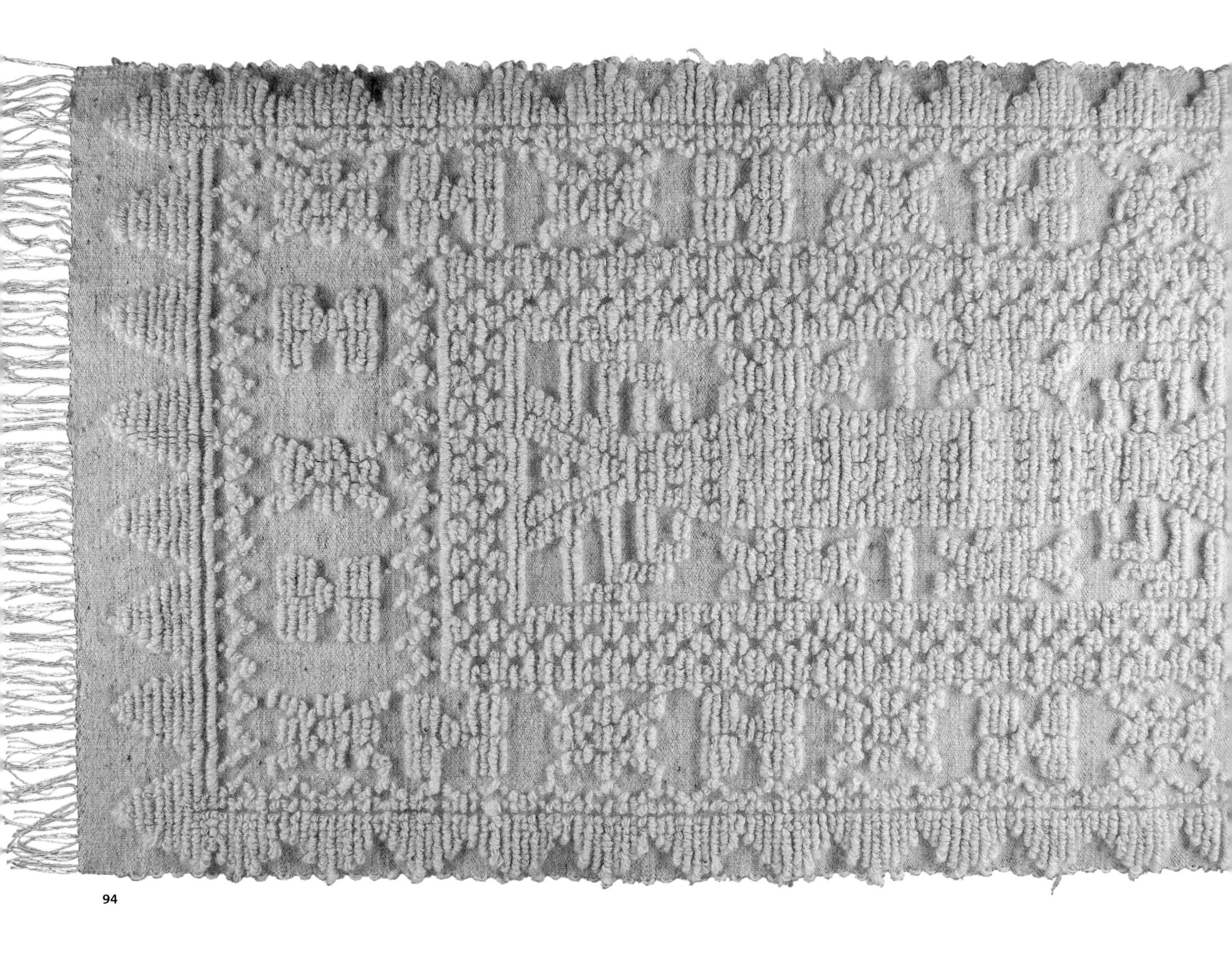

94

89. 艾莉森·莫顿(Alison Morton)，亚麻手巾，2008—2011 年。

这些奢华的亚麻床布、桌布和实用物品因未经染色的亚麻的微妙色彩和每次洗后愈发增加的软度而被赞赏。从顶部往下看，这些作品都用人字图案（手工纺制的纬线）的粗麻布以及帆布织物手工织成，而背景则是平纹或斑纹组织。

90. 蒂姆·帕里－威廉姆斯(Tim Parry-Williams)，“蓝粗棉布”系列，2009 年。

这些手织的样品采用不同规格的棉和亚麻纱线，以及天然染料。“灵感的来源多种多样，从赫库兰尼姆和奥普龙蒂斯的罗马废墟到日本神道教的神殿。但多数来源于影子的颜色或移除了砖之后墙面的纹理”。

91. 莎莉·卫泽丽尔(Sally Weatherill)，霜，2004 年。

黏胶纤维围巾，采用 leno 技术织造细白的丝线和精致的纤维黏胶纱线，卫泽丽尔解释说：“Leno，这种技术每隔一段距离就将纱线拧转固定，同时也允许纱线自由活动，通过这样的方法，人们能够领略每一根纱线的美。”

92. 千奈美·里基茨(Chinami Ricketts)，和服布，2011 年。

格子图案为宽阔、横向、近白色的条状图案，通过絣织将棉经线条染成靛蓝和自然的棕色棉布形成。

93. 萨拉·诺丁(Sara Nordling)，肌理，2009 年。

捻得很紧密的羊毛和丙烯酸纤维丝线固定了由平纹组织的经纱和纬纱间隔一定空间放置形成的网格结构。

94. 克里特岛织工，线圈小地毯（细节），1986 年之前。

这块羊毛和棉织的小地毯使用的是“五彩纸屑”技术，这种技术采用敞开的梭口，加入织针，用羊毛纬纱缠绕；下一条纬纱被打下以固定线圈。如果把针换成锯齿状的杆子，就可以做出棉绒，那些锯齿能够保持线圈呈开放的状态。

95. 尼斯库·尼姆库拉特（Nithikul Nimkulrat），我的老女士，2002 年。

这是 5 件真人大小的雕塑作品中的一件，使用了多层织造的泰国真丝，出自艺术家的“派对装”系列。它呈现了“无需穿着和不能穿着的女装”。成衣想要表现“每个生命阶段的人类”。尼姆库拉特呼吁人们“认识他们常常忽略的事和人的价值”。

96. 玛丽安娜·明克（Mariana Minke）和萨拉·弗扎诺（Sara Forzano），在某种环境中——圆筒形服装，2009 年。

圆筒状的服装根据它们的维度、织造图案的类型、开口（对形式来说是必需的）和最后的处理来改变形式。《第二层皮肤》（左边）是由棉、弹性纤维和真丝组成的，用双面经线、褪色纬线编织的絣织面料，《反射》采用双面纺织，在棉丝带、铜线、亚麻和 PVC 管上打褶。两件都是手工织造的，并且是“在织机上直接产生、发展和制成现在这个样子的”。

97

98

97. 迪尔德丽·伍德（Deirdre Wood,），互锁的织环，2010 年。

这些亚麻、羊毛和绑织染色的真丝是条状编织的。弯曲的条带出自亚麻和真丝，让艺术家能够织成圆环。通过计算能够制出固定直径圆环的条带宽度。伍德可以织出不同大小的圆环，把它们缝到一起的时候，能精准地从内部套住。

98. 马戈·塞尔比（Margo Selby），羊毛围巾，2009 年。

塞尔比受到许多艺术家的影响，比如布丽奇特·赖利和 M.C. 埃舍尔，他们给予她几何和光学图案的灵感；还有点彩派画家乔治斯·修拉，他的色彩混合方式激发了塞尔比在织机上混合纱线的方法。

99. 须藤玲子（Reiko Sudo），稻草（细节），2008 年。

日本的鹤冈市坐落在一个稀有丝绸的生产区域，从养殖桑蚕到织造都在那里进行。这块面料由环保的、有丰富天然保湿氨基酸的鹤冈真丝和棉织造而成，灵感来自山形县当地的地貌，尤其是稻草被风吹过后的景象。“稻草”以块状的绵绸（tsumugi，带褶的丝制纱线）编织而成，完成之后纱线会被手工剪掉。

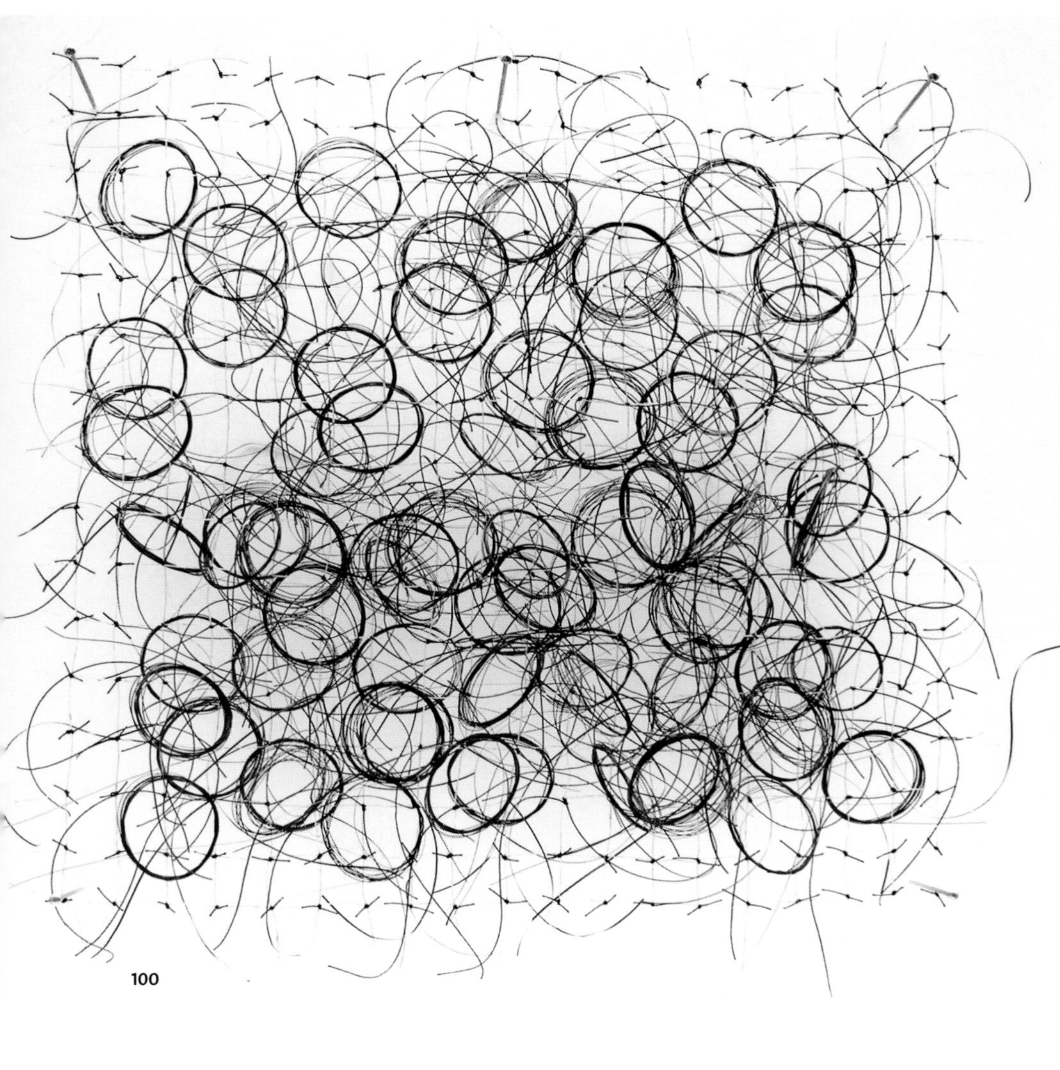

100

101

100. 琳达·格林（Linda Green），轻快，约2009年。

直接用打结的亚麻线和马毛“作画”，艺术家在这里表达了她对机会和秩序间的对比的兴趣，以及造成深度或半透明错觉的兴趣。

101. 特雷西·克鲁姆（Tracy Krumm），诱惑（育儿袋），2011年。

这件作品将镍、锻钢和现成艺术品（found object）钩编，并加上树脂光泽，创造出柔弱与力量相互作用的效果。

102. 特雷西·克鲁姆（Tracy Krumm），双链（袖子）（细节），大约2009年。

用铜线、钢和日常物品通过钩编创造出复杂的图案和纹理，完成的作品上加上了一层光亮的树脂。

103. 弗罗拉·萨顿（Flora Sutton），Vinculos（联结），2005年。

阿根廷艺术家萨顿用她自己的技术把金属线和铁变成了一个高150厘米（59英寸）的雕塑。

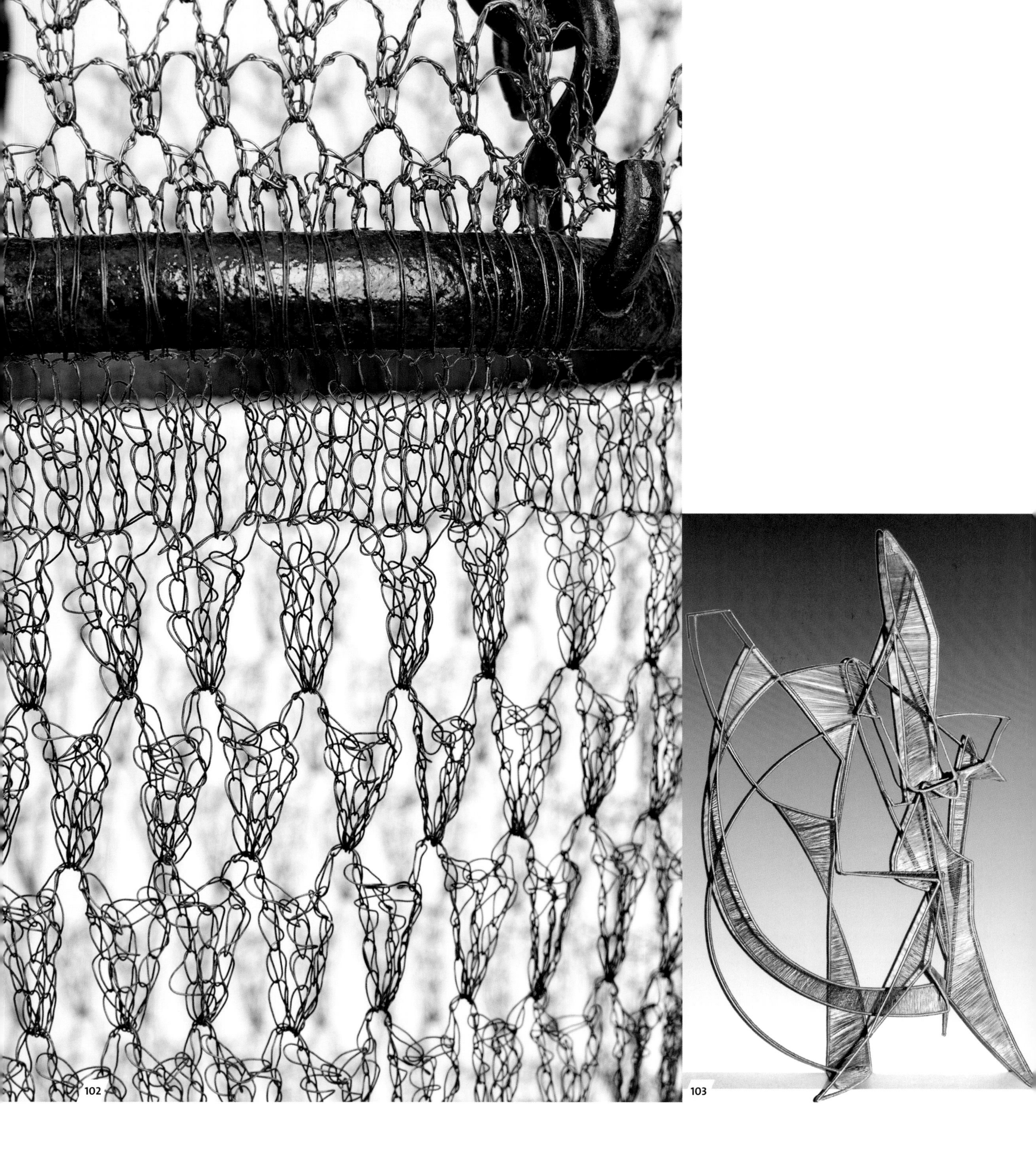

102

103

104

105

104. 玛丽·伊丽莎白·巴伦（Mary Elizabeth Barron），小小家庭树1，2008年。

用涤棉线将艺术家和她家人的旧衣服缠绕起来：“我们的衣服非常私人化、亲肤……它们的这些品质使作品具体化……不论外在形式还是内在情感记忆都启发了作品的形式。”

105. 杰基·艾布拉姆斯（Jackie Abrams），接地，2011年。

卷绕的织物碎片和线。“坐在我的工作室里，我手边的材料永远是我成就、沉思、挫败和满意的来源”。

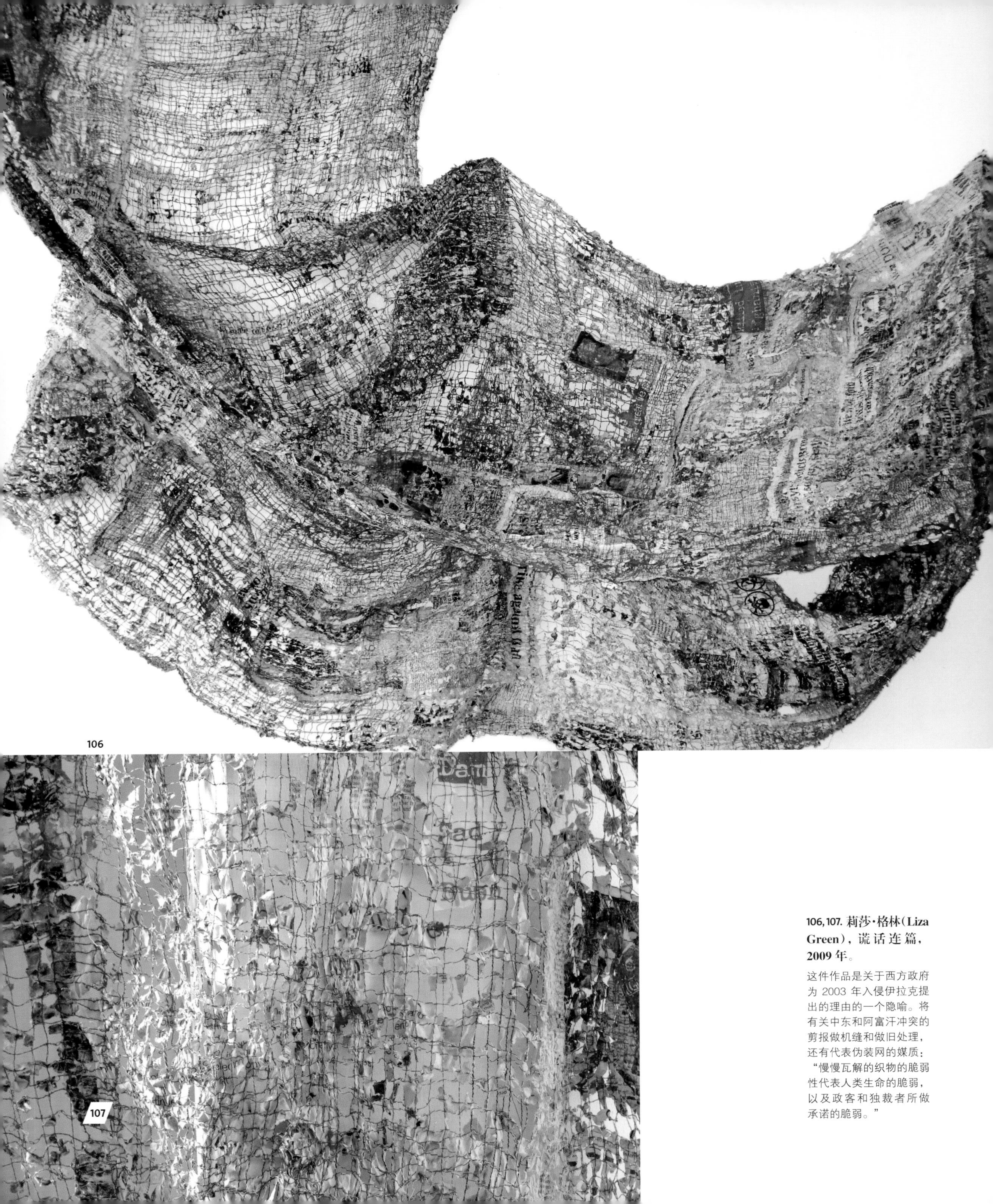

106, 107. 莉莎·格林（Liza Green），谎话连篇，2009年。

这件作品是关于西方政府为 2003 年入侵伊拉克提出的理由的一个隐喻。将有关中东和阿富汗冲突的剪报做机缝和做旧处理，还有代表伪装网的媒质：“慢慢瓦解的织物的脆弱性代表人类生命的脆弱，以及政客和独裁者所做承诺的脆弱。”

108

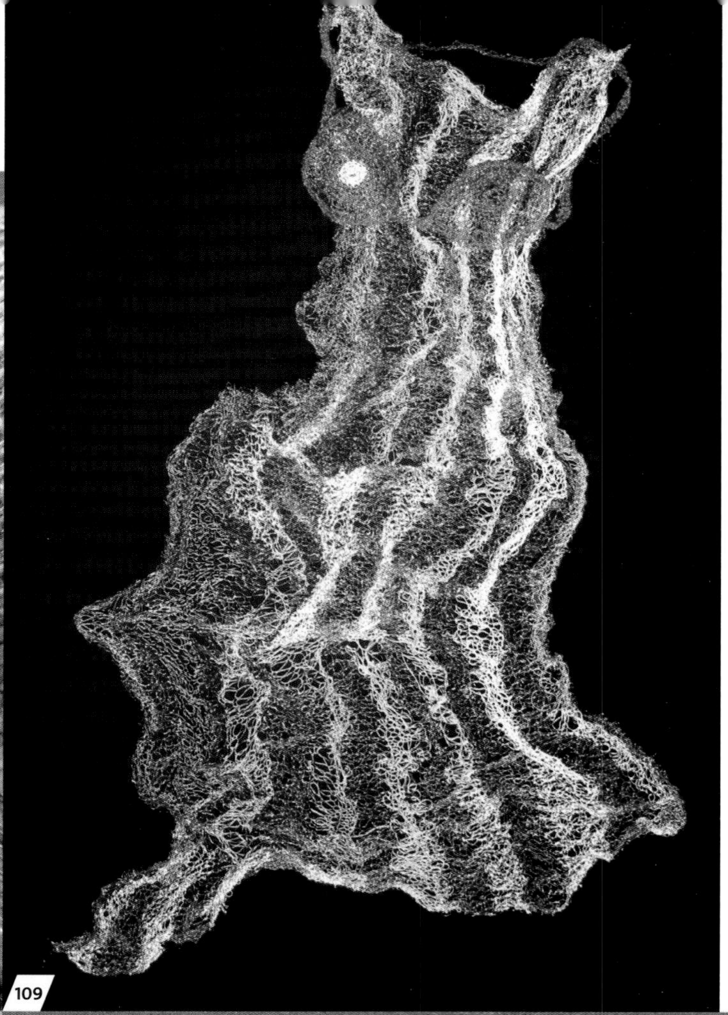

109

110

111

112

108. 伊夫·哈拉赛丽（Havva Halaceli），节日（细节），2009年。

这件作品由亚麻、棉和弹性纤维在提花机上织造而成。

109. 伊夫·哈拉赛丽，婴儿裙，2008年。

将铜丝和涤纶线针织和钩编成令人联想到身体和裙子的形状。

110. 珍妮特·利普金（Janet Lipkin），旋涡（细节），1973年。

这是一件短夹克背面的细节，用羊毛和闪光的涤纶纱手工钩编而成。利普金曾在纽约普拉特学院学习绘画和雕塑，在那里她开始做钩编方面的艺术作品。这件作品现在被加利福尼亚的奥克兰博物馆收藏。

111. 克莉丝汀·索耶（Christine Sawyer），昨天“必须拥有的物品”，2011年。

这件精纺棉织锦约135厘米（53英寸）见方，讨论了浪费和生产过剩的问题。

112. 埃里卡·格里姆（Erica Grime），有机的情绪，2011年。

这件作品由三层织法的可溶解棉纱、亚麻以及金属丝和弹力纱组成。

113

114

113. 辛西亚·基拉（Cynthia Schira），字的原形（细节），2010年。

这块花缎布片用白色的埃及棉经纱和黑色的棉纬纱织成，大小为3米×9.1米（10英尺×30英尺），在北卡罗莱纳州奥利奥尔工厂的一台电动提花机上完成。这些图案反映了艺术家长期以来对符号、代码和密码的浓厚兴趣，是39个网络数码图像中的物品的抽象形式，这些物品来自博物馆的单个收藏。

114. 埃及织工，蒂拉兹（记名的纺织品）片段，11世纪。

平纹亚麻上的真丝织锦条交替出现装饰性图样和阿拉伯字母，这种图案最开始和哈里发统治国家的作坊有关，但很快传播开来。在那个时期的伊斯兰国家，书法比绘画地位更高，并且现在还有许多人认为那是这一文化最杰出的形式。

115. 坎迪斯·克罗克特（Candace Crockett），连衣裙系列魅影群（细节），1991年。

这块机织的棉麻和纯棉面料大约124.5厘米（49英寸）见方，使用了一系列曾经用于储存信息的结绳，让人想起古代安第斯的以绳记事术或古秘鲁人的结绳文字。

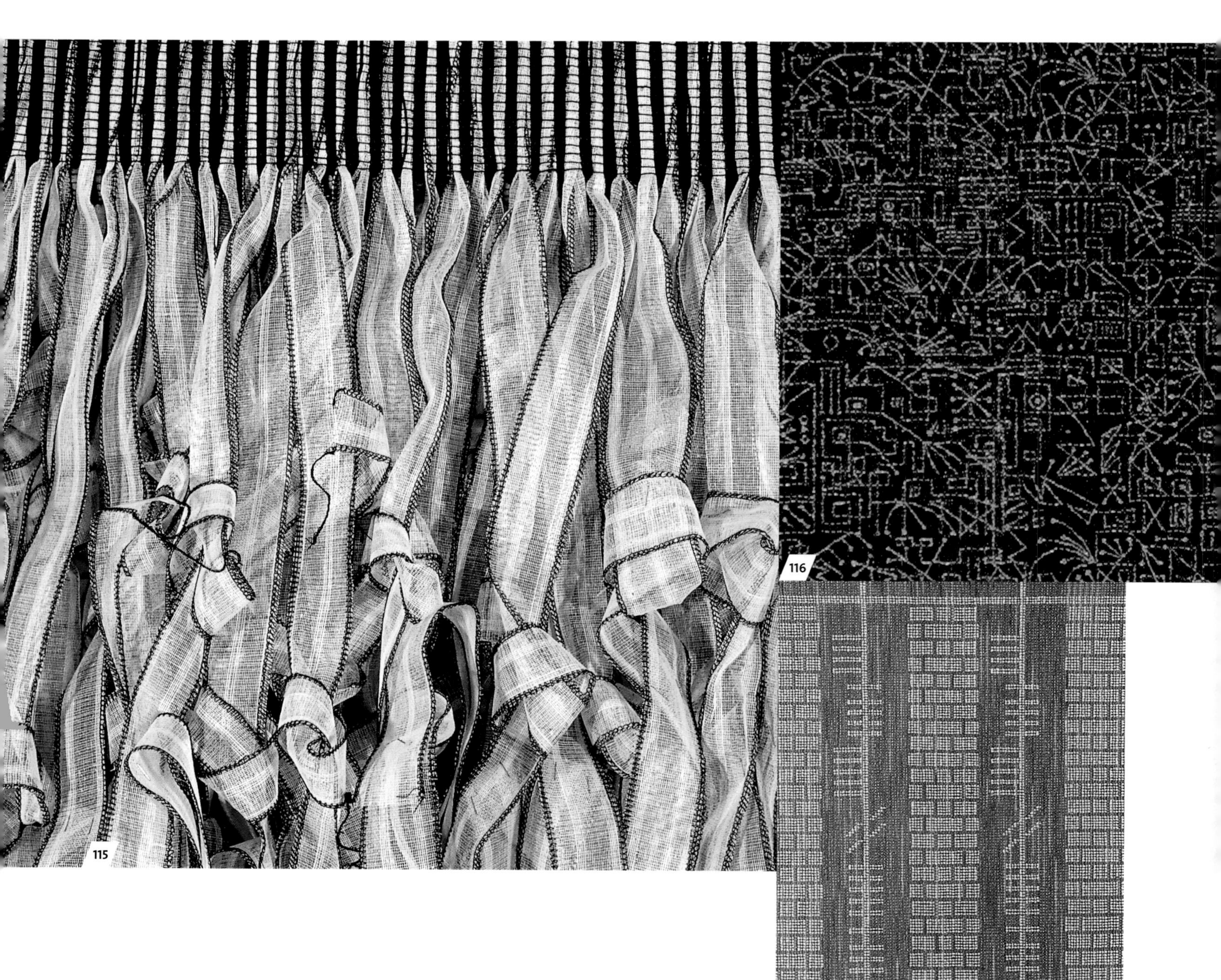

116. 未知的设计师，汽车纺织品，1959 年。

这种小图案是为克莱斯勒制做的，含有绿松色的卢勒克斯纱线，参考了印刷电路板。这种电路板在 20 世纪 50 年代是常见的消费性电子产品，有铜薄片通路，可导电，这种电路板随后促进了信息传输系统，包括那些与电脑相关的信息传输系统。

117. 卡琳·沙勒（Karin Schaller），沉默不寂寞，1995—1996 年。

这块高 115.5 厘米（45½ 英寸）的布片出自艺术家的“欧甘字母”系列，由真丝、人造丝、棉和金属线材料按照“夏冬”结构手工织造而成。

118. 杰西卡·史密斯（Jessica Smith），大象和蚊子，2004 年。

这件涤纶和真丝的作品用多臂提花织机（一种适合制作小型图案的提花机）织造，用的是麦特拉斯提花结构（双面织法的一种变体），长 30.5 厘米（12 英寸），绣有法式编结。艺术家在纸上和电脑上交替绘画，去“设计、生产和‘放置’叙事图案。这些图案包含历史含义、当代信息和颠覆扭曲的意义”。

119. 黛拉·里姆斯（Della Reams）和法蒂玛·艾尔－纳贾尔（Fatima Al-Najar），法蒂玛 2，2011 年。

这个图案采用数码设计，里姆斯和她的来自卡塔尔的学生用美利奴羊毛和人造丝在一台手工操作的编织机上织造而成，学生的名字在作品中用阿拉伯书法形式表现出来。里姆斯参考了历史悠久的阿拉伯人穿着嵌入手写字母的纺织品的传统，还参照了“将祈祷文缝在衣物最靠近皮肤位置的士兵”的衣服。

120. 欧洲织工，男式针织真丝夹克（细节），17 世纪早期。

这件衣服展示了对西班牙摩尔式笔迹的模仿，这件成衣反映出 13 世纪西班牙的基督教家庭雇佣穆斯林织工，随之将中东编织工艺传播到西班牙，而后又传到欧洲其他地方的状况。它很有可能是在西班牙、意大利或当时的西班牙属荷兰地区制作的。

121. 黛拉·里姆斯和法蒂玛·艾尔－纳贾尔，玛丽亚姆纺织品，2011 年。

这件作品由真丝、羊绒和闪光的涤纶纤维在手工操作的编织机上织造而成，借用了里姆斯另一个阿拉伯学生的名字。图 119、图 121 这两个例子，从图案到改进编织机都由里姆斯完成。

122. 凯斯克·王（Kaisik Wong），裤子（细节），约 20 世纪 60—80 年代。

王是一位可穿着艺术运动的先锋，在 1989 年去世之前一直住在旧金山，他因运用不同寻常的面料组合而闻名，尤其是复古面料。这件作品中他使用的是来自 20 世纪 30 年代的一块人造丝锦缎的正反两面。

123. 法国织工和印度裁缝，晚宴夹克/外套（细节），20 世纪 30 年代早期。

这件服装为达尔邦格土邦王（1907—1982 年）而制，制作地点可能是加尔各答。法国真丝和金属丝线手织的朗巴锦缎（Lampas，一种华丽的带有底线纬纱，上面再加以补充经纱的织物）（意味着它有多重纬纱或者经纱）结合热情洋溢的装饰艺术风格，以及大约 200 年前的“奇异风格”丝绸元素。

124. 法国织工，“奇异风格”丝绸片段，约 1710—1730 年。

“奇异风格”丝绸的特征是大型风格化图案或斜向元素明显的抽象图形。图案的来源被认为是异国情调和东方风格的，配色奇怪，因此被描述为“奇异风格”。

125. 里昂织工，锦缎丝绸，约 1734—1740 年。

这块正装裙子的丝绸面料同时拥有平纹、缎子和织锦表面，创造出了许多不同肌理和三维立体效果，这要归功于法国设计师和企业家琼·雷维尔（1684—1751 年）。银色金属包缠线织成的锦缎是华丽洛可可风格的缩影，代表了 18 世纪早期对类蕾丝风格和“奇异风格”的喜好。

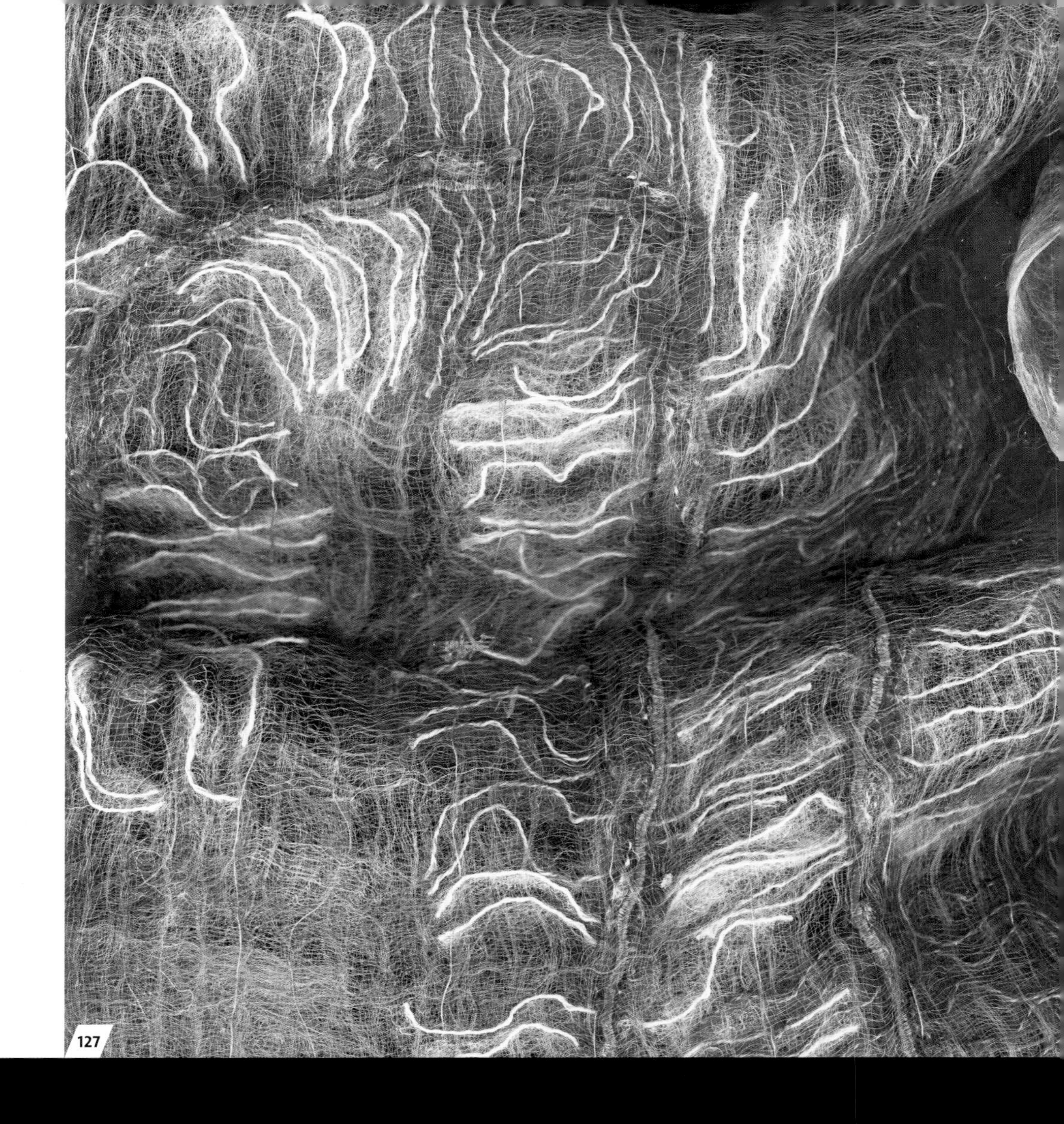

126. 希瑟·马卡利（Heather Macali），扭曲的空间（全景），2009年。

这件作品是在TC-1（线控）织机上，由金属纱线、手工染色的棉线和天丝——一种通过有机溶剂纺转（这种工序一般被称为lyocell）得到的纤维纱线双面织造的。马卡利首先手绘了图案，她将材料转为数码的过程和染织的各阶段形容为“强烈的、费力的、反复的和完全消耗的”。

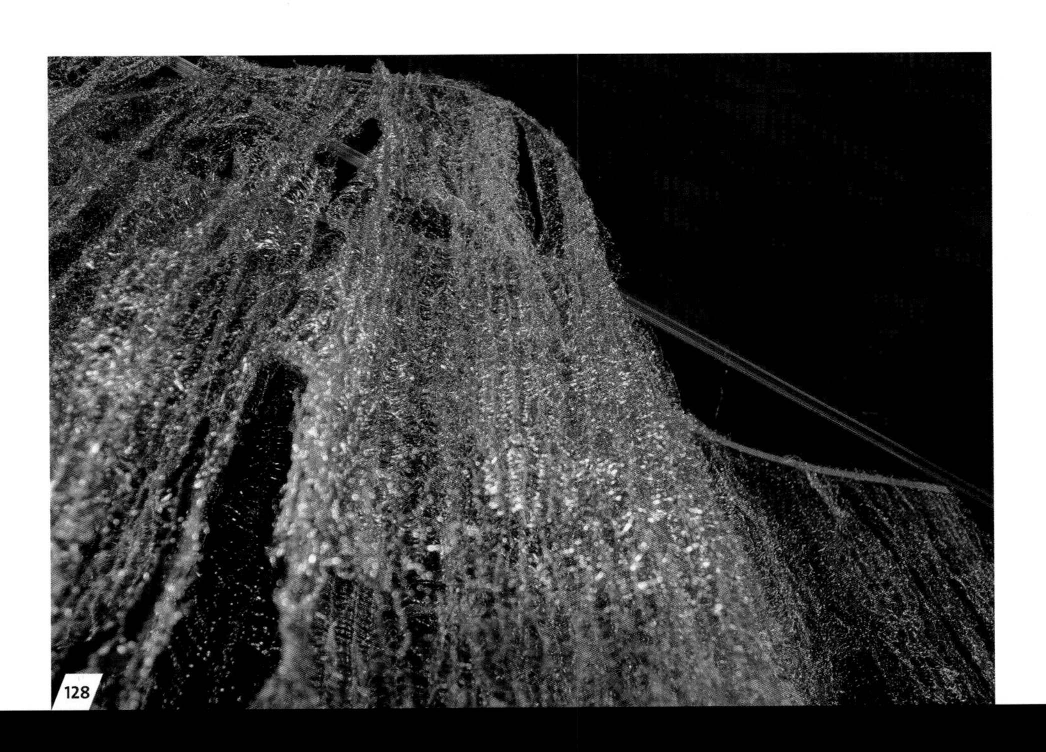

127. Elegant Additions股份有限公司，花纹围巾（细节），2010年。

这条围巾在印度手工织成，镶嵌有从一块真丝纱罗薄纱织物中获得的手工染色丝线。这家公司由尚德里施·谢思领导，总部在特拉华州纽瓦克市。

128. 罗斯玛丽·雷伯（Rosmarie Reber），小瀑布（细节），2009年。

这件室外装置包括了80条不同长度的带子，每一条都是10厘米（4英寸）宽，用铜线手工织成。在变化的日光或电子光下，它的外观看起来更加柔和，暗指在流下的水中所看到的不断变化。

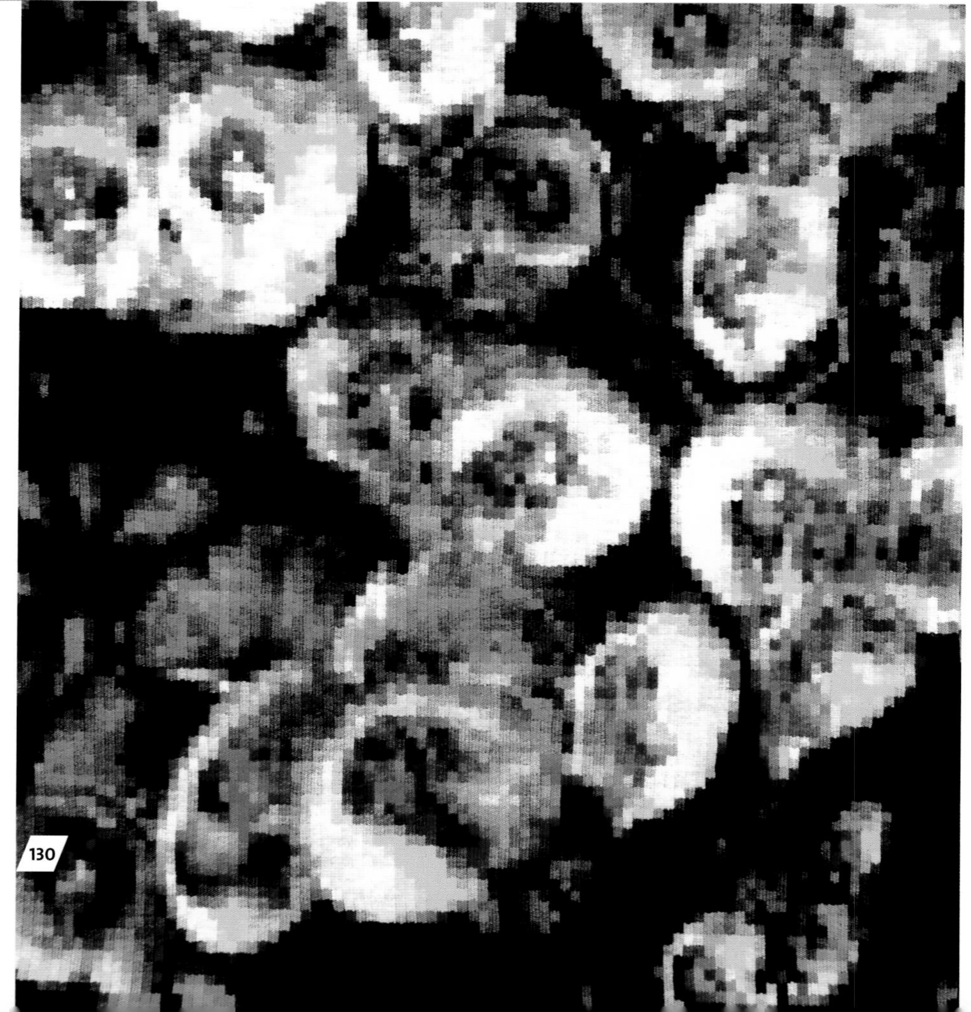

129. 珍妮特·利普金（Janet Lipkin），中午的墨西哥，1987 年。

这是羊毛包裹的木片拼贴，其背面有机器制作的、类似于絣织的布料，由手工浸染的纱线构成，成束时进行扎染。

130. 简·弗里厄-怀尔德（Jane Freear-Wyld），大戟，2011 年。

这件织锦高 124 厘米（48¾ 英寸），由羊毛纬纱在棉经纱上织造而成，它被做成数码化的样子，是一个在具象化主体物上像素化的实验。

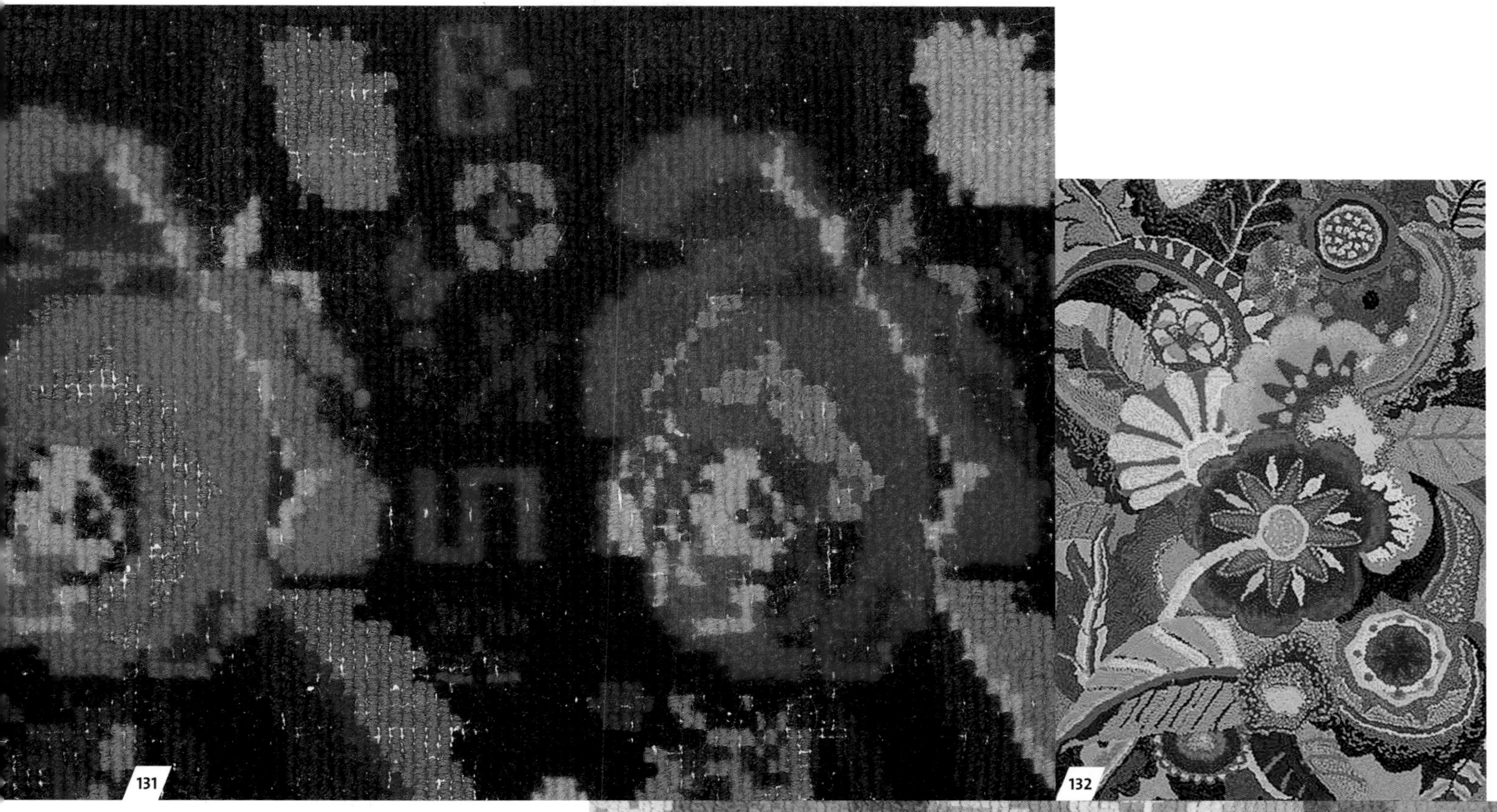

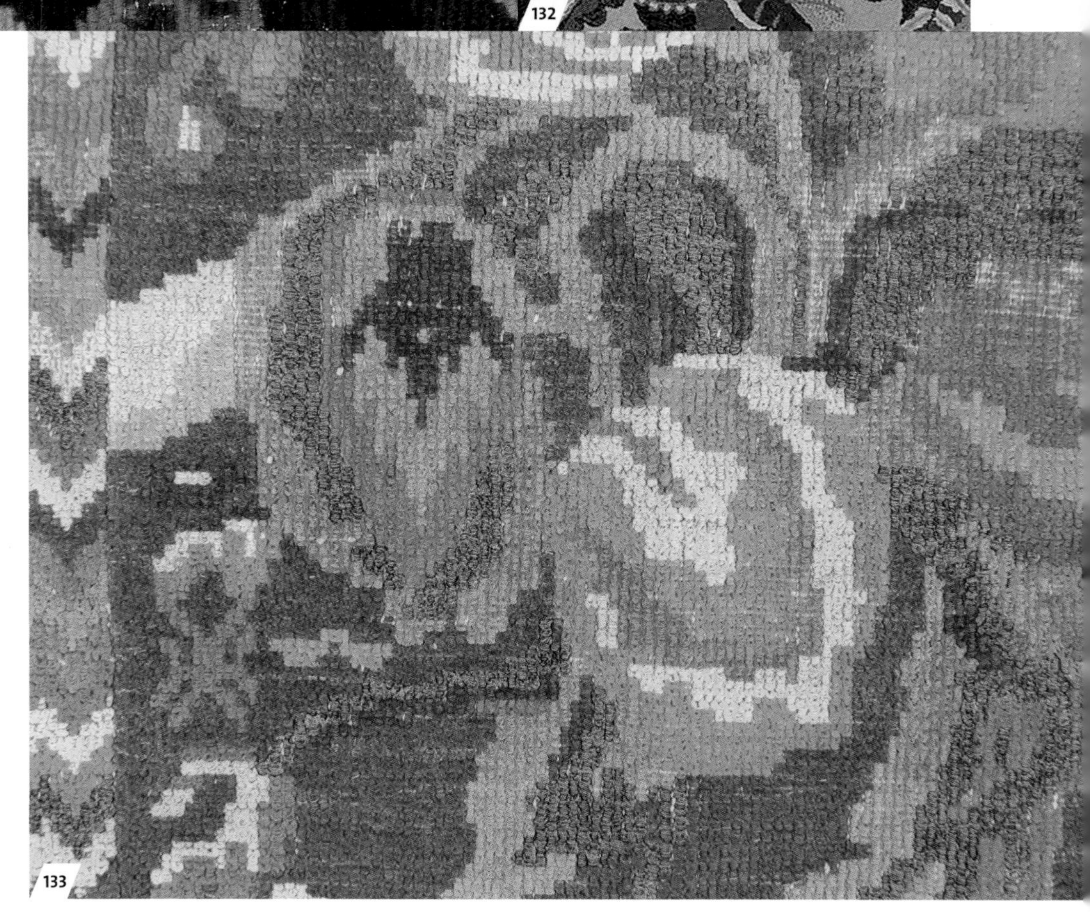

131. 危地马拉织工，危皮利布片，1960 年。

多色的羊毛补充纬纱被手工编织进一个棉质纬面呈条带状突起的布底中。

132. 萨宾·帕治(Sabine Parge)，巴拿马，2007 年。

混合面料，包括平针棉织物到平绒织物，艺术家用挂钩技术（用有把手的挂钩将线从背面钩到正面制圈）制作这片天鹅绒小毯。

133. 危地马拉织工，手织纺织品，1988 年之前。

这块鲜艳的棉布用补纬结构织成，由凯斯克·王收藏，1997 年安·斯坦贝从王的家族中取得。它是加利福尼亚可穿着艺术运动中，受拉美纺织品影响的织物的缩影。

134. 中国织工，补服，约 1900 年。

用丝线和金线织成锦缎，补服是清朝（1644—1911 年）在朝廷或仪式中穿着的一种全身半正式的外衣。龙是那个时期至高无上的象征，有龙的此类成衣通常称作“龙袍”。

135. 中国绣工，等级徽章（细节），1850 年之前。

使用打籽绣和金线钉绣形成中央的鸟，站立在风格化的云层中间。从鸟的形象来看，它很可能是八品官员的穿着。

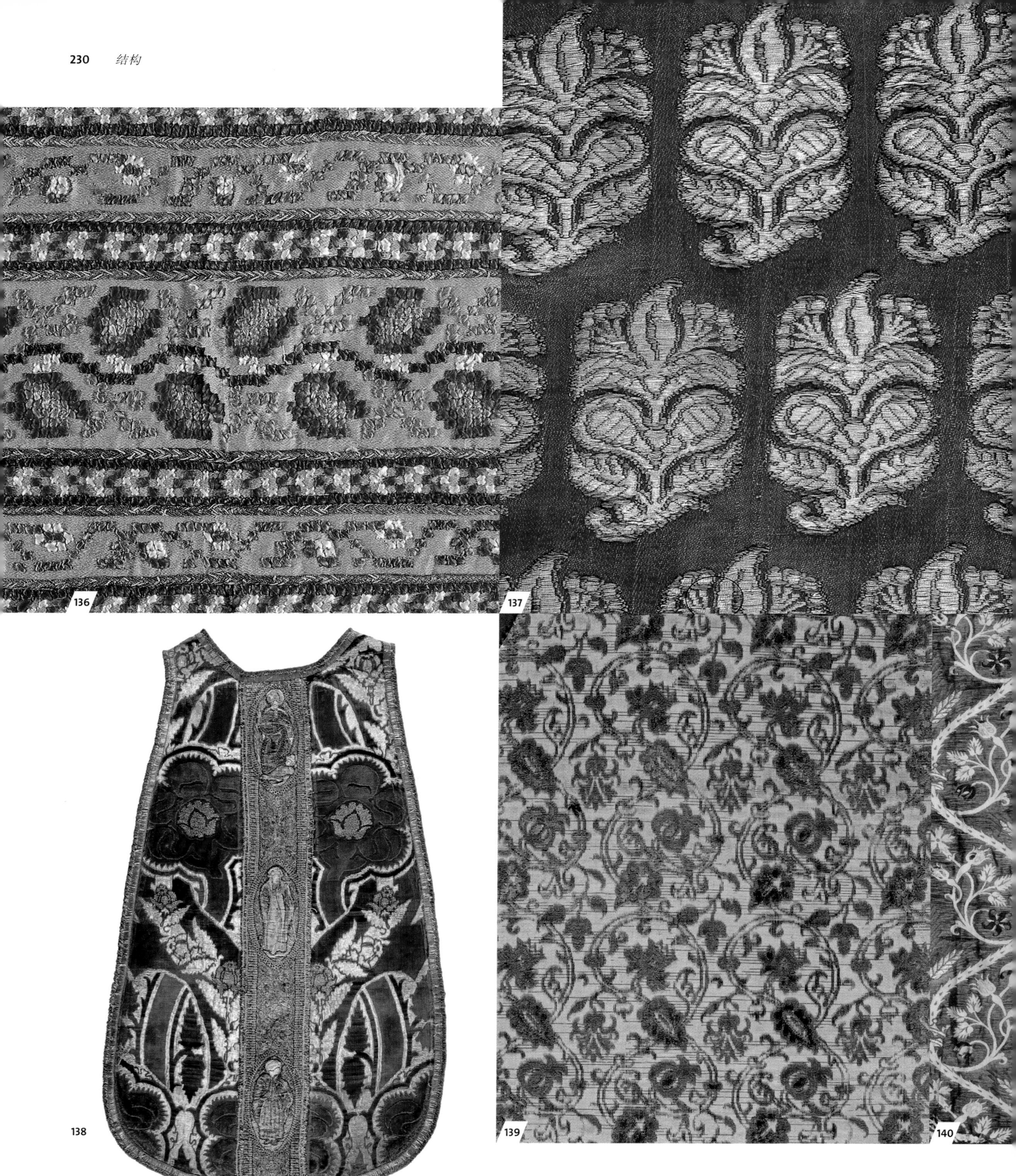
136
137
138
139
140

136. 印度绣工，装饰腰带片段（细节），约 1900—1970 年。

芥末黄的丝缎上装饰了多彩的十字绣，每一个横向条纹边缘都用金线辫编。

137. 艾哈迈达巴德（Ahmedabad）织工，收口宽松裤（细节），约 1840 年。

佩斯里纹样锦缎装饰的丝绸，罕见地结合使用了被称为“刚噶和佳木阿”的金银配色。这条收口宽松裤曾经属于卡奇王公肯杰基三世。

138. 意大利织工，十字搭，约 1450 年。

裁剪和未裁剪的丝绸和金线天鹅绒，带有大型风格化的石榴图案，曾经风靡欧洲。中间精致的装饰片是织成的，再用钉线绣法满绣，这种方法与北部欧洲，尤其是德国有关。

139. 意大利织工，十字搭片段（细节），16 世纪中叶。

这个小型的对位卷茎图案由双色的真丝西塞莱天鹅绒（例如，有剪断或未剪断的线圈）制成，在北欧也流行。它和图 140 中的那件一样是纺织方面的权威和贸易商凯·罗伯森经手的众多纺织品之一。

140. 意大利织工，织锦（细节），17 世纪。

这块织锦用真丝和金线织成，20 纪 30 年代到 40 年代间是阿道夫·洛伊的私人藏品，后来被贝拉·马布里为洛杉矶国家博物馆购得。

141. 波斯工匠，丝绸片段，18 世纪晚期—19 世纪早期。

这是用羊毛和金色金属包裹的纱线织成的丝锦缎。

142. 阿勒波（Aleppo）工匠，Sidriyeh（细节），约 1860—1870 年。

贝都因的男性经常委托阿勒波的作坊做这种外衣，其肩部到腰布用狭缝织锦（留有许多狭缝的织锦）织成，在下摆的金线背景上织有花卉图案。它用金线钉针绣和金色辫编进行装饰，可能用来系紧及地长袍和裤子。

143. 菲律宾工匠，裁切和抽绣的马尼拉麻与苎麻带，约1917年。

作品装饰以添加的白线、马尼拉麻和苎麻绣花线。马尼拉麻是一种粗糙且结实耐用的纤维，来自蕉麻树干，这种植物与香蕉树同属，是菲律宾的本土植物。苎麻是一种结实、柔软、有些许光泽的纤维，来自不同品种的苎麻属植物的内面树皮。

144. 英国针织工，首字母A. O.，白色品样，1863年。

这条长186.7厘米（73½英寸）的带子采用白底白色刺绣做出了32种图案，镶以锯齿状边饰。这种网眼图案，或者说针织蕾丝的制作需要优良的技艺，它们在19世纪非常流行。

145. 埃及工匠，艾斯尤特围巾（细节），约1980年。

网眼中注入了badla做成图案，badla是一种平的金属纱线，通常会镀银。

146. 厄瓜多尔工匠，雷博佐围巾（细节），1971年。

这条长的女式棉围巾中间有经纱絣织图案，长136厘米（53½英寸），收尾处有编结的白棉带和尾部装饰，每条长80厘米（31.5英寸）。它的靛蓝染色是在昆卡南部的一个村庄制作的，尾部装饰由村庄附近厄瓜多尔南部小镇瓜拉塞奥的一位女性编结制成。这位女性依靠记忆做了这些图案，那是她们年轻时家中年长的女性教给她们的。

147. 爱尔兰工匠，爱尔兰钩编领（细节），约 1870—1880 年。

19 世纪中叶，爱尔兰遭受饥荒，钩编成为补充收入的重要方式之一。不同的女性钩编不同的图案，然后通过狭条编织装配和连结起来，仿造针绣花边。

148. 比利时花边女工，花边装饰品（细节），19 世纪 80 年代早期。

这条花边带宽 8.9 厘米（3½ 英寸），结合了布鲁塞尔线轴织和女公爵针绣花边技术。它有 4.2 米（13¾ 英尺）长，足以适度装饰那个时期当地的一件女式长袍。

149. 德国工匠，方网眼花边的订婚饰布，17 世纪。

方网眼花边是一种古代的编结形式，当时用来制作渔网和其他实用的物品，在中世纪变成了装饰品。这块饰布的实心区域由亚麻线用布缝或交错编织制成，纹理的部分用的是不同的单线填充针法。外轮廓用捻成或搓成的织补缝，边缘是线轴花边。

150. 须藤玲子（Reiko Sudo），手表发条，2009 年。

为创造这件含有棉（80%）和涤纶（20%）并且让人想到手表发条的纺织品，作者将图案绣在一种可溶于水的基底面料上，然后用水溶解。本例由努诺公司制作，那是一家创建于 1984 年的日本公司，须藤是联合创始人之一，公司因为生产革新的功能性面料而闻名。

147
148
149

151

152

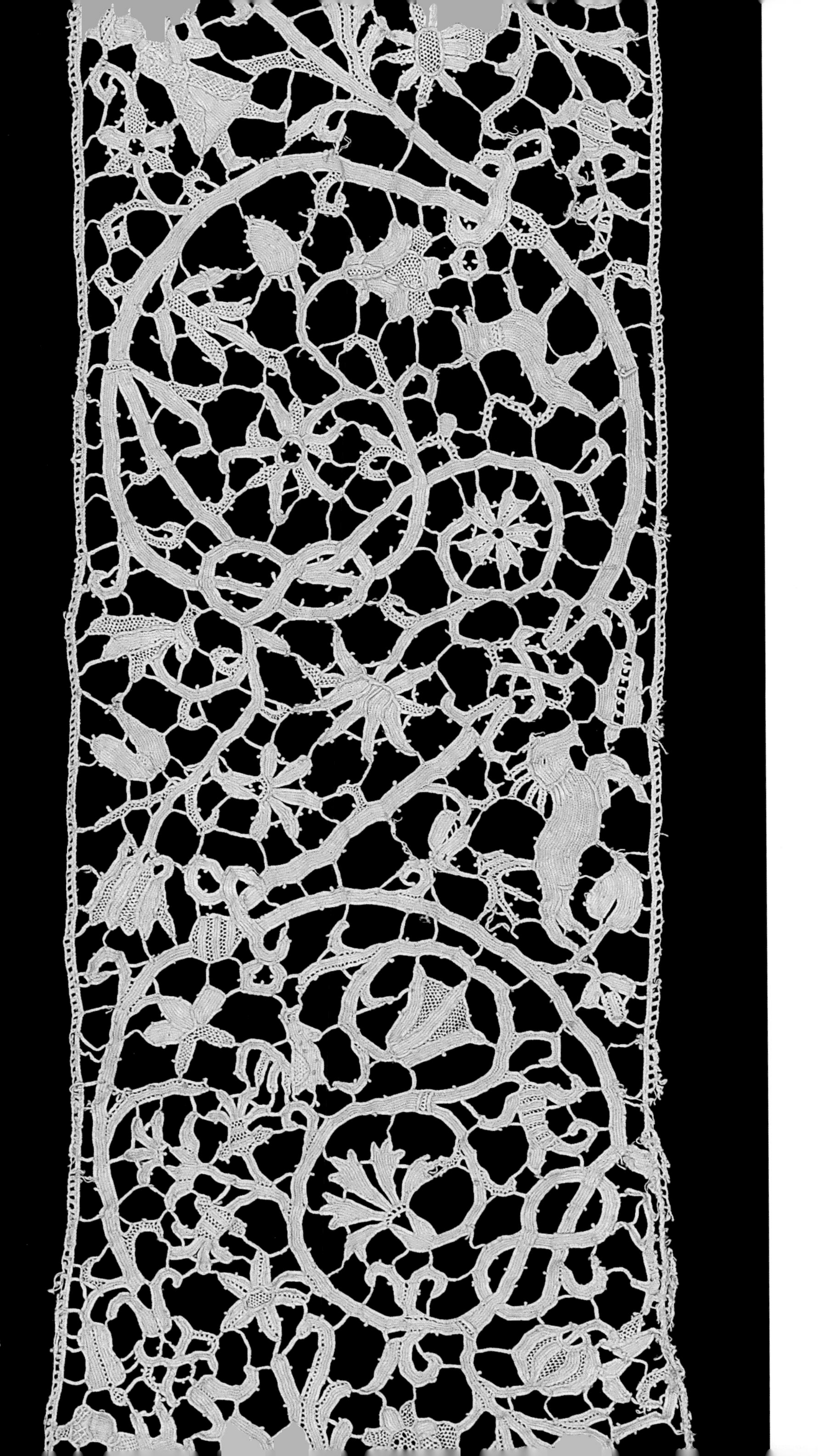

153

151. 尼斯库·尼姆库拉特（Nithikul Nimkulrat），枝形吊灯 No.2—章鱼（细节），2011 年。

这个枝形吊灯，用打半结的纸绳和卤素灯泡制成，反映了艺术家对功能性物品和美的物品之间界限的质问。

152. 尼斯库·尼姆库拉特，桦树（细节），2008—2010 年。

编结的纸绳被制成一棵 1 米（39 英寸）高的树，这是艺术家对冰岛试图恢复森林的回应。这件概念性作品中的纸绳产自芬兰，也就是艺术家之前的故乡，代表了“没有树的岛上的森林”。

153. 威尼斯花边女工，咏叹调合唱团的针织（细节），17 世纪早期。

亚麻线在羊皮纸上钉线绣，制成基础图案，然后进行包边长线绣或扣眼锁缝。实心的区域是扣眼锁缝，一行行互相缝结。之后，将连接狭条或“连接花纹的线狭条编织”也进行扣眼锁缝。

154. 石勒苏益格－荷尔斯泰因（Schleswig–Holstein）织工，Beiderwand，17 世纪晚期。

这是一件稀有的丹麦 beiderwand 的例子。beiderwand 是一种纺织形式，结合了双层布的一些织法，本例采用亚麻在紧凑的底布上做出形象，这里的底布采用靛蓝染料，或者更有可能采用的是菘蓝染料染后的羊毛。描绘的是基督进入耶路撒冷的场景。

155. 撒丁岛织工，帘子（细节），20 世纪早期到中期。

作品在厚重的卡其棉布上用棉绒绳机器绣花，描绘了生动的形象，包括反映撒丁岛历史，尤其是被摩尔人占领及之后被西班牙人占领的那段历史的装饰性纹章，西班牙的占领时间是从 1323 年到 1720 年之间。

154

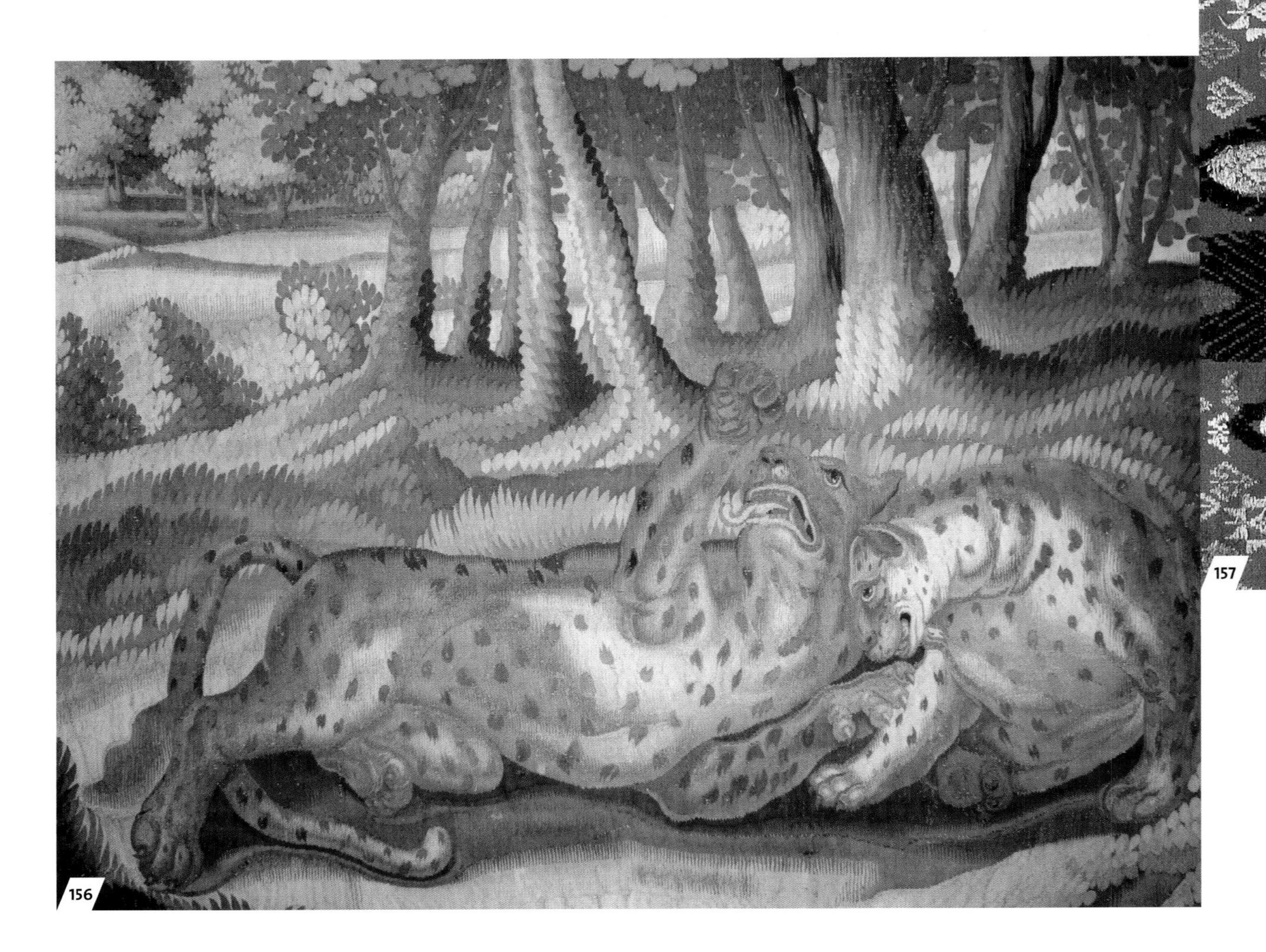

156. 弗兰芒(Flemish) 织锦织工，青葱草木织锦挂毯（细节），1640—1665 年。

这件织锦是扬 · 万 · 利夫达尔用彩色真丝和羊毛纬纱在布鲁塞尔织造的。他是一名织工兼商人，可能有自己的作坊并接受委托、雇佣织工、管理所用图案。1644 年有人提到他在工艺方面造诣颇高。

157. 班清（Ban Chiang）织工，门帘（细节），1997 年。

这是一块来自泰国的手织棉布，饰有多彩丝线和金色金属包线的补纬图案。

158. 意大利花边女工，方网眼花边奔跑的鹿（细节），1975 年之前。

这块浅褐色亚麻蕾丝上的图案采用织补缝法，与打结的网眼底面对比鲜明。

159. W · 克雷格（W. Craig），双层被单（细节），1857 年。

这件有签名和日期的被单是用一个提花机附加装置在西弗吉尼亚州的格林伯格手工织成的。

160. 欧洲织工，锦缎片段，18 世纪。

这条双色的展现狩猎场景的织物以锦缎的方式织成，但是加入一条多余的纬纱，保持图像清晰。

161. 老挝织工，拜火教和古波斯人的宗教植物（细节），1997 年。

这件大披肩用粗棉和极长的纬线织出，购于清迈市场。

158
159
160

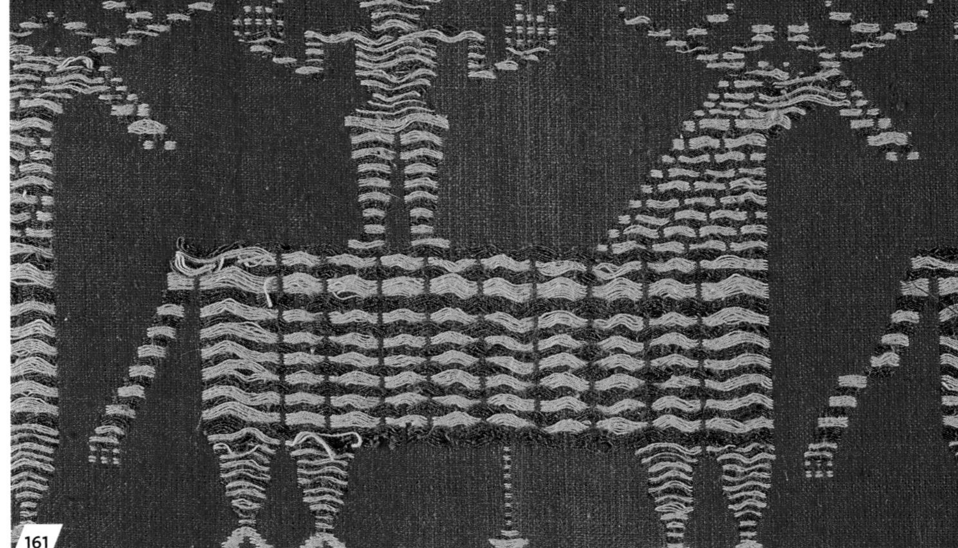
161

162.（被认为来自）希尔弗工作室（Silver Studio），自由艺术面料样品 BX6479（细节），约 1905 年。

这件柞蚕丝家居装饰薄绢（用连续的补纬织造）可能是约翰·伊林沃思·凯或哈利·纳珀的作品，他们都在雷克斯·希尔弗的领导下创作了很多这种英国新艺术风格的图案。

163. 中东织工，披肩片段（细节），19 世纪。

这块高品质的布是用精美的羊毛斜纹织锦织造的。可能是一件克什米尔披肩的一部分，由于描绘了牛，所以也可能来自阿富汗或伊朗。

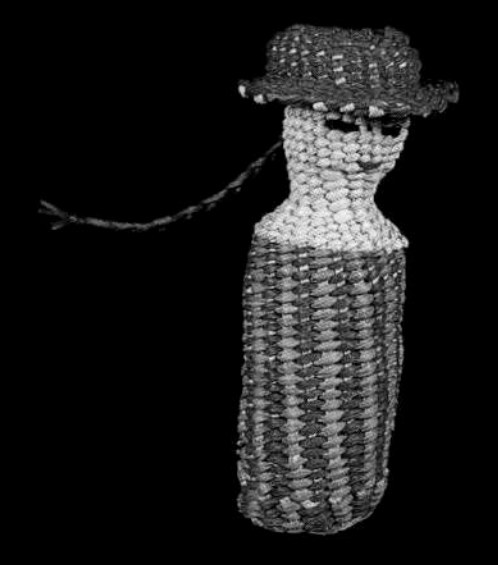
164

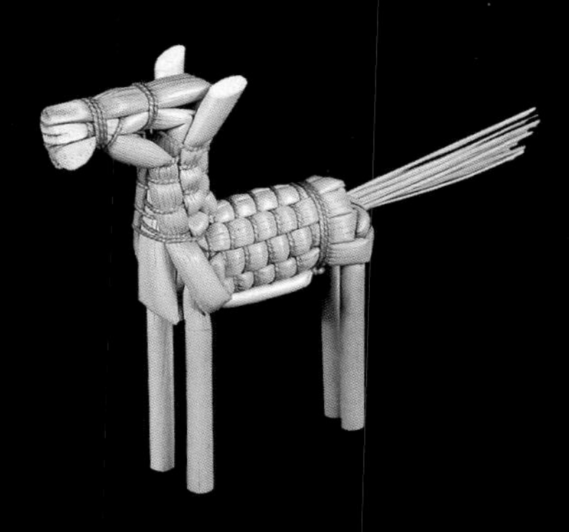
165

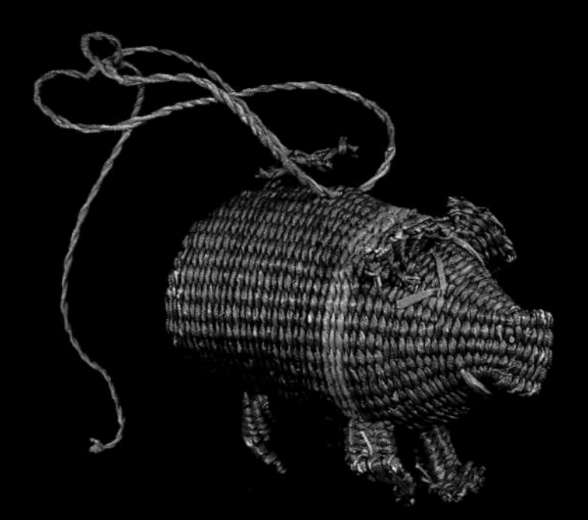
166

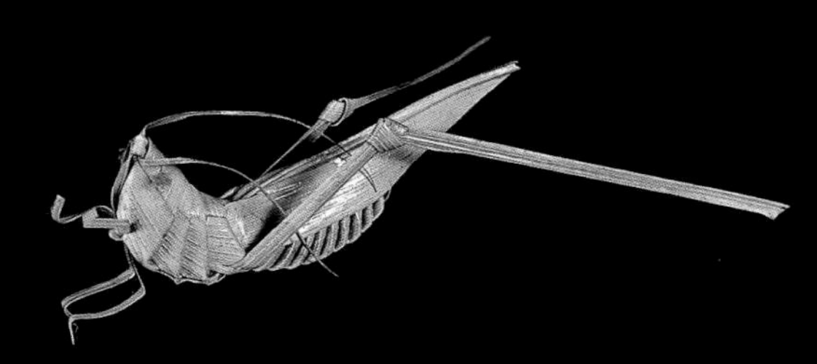
167

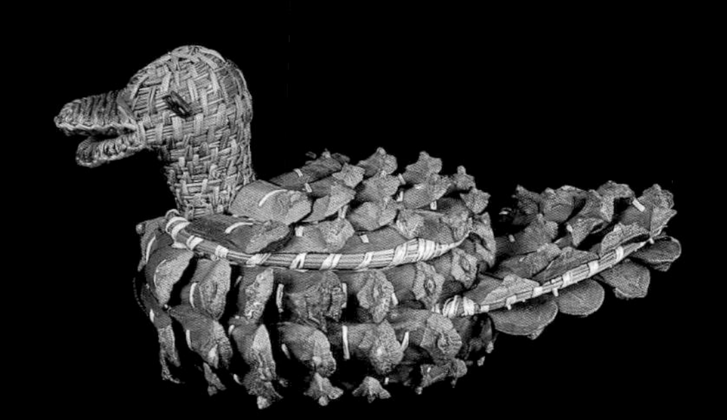
168

169

170

171

164—170. 制篮技术做出的微缩模型，来自世界各地。

绳编的稻草人和紫色的猪来自厄瓜多尔（图 164，图 166）。微缩模型马（图 165）来自日本鹿沼市，用交叉编织和缠绕的谷草以及棕色的丝线做成。这种民间艺术形式于 1964 年由青木由纪夫发明，他是一位制帚匠和手工艺者，运用帚的残留部分创作。蟋蟀（图 167）来自中国，由交叉编织的棕榈树叶做成，上面还有珊瑚色的棉线簇做的眼睛。鸭子形状带盖的篮子由草盘绕酒椰树纤维组成，还附加了松果部分（图 168），制作于北卡罗莱纳州或南卡罗莱纳州。而鸭子形状的毛刷则使用本色和染色的草（图 169），中间用纸包缠的金属线固定，来源不明。交叉编织成的青蛙（图 170），用的是涂有清漆的扁平秸秆，来自泰国。

171, 172. 亚尼内·麦克奥利·博特（McAullay Bott），乌龟和老鼠——老鼠群，2010 年。

这是用瓶树的种荚和女王棕榈树的树叶创作的动物形象，其中最大的是一只长 23 厘米（9 英寸）的乌龟。艺术家旨在“向公众传达西澳大利亚西南部努嘎人的美：那是我母亲的民族，我的祖先”。

172

173. 艾德丽安·斯洛安娜(Adrienne Sloane)，力量的真相，2007 年。

斯洛安娜在她的作品中使用了金属丝编织。正如她所说：“将编织内容从服装几何图案转移到雕塑后，编织就变成了一种媒介，连接着既丰富又复杂的纤维传统——带有历史力量的传统。”

174. 艾德丽安·斯洛安娜(Adrienne Sloane)，无附带条件，2006 年。

在这件近 120 厘米（48 英寸）宽的装置作品中，亚麻经编的人形反映了这样的感受，即编织“长久以来被认为是女性的媒介。我的目的在于……消除这些束缚。编织是为了重新聚合我周围磨损和瓦解的地方”。

173

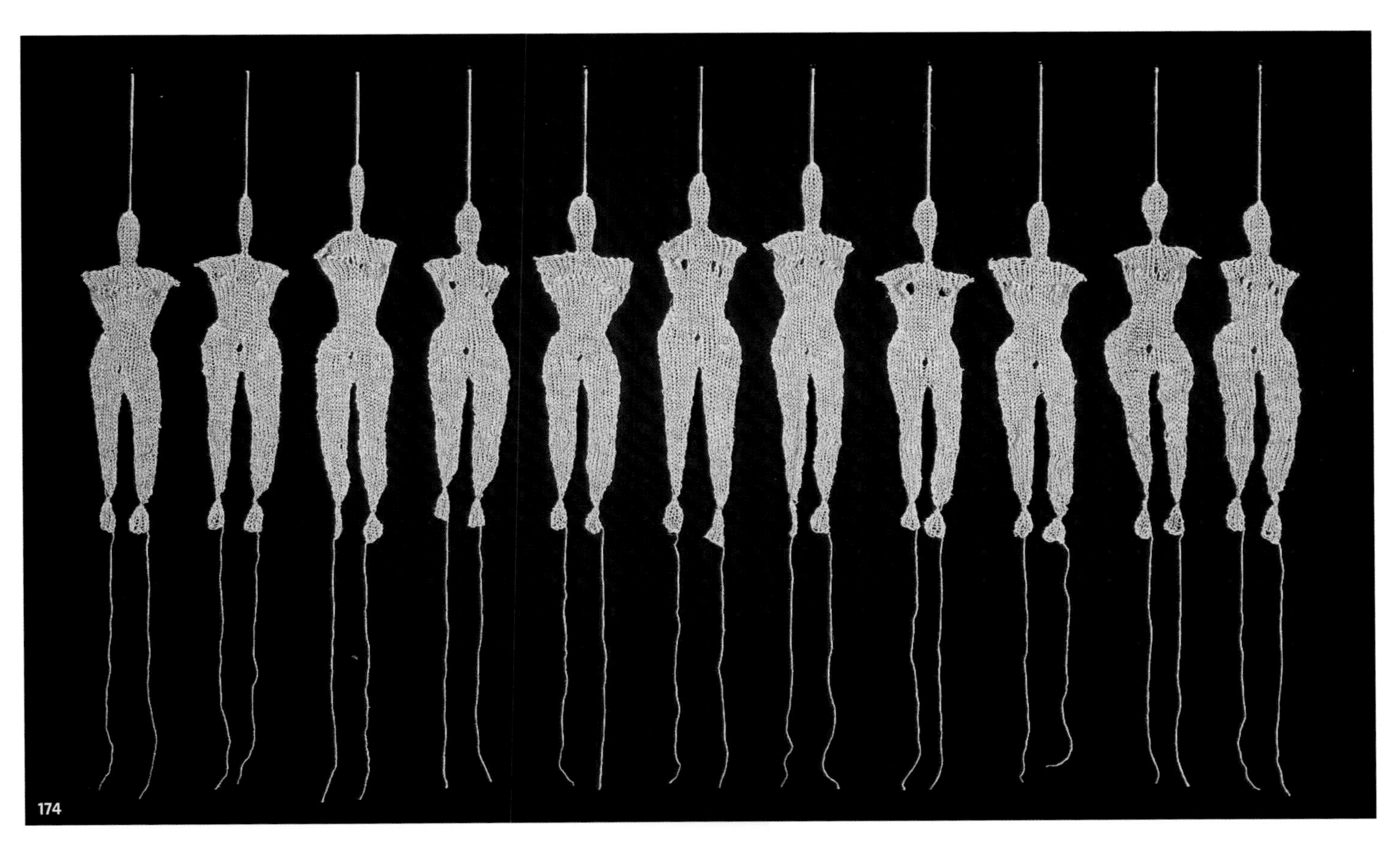

174

175

175. 塞西莉亚·赫弗(Cecilia Heffer),智利,2010年。

这件小的机缝集合物高20厘米(7⅞英寸),结合了铁锈色的布、天然染料和一张1860年的照片转化的数字照片,照片是欧德伯·赫弗在智利拍摄的一个马普切印第安人。它“通过传统和新纺织技术的结合,汲取自过去,并且把对记忆的解读看作纺织品的叙述方式”。

176. 艾德丽安·斯洛安娜(Adrienne Sloane),Body Count,2007年。

金属丝编织出的外形装配到圈养家禽用的铁丝网上,非常规材料融合传统工艺,同时使用既熟悉又古老的形式——长手套和长筒袜,表示截肢的腿和前臂。

177. 布丽奇特·阿梅戈(Brigitte Armager),妻子(细节),2011年。

这是艺术家三件真人大小的人物装置作品之一,用X光蓝色的透明材质及剪纸、机绣、黑色花边贴布绣组成。

178. 樱林清子(Kiyoko Sakurabayashi),高级妓女IV,2005年。

艺术家花费几年时间完成的系列中的一部分,选用高级妓女题材是为了将“人类求生和不屈不挠的精神”表现出来。首先,用不同颜色和材料编织,反映一个女性成为妓女前的生活,然后染成黑色代表之后的生活。这个雕塑的许多隐藏颜色“仍在,但是被掩盖了,暗示了尚存的内部生命和精神”。

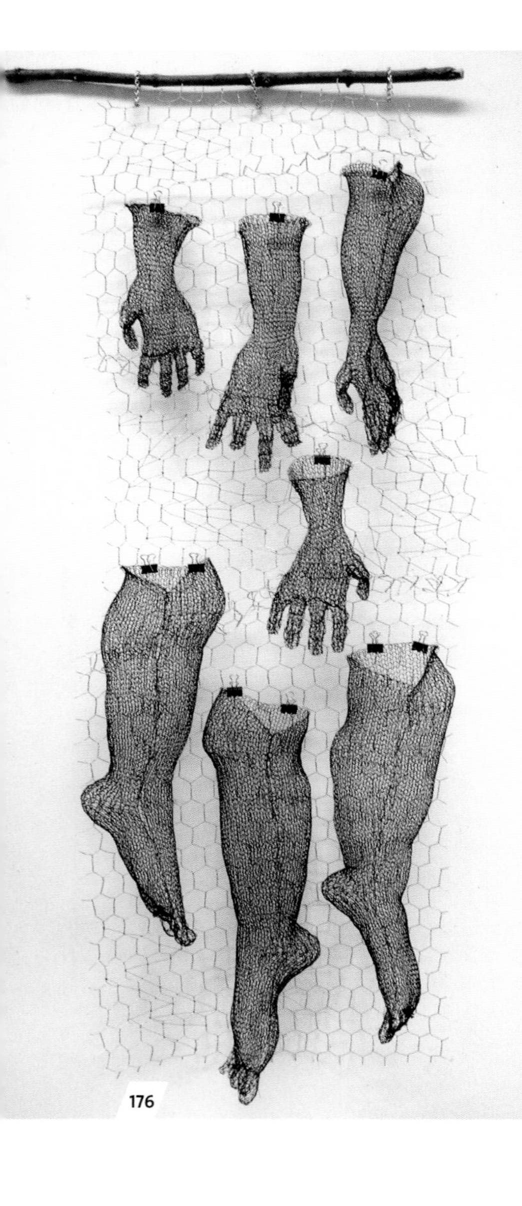

176

177

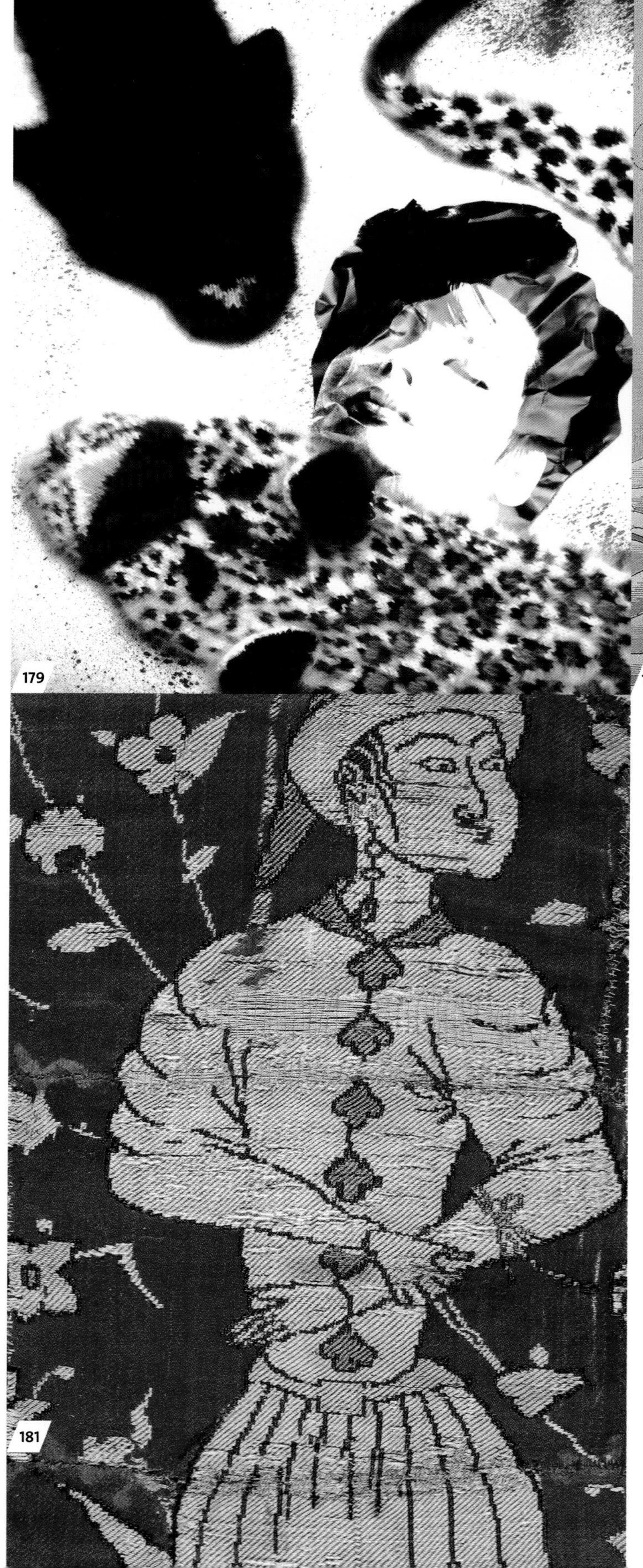

179. 桑迪·布莱克（Sandy Black）原始针织品，美洲豹和暹罗猫围巾，1982年。

这两个图案全部由安哥拉羊毛织成。美洲豹的图案在手动编织机上采用提花和木片拼贴工艺制成，有绣花细节。暹罗猫则采用带有细木镶嵌和绣花细节的平织工艺。

180. 中国工匠，挂卷轴（细节），被认为是20世纪早期。

这件缂丝（织锦）上带有诸如头发、珠宝的细节，脸部细节和服装部分是绘制的。

181. 波斯织工，有立像的纺织品片段，16世纪。

这是一块有锦绣或纬面斜纹立像的真丝缎，人物用金银线或者纬面斜纹织成，轮廓用金线勾勒。尽管这种类型的织法在那个时代已经广为流行，但长久以来，人们一直认为它和波斯息息相关。

182. 帕特丽夏·阿穆尔（Patricia Armour），很快就回家——“灵魂之窗”系列，2009年。

艺术家谈到她的织锦：“我的灵感……来自总是浮现在我眼前的新石器时代遗址和伟大的欧洲织锦。凯尔特传说、我自己的灵性、古老的故事对我也有很深的影响。”

183. 塞西莉亚·布隆贝格（Cecilia Blomberg），卢卡斯II，1987年。

这件羊毛和亚麻织锦将艺术家长达20年的织锦专长同她作为壁画家和插画家的能力结合起来。

184

185

186

184. 克莉丝汀·凯勒（Christine Keller），豌豆上的公主（Die Prinzessin auf der Erbse），1997 年。

5 个不同颜色的版本用提花机织成 3 米（10 英尺）高的布片。其中一片藏于德国巴德恩豪森的童话博物馆的私人藏品部分。

185. 克莉丝汀·佩因（Christine Paine），沙色女人，2010 年。

佩因的作品关注短暂的时刻以及我们与自然界的疏远。这件棉经纱羊毛和亚麻纬纱织造的作品，其灵感来自史前的女性形象。艺术家用泥和树枝作画，“试图解析织锦中手势和本能的记号”。

186. 玛格丽特·克罗泽（Margaret Crowther），面具与男人，1988 年。

在连续的纸绳上结环和操作，做成真人大小的脸的模样，然后用细纸绳约束固定。

187

187. 波斯织工，母亲与孩子，1600—1625年。

这块奢华的真丝面料由剪断的天鹅绒和空白区域构成，空白区域表明底部材质是缎子。从技术上看，它符合萨法维波斯的皇家生产工艺；但是人物形象、装束和主题并不是典型样式，它被认为是由一间印度作坊雇佣的波斯织工织造的，在20世纪80年代发现于中国西藏。

188. 艾德·罗斯巴赫（Ed Rossbach），法尤姆篮子，约1988年。

罗斯巴赫用热转移印花和绘制的纸包裹交叉编织的藤条，与发现于木乃伊棺材外部的唤起生命的绘画相呼应。虽然他的作品名称表示作品灵感来自被罗马统治时的埃及，但图像本身却更像大约公元前700年前的木乃伊棺材。

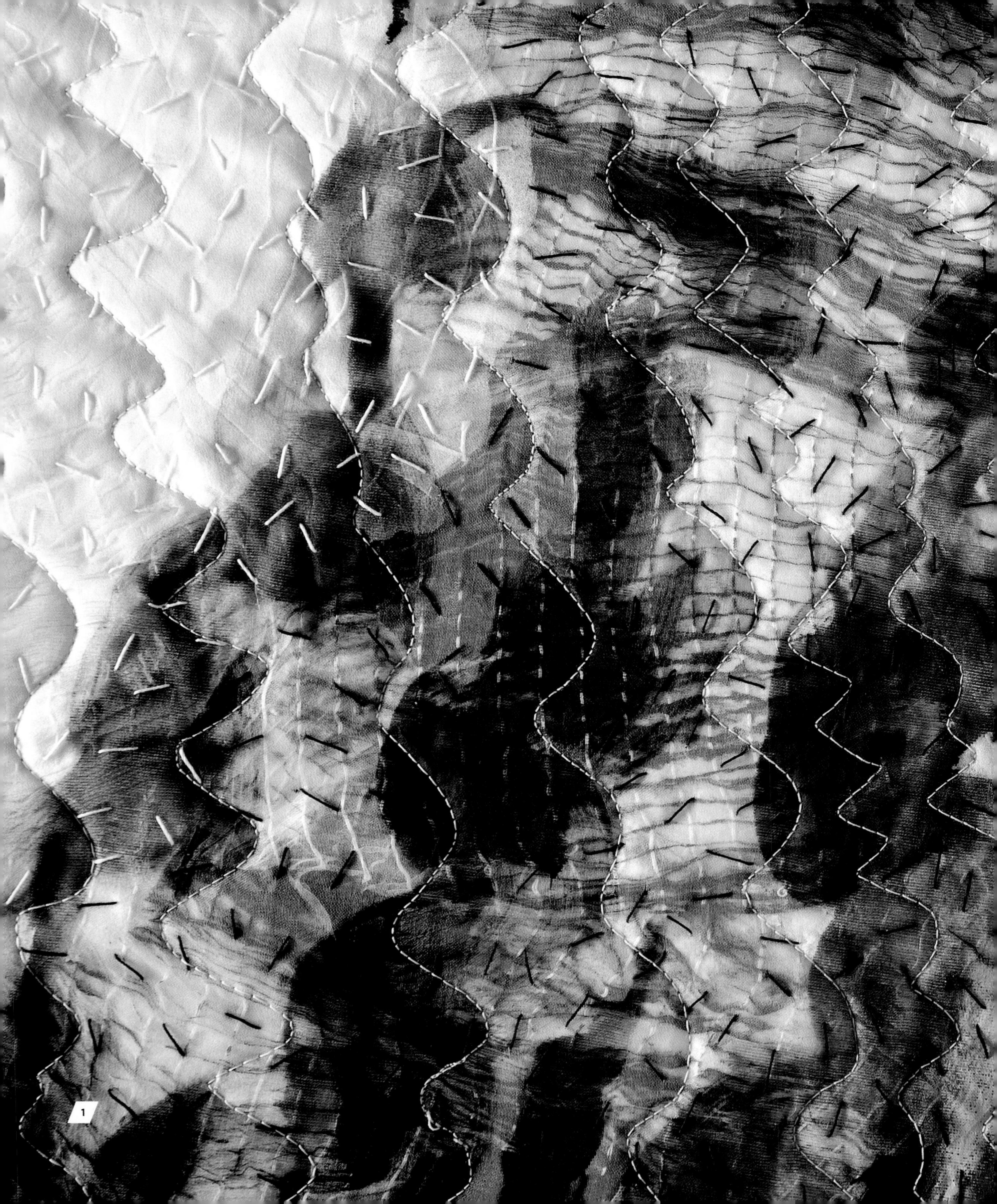
1

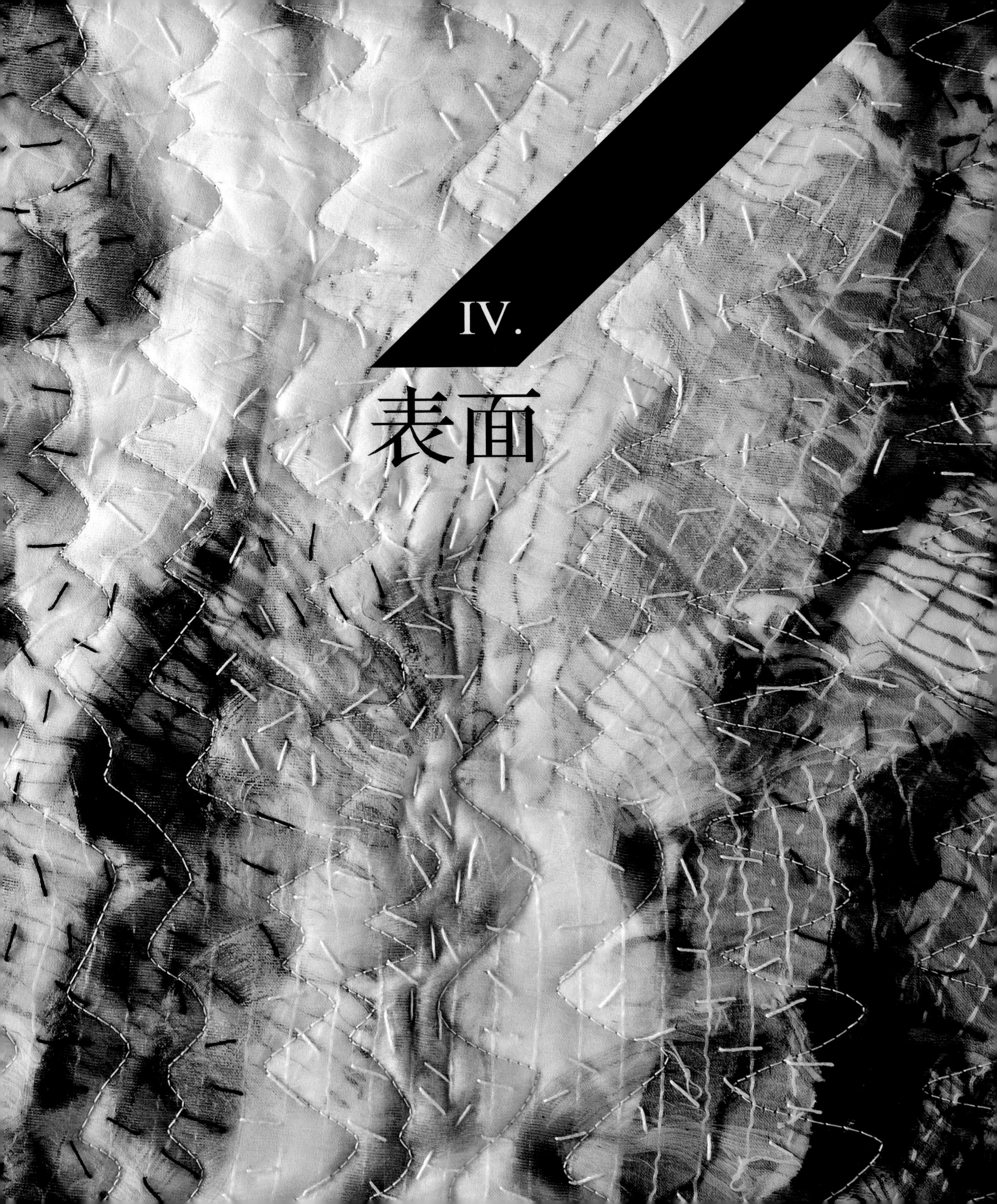

IV.

表面

IV.

表面

在过去的 20 年中，布料和皮肤之间的类比，汗毛覆盖的也好，穿刺也好，纹身也好，两者之间类比的研究已经成为重新评估纺织品的中心要素，同时也是纺织品扮演“人格与身份相关习语中的重要角色”的主要意义所在。对人类学家来说尤其如此，直到 20 年前他们仍然“由于男性在交易和宗教方面的支配地位，而不断忽视通常转瞬即逝且非常易碎的布料”。[1] 服装方面的历史学家更加接近这一主题，他们有段时间一直强调“人格的习语”，欧内斯特・弗吕格尔在《服装心理学》（1930 年）中将其作为核心章节，他在书中研究了我们今天可以称之为自由消费所带来的可能性。玛里琳・J・霍恩在 1968 年开展的关于服装的跨学科研究，即作品《第二层皮肤》就采取了行为主义者的路线，霍恩在记录它时认为它起源于 1948 年美国家庭经济。[2] 然而所有这些研究，不论是考察未修剪的布料、最小的剪裁，还是最复杂的女装裁缝师技能，都是关于用作穿着的纺织品的。另一种检验纺织品的方法是制作，探究它们作为物理世界的延伸所具有的表面特性和处理方式，如物理上的广延性。莱金德指出，“表面设计”这个词是杰克・兰诺・拉森在 1976 年作为主讲人出席关于此议题的会议时杜撰的：“拉森认为织机将面料变得均匀一致，而令表面设计师更感兴趣的是像地球表面一般的面料，这提供了尺寸和结构改进上的无限选择、开放的内部空间更大的可能性，以及用色彩、肌理和设计进行试验的更多机会”。[3]

鉴于此，我们可以认为所有没有被切割或折叠、卷曲或其他操作的布料，其装饰方法都直接与我们对哺乳动物的表面状态——即对毛皮和表皮的了解和处理方式相关。首先是在布上出现非同一般的问题，有些似毛皮，有些（现如今）似最光滑的皮肤。然后是用针缝（穿刺）出，或是画或印（纹身）出的有意义的记号。这种非常显而易见的观察的重要性，目前只是由于它强调了服装的结构和表面而具有帮助意义。如果最后想得到融合了字面意义与美学的结果，那么对表面的处理就需要和底料之间形成微妙的关系，不论是采用表面覆盖底料、

1. 波林・伯比奇（Pauline Burbidge），瀑布下（细节），2004 年。

一层又一层透明的、印花的及打褶的布，用手工和机器缝制。现被英国纺织工艺组织收藏。

2. 伊尔卡・怀特（Ilka White），沙丘（细节），2007 年。

侧面图显示出穿过丝棉布片的海鸟羽毛，令人想到风吹过时沙丘的运动，以及“干燥的企鹅皮一样的板子放在沙地上时，产生的交流，上面有成百上千的小羽毛穿过……这是一个警告，提醒我们这种能够在水下运动的动物仍然是一只鸟”。

留出底料还是与底料融合而不是清除结构，创造和谐整体，也就是创造和皮肤一样有弹性、个性化并且“鲜活”的结果。这也意味着，对表面处理是不受结构约束的，这也致使绒面料、缝制面料、印花面料的制造者面临着独特的挑战，许多教育家和艺术家从 20 世纪 70 年代中期起就开始探索这一点。这一时期刚开始时，业内缺乏正式的比较和沟通机制，缺乏为特色展览或其他以展示结构为目的的作品。为了填补这一空缺，堪萨斯大学于 1976 年举办了第一届表面设计大会，翌年表面设计协会（SDA）成立。此后，SDA 将它的关注扩展到结构纺织品，它的全球会员和影响力保障了“表面设计”这一术语的持续使用，而“表面设计”也将是本章的主要议题。

纱线

如在第三章的简介中提到的，纺织品的特征源自结构与纤维的相互作用。但不止如此，能使用的布料中大部分纹理都依赖于所使用的纱或线的性质。总体来说，纺纱的初衷是生产出尽可能统一的产品，而从约 1500 年开始，纺纱的速度更快了。实际上，不论是连续股线的纺织纤维、单纤维还是其他材料，制造纱线已经是纺织生产的中心，它的中心作用太强，以至于一个地区的纺纱能力和它的整体经济实力以及随之而来的全球影响力之间直接关联。例如，仅仅是在文艺复兴时期，我们就可以透过意大利在欧洲捻丝业的统治地位追溯到这种影响。18 世纪末期，大英帝国的崛起与英国机械化棉纺技术的引进密切相关。20 年前，中国明显在经济领域是冉冉升起的新星，而运作中的纺锤数量也是最多的。近来，印度取代了中国的位置，生产的纱线超过了世界总量的五分之一：“在全球纺织格局中，它是最大的黄麻纤维生产国，第二大丝绸生产国，第三大棉和纤维质纤维 / 纱线生产国，第五大合成纤维 / 纱线生产国。”另外，全世界大约 60% 的织机（超过 550 万，一半以上是手动操作的）都能在印度找到。印度认识到纺织业的多样性和自给自足的能力“与我们古老的文化和传统紧密相连”。[4] 其中的一项传统便是无与伦比的、精致的印度手纺棉线，直到 1820 年，英国机械纺纱机取代印度的手工纺纱机之前，它一直是世界上一些人们最想拥有的布料的基础材料。印度的传统棉布中，我们知道有一种轻盈的薄纱平纹细布，但有一种不透明的棉布贡献非常大，它能加强印花棉布和丝绸刺绣上绘制和缝制的图像的清晰度，因此备受追捧（**图 4**）。

良好的纺线依靠大量组成布料的线互相作用，或者合并，在今天的纺织品中，它的作用之一是被用来探索古代令人着迷的精致的线，就像约翰・帕克斯和乌拉・德・拉里奥斯所做的（**图 40、41**）。现在我们有更多的选择，因为现在有成千上万种人造和合成纤维，包括不到 1 旦（denier）却很结实又非常柔软的微型纤维，还有专业的单丝（压）纱，像那些闪亮并且能够减少静电的金属

3. 埃尔郡（Ayrshire）织工，可能由亚历山大・莫顿公司织造，伦敦利伯蒂 C864 样品，约 1880 年。

在这块使用苏格兰纱罗织法的马德拉斯棉布中，疏松纺制的染色棉纱凸显了整齐的边缘——这种织法与苏格兰西南部关系密切，它使用连续的补纬，并在与纱罗底布交错编织之前被剪除。

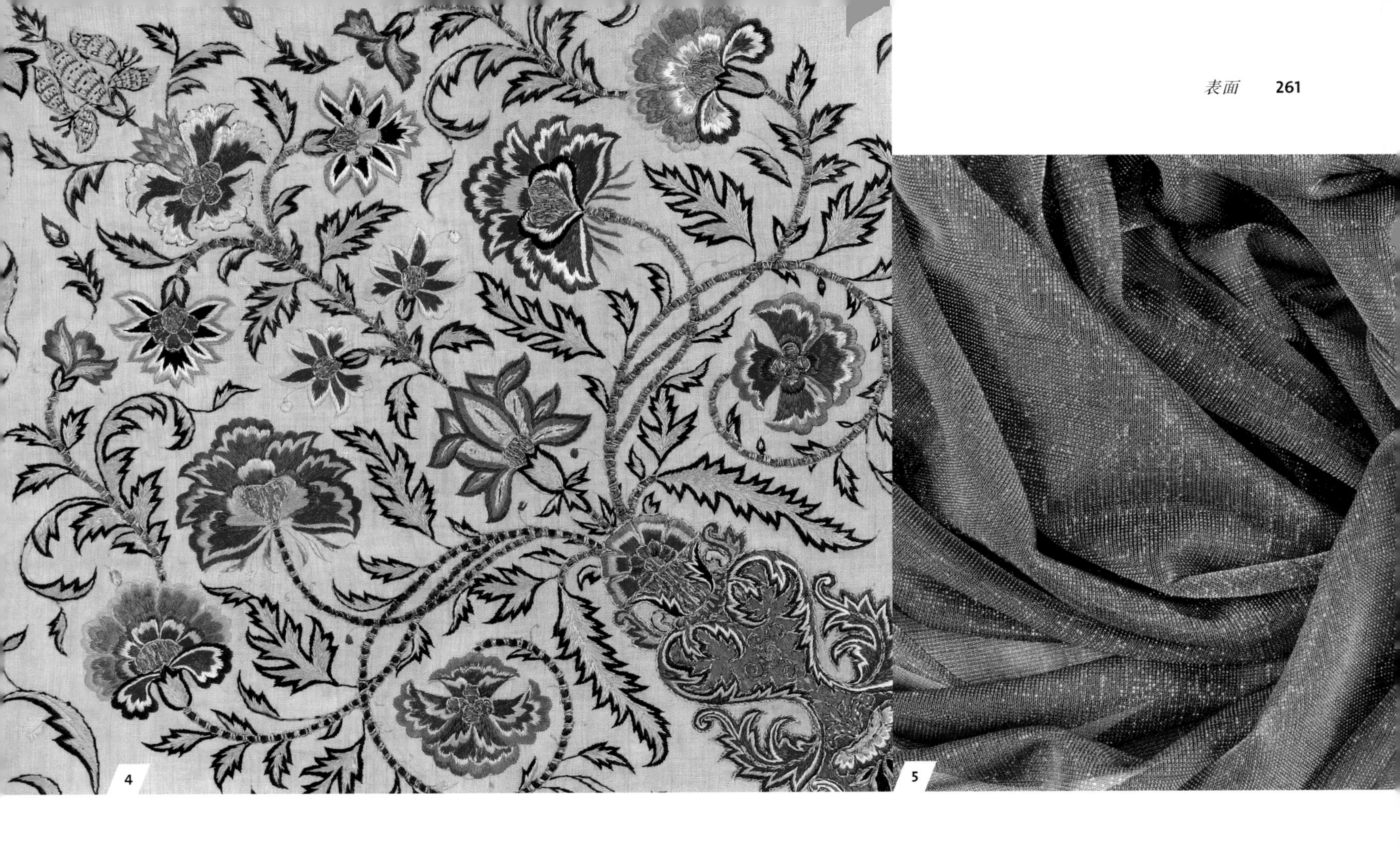

纤维（**图 5**）。对比而言，许多其他纺织品展现的是就历史而言更近代的兴趣点，也就是看起来比较松散或几乎没纺的纱线，要么让它们有蓬松感且拥有手纺纱线的外观，要么生成一根伸长的纱。（然而，很多纺织品艺术家避免使用一些有纹理的合成长丝纱线，尤其是那些用假捻工艺制成的，虽然能够以最低价格给纱线增加蓬松感和伸展性，但使用高速旋转的纺锤却会产生强高音，危害健康和听力。）由于艺术与手工艺运动的影响，人们对手工纺制纱线的审美热情再度出现（**图 3**）。艺术与手工艺运动对自然的不规则的纤维的赞赏最初表现在采用印度柞蚕丝上，柞蚕丝后来与自由艺术丝绸（Liberty Art Silks）这股可能是由托马斯·瓦尔德的作品引导而来的潮流有关。托马德在斯塔福德郡的立克从事印染工作， 他克服了野蚕丝的抗染色性质（**图 83、84**），并教威廉·莫里斯如何进行染色。[5]

1896 到 1916 年间，苏格兰邓迪市的唐纳德兄弟采用动力平织机做出的起伏的纹理同样也有着长期的重要意义。他们的布料被当成“工匠的油画”，被古斯塔夫·斯提克里在北美推广开来。这些布的关键特征是使用黄麻和亚麻混纺纱线，由于二者对染料的吸收度不同而产生微妙的色调变化。这种效果是一种有意识制造的美，“用以表示织物的自然属性和个别属性，能够和其他诸如木头和石头的材料共同营造出屋内空间和屋外空间的连续性，体现了简单的靠近大自然而居的渴望”。[6]“二战”之后，人们开始印这些平纹机织的表面凹凸

4. 德干（Deccan）刺绣工坊，地毯（细节），1750—1790 年。

这是一块精美的夏季地毯，在手纺细棉线织成的底布上用缎绣丝线和钉线绣的金属包线制作而成，印度的这一地区因生产这种细手纺棉线而闻名。它是为家庭中的正式场合，也可能是为出口市场而制作的。

5. 美国或中国制造商，针织时装面料，20 世纪晚期。

这块平针织物面料包含了一种纤细且结实、柔软、少静电的金属单丝纤维。

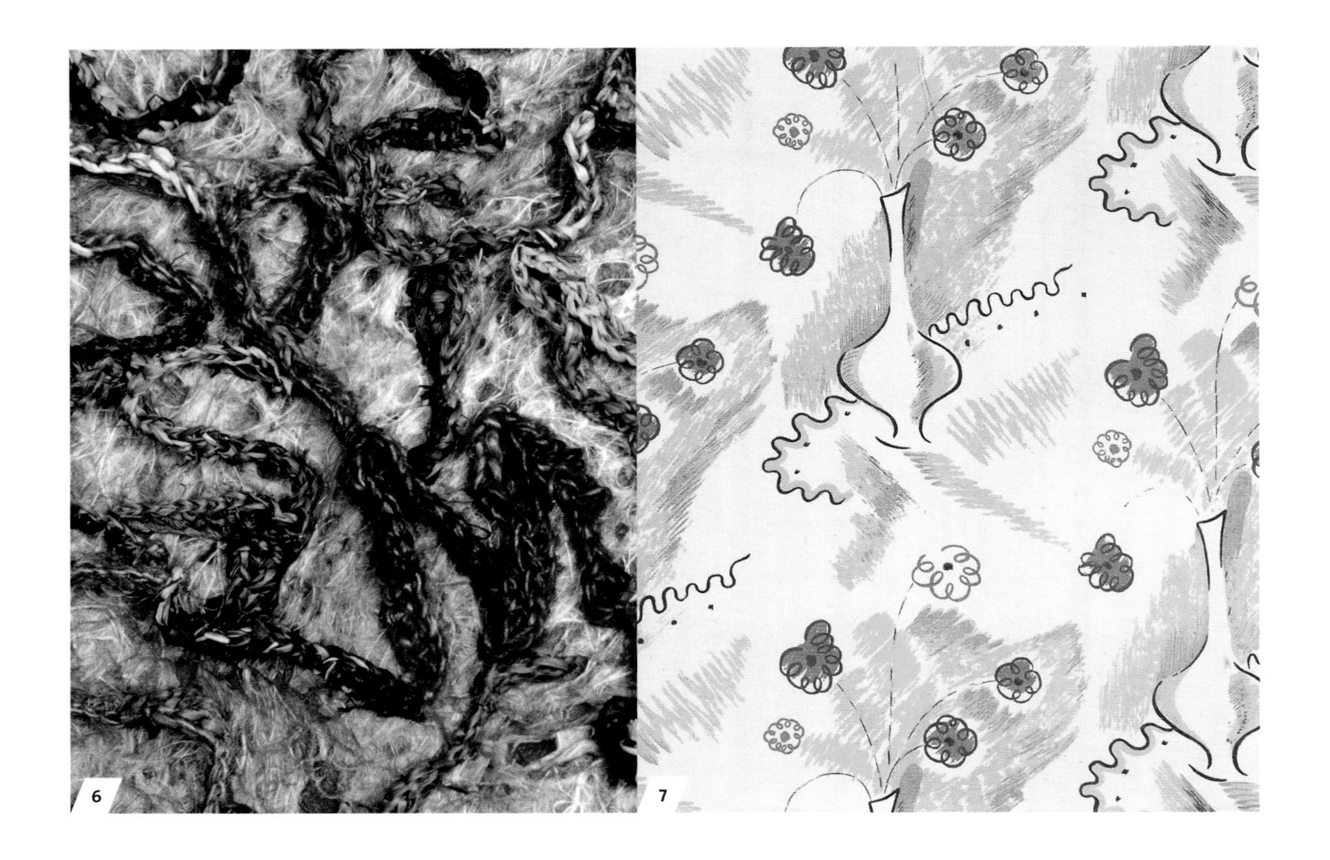

的布料（**图7**），与织工们自己的作品一起（见第一章），推动了20世纪中叶的现代性与注重结构的时代背景之间的广泛联系。到现在，一根带纹理的纱线，不管多么精细或用什么成分，看起来都会更加“自然”。细看特里西娅·斯莫特的《生命的轮回》（**图6**），可见对于自然的（并未被紧紧纺成的）纤维纱线的慎重选择，是如何强调出她对自然与“人类文明、文化以及艺术形式之流行趋势”中的出生、成长、灭亡这一轮回的看法。

堆积的表面会产生纹理，可能是手工制造的，也可能由机器制造。无论哪种方式，都显示了强烈的自然性，因为它们令人想到皮毛。绒头地毯曾经很稀缺，可能是所有室内装饰物品中最奢侈的。在很长一段时间中，古董收藏者和历史学家对它很感兴趣，但是原因不同。对收藏者而言，经纬丝绸做的有栽绒羊毛的地毯，非常结实而且可用寿命很长。对历史学家来说，大型绒头地毯意味着一个高度组织化的城市作坊的存在。比如有一家可能位于波斯大不里士的作坊，织造了那一对著名的阿尔达比勒地毯，每条起初都约5.35米宽、10.5米长（17½英寸 ×34½英寸）。它们完成于1539至1540年，由萨非王朝（1501—1722年）的创建者沙哈·伊斯玛仪下令，为伊朗西北部阿尔达比勒省的一座清真寺所制。其中一条地毯，现藏于伦敦维多利亚与阿尔伯特博物馆，地毯每10平方厘米就有5300个绒头（每平方英寸有340个），总共超过2500万个绒头。而另一条（**图8**），由J.保罗·盖提捐赠给了洛杉矶郡立艺术博物馆，这块相对

6. 特里西娅·斯莫特（Tricia Smout），生命的轮回（细节），1999年。

这件壁挂使用钩针编织棉、黄麻、大麻和酒椰树叶纤维，它由三种日式手工制纸做成的叶子构成，每一片都表示一种自然、人类生命、文化和艺术潮流的轮回。中间的叶子上写着：“自然用符号和象征说话。”

7. 格雷斯·皮特（Grace Peat），漫画（细节），1938年。

这块家居装饰面料由唐纳德·邓迪兄弟在亚麻上手工丝网印花制成，体现了人们对温和的底部纹理的留恋。直到1951年，它仍通过丹·科珀这位纽约先锋派纺织品设计师和制造商在销售。

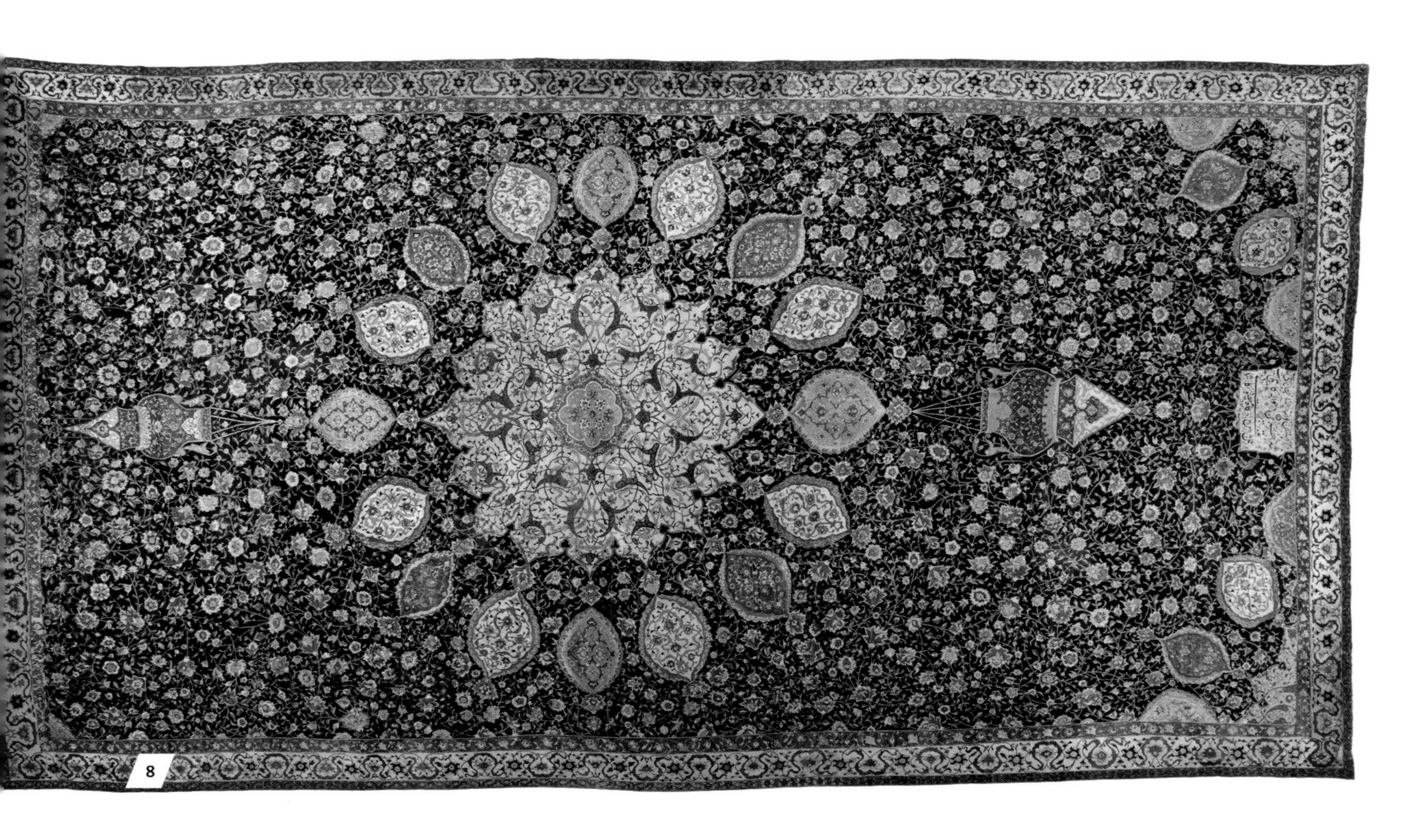

而言更小，因为 19 世纪中叶它被用来修复另外一块，但是它拥有更多的绒头。它们的制作需要许多人花费许多时间。

我们很容易理解，为什么人们很久以前就在寻找既又可减少劳动密集程度但能创造同样效果的方法。利用一组额外的经纱系成线圈的形式，每一行线圈都由底线纬纱固定，然后割断形成绒头，中国湖南省的马王堆汉墓（公元前 170—140 年），保留了用这种方法制作的布料。线圈可以留着不剪，也可以用补充的纬纱系上（**图 37**），就像被称为加利西亚绒布（felpa gallega）（“长绒毛的加利西亚人”）的西班牙毛圈床罩，已经在西班牙北部有 1000 多年的制作历史了。当经纱起圈绒布的制作在 13 世纪早期经由意大利最终传到西方的时候，它被称为“天鹅绒”，来自拉丁语 villus，意思是“毛茸茸的头发”。凯・罗伯森，当她还在威尼斯，坐在父亲膝盖上的时候，就已经开始积累大量关于天鹅绒的知识，她父亲阿道夫・洛伊是位极具影响力的古董家具和纺织品贸易商。她回忆 20 世纪 30 年代，自己被教导通过触觉去辨别 1500 年前的天鹅绒时（**图 45**），她说“就像小猫的绒毛”，而 16 世纪及之后的天鹅绒都是“稍微有些短而硬的毛”。[7]（这个描述完美地体现了莱昂纳多・达・芬奇的翼型纺锤或飞翔的纺锤发明的影响，它能够自动拉伸、捻和络丝，绷紧丝线。[8]）

另一种使人想起毛皮的方法是加入磨损的布条，世界上的许多地方都会将磨损布条加在篮子上，同时这种方法也是制作碎呢地毯的基础。这些回收布条

8. 萨法维（Safavid）王室地毯作坊，阿尔达比勒地毯，1539—1540 年。
这块地毯在现在伊朗的大不里士制作。这块地毯在丝绸基底上堆起精细编结的羊毛，1953 年 J. 保罗・盖提将它捐赠给了洛杉矶郡立艺术博物馆。

的利用不一定是装饰替代形式的“可怜的近亲”：两者都能创造宝贵的交换物和翻新的衣服（**图42**）。雪尼尔（“毛毛虫”）纱被特地做成四周都“毛茸茸的”，然而它也是从布上剪下来的。在这种情况下，为此设计了一种纱罗织法，让交叉的经纱间隔开，这样，一经编织，穿过空隙的裂缝就会形成非常狭窄的切割长度，从而捻成纱（**图33、34**）。当然，毛皮本身也可以以布条的形式加入。贝丝·哈顿使用的就是袋鼠皮的边角料，材料来自澳大利亚国家公园和野生动物保护组织监督下限量捕杀的动物（**图46**）。她这么做是为了通过在作品中使用本土动物，来讲述殖民地的影响：“一些物种比如袋鼠数量在增长，没有由于殖民地而灭绝或濒危。”她制作的小地毯中黑色的区域是羊毛材料，“意味着引进的物种，即使对早期经济发展至关重要，对本土动物仍然造成了灾难性的影响”。这里，是将对布料和其组成部分的适应能力与物种的适应能力形成类比。据策展人、作家迈克尔·纽沃尔观察，土著文化和技艺型工艺品“能够在适应殖民主义、工业化、现代化和全球资本主义的同时，保持自身的延续性和身份特性”。[9]

9. 新井淳一（Jun-ichi Arai），无题的面料（细节），20世纪60年代。

该作品运用了巧妙变化的天鹅绒织造原理，表面的物体由红色羊毛状的尼龙和撒蓝树脂制成的卷纱交错编织，然后剪成一簇簇球状物固定在平织的涤纶布上。

针缝

针缝也可以创造肌理感强烈的表面，用针引线在布上穿刺产生颜色、形式和图像，并且不局限于直角结构（大多数编织都会形成直角），尺寸也稳定（针织则不尽然）。它的范围非常广阔：可以从微小到巨大；技术是广泛的，手和工具的结合能够创造出包含所有手写特征的“笔迹”，就如罗伯特·赫列斯塔的与众不同的抽象作品所展示的那样（**图10**）。正是由于手工针织会产生不同的张力，每个人用针线的时候都有自己独特的节奏，这样就创造出了有特点的表面。这种独特的节奏和张力是作品展现的能量的中心，例如贝蒂·莱维的《陷入异形旋涡》（**图98**）和卡洛琳·纳尔逊的《爱情故事的碎片II》（**图100**）。第一个捕捉了自然的力量；第二个捕捉了情感的力量。另外，纳尔逊提到了一个石凳：“我的初恋情人和我在1967年互相留了红线在石凳上作为信息……2008年也留下了红线。”露西·新井的多媒体作品同样也将意义和针缝结合在一起（**图99**），她小时候在东京从她叔叔那里学习了sashiko（日式刺绣）这种备受尊崇的日本工艺。这种刺绣和绗缝技术以在深色靛蓝棉布上手工缝上白色线迹的复杂图案为特征，它与缝补破旧材料相关，并且作为“谦卑的针缝”于1615年到1868年间在日本北部的农民和消防员中盛行。日本刺绣要求针迹均衡，新井获得了这一技能，并从她母亲那里获得了termari（刺绣球）的技能。她说：“我在师父与学徒模式中得到的经验确立了我的艺术形成过程：练习、技术达到熟练、再练习、改进结果，练习、玩、创新、练习改变的技术……练习、精炼、练习、玩、创新、练习。”新井对针脚的驾驭能力结合了被她称为“天真而又具实验性的墨水处理方法”的古老用法——sumi-e（日本单色墨画艺

10. 罗伯特·赫列斯塔（Robert Hillestad），纺织品研究#52，2004年。

赫列斯塔受20世纪某些采用媒介作为主体创作的抽象画家的创作趋势启发，在一组特殊的拼贴画中，他巧妙地处理了各种各样的纤维组成的线，强化它们作为媒介的内在特征。他这么做减少了人们对钉线绣、机绣的关注，并且在作品上铺上一层网，这样线就可以被固定。

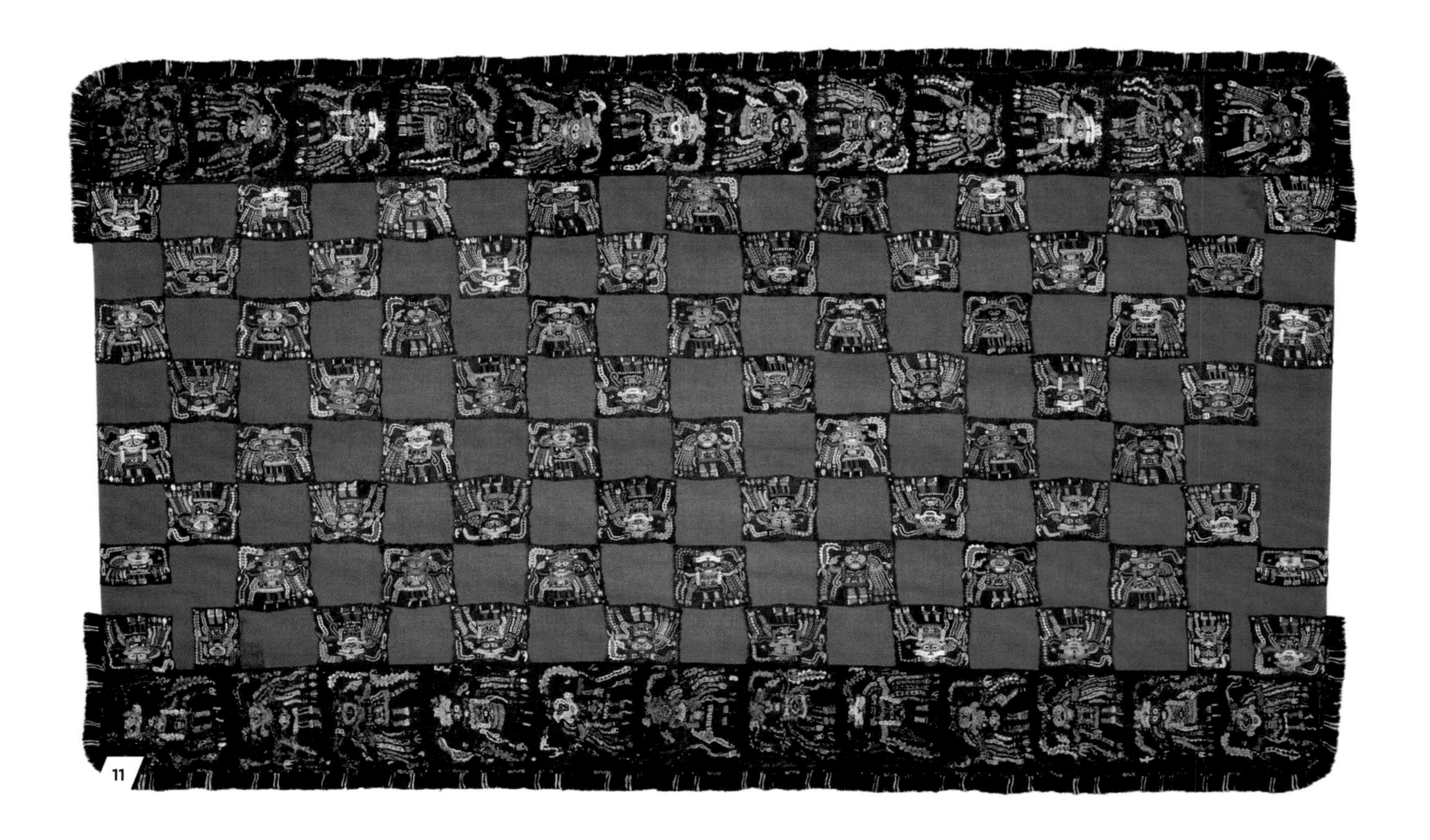

术），它是一种绘画形式，而白色纸上的墨"被认为是显示人的和谐，以及他们的美学、道德、智慧和情绪性格"，针缝也是如此。

我们已经在第一章中讨论了文字和纺织品之间的关系，并且将焦点放在二者相似的隐喻上。因为人们可以用刺绣自由绘画，即使是 2000 多年前，埃及、北欧、安第斯山（**图 11**）和中国就有在图样中（像其他类型的纺织品那样）传达意识形态、宇宙哲学和自我认知的观点。[10] 然而，针缝可以如实地在刺绣样品中呈现出这种肌理的对比，包括名字、短语或字母。虽然后两者在大约 1650 年之前还不经常用于绣样中，约 150 年后，只有针绣了名字和日期的物件（**图 12**）可以计入档案，也就是包含宗教或道德引文的东西成为了绣样的缩影（**图 187、188、193—195**）。因为落针要配合底布的结构，有人可能认为相似的类型或同时间段的案例中的"笔迹"是统一的。但并不是这样，仔细检验绣样，从它们在颜色、大小和编排方面的细微变化也能得出丰厚的成果。

作为文化水平的展示，绣样与"好女孩"之间漫长的关联，如今使它成为女性处于受压迫地位的一个有力象征，用针的技艺也是如此。谈到这个话题，我们不能不提到女权主义、艺术史学家，以及后来的心理治疗师罗斯卡·派克尔（1945—2010 年），她 1983 年的著作《颠覆之针：刺绣和女性》颇具影响力。它促成了曼彻斯特 1988 年的两个展览，同样也成为许多纺织品艺术家选择的方向——其中也包括男性纺织品艺术家。正如《卫报》上派克尔的讣告："她

11. 秘鲁工匠，斗篷，公元前 100—200 年。

这件斗篷是帕拉卡斯木乃伊的包裹布，用羊驼毛纤维平织而成，用滚针刺绣展现了常规的拟人化生物或萨满教巫医。

12. 德国绣工，首字母 M. H. L.，点绣样品，1685 年。

这块真丝绣样上大约记录了 20 种图案，使用了斜向平行针绣、洛可可、十字绣、长臂十字绣、缎绣和阿尔及利亚眼缝。其中一些图案与海伦娜·罗西娜·弗斯特的图案书有关，该书于 1660 到 1676 年间在纽伦堡首次出版。

所有的作品拼接起了她人生的主题：女性在艺术机构获得认可时的挣扎；艺术和装饰艺术之间的划分；女性创新作品中有时富有成效，有时具有破坏力。她敏锐地观察家庭生活中的矛盾和母性的矛盾。她是自信而非挑衅的，她关注女性面对的压力，尤其是追求完美体形的年轻女性。”[11] 这些主题是贾尼斯·阿普尔顿的十字绣的中心主题，“在变性手术结束我们的异性恋婚姻之前”，她缝制了她丈夫所写的一首诗。阿普尔顿“特意选择了一种传统绣样的风格缝制它……因为女性和这种形式的纺织品之间的历史关系，以及这种绣样在死板性别角色中的教育作用”。改变字体形式以及大尺幅的绣样也有助于表达该作品的意义（**图 189**）。

琳达·比哈尔描绘她的中国祖母时，刺绣的尺寸也同样关键。在仅有 24.8 厘米 ×21 厘米（9¾英寸 ×8¼英寸）的刺绣中，包含了她祖母对婚姻如私语般的描述（**图 190**）。苏珊·泰伯尔·阿维拉的作品《花园墙》（**图 191**）则相反，尺寸为 2.7 米 ×9.1 米（9 英尺 ×30 英尺），是名副其实地把字“喊出来”，它描绘了“人们想要和渴望的东西，还有能够提高生活质量的垃圾邮件主题栏，以及利用了人的贪婪的欺诈邮件”，所有这些都用伊甸园作为隐喻。过去的二十多年中，阿维拉通过在水溶性面料 PVA（聚乙烯醇，随后可被溶解掉）上缝制，研究结构、表面和内容共同发展的可能性。在维什娜·柯林斯（**图 35**）和乔赛特·路克斯（**图 13**）的作品中也对“消失的”织物原理进行探索，他们采用不同的方式运用自由运动机器绣花的自由性。这是一项古老的技艺，于 1883 年发明，被用来制作一种叫“水溶花边”的东西，后者是一种在丝绸底布上用棉线机绣的仿蕾丝，底布随后会用氯或苛性钠烧掉。（与之相关的技术是 Devoré，这是在两种纤维上有选择性地利用腐蚀性的物质腐蚀一种纤维进行印花的方式［**图 143、144**］。）消失的平纹细布是一种经硝酸钾处理的棉，在熨烫时会变为碎屑。约一个世纪前人们开始掌握这种技术，将之同能够用热水或冷水去除掉、适合小型工作室使用的消失型薄膜和面料一起作为可替代物（或稳定剂），并且现在还在使用。从商业车间的辅助物到适合家用，这些转变体现了缝合机的进步。缝合机的发展开始于第一台实用性的手工刺绣机（**图 15**），1828 年由法国人约书亚·埃尔曼（他在一年后将这个专利权卖给了曼彻斯特的亨利·霍尔兹沃斯公司）发明。最后，到今天发展成电脑刺绣机。

在机缝历史中，关键的时刻包括：1846 年有锁缝功能的改良缝纫机的发明；1865 年多用型的科恩利机的专利，可做锁缝和正反针；多针锁缝的飞梭刺绣机 1878 年就已经发明，直到两年后才开始使用（**图 128、160**）；还有 20 世纪 50 年代开始使用的家用缝纫机，内带齿轮能够制作出花式针的效果。曼彻斯特城市大学（MMU）研究并保存了这些机器样品，并且从 20 世纪 60 年代开始就已经将机绣作为一个专业，这个专业大部分时间是在安妮·莫雷尔的领导之下（**图 96、97**）。在那里，人们可以检视面料背面，这是识别面料的必要辅助程

13. 乔赛特·路克斯（Josette Luyckx），橘子林的波蕾若外套（袖子细节），2009 年。

此例是在可溶解的基底（底布）和绢网（叶子部分）上用人造丝线自由移动绣花。藤是手缝的，看不见的衣身部分的面料由玛丽·佩恩手工染色和织造，她与卢克斯已经合作了 16 年。

序（**图 15**）。朱迪・巴里于 1967 年到 2005 年间在 MMU 任教，他解释了为什么这是必要的：“机器缝制的历史庞大而又复杂，由于今天我们倾向于认为‘机器刺绣’是在缝纫机上进行的，所以进一步混淆了机缝的概念。其实在历史上，绣花机和缝纫机有两条不同的发展脉络，而且目的也完全不一样。”[12]

造成这种混淆的原因是一个经过深思熟虑的策略，随着家用缝纫机的普及而发展。在 19 世纪末之前，机器和缝纫线的制造商就认识到个人消费者的重要性，并推动了缝纫机上的“艺术”（或者叫自由式）刺绣。胜家在 1911 年发行了一本关于这个话题的书，并从 1916 年开始在伦敦雇佣一批有经验的机械师，向那些在家工作的人和教育工作者展示缝纫机能达到的效果。到 20 世纪 30 年代，这项工作落在了丽贝卡・康普顿的头上，她对有影响力的“刺绣品的发展框架”提出了建议，这一发展框架于 1934 年在苏格兰由缝纫线制造商 J. & P. 高士发起，并一直运作到 1961 年。通过向教师提供教学用的材料和短期课程，康普顿推广了作为绘画补充的针的自由探索和使用（包括缝纫机的用针方法）。“二战”后，J. & P. 高士、胜家和另外几个人提供资金办巡回展览，巡回展包括了康普顿和其他人的作品，在整个北美、意大利、非洲、澳大利亚、新西兰及中国香港等地展出。机器和缝纫线的制造商赞助展览并且推动创新型艺术家继续 探索机器缝制（**图 1**），正如本章诸多插图所示。爱丽丝・凯特尔（**图 16**）则更进一步，挑战了刺绣的传统尺寸。手缝和机缝难于区别这一点证明了长期使用某种技术得出创造性成果的可能；动力缝合也因而提供了一个创造性的颠覆、重新定向和横向思考的模型。

然而，在许多情况下，针缝的功能是为表面装饰提供看不见的附属装饰，可能是以其他线的形式（“钉线绣”），也有可能是从最精美的珠子和羽毛到坚实的大型廉价首饰，再到扣子和蝴蝶结等种种的形式（**图 26—33**）。在缝纫中，针缝线迹也经常是看不见的。虽然如此，因为结构性的缝合既耐用又灵活，比黏合、套结或钉住更加适合造型，作为把材料连接到一起的主要方法，是必不可少的。做成服装后人体的自由运动不仅突显了服装，而且令它们成为“第二层皮肤”。（只有圆机针织可以提供相似的适合人体的形式。）由于针缝可以将不同的材料结合到一起，所以能在其领域内创造最广泛的效果；如今它较多被共同的一个观点定义，而较少被一组技术定义。能够包括在“针缝”领域里的效果太多了，以至于焊接也能包括在其中，如朱莉亚・格里菲思・琼斯的作品，而她的灵感来自于对中欧刺绣的学习（**图 17**）。迈克尔・布伦南德 – 伍德是一位纺织品艺术家，在过去 30 年中不断将这些界限拓宽，他在雕塑形式中运用众多不同的材料，同时也参考传统的纺织结构，这样做经常与理论的趋势相悖（**图 14**）。这使我们回到之前关于针缝与穿刺之间的关联，二者不论字面意义还是隐喻方式都已经被此领域中的反时尚和激进立场所接受。

14

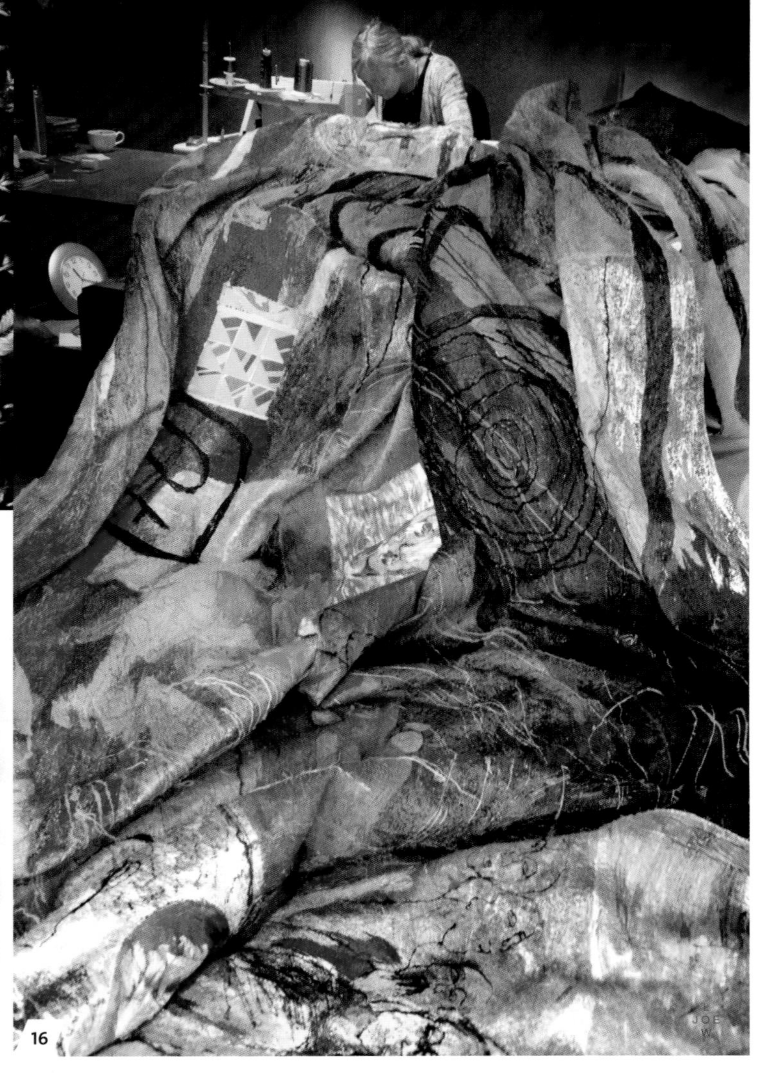

14. 迈克尔·布伦南德－伍德（Michael Brennand-Wood），档案馆，1984年。

这个构造高60厘米（23.6英寸），通过线、织物拼贴、石墨、金属线和木头的组合打破常规，拓宽了当代“缝制”的道路。

15. 曼彻斯特的霍尔兹沃斯公司（Houldsworth's），绣花连衣裙面料，19世纪80年代。

从连接的丝线以及面料反面和正面拥有同样多的线可以看出，它是由一种多针手工刺绣机装饰的。法国的约书亚·埃尔曼发明了这种机器，1829年，他将机器的专利权卖给了霍尔兹沃斯公司。

16. 爱丽丝·凯特尔（Alice Kettle），期待过去，2007年。

这件庞大的作品，尺寸为3.5米×16.5米（120英寸×650英寸），由9个部分组成，使用了自由机缝、欧美妮机缝、电脑机缝、康奈利机缝和一件装饰物，作品上带有补丁，还有来自汉普郡温彻斯特探索中心合作项目的碎片。

17. 朱莉亚·格里菲思·琼斯（Julia Griffiths Jones），少年的衬衫（细节），1997 年。

受中欧纺织品和修补匠的启发——修补匠们自己复制花边和针织的效果，就如散文和诗歌一般——艺术家抓住了低碳钢丝面料的流动性，在组合时进行点焊，为了最终的稳定还使用了铜焊，最后加上一层或多层油漆。

18. 马里（Malian）工匠，波格隆（细节），20 世纪。

Bògòlanfin（字面意思是“泥布”）与西非马里的几个少数民族有关，尤其是巴马纳族。布的黑色部分是一种黄色染料与发酵的河泥反应的结果；单独去掉黄色染料后白色区域就会显现出来的。

手绘与印花

皮肤、纹身、面料上的绘画、印花是有关互相关联的进程和材料的优美四重奏。为了让皮革柔软易弯，人们用来自某些树木的树皮和叶子的鞣酸（tannic acid）进行处理。同种酸性成分在染料中也非常重要：例如，棉布就更容易染色，锦纶纱线则不太容易染色或在干洗时褪色。鞣酸也曾用在古代墨水中，像五倍子黑墨水（gallnut black），是在凹版（铜版雕刻）印刷中用的油墨，15 世纪 30 年代从德国开始发展，它能够让平薄的丝绸、纸，随后还有棉布和亚麻布变成大幅的报纸、地图或其他插图、信息（**图 118**）。不论是用在洞穴墙壁、树皮布、亚麻布还是皮肤上，早期的颜料最常用的都是由带有氧化铁的土壤（赭色）制成的，在如今的许多地区这种颜料仍在身体和布上使用（**图 19**）。

的确，现代染料复杂的发展状况带来的现代染布技术可以被简单地视为西方化学家对几千年前凭直觉使用，并仍在使用的着色物质的逐步理解和复制。另外，最古老和最直接的标志，是将颜料用到手指、棍棒、印记或刷子上（最早的例子是来自埃及埃尔 – 戈伯伦的描花亚麻布，可追溯至公元前 4000 至公元前 3500 年），它遵循了一个错综复杂的过程。直到 19 世纪，印花工们通过机器回到了直接标记的方式，他们引入不用浸没就能牢固附着在布上的化学着色剂，取代了染布和用缸浸染。相对来说，使用染缸的图案创作可以将某些东西直接加在布料上来做——我们可以使用绘制过了或按压上了图案的尖锐物，在布的特定区域染色，然后固色，或者是采用某种物质阻止染料染色。第一种技术被称为“不褪色模板印花”（**图 21**），是欧洲人 17 世纪从印度学来的。第二种技术人们通常知道的是它印尼语的名字——蜡染法（batik），尽管它应用

19

广泛（**图 70**）；在埃及和克里米亚发现的实物可以追溯到公元前 4 世纪。也可以将图案漂白出来，利用除色剂或印或画，在彩色的底布上创作白色的图案（**图 18**）——一种与 Devoré（烂花）相关的技术，通过去除某些纤维达到想要的效果，这在莱斯利·里奇蒙德的作品中得到很好的诠释（**图 143、144**）。（通过包缠或束紧布料选定区域的四分之一来制作图案的古老方法，因其日本名字"shibori［扎］"而为人熟知，第五章有所论述。）

由于对印染的理解更准确了，加之机械印花的出现，19 世纪 20 年代的欧洲已经有了滚筒印花，利用雕刻过的金属或木头进行转动印染。这种印花技术有着明确的勾画轮廓，一直到"二战"之前都还是生产的主要方法——这段时期也正是以探索更忠实于手工艺印记的印花和图案制作方式为特色。其中的某些案例，像 19 世纪下半叶平版印刷技术最终就走向了死胡同，但是其他技术却获得了成功。荷兰人最早使用这种技术，印尼的蜡染工艺是这一技术的灵感来源，到了 20 世纪 20 年代，便为整个欧洲和北美的纺织品艺术家所用。西方纺织品艺术家对模板印刷的兴趣可能缘起于 19 世纪 60 年代日本重新对外开放。在 19 世纪 70 年代和 80 年代，伴随着更多不用染缸就可以直接染色的人工染料的出现，这种技术激起了一些人的兴趣，并且导致对手工丝网印刷的极端压制。这项技术由密歇根的查尔斯·纳尔逊·琼斯在 1887 年取得专利，当时是为了印刷面粉袋。然而，在 20 世纪的前几十年中，人们才开始探索丝网印刷在艺术上的可能。举例而言，1910 年，富杜尼获得了一项同类的连续模版机的专利，这种机器拥有通过摄影术制造的阻挡染料的部分。同时，手工刻版印花从未消失，许多艺术家设计的纺织品中都重新用到了这种方法，比如那些来自维也纳的维也纳艺术与手工艺中心的作品（1903—1932 年）、巴黎保罗·波

19. 马里（Malian）工匠，衬衫，1981 年之前。
用 n'gallama 树叶的染料将面料染成黄色，上面的图形和装饰边是用发酵的泥巴手绘的。泥巴遇染料产生反应，从而永久着色。本例由一位女性在棕色的条织粗棉布上完成，而粗棉布则由男性制造。

烈的马丁尼工作室（1911—1929 年）、伦敦欧米茄工作室（1913—1919 年）以及 Stehli 丝绸厂。Stehli 丝绸厂是目前仍存在的瑞士 Stehli Seiden 公司在美国的大型独立子公司（1897—1950 年），在 20 世纪 20 年代因为拉夫・巴顿、克莱顿・奈特和其他人的设计而非常出名。有一万多件维也纳中心的设计作品被记录下来，其中许多是被建筑师与设计师约瑟夫・霍夫曼以及艺术家科罗曼・莫泽这两位联合发起人记录下来的。而相比起来小得多的欧米茄工作室则生产罗杰・弗里、瓦内萨・贝尔等少数人的设计；有的采用模板印花，工作室让艺术家参与到纺织品设计中来的方法对英国有长期的影响（**图 87**）。手工技术的优势是需要的空间和投资更少；相较于机器印花，它是一种“厨房洗碗池”的活动，特别是当制作版数有限的时候。因此，先锋派手工丝网印刷在其最初探索的阶段主要是由女性推进的，比如美国的露丝・里夫斯（**图 61**），而油毡刻版印花则是由曾经受训于伦敦中央工艺美术学院书籍装帧系诺埃尔・鲁克的艺术家所开发，其中包括乔伊斯・克里索德（**图 2、149—157**）。

20 世纪 30 年代早期，采用类似于艺术家小型工作室方式生产的厂商开始接纳手工丝网印花。商业的手工印花者则在学习含糊的压印效果，以达到他们想要的自然形成的效果，比较典型的是使用有纹理的底布去强调手工艺感。丝网印留存手工绘制印记的能力很快为许多人所理解（**图 24**）。独立经营的商行的影响也开始扩大，那是一个自由职业的印花纺织品设计师的角色开始建立的时期，到 20 世纪 50 年代，许多设计品是由那些不再与纺织品相关的艺术家创作的，比如格雷姆・萨瑟兰。（机织面料的自由设计师很稀少，因为在开发电脑织机以前，需要设计师对织物结构有彻底的了解才能胜任。）由于战争对铜的需求，滚筒印花衰退了，机器丝网印花很快取代了它的位置，首先是在平版上，后来是在旋转加工中。但人们仍然希望能够显示出手工制作的印迹，而越来越复杂的照相凸版印花丝网也使其成为可能。产生的结果之一就是蜡防染（wax resists）的使用，人们用蜡笔和水性的颜料绘画。雕塑家亨利・摩尔就使用这种技术，他在学生时代就学习了蜡染，并将蜡防染材料用到了他的绘画作品中（他的纺织品设计现在依然保存完好）。本书中的插图是奥尔西娅・麦克尼什和科琳・法尔为自由女神设计的面料（**图 20**）。[13]

最初丝网印花主要应用于稳定的面料，如机织丝绸、棉布和亚麻布，其优势也适用于平纹单面针织布，在作品《尤利西斯》（**图 77**）中可见，1966 年由位于米兰的时装商店肯・斯科特生产。他们的记录显示，针织布是班纶丝尼龙，用了 9 块丝网，照相凸版印花者是法索亚。这样的细节，是典型的制造商和设计师的成果，对记录印花历史的细微差别是非常宝贵的，对其他类型的纺织品来说也是如此。直到大约 30 年前，印花针织都很少被博物馆收藏。较早进入这一领域的是收集乌利塞（Ulisse）的博物馆，名为纽约时装技术学院博物馆

20. 奥尔西娅・麦克尼什（Althea McNish）和科琳・法尔（Colleen Farr），利伯蒂丝网印花连衣裙面料，1959 年和 1964 年。

左上方的是“尼科提”（1959 年）和“特立尼达”（1964 年），由奥尔西娅・麦克尼什制作，右下方的“切罗基”（1959 年）由科琳・法尔制作。这些都展示了在蜡染技术和图案发展中对水彩的应用。

21. 乔伊斯・克里索德（Joyce Clissold），足迹（细节），约 1926—1931 年。

1925 年，埃尔斯佩斯・利特尔、格温・派克和希兰蒂娜在伦敦哈默史密斯建立了 Footprints（足迹），为利特尔现代纺织商店提供木版印花纺织品。这件木版印花的亚麻布展现了 Footprints 的工作内容，包括印花、手绘和染缸染色。20 世纪 20 年代，克里索德在 Footprints 做学徒，1929 年掌管 Footprints，并将其一直维持到 1982 年。1931 年，Footprints 搬到了米德尔塞克斯的布伦特福德。

22. 奈杰尔·切尼(Nigel Cheney), 联邦(致琳达)(细节), 2011 年。

一件印在巴拿马棉布上的数码作品，带有手工和机器绣花装饰，以及自由式的机器绗缝。

23. 希尔·德雷森（Hil Driessen）, 漂流 23(细节）, 2005 年。

这块布片的原型为乌得勒支大学的大学文学 / 漂流 23 制造，作者先拍摄机器缝制的树形填充图样，扫描到 CAD 程序中，放大并用斯托克喷墨打印机印在特雷维拉 CS 底布(一种耐火聚酯纤维) 上。

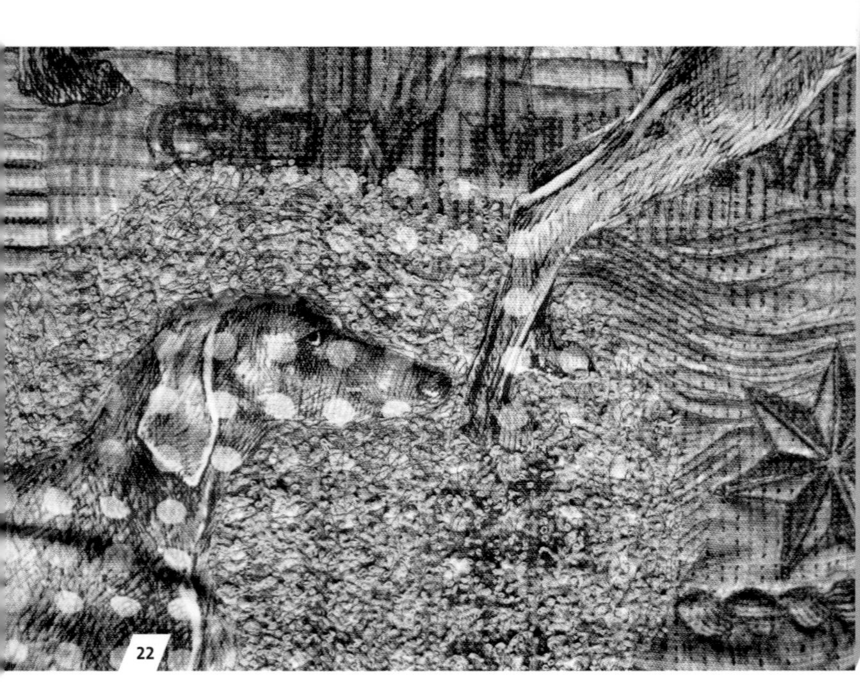

22

23

（MFIT）。博物馆于1969年在纽约时装技术学院建成，目的是为了激发其学生和设计师的灵感。该博物馆与纽约时装业和纺织业联系密切，收藏公司和设计师的作品，并且了解其历史背景。MFIT纺织品部门的负责人林恩·费尔舍·耐克米亚斯概括了这种档案的重要性："大多数纺织品是设计师或艺术家的产品，他们的名字往往不为一般大众所知。从不引起大众注意的直接售卖给顾客的纺织品，到独一无二的或有特色的面料……纺织品有了吸引观者的趣味和意义。总有一些时候，人们看到一件纺织品并认为——真是非凡！"

1993年，人们开始使用商业型的数码印花，最初仅限用于不必满足色牢度标准的大批量生产中。而21世纪早期，人们跨过了这一障碍；如今，从最薄的丝绸面料到最厚的天鹅绒面料，包括莱卡和其他弹性面料，都能用上所有的染料和颜料印花，还可以进行升华（转移）印花。希尔·德雷森后来转向了数码印花，她在荷兰乌特列支大学的一栋历史建筑上安装了一块大板子（**图23**）。她对有一棵树的图案的机缝提花垫纬凸纹布（塞有间棉）进行扫描，然后放大并进行印花。这非常适合她对错觉设计和"将纺织非物质化"的兴趣，同时也符合她的观念，即一种媒介会在另一种媒介上留下痕迹。德雷森的作品还显示了数码印花工艺的其他优点，包括不受图像尺寸和色彩限制。在能够使用数码照片之后，很多纺织品艺术家随之开始探索其艺术的可能性，有一些人在自己的作品中用到它们。帕特·霍德森（**图73、75**）的作品就代表了许多人的观点，她这样描述自己的工作方式："计算机在无止境的即兴创意上的潜力非同一般，是一种通过对数码文件不断分割、解构和重新使用创作新作品的方式。"霍德森还说，屏幕上的图像只是构思的一半："直到图像和实际的材料相互作用时，人们才能完全意识到这个想法……画在电脑上的'虚拟'标记和肌理与手绘的标记和图案相互作用；染料和数码颜色相互作用"。安德里亚·埃利斯的兴趣在于"踪迹" 和"痕迹"，他运用经过Devoré工艺处理的数码纱层，利用电子刺绣对纱层进行染色、丝网印花、单板印刷，然后清除，覆盖在其他纱层之上（**图165、167**）。其他人则将数码印花和手工印花，或与缝制结合，或将三者结合在一起——像奈杰尔·切尼，他的壁挂就结合了自由机器绗缝（**图22、146**）。诸如此类的复合工艺都在工艺传统之中，对切尼来说，手工操作和电脑控制的机器操作相结合的探索"将当下对作品的讨论围绕在了科技层面"，这是他的顽皮的纸币图像作品中反复申明的一点，这反映了"价值、血统和投机"。另外，多重的方法完全利用了带给纺织品生命力的各类表面特征，强调了布料和表面形貌学的并行发展。

24. 未知的设计师，家居装饰面料，约1950年。

这块光滑的棉布是在一个巴黎市场找到的，采用丝网印花，显示了这项技术表现水彩画和雕刻线条的能力。

25. 迪克·万·德·霍斯特–毕驰玛（Dirkje van de Horst–Beetsma），折叠（细节），2009年。

巴尔勒用自由式的机缝线迹在帆布上密集地缝制，结合来自埃尔斯·万·巴尔勒的手工染色面料，后者是一位专长蜡染的纺织艺术家。

26. 纳迪亚·阿尔贝蒂尼（Nadia Albertini），绣花（细节），2010年。

小羊毛球、莱茵石和扣住的钻石被手工绣在薄纱底布上，用于高级时装。

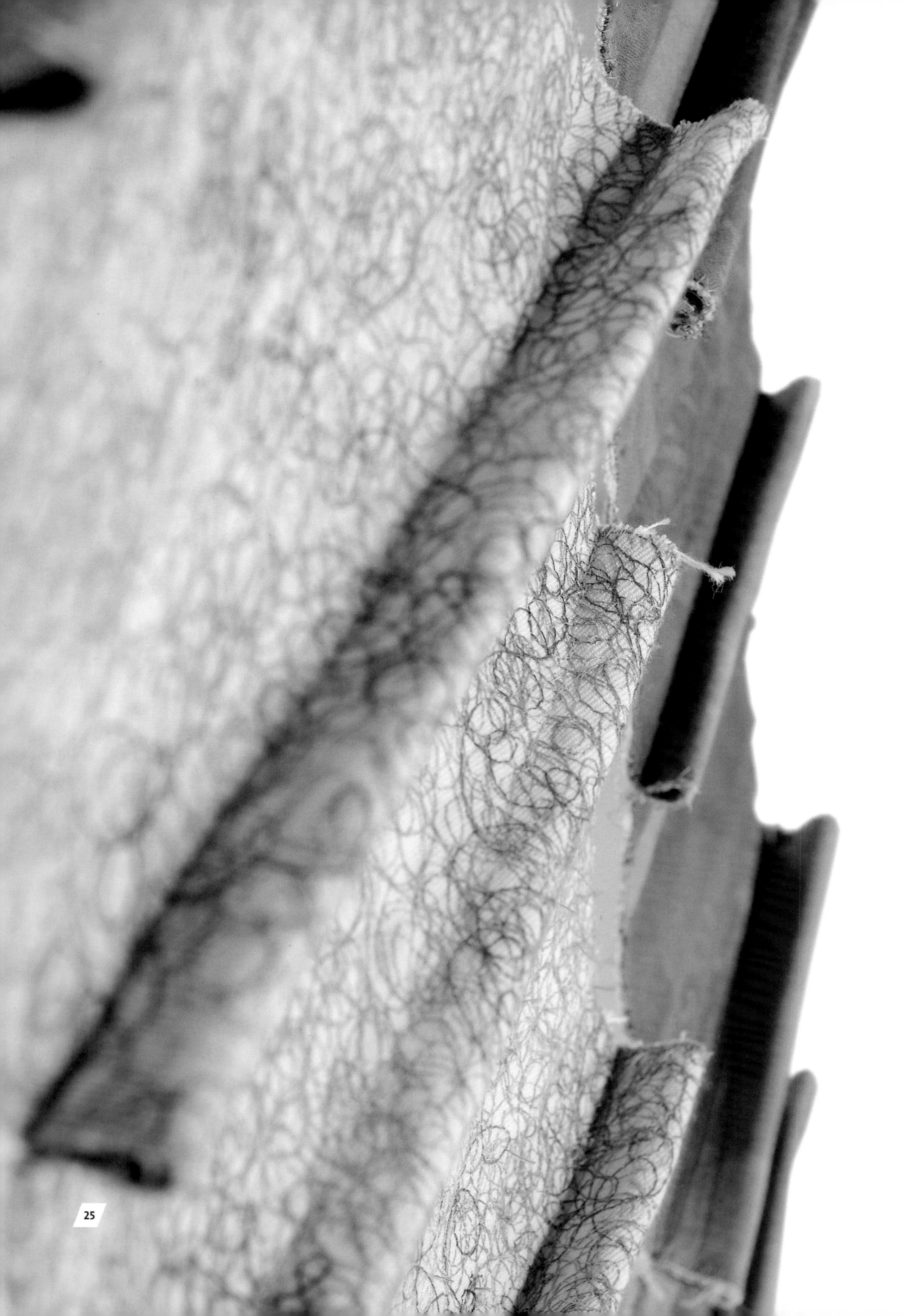

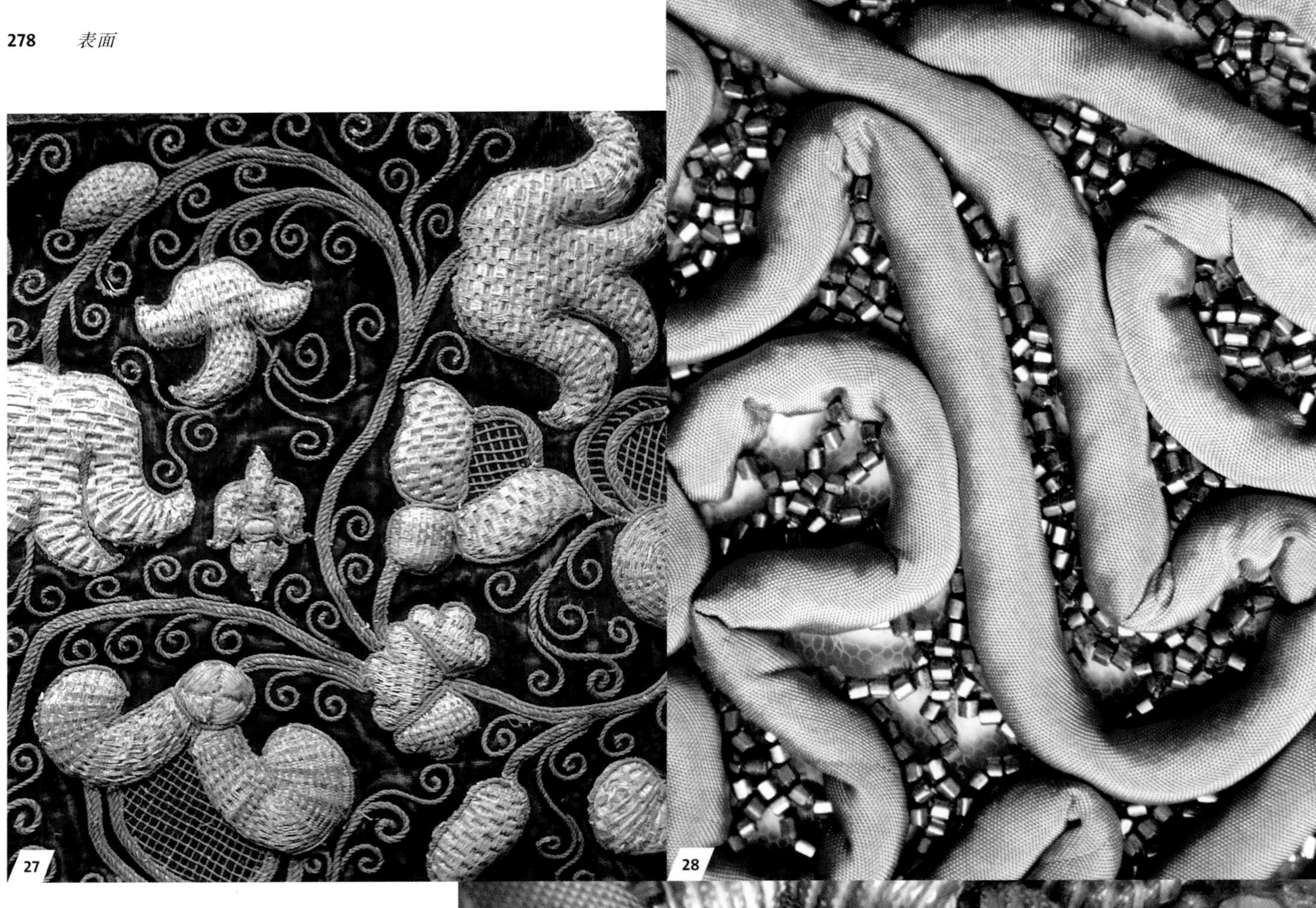

27. 西班牙专业绣工，金银布片（细节），约 1650—1700 年。

钉线绣的线和突起的金银丝线呈盘曲的样子，底部为丝绸做的天鹅绒，该面料用于制作西班牙婚礼上的礼服。图中未显示的部分在外套胳膊处有一朵玫瑰花，意味着教皇派了一位见证人。

28. 纳迪亚·阿尔贝蒂尼（Nadia Albertini），绣花（细节）。

艺术家在薄纱底布上用羊毛填塞真丝缎子做成的滚条盘绕在金属珠子周围，并且用塑料亮片装饰薄纱的褶边。

29, 30. Hand & Lock 公司，绣样，约 2010 年。

Hand & Lock 建立于 2001 年，由两家伦敦定制刺绣公司合并而成，这两家公司分别是 S. Lock（像 C.E. Phipps 公司一样成立于 1898 年）和 M. Hand（成立于 1767 年）。这两个例子折射出公司为满足部队、时尚、订制而采用的一系列手工和机器绣花效果。

31

32

33

34

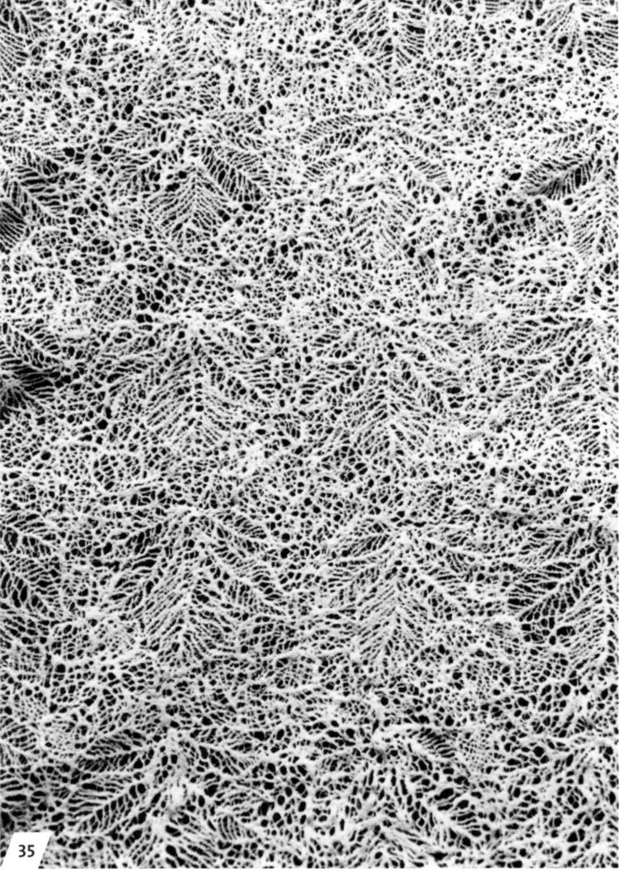

35

31. Hand&Lock，汤姆·福特定制的里卡多·山·马提尼拖鞋(细节)，约2010年。

黑色的天鹅绒上用无光泽的反针（紧紧盘绕的镀金金属丝）和光滑的反针(盘绕的平镀金金属丝）手工制成。

32. （被认为是）意大利绣工，加冕服（细节），约1600年。

天鹅绒上缝上带有丝绸刺绣的丝绸缎子，与镀金线钉线绣一道形成粗犷的图案。这项技术被称为taillure(法语意为“剪”)，最早在公元前5世纪俄国干草原的毛毡马鞍和马饰中使用。

33. 欧洲绣工，法庭用马甲(细节),约1725年。

几种镀金或镀银的金属线、亮片和珠子用钉线绣工艺绣在有钉线绣的蓝色真丝绳绒线中间。这种交错编织技术被法国绣工称为“rapport”（和谐）。

34. 塔德克·比尤特利希(Tadek Beutlich)，女用披肩(细节)，1948—1952年。

比尤特利希在经营埃塞尔·迈雷特的福音书工作室期间手工织造了这件作品，生动的表面效果来自纱线而非纺织结构。面料由未染色的绳绒线、未染色且没有间断的人造长纤丝、机纺染色轻捻棉纱，一些线打成圈并剪出开口，在隔开的经纱（由织机的簧片固定）上平织而成，经纱是机纺的染色和未经染色的棉线。

35. 维什娜·柯林斯(Vishna Collins)，Jedna Mlada(细节)，2001年。

克罗地亚语中的“Jedna Mlada，pet rada”意思是“一种连接花纹的线，五种绣花”。柯林斯为了向祖母和家乡的传统服饰致敬，使用了钩针和珍珠，凸显被掩盖的棉布底布上的自由式机绣。这件作品总共需要40千米（25英里）的涤纶纺成的缝纫线。

36

37

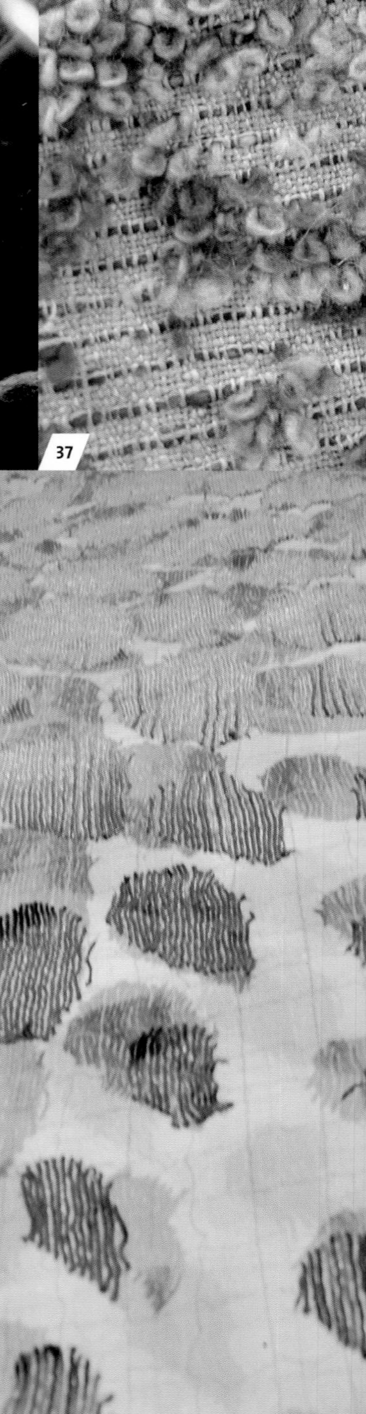

38

36. 马丁·阿普比(Martin Appleby)，那件织补的针织套衫（细节），1964— 年。

这件作品还在继续创作中。阿普比在伦敦中央艺术设计学校雕刻专业学习时，他的母亲织了这件朴素的绿色毛衣，现在艺术家将自然和人工合成的纱线以及鞋带全都织补在这件毛衣上。

37. 西班牙织工，阿尔普亚拉地毯，17 世纪或 18 世纪。

这块地毯是用打圈的起绒羊毛在亚麻上制作而成的。制造地为阿尔普亚拉地区，那里是西班牙穆斯林或摩尔最后的阵地。这项技术保持了当地及其他原为伊斯兰地区的区域如克里特岛和撒丁岛的特色。

38. 埃德温娜·斯特劳布(Edwina Straub)，涟漪(细节)，2011 年。

金线、单丝和棉线经过纤维活性染料手工染色和机器缝制，就好像漂浮在这片布料的表面。“就像感官意识转变成经验，纱线的操作转变了它的本质……通过它们投射出的影子，我的艺术作品出现了短暂的特征”。

39. 英国或美国印花工，滚筒印花服装面料（细节），19 世纪 80 年代中期。

这块轻柔且编织松散、用于夏季服装的棉布有本色的条纹，套印以黑色突出图案。这些布被称为印花软薄布，在那时非常流行。

40. 约翰·帕克斯(John Parkes),遮蔽/显露(细节），2010 年。

真丝乔其纱和棉巴厘纱织成的面料，用天然染料和商业合成染料手工及商业染色，然后用亚麻线手工缝制。

41. 乌拉·德·拉里奥斯(Ulla de Larios)，透明 #4(细节)，2009 年。

真丝和间隔较大的经纱在平纹组织上创造出扭曲的效果。

39
40
41

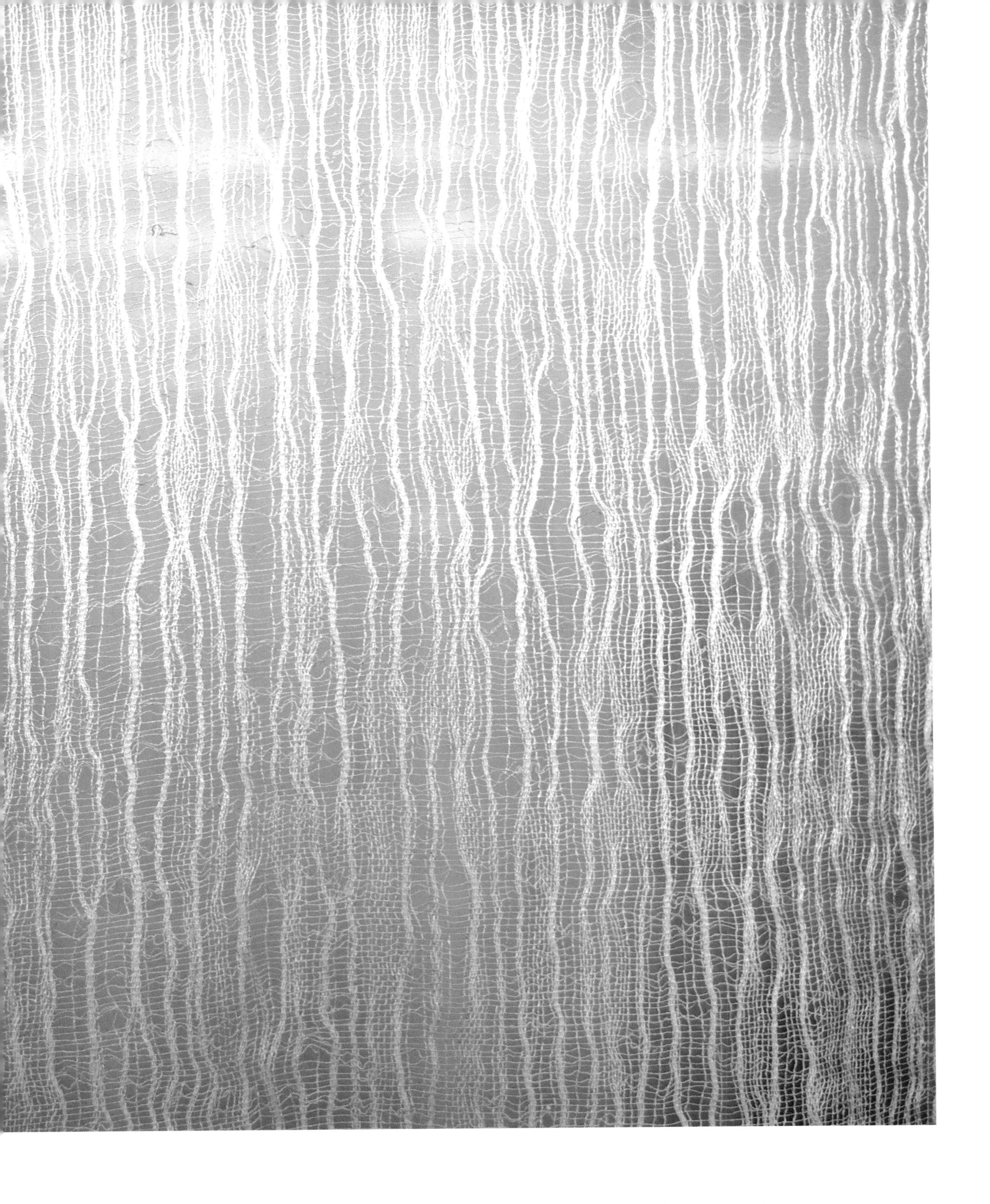

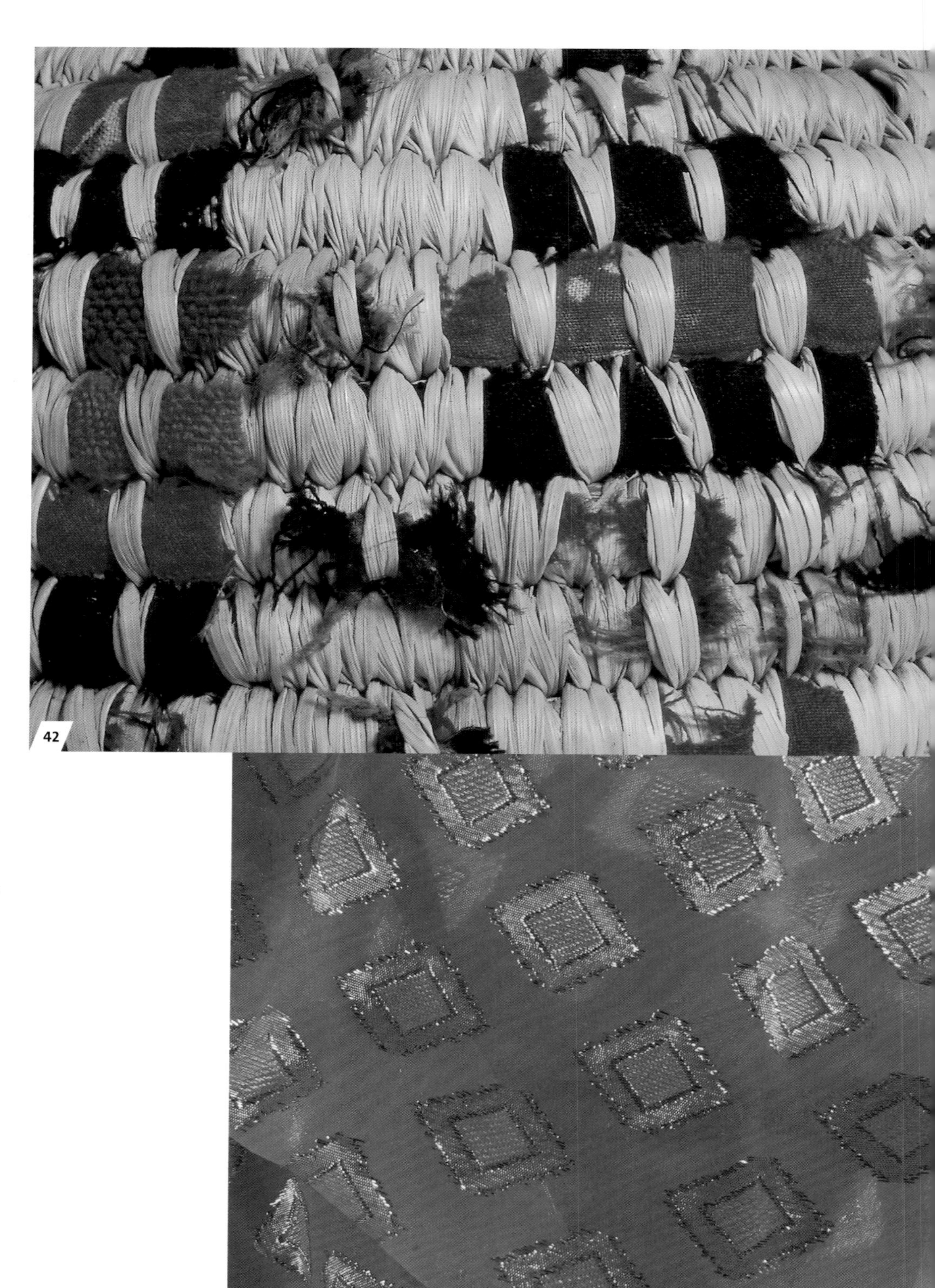

42. 突尼斯制篮工，盘绕制成的篮子（细节），20 世纪早期。

制篮工为了给这个棕榈树叶编成的篮子添加额外的表面趣味，在盘绕过程中沿水平方向在底面放置了彩色的羊毛和纯棉碎布条。

43. 意大利织工，纱丽布（细节），约 1965—1985 年。

这块雪纺绉织的布装饰有边缘为银线的菱形，采用补充经线，并在每个图案边缘附近剪去。

44. 欧洲工匠，压花天鹅绒（细节），16 世纪。

用木版或其他工具在平纹真丝天鹅绒上压印图案，这种技术在法国被称为 goffrata，后来称为 gauffrage。这种面料明显比机织图案的天鹅绒更便宜。

45. 意大利织工，双绒天鹅绒片段（细节），约 1450 年。

像这样的真丝天鹅绒是文艺复兴时期最奢华的纺织品之一，有两种高度的剪切绒毛并用金线做成织锦。

46. 贝丝·哈顿（Beth Hatton），选择 #2（牛）（细节），2001 年。

这件作品用换轴织法织成块状，棉经纱上是袋鼠皮的边角料和羊毛。模板印出的黑色标志拼写出单词“cattle”，那是被引入澳大利亚的动物，而被取代的当地物种的名字则用袋鼠皮碎块倒着拼写。

47. 美国工厂，布（细节），2001 年。

这种剑杆织机织的双面组织，组织元素交叉形成单独的两层和方形图案。柔软的棉纱线带有法兰绒的光洁质感，更加突显了凸纹效果。

48. 印度染工和织工，双面絣织布片，20 世纪 90 年代。

在这块双面絣织棉布或帕多拉绸上有着玻璃般的方格，其中经向和纬向的纱线都是提前染色的。

44
45
46

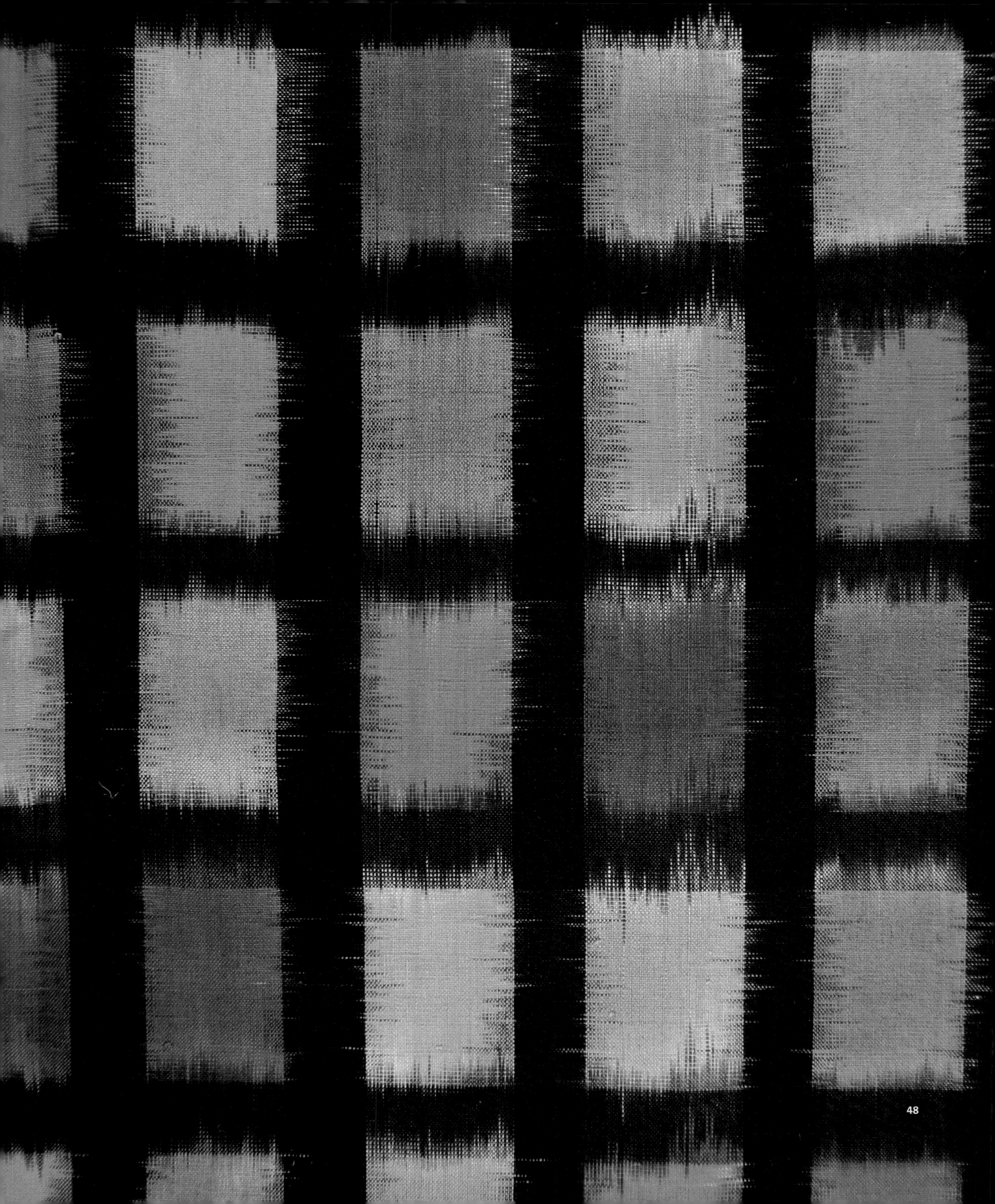

49

50

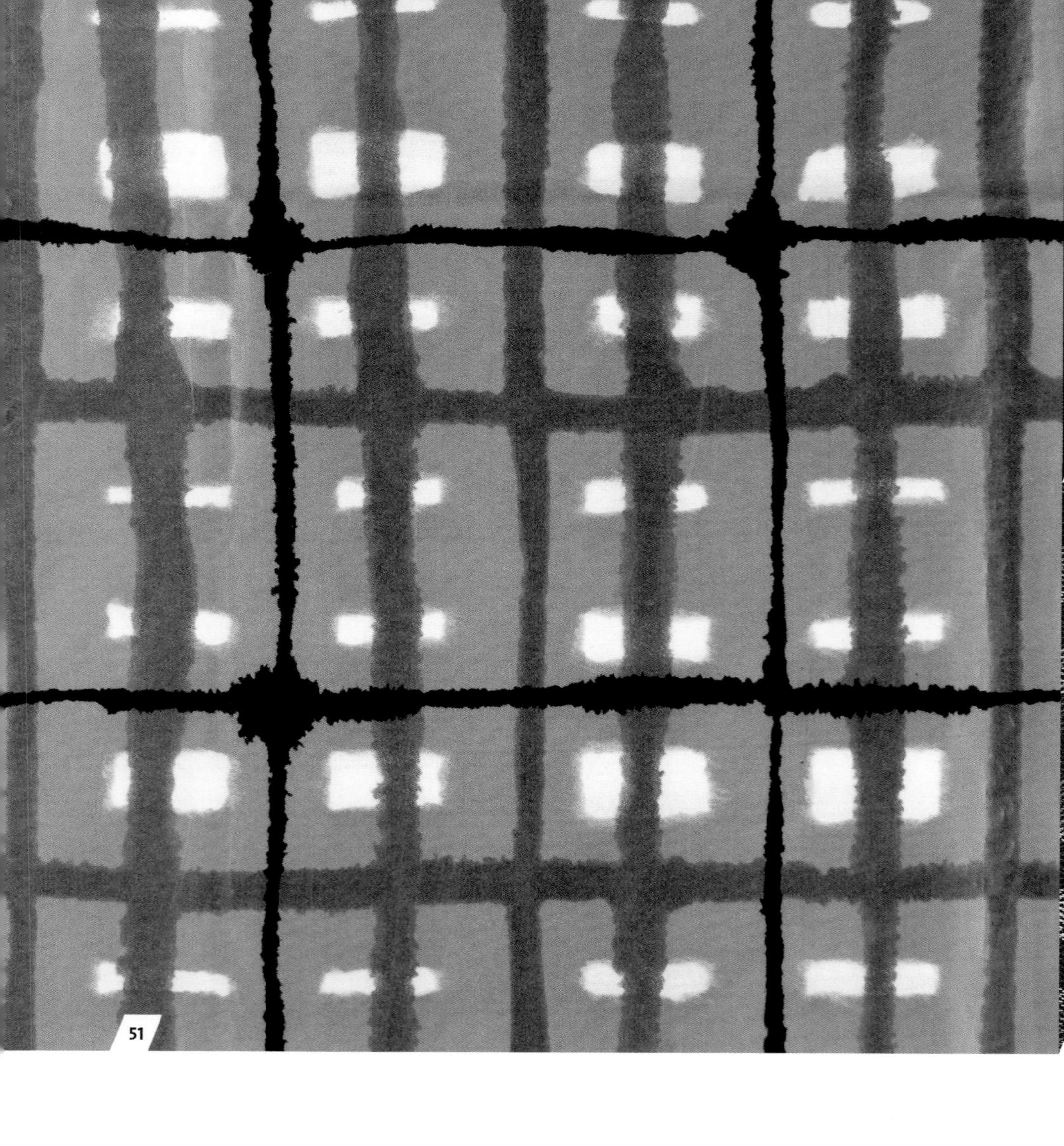

51

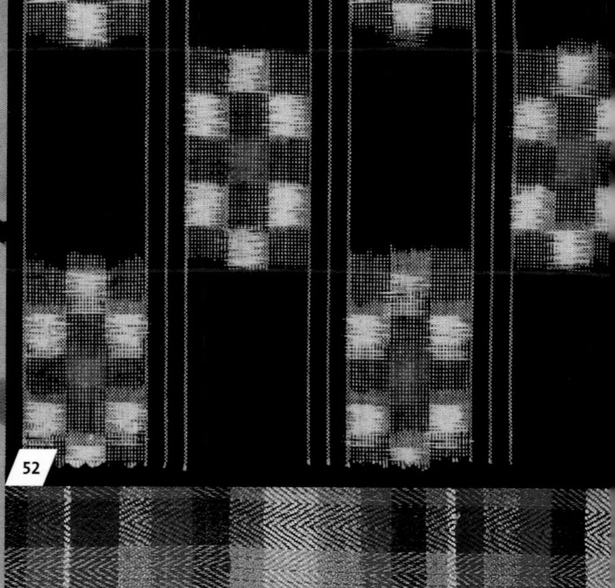

52

53

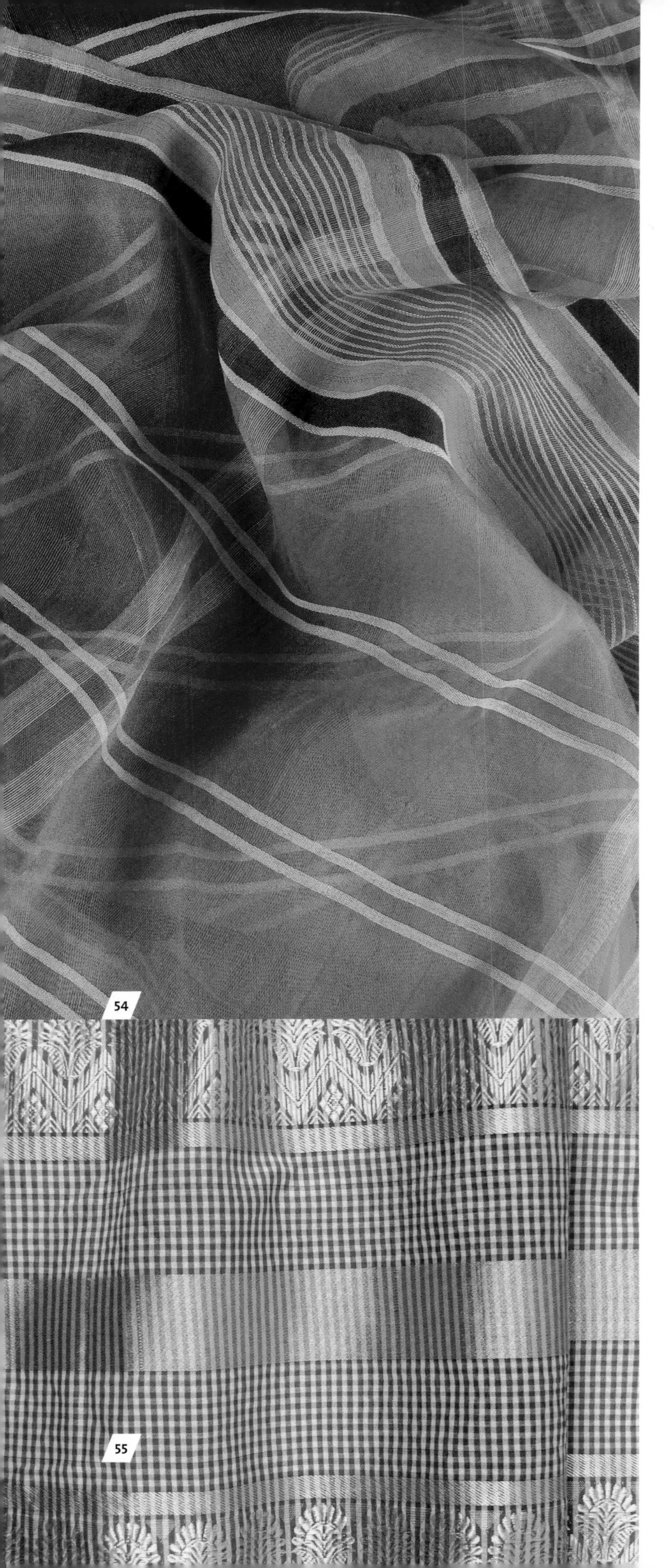

49—55. 这些布料的大部分效果依靠对纱线的选择和处理创造。两块是双面絣织棉布，其中一块大约于1960年织造于印度（图49）；另一块大约20年后在日本为加利福尼亚州伯克利的卡苏里染料厂制作（图52）。两块秘鲁手织面料采用更厚的羊毛纱线织造。其中一块（图50）是1970年织造于华斯塔的frasada（毛毯，细部展示），用未经染色的奶油色羊毛经纱和染色的羊毛纬纱平织而成，棕色纱线用胡桃叶染成；另一块是叫做jerga的2/2人字形斜纹格子面料（图53），其中经线纺得比纬线更紧，这种面料在内格拉山脉的艾亚生产，用于制作麻布袋。两块大约于1965到1985年间在印度织造的纱丽面料用精细的合成纤维纱线制成。雪纺的那块包含了缎纹纬纱和经纱条以及金线织出的锦（图54）；另一块织物（图55）是条纹的经纱，纬纱则采用交替的条纹形成格状，金色的纬纱采用平纹结构和图案结构形成织物。最后一个例子（图51）是在一块细腻光滑的棉缎上模仿絣织印花。它由纽约福勒面料公司制造，可能生产于20世纪60年代。正是那段时间前不久，公司因与毕加索、米罗和夏加尔等艺术家的合作设计而变得知名。

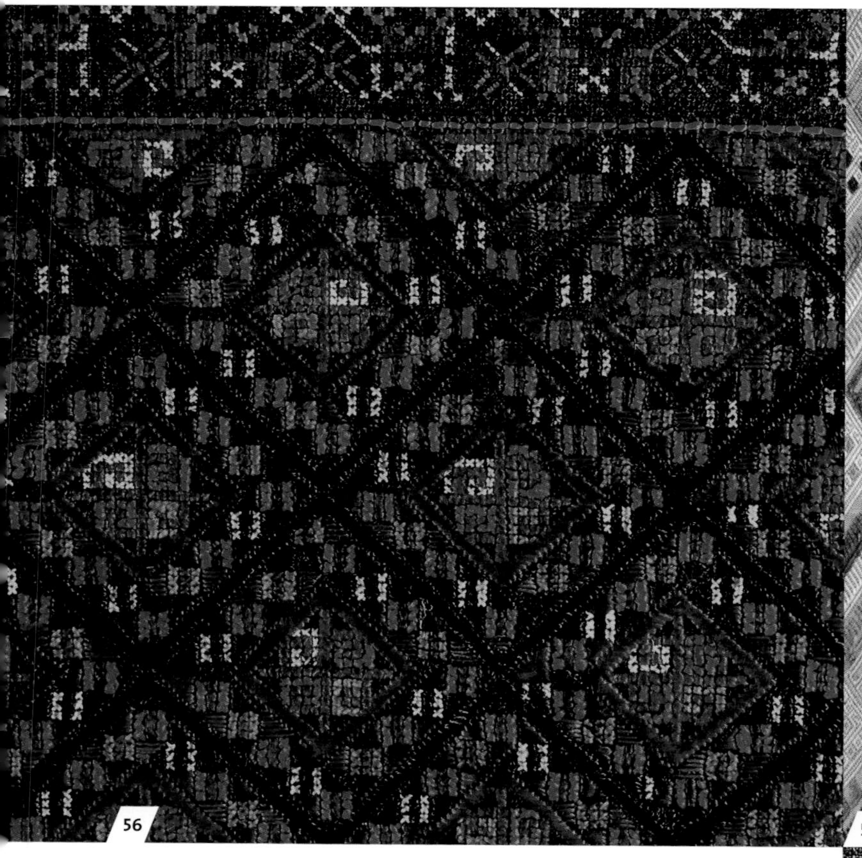

56,58. 中国南部、老挝北部、泰国和越南的各民族中广泛使用的十字绣针法。上图（图 56）是大约于 1985 年制作的一块苗族丝绸绣片。右图（图 58）是现在制造的裤腿的细节，由泰国北部山地部落的瑶族（Mien）女性制作，她们会在家纺的蓝布上，用极细的丝线以十字绣绣成几何图案。

57. 邻近越南的老挝织工，围巾（细节），2002 年。

这块布由一位女性用真丝手工织造，几何图案的补充纬线，几乎是棕黑色经线的两倍粗，模仿了刺绣的肌理。单色的带子用金色的真丝纬线，产生闪光的效果。

59. 法国印花工，软薄绸图案，19 世纪中叶。

本例在细棉布上做出双色图案，采用套版印刷工艺，制造地可能是鲁昂，制造目的是展示工厂对图案的选择，所有图案都为制作围巾和模仿织造图案而作。

38
39
40
94
42
32
49
45
67
87
90
89

60
61
62
63

64

65

66

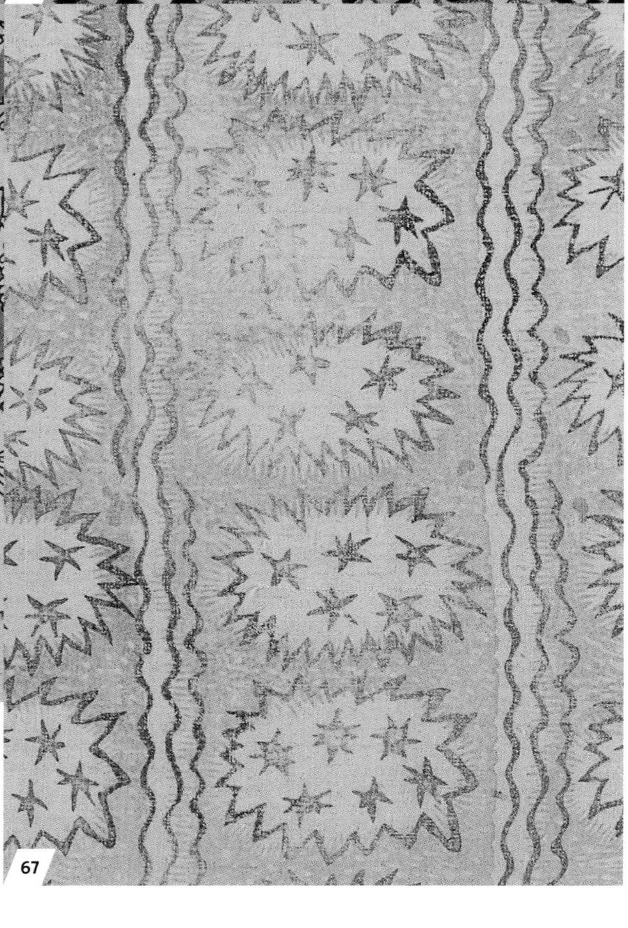

67

60. 中国台湾工匠，台北树皮布（细节），约 1970—1975 年。

由桑树和落尾麻属植物的薄纤维性的树皮制成的树皮布，采用若干种方法装饰。本例将一块覆盖染料的衬垫在布上摩擦，衬垫与雕刻的图案相悖放置。之后手工绘制，加深主要的图案和方格。

61. 露丝·里夫斯(Ruth Reeves)，危地马拉古图案(细节)，1935 年—20 世纪 40 年代。

20 世纪 20 年代早期，里夫斯开始将人种志资料作为灵感。1934 年，她在卡内基研究所的赞助下研究了危地马拉纺织品，并在一年后设计了这块布，直到约 1950 年之前，她还在用手工丝网印刷将之印到亚麻布上。

62. 林波(Ling Po)，“图案 No.102”的制作原型(细节)，1954—1955 年。

为 F. 舒马赫公司的弗兰克·劳埃德·赖特“塔里辛线”编织和印花纺织品系列所作的若干图案设计，这个图案由赖特位于亚利桑那州斯科茨代尔的莱特塔西塔里辛工作室的一位员工创作。它显示了赖特对玛雅雕刻的兴趣，在 1924 年为洛杉矶恩尼斯公司设计的大楼的装饰细节中，他对玛雅雕刻的兴趣最为明显。

63. 特里萨·施克(Teresa Paschke)，Ceah4(细节)，2009 年。

这块棉帆布包含花边和源自拉丁美洲的纺织品，并加入其他意象的风格化图形的“阴影”，它们都在数码摄影的基础上完成，棉布采用宽幅喷墨印花，手工刺绣。

68

69

70

71

64. 意大利印花工，套版印花亚麻布（细节），16 世纪。

这块布可能是在佛罗伦萨生产的，是少有的先于 17 世纪末期印度印花影响欧洲之前的套版印刷作品。

65—67. 三个 10 到 15 岁的伦敦中央艺术设计学校学生，为福特南·梅森公司创作的沃纳套版印花，1937 年。

受福特南·梅森公司家具部的 H.G. 海耶斯·马歇尔委托创作，这些线条都由华纳的专业套版印花工故意"印坏"，创造出一种幼稚的、自发的和具有历史感的外观效果。

68. 伊娃·万格尼恩（Eva Wanganeen），Meyak（细节），2003 年。

这位艺术家受她澳大利亚土著祖先的文化的启发，用传统的澳大利亚和马来西亚方式描绘了一棵可以入药的树。万格尼恩用酸性染料和古塔波胶在丝绸上绘制，后者是一种产自古塔波树的天然乳胶。

69. 玛莉丝卡·卡拉兹（Mariska Karasz），绞纱（细节），1952 年。

这块丝网印花的家居装饰亚麻布由纽约 F. 舒马赫公司制造，是用编结的网眼制作的一幅错视画，改编自艺术家自己的一件绣花作品。一位匈牙利出生的前时装设计师在 20 世纪 40 年代晚期采用了这种形式。

70. 夏威夷工匠，蜡染衬衫（细节），获于 1961 年。

用防染的蜡做成自由手绘的复杂图案，覆盖在这块蜡染棉布上。棉布随后做成衬衫，附上"火奴鲁鲁，卡特琳娜岛，雷恩男装"的标签。

71. 玛丽·怀特（Mary White），乡间花园，约 1955 年。

希尔批发与出口有限公司为其著名的伦敦商店和其他零售商生产了这块丝网印花的家居装饰棉布。它限定的颜色种类反映了战后限令遗留下来的影响，用相对小的重复图案就是为了减少浪费。

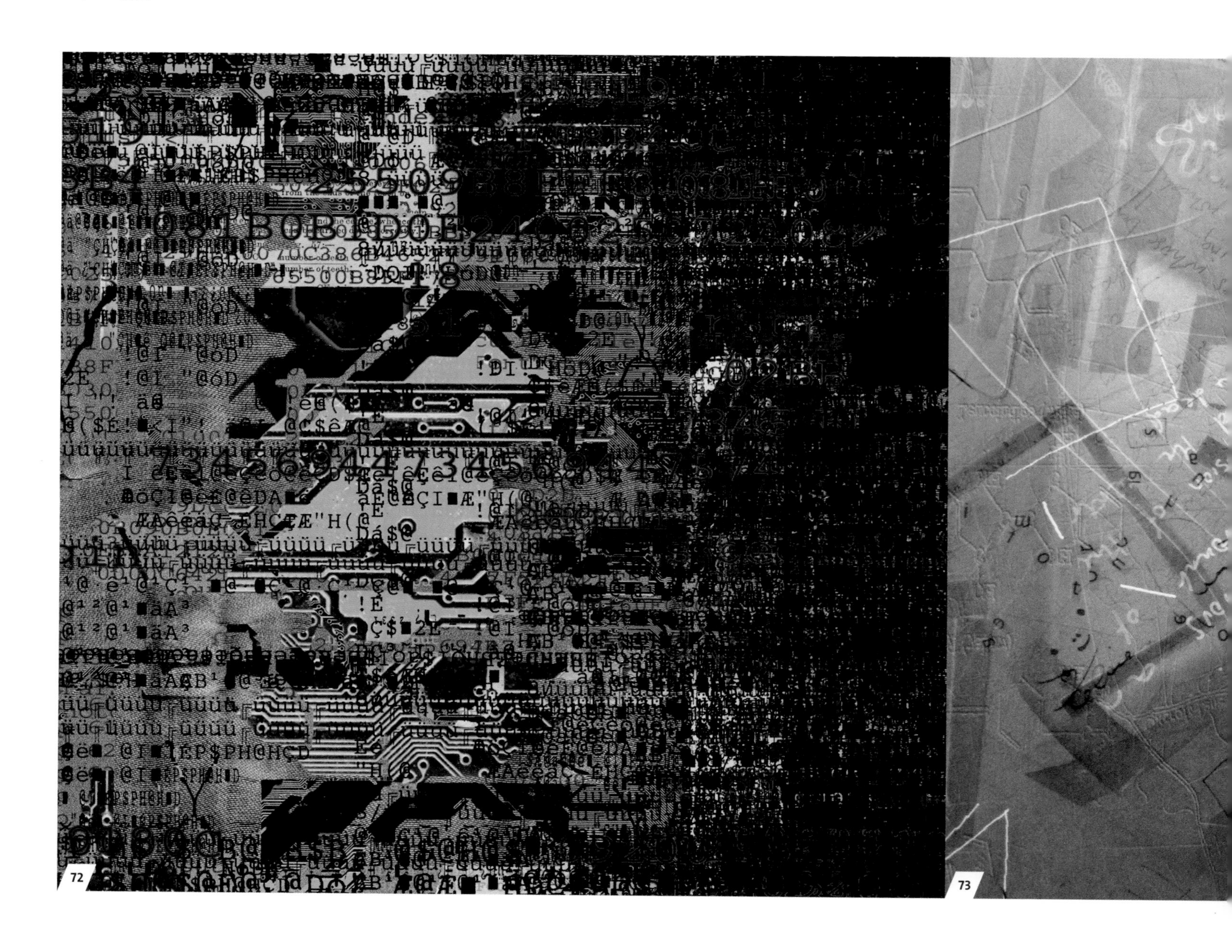

72. 尼尔·波特尔（Neil Bottle），丝巾（细节），2011 年。

出自艺术家的科技工艺系列，是艺术家在印度、埃及和阿联酋待了一段时间之后创作的。手工和数码技术复杂的结合表现了从这些地区的历史、文化、气候和风土人情中汲取的灵感。

73,75. 帕特·霍德森（Pat Hodson），影子—蓝（整体和细节，图 73），2007 年。

霍德森使用了包装纸、真丝、亚麻线、蜡、蜡笔和爱普生高亮彩墨水等材料，结合防染、拼贴画和数码印花工艺，指出“黑暗让记忆的影子和一闪而过的微光变得可见”。

74. 皮特·坎贝尔（Peter Campbell），凯普莱特，1961 年。

这块真丝头巾是在默顿利伯蒂的印花工作间手工丝网印花制成的，那里曾经是威廉·莫里斯的印花工作间。设计师在釉彩方面的专长，连同对于油画、水彩、绘画、书法、木版和油毡雕版的专长体现在这件作品完美的色调中。

74
75

76

77

78

79

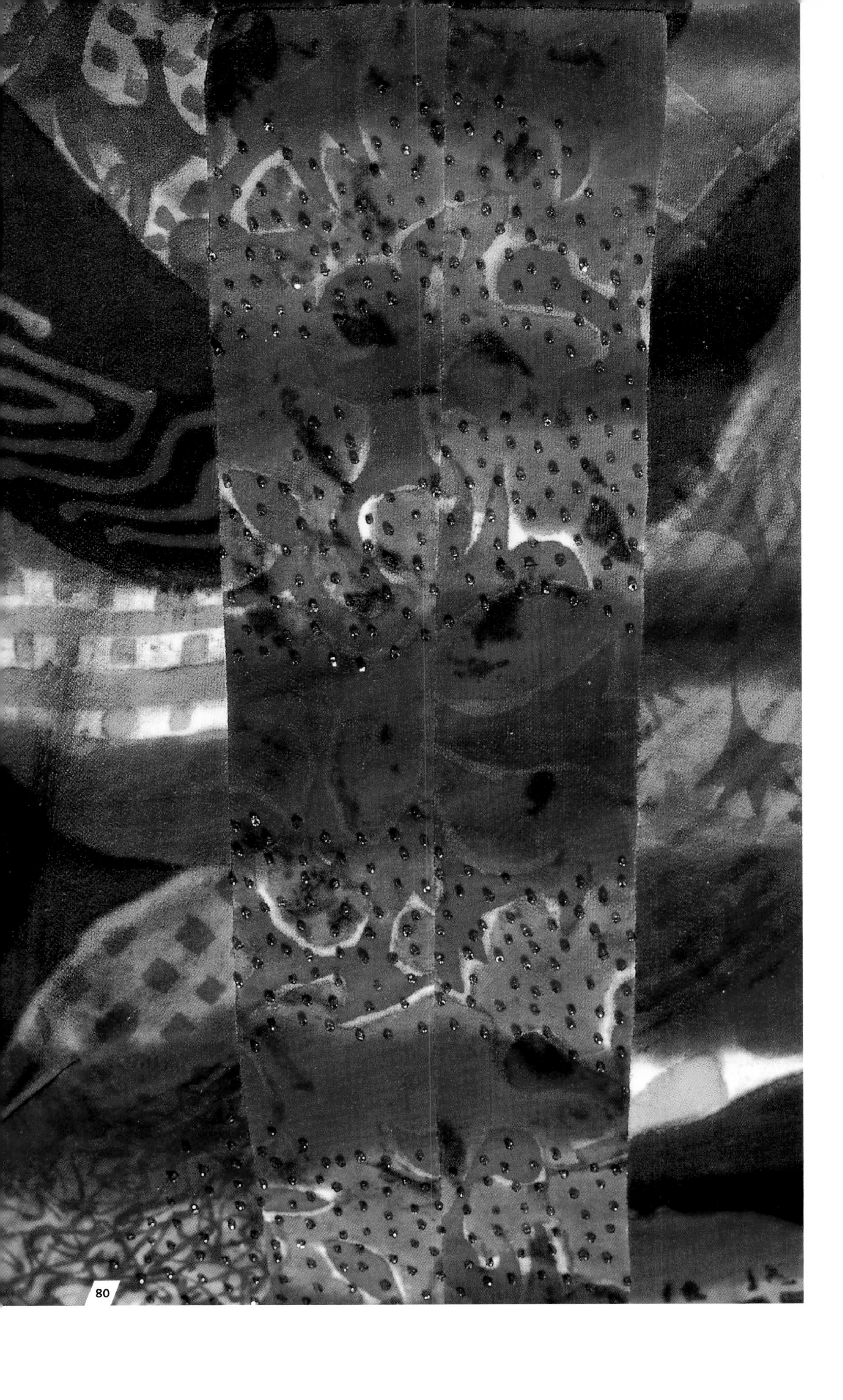

76. 迈亚·伊索拉(Maija Isola),水母,1967年。

这块来自玛丽麦高的丝网印花棉布是使这家芬兰公司成为时尚领袖的设计之一。玛丽麦高公司1951年在赫尔辛基成立,由建筑师本杰明·C. 汤普森首次引入美国,汤普森于1953年在这件作品的购买地——马萨诸塞州坎布里奇建立了D/R(设计研究)连锁店。

77. 肯·斯科特(Ken Scott),Ulisse,1966年。

这块鲜艳的印花班轮尼龙针织布在意大利印花,当时正值斯科特最具国际影响力的鼎盛时期。斯科特是在美国出生并在意大利创业的时装设计师,因这种花卉面料图案和时装秀而闻名。

78. C.J. 普瑞斯玛(C. J. Pressma),公牛和其他朋友,2008年。

这件机缝的作品由艺术家拍摄的照片拼贴、喷墨打印在棉布上做成。

79. 日本染工,包袱布,1969年。

这块用于包裹和携带的布,是用手工粗纺棉纱织造的,描画了被称为野志的干鲍鱼条。其中用到的tsutsugaki工艺是一种用圆锥形的管将米糊防染剂涂到布料表面的防染技术。

80. 凯瑟琳·韦斯特法尔·罗斯巴赫(Katherine Westphal Rossbach),紧身连衣裙(细节),1970年。

这块连衣裙面料是用糨糊防染、多色墨水染料压印的棉绒,艺术家在加利福尼亚大学戴维斯分校教授纺织品设计及其历史的时候创作了这件作品。她对色彩和不同印花媒介、技术的探索影响深远,这件作品的灵感来自于日本的野志。

TOP
HEALS EXPANSION DESIGNED BY BARBARA BROWN
TOP
A BROWN

83
84

81. 安吉洛·特斯塔（Angelo Testa），运动员的蓝调，1942—1947年。

特斯塔是最具影响力的“新包豪斯”设计师之一。她还是设计学校的学生时就设计了这块手工丝网印花棉布，但直到1947年成立安吉洛·特斯塔公司后才将其生产出来。

82. 芭芭拉·布朗（Barbara Brown），扩张，1966年。

布朗这件醒目的欧普艺术设计被伦敦希尔面料有限公司作为丝网印花装饰面料生产了出来。

83. C.F.A. 沃伊齐或其后人（By or after C. F. A. Voysey），垃圾（细节），约1906年。

沃伊齐是一位有影响力且多产的设计师，许多英国制造商在售卖他的作品。其中就有存放这块丝绸的利伯蒂公司，以及支持印花柞蚕丝绸（本例也是这种面料）的托马斯·沃德尔公司。

84. 未知的设计师，利伯蒂艺术面料，约1890年。

亚瑟·雷森比·利伯蒂1875年在伦敦成立了他的“艺术帝国”，推动了平纹组织和印花柞蚕丝的应用。这件作品可能是由斯塔福德郡里克的托马斯·沃德尔公司印花的，未经漂白的柞蚕丝底布展现了温暖的色调。

85. 沃尔夫·鲍尔（Wolf Bauer），拼贴，1967年。

这块丝网印花平绒布由德国保萨AG制作，是德国出生的鲍尔为克诺尔国际有限公司创作的4个图案之一。鲍尔是一名跨学科设计师，这件作品像用撕开的纸片拼贴，描绘了柱形错视画。

86. 赞德拉·罗兹（Zandra Rhodes），无题（细节），约1965年。

罗兹从伦敦皇家艺术学院毕业后不久，受洛伊·利希滕斯坦和连环漫画的激发，用黑色和红色网点的粗糙印花，用蜡笔绘制了一系列爆炸和放大的点的图案。她刚刚建立自己的印花工作室，就在公司制作了一些，但作品被希尔面料有限公司买下，用丝网印到了家居装饰的棉缎上。

87.（被认为出自）瓦内萨·贝尔（Vanessa Bell），灰色格子呢，1913年。

这种稀少的印花亚麻布由欧米茄工作室（1913—1919年，伦敦）设计，并具有持续的影响力，它首次在欧洲纺织品中结合了色彩鲜艳的自然手绘外观。欧米茄所有布料都在法国生产，这一特别的图案是套版压制的。

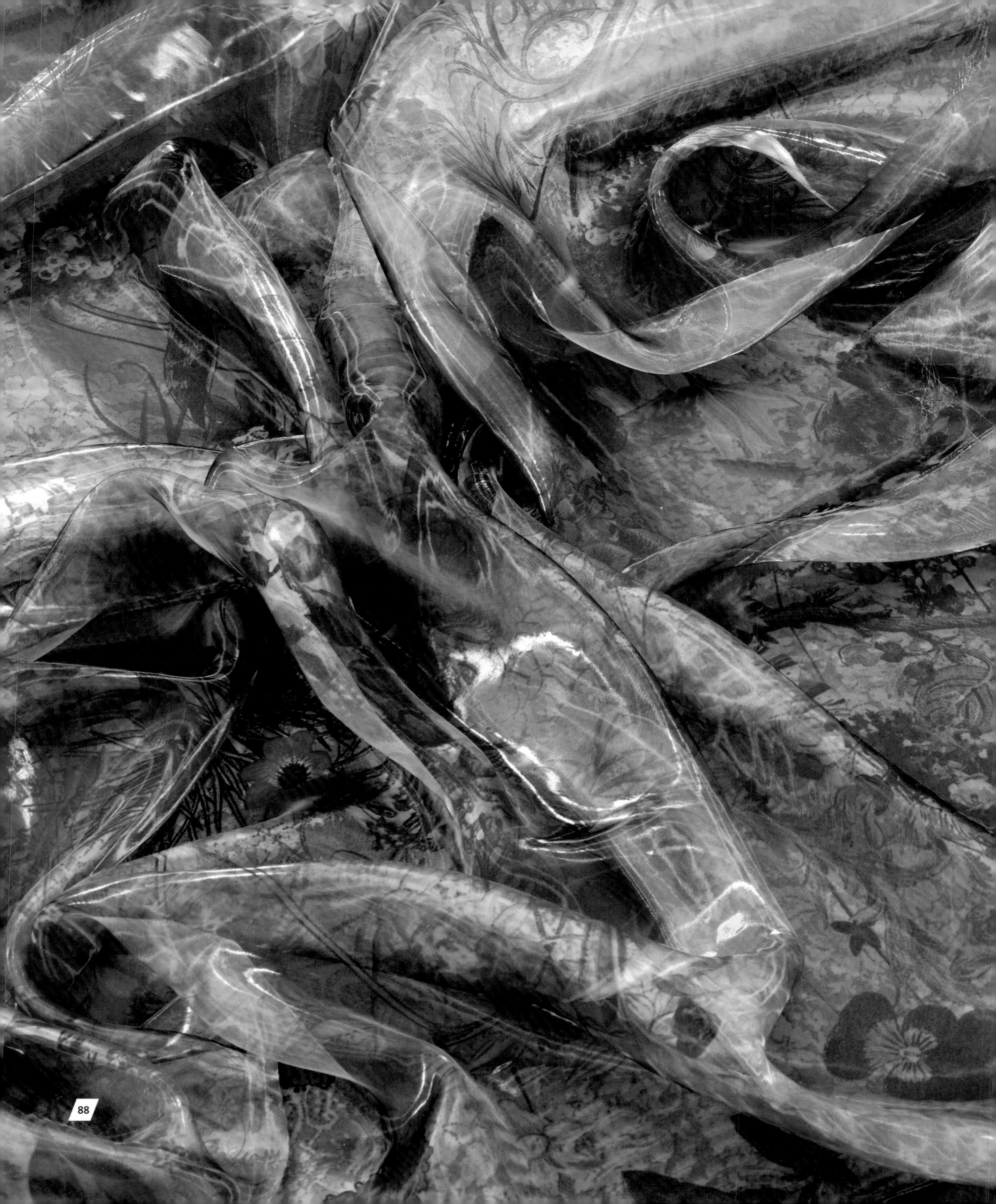

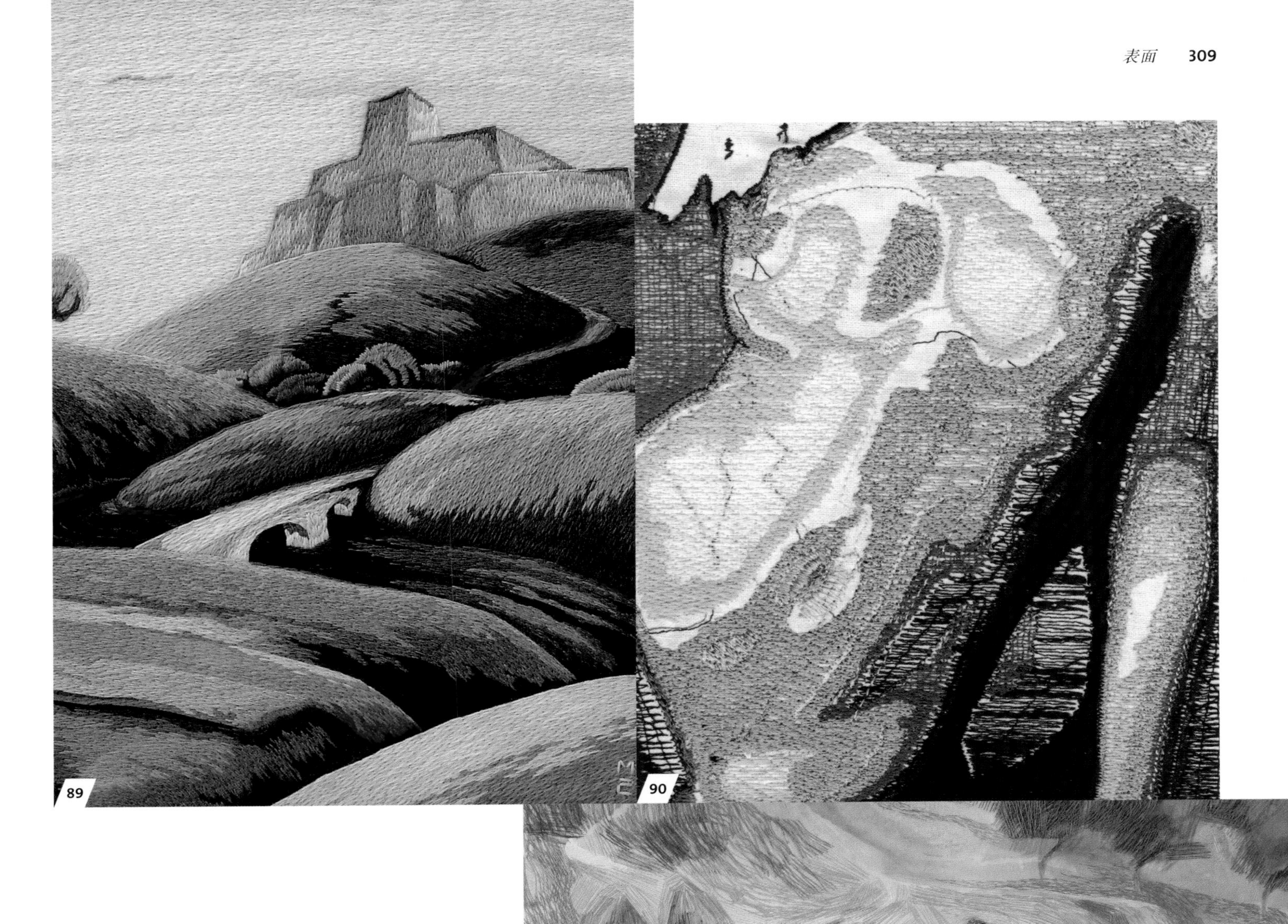

89 90 91

88. 雅各布·施莱弗（Jakob Schlaepfer），秘密花园（细节），2011 年。

超轻的镀铜涤纶面料，用喷墨印花工艺制造出了这块装饰用的轻薄织物。

89. 马里恩·斯托尔（Marion Stoll），山冈，1938—1948 年。

斯托尔用奥地利染色的既精细又昂贵的羊毛刺绣制成这件作品。斯托尔是一位美国出生的艺术家，1900 年到 1931 年间住在欧洲。1927 年，他在《工作室》中提到了现代刺绣技术，他注意到“配色创作中，新刺绣的一个鲜明的特点就是将针线活彻底简化……总体效果通过简单的手段获得。在彩色的现代刺绣中很少看到复杂的‘花式’针法——如果有的话。针缝是一种艺术手段，而非结果”。

90. 斯蒂芬妮·舒尔特（Stephanie Schulte），飘扬——体态 2，2009 年。

艺术家用了机绣，以及“与女性艺术和女性气质传统样式有关的图像、材料和活动”，以表现“新家庭生活、工艺复兴和重新编纂的女性肖像之间的各种对比”。

91. 埃勒瑞·米尔斯（Eleri Mills），Meirchynywinllan（有马的原始景观），约 2009 年。

在布上绘画、手缝和拼贴。

92

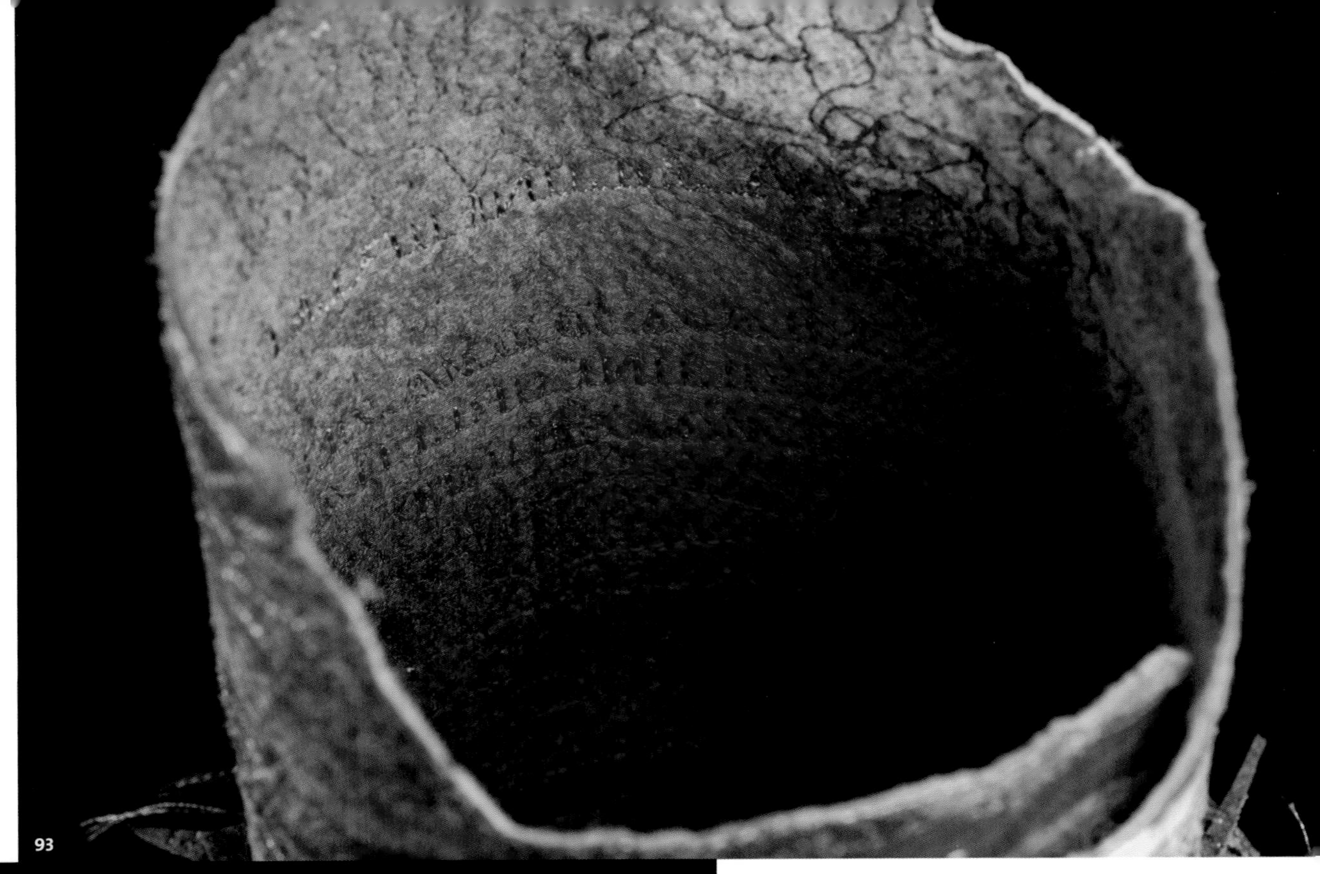

93

94

92. 尼基·兰塞姆(Nicki Ransom)，在里面的低语，2009 年。

这件上面有木炭条绘画的棉织品有手缝的细节。

93,94. 安妮·亨特(Anni Hunt)，头条新闻，2009 年。

这件容器有一个羊毛和人造纤维毡合的基底，手工染色，贴上铜箔，之后将一系列绘制并压印过的纸和几层新闻纸拼贴到表面，随后在表面用神秘的字母和其他手缝线迹进行缝制。亨特称它为“一个为所有想从屋顶大声呐喊的时刻做的容器！所有的‘秘密’都在外面”。

95

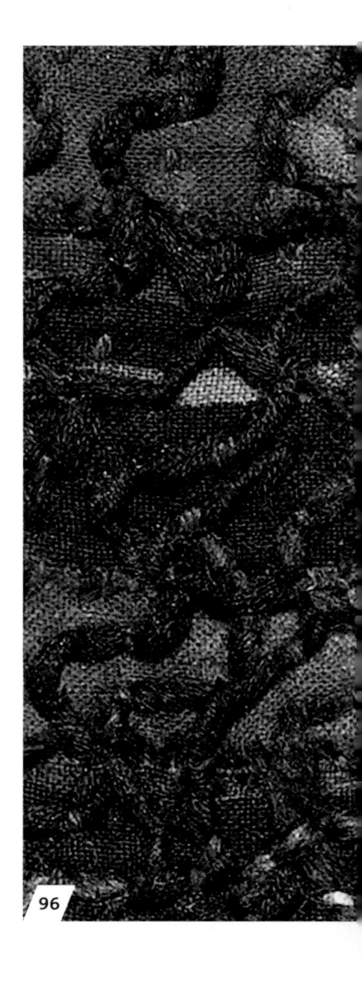

96

95. 文森特·马尔（Vincent Malta）为 M. 洛温斯坦父子公司（M. Lowenstein & Sons, Inc.）制作，伊利亚特，1953 年。

这块褪色印花棉布连衣裙面料有一个受油毡浮雕启发做出的图案，用类似刮除法的方法制作。织边上印着“一种特色鲜明的面料，‘伊利亚特’是由美国相关艺术家协会的文森特·马尔创作的”。洛温斯坦公司于 1889 年成立于纽约，近一个世纪内飞速扩张，在 1986 年被斯普林斯实业公司收购。

96, 97. 安妮·莫雷尔（Anne Morrell），蒙上阴影（整体和细节），2008 年。

在利用平针和贴绣制成交错编织图案之前和同时，对棉织物进行喷色处理。莫雷尔说：“我用文字来创作作品，用作品中不同出处和不同意思的文字。单词‘bias’（斜纹）总是出现，就像‘斜纹上的缝迹’还有‘Incline’（倾斜）。”

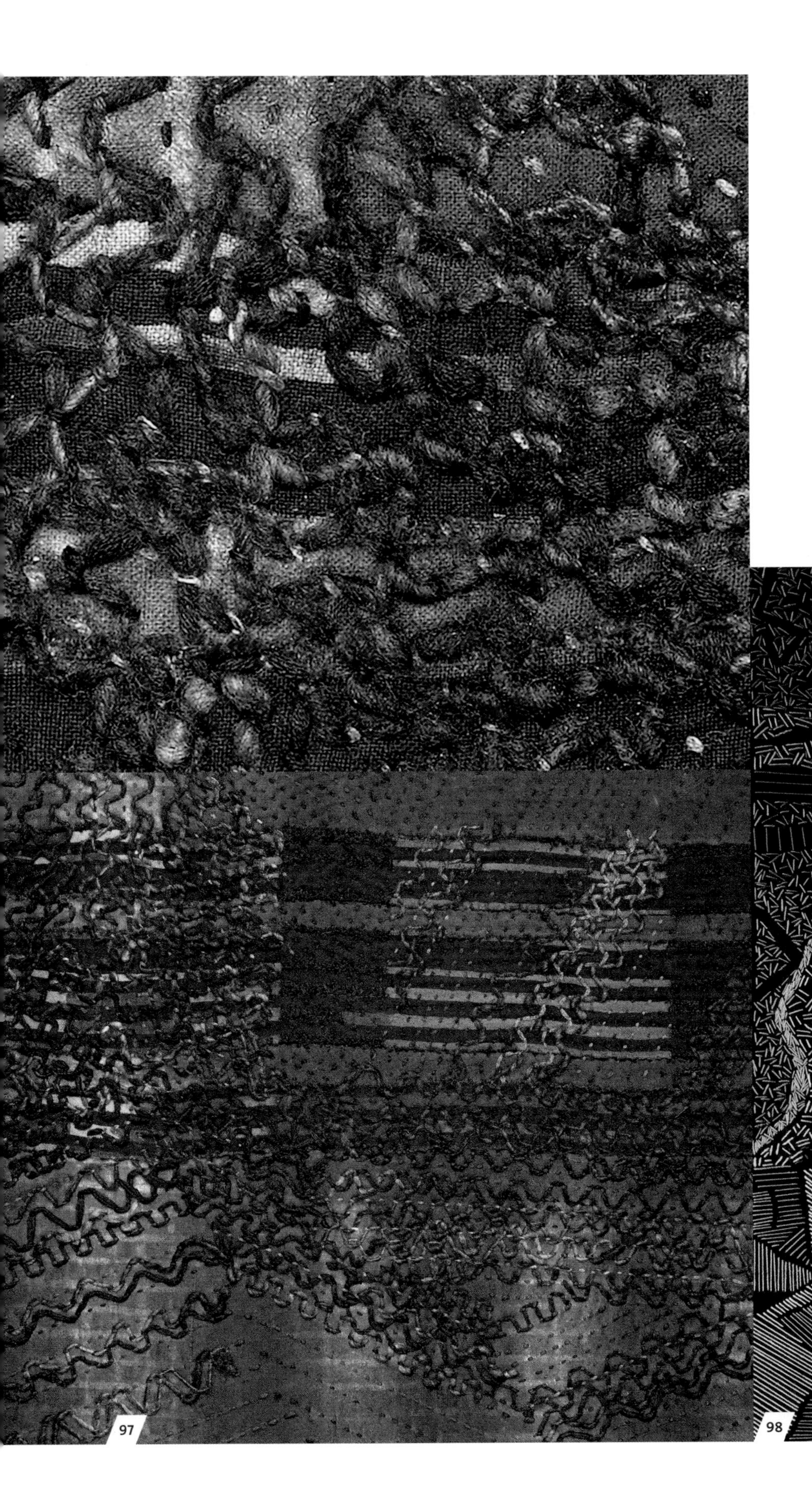

97

98

98. 贝蒂・莱维（Bette Levy），陷入异形旋涡，1999 年。

莱维在黑色的真丝精梳短毛底布上使用丝线，开发了一种个人化的针缝语言。语言一般基于她自己的摄影研究，并在小范围内使用，在这块高 7.8 厘米（3.07 英寸）的布片中就可以看到。

99. 露西·新井（Lucy Arai），2006.02（细节），2006 年。

在手工制成的纸上有混合媒介 sashiko（日本连续针缝刺绣），用烟灰墨、丙烯酸、靛蓝染料、18 克拉的金子和线制成。

100. 卡洛琳·纳尔逊（Carolyn Nelson），爱情故事的碎片 II，2009 年。

这件小纺织拼贴画由手工染色和单色印花的真丝透明硬纱、金属透明硬纱，以及手工编织及手工染色的加捻生丝网构成。

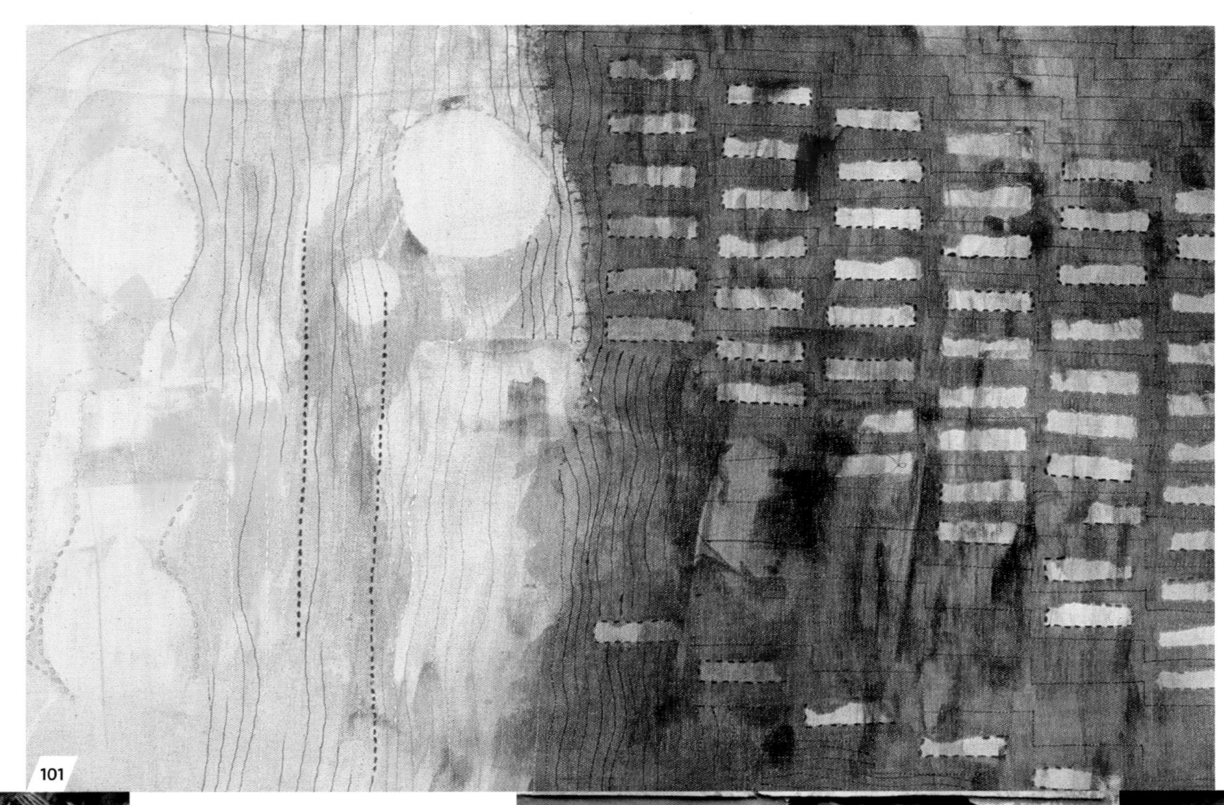

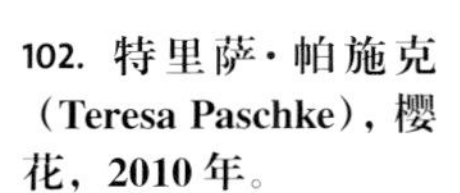

101. 克莱朗·费龙诺（Clairan Ferrono），最后的交谈，2007年。

这幅帆布上的画作是费龙诺用手缝与机缝结合的手法制作的，创作于2001年，6年之后作为与她母亲“对话”的一部分被缝制起来：“这件作品与母亲和我的交谈有共鸣……在她快死的时候。我们永远不知道哪次交谈会是最后的交谈，所以每一次都很重要。”

102. 特里萨·帕施克（Teresa Paschke），樱花，2010年。

这块手绣的布片，宽152.4厘米（60英寸），是块用宽幅喷墨印花机印花的棉帆布。帕施克“对寻找看似没有关联的事物之间的联系感兴趣”，并且“通过缝制标记、图像或布料本身……”，“表达很少看得见却一直存在的心理片段、记忆”。

103. 休·哈奇开斯（Sue Hotchkis），阿德维克（细节），2011 年。

黑色邦迪纳棉布，用热膨胀媒介进行丝网印花，也用了普施安染料、转移印花和褪色媒介进行处理。它形成了一块经过染色、做旧、手工和自由运动机器缝制的坤宇（kunin）毡的背景。

104. 卡洛琳·布朗（Caroline Brown），索舍勒，瑞典（细节），2009 年。

从这件样品中反映出一种试验方法，从索舍勒的一个河堤上找到的东西被密封进入融化的塑料中，然后用在手绘丝绸的印花上，之后用真丝和人造丝线手工刺绣。

105. 未知的制作者，绗缝灰色羊毛衬裙（细节），19 世纪。

106. 安妮－玛丽·斯图尔特（Anne-Marie Stewart），玛雅记忆，2006 年。

正反面染黑的棉布，其间有棉花填塞，用自由式缝纫机绗缝黑线，做旧并且缝上蜥蜴图形的印花面料贴布，模仿“经人手、酸雨、树根和掠夺式的砍削磨损过的岩石的本质”。

107. 马克·赫尔德（Mark Hearld）为圣·犹大的面料而制造，鸽子飞翔，2006 年。

这块丝网印花棉布展示了艺术家对英国印花工爱德华·鲍顿、约翰·派珀和保罗·纳什的崇拜，这些人在约 1923 年到 1963 年间设计了有影响力的纺织品。本例中赫尔德捕捉到了与英国油毡雕刻图案派系相关的有力线条。

103

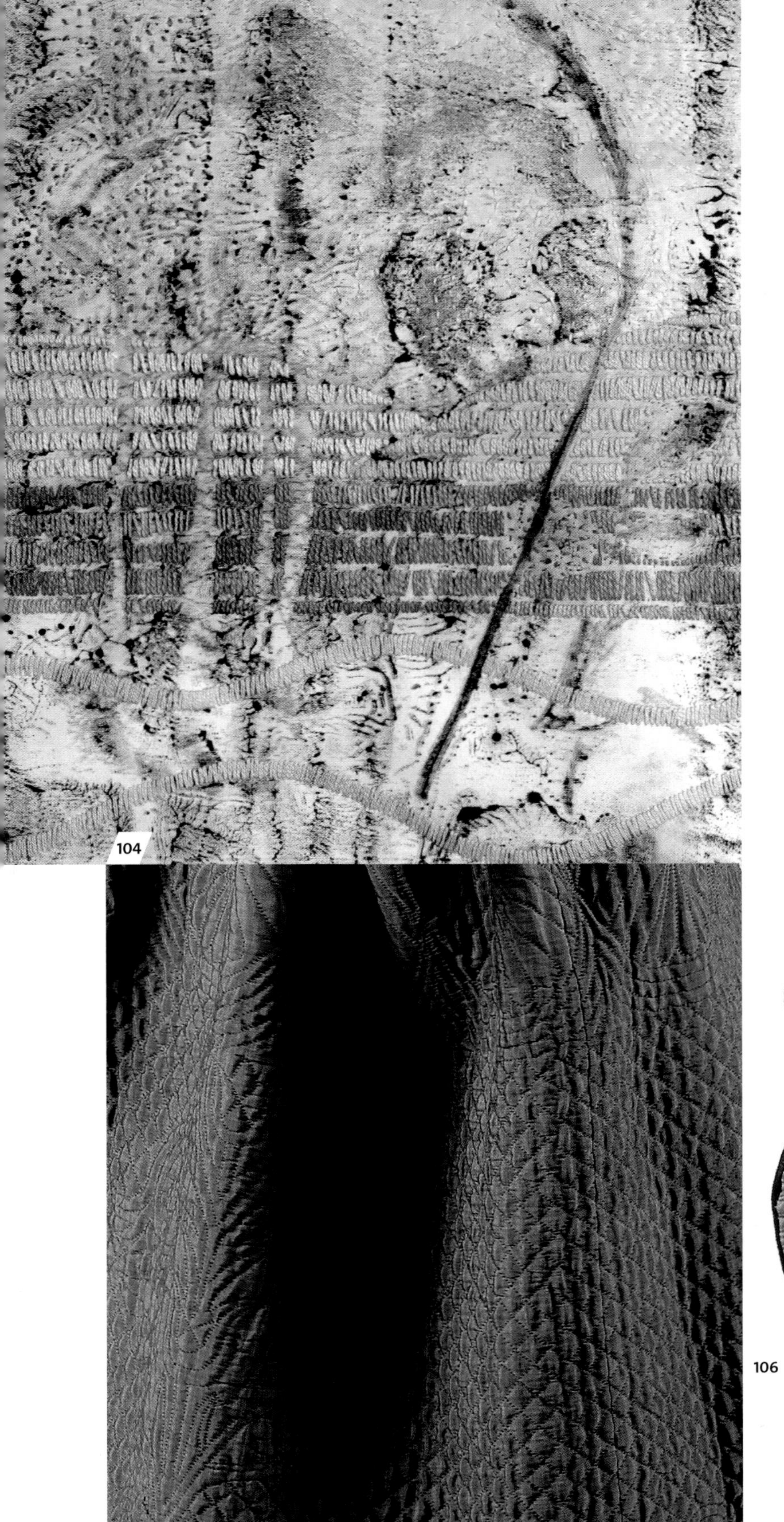

104

105

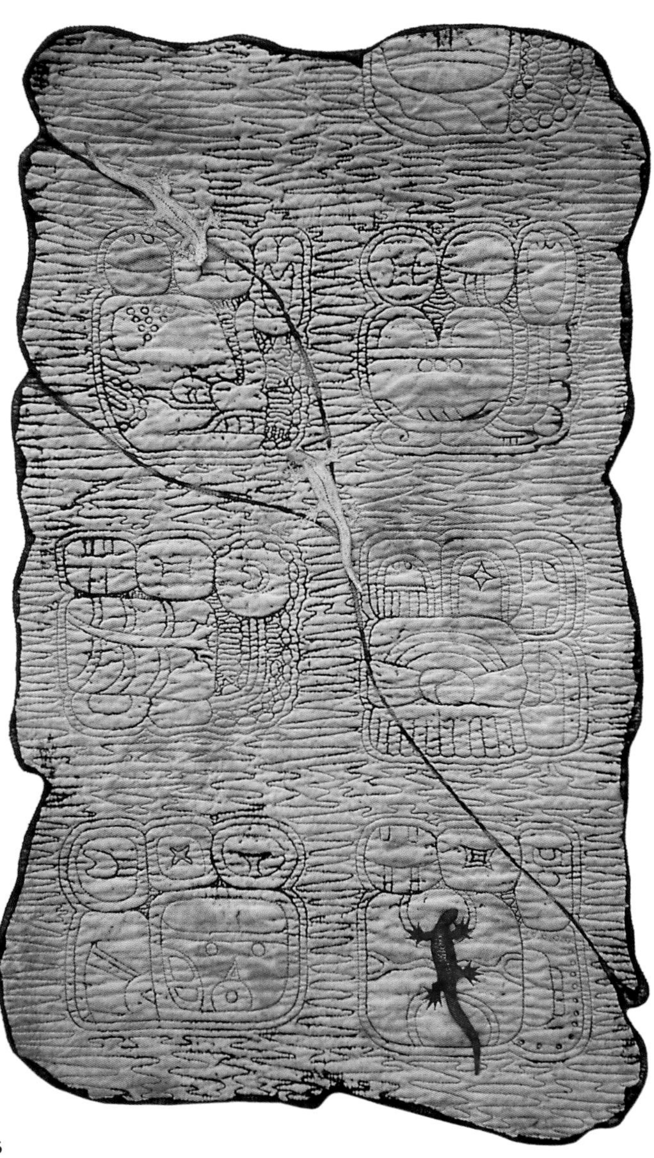

106

108. 莎拉·坎贝尔（Sarah Campbell），斑纹生物，2010 年。

这块一次性手工绘制丝巾用丝绘和防染制成，显示了艺术家在人种志纺织品方面的知识，还体现了知名设计工作室莎拉·坎贝尔的自由绘画风格。工作室是坎贝尔在 20 世纪 70 年代同她的姐姐苏珊·利尔一起建立的。

109. 博果尔（Bogor），印度尼西亚爪哇岛，男士头巾，1964 年之前。

这件蜡染作品在靛蓝色的背景上使用了红色、索加棕色、淡蓝色和靛蓝色。索加棕色是爪哇岛的一种独特颜色，来自盾柱木树的树皮。银丝线围绕每条边做了钉线绣。

110. 德国绣工，布片（细节），15 世纪中叶。

由多彩的丝棉线和双股的亚麻线在手绘的亚麻背景上用仿哥白林挂毯和表面缎纹针法刺绣而成。从约 1300 年直到约 1600 年，这种类型的织物都独属于下萨克森州。

111. 马丁·布兰得利（Martin Bradley），斗鸡场（展示两种色彩设计的细节），1957 年。

布兰得利 26 岁时，利伯蒂委托他为公司丝网印刷棉布设计这些图案，想迎合年轻的客户并支持有前途的艺术家。

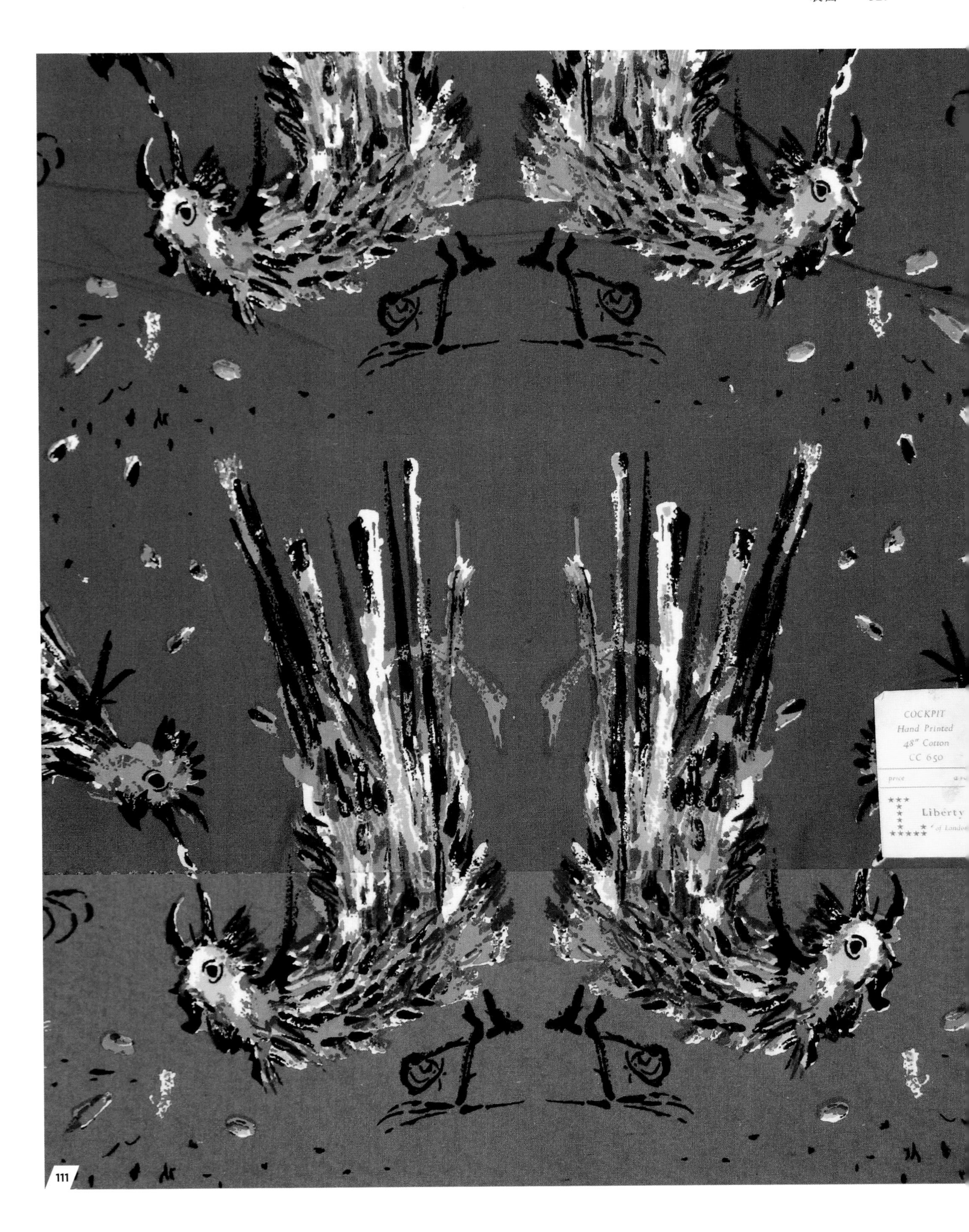
COCKPIT
Hand Printed
48" Cotton
CC 650
price
Liberty
of London
111

113. 印度手工印花工，长方形围巾（细节），约1990年。

这件鲜艳的印花棉巴厘纱围巾是由艾德和凯瑟琳·罗斯巴赫在连锁进口商店CostPlus购得的，商店于1958年由威廉姆·阿姆瑟在旧金山渔人码头建立。

112. 玛雅文化织工，Huipil（墨西哥等中美洲地区头部套穿连衣裙），1978年之前。

这件无袖短袍是在一台背带式织布机上织造的，通过使用无绒毛的棉线而成为非常紧密的双面锦。它是玛戈特·布卢姆·施威尔在危地马拉高地沙卡德贝格的圣安东尼奥·阿瓜斯·卡连特斯村庄野外工作期间获得的。

114. 拉米·吉劳德（Lamy et Giraud），金银线真丝织锦（细节），1878年。

这家里昂公司在1878年的巴黎世界博览会上因这个图案的真丝面料获得了银奖，这个图案或许来自他们的首席设计师尤金·普雷莱。它的影响部分源自其多彩织锦的纹理和明显的斜纹金银线底布。

115. 英国绣工，阿波罗，18 世纪早期。

围绕阿波罗的是传统风格纹章中的动物：狮子意味着王权，豹象征英国坚持君主立宪制，野兔代表人类永恒的灵魂。丰富多样的真丝缝线表明这是一个熟练的业余爱好者的作品。

116,117. 弗兰·加德纳（Fran Gardner），棕颈鹭和笛鸻，2010 年。

这是 2010 年墨西哥海湾漏油事故之后，艺术家缝制的 8 个鸟类图像中的 2 个。这些作品是艺术家对鸟类栖息地遭受破坏的反应。“线代表了微妙的生态系统，如果光看不触碰的话很美，反之很容易被扰乱和毁坏”。

118. 艾·佩恩(I. Penn)，铜版印花棉布(细节)，约 1780 年。

这个鹦鹉形象由佩恩在伦敦设计并雕刻，源自弗朗西斯·巴罗 1658 年的《多样禽类物种》。巴罗是最早期的知名英国物种画家，他的鸟类画作对纺织品图像的影响超过一个世纪。

119. 英国绣工，围裙（细节），1728 年。

这件作品由德累斯顿出品，在手纺和手织的棉布上有对比鲜明的不透明区域和透孔区域，使雌孔雀的描绘显得很生动。

120. 马德拉斯（金奈）绣工，布片（细节），19 世纪中期到 20 世纪早期。

在有平纹细布背面的真丝缎上，用真丝缎缝和钉线绣的金色金属包线进行精美的刺绣。花和公鸡用铜、银和金色波浪金属线（反针）编织，以棉线填充。

121. 伊丽莎白·波科克（Elizabeth Pococke），带编结工艺的白色绣制床单（细节），1749 年。

不同维度的棉线钉线绣和编结，增加了图案中花朵和叶子的肌理变化，这种设计可能来自法国。编结的白色绣制品被认为是绅士的消遣，在那时则与制作者的朋友德拉尼女士（1700—1788 年）有关。

122. 由伊丽莎白·史密斯（Elizabeth Smith）制造或为她制造，英国模版和手绘天鹅绒布片（细节），约1825—1850年。

彩色丝印画（Theorem painting）绘画，或者叫天鹅绒上的绘画，在19世纪的英国非常流行，它曾经源于人们对植物学和园艺学的兴趣。

123. 土耳其制造商，布尔萨（Bursa），真丝女用披肩（细节），2011年。

这件纺织品用真丝织造，不透明斜纹和轻薄的嵌入了粗纱的透明硬纱交替出现，花卉图案印满整块布。这是通过丝绸之路公司进口到英国的诸多丝织品之一，公司于1989年由希拉里·威廉姆斯建立。

124—127. 比安基尼－费里尔（Bianchini–Férier），木版印花设计的纸底色，1974—1980年。

比安基尼－费里尔公司于1888年成立于里昂，20世纪60年代开始为纪梵希、巴黎世家、皮尔·卡丹、香奈儿、迪奥、菲罗、拉罗齐、莲娜丽姿、伊夫·圣罗兰和雪莱生产连衣裙真丝面料。位于纽约和伦敦的设计库最近将许多他们的战前作品存档。

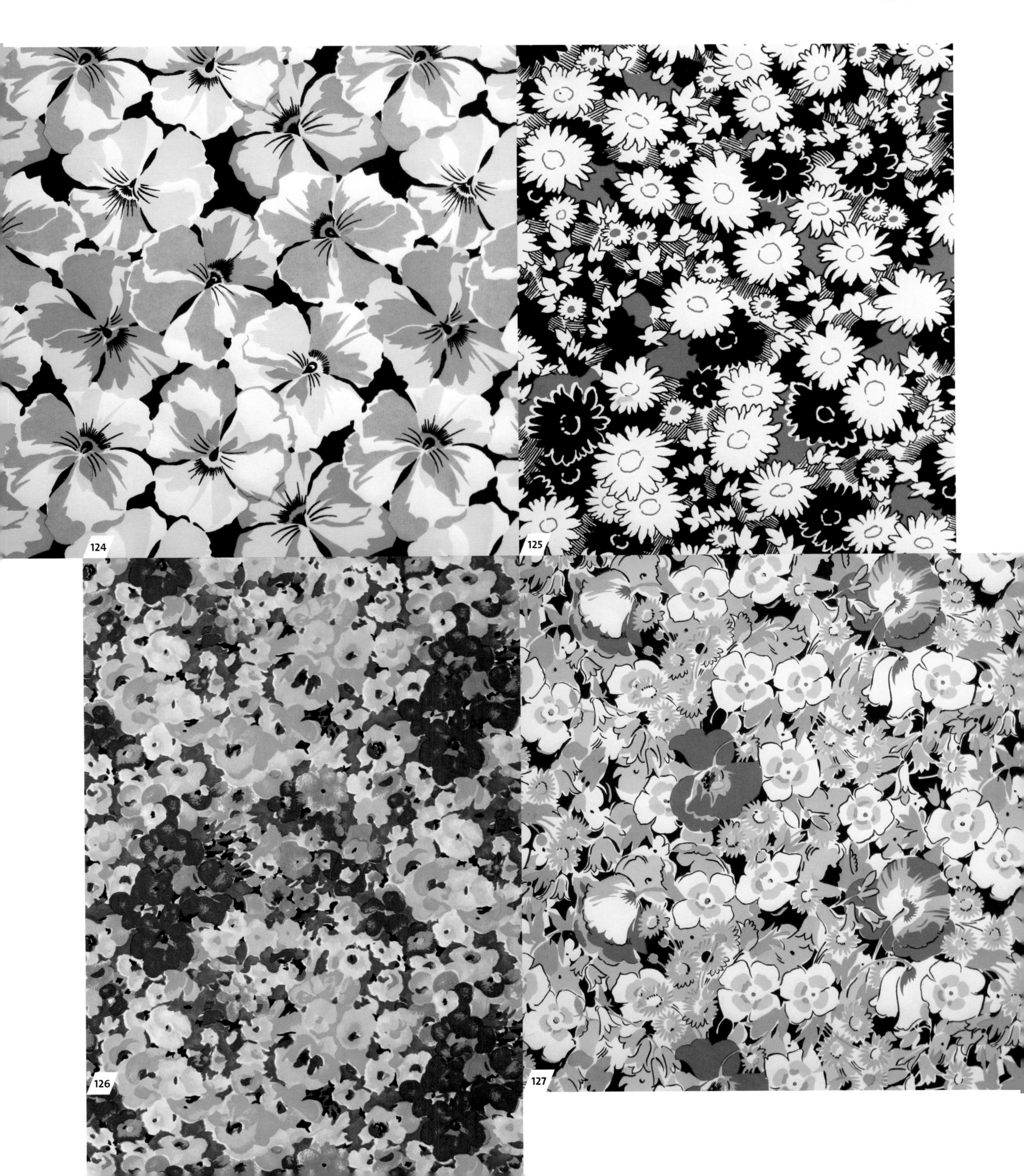
124
125
126
127

128
129
130

128. 英国制造商，水溶刺绣（背面），约1885年。

这块水溶刺绣的服装面料的背面细节显示出了连接的梭线和背面少线的特征，以及略不利落的外观。

129. 土耳其帝国绣工，布片（细节），17世纪。

在布哈拉挑绣或布哈拉针缝中，多股丝线绣出许多由微小的十字绣做成的钉线绣，十字绣行行对齐制作出图案。

130. 罗德岛绣工，枕套（细节），1820—1825年。

这个亚麻的枕套用在多德卡尼斯群岛染色的粗丝线绣制，叶子图案有独特的暖色调。

131. 印度绣工，外套（细节），2003年。

黑色的羊毛底布上绣满了多彩的锁绣丝线花卉，这种风格被称为“日式花园”。

132
133
134
135
136

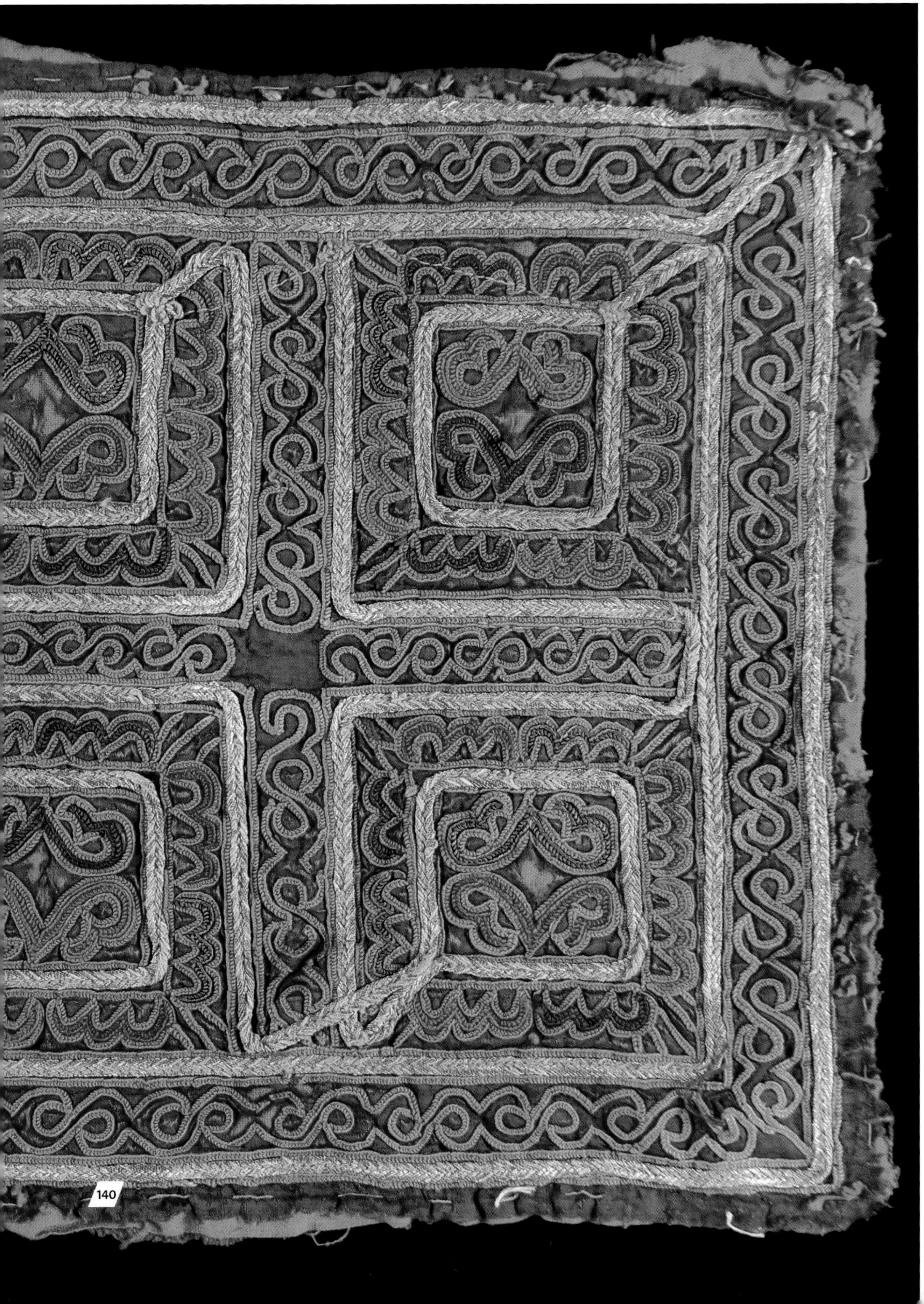

140

132—140. 阿富汗绣工，服装前片和其他布片，1977 年之前。

这些布片购于喀布尔，展示了相关图案和缝线的多样性。其中一块（图140）是用做出层次感的抽丝（方形锁）绣的丝绸和纯棉面料，运用羽毛绣法镜像刺绣以及银色金属包线编辫并机缝固定制成的。

141. 伊丽莎白·亨克斯（Elizabeth Hinkes），法式花园（细节），2008年。

艺术家崇尚回收利用、变废为宝，使用了“通常都太短”的毛毡片和线，并将它们用或随意或更正式的绣迹钉线绣、贴绣和缝纫。

142. 迈克尔·布伦南德－伍德（Michael Brennand-Wood），相当致命（细节），2011年。

这块方形布片用机绣的花朵、徽章、玩具士兵、面料、树脂和玻璃做了紧密的拼贴。

143,144. 莱斯利·里奇蒙德(Lesley Richmond)，遥远的森林，2011年，冬日森林（细节），2009年。

这两件作品都在具有热反应基础的丝棉面料上做烂花（devoré）工艺处理。较早完成的作品《冬日森林》（图144）是用丙烯颜料完成的；《遥远的森林》（图143）是用生锈的铜绿完成的。里奇蒙德选择的方法能够“模仿有机物的生长形式，通过改变面料结构而非在面料表面强加一个图案”。

143

145

146

145. 德国绣工，祭坛饰罩，约1380年。

用丝线和未经染色的亚麻线将基督的诞生地和人生经历的其他场景绣在下萨克森产的亚麻布上。在右下角的场景中，制作者想用绘画令刺绣的痕迹清晰可见。这块稀有的布片宽108厘米（42½英寸）。

146. 奈杰尔·切尼（Nigel Cheney），共同体（给琳达），2011年。

这件作品是6块1.5米（5英尺）见方的布片系列之一，展示了数码图像印到布上之前复杂的表面设计。艺术家用Photoshop软件改变废弃银行票据和原始墨水绘画的扫描件。作品的细节见第274页。

147

147. 让·卡西塞多(Jean Cacicedo),纹身变形,2011年。

卡西塞多用洗净和加厚的织羊毛做了这件女式夹克,她使用了糨糊防染印花和染色。

148. 迪莫罗斯·毕思提(Timorous Beasties),砖蛾,2011年。

迪莫罗斯·毕思提公司于1990年由阿里斯泰尔·麦考利和保罗·西蒙斯在格拉斯哥成立,使用的技术范围广泛,混合了先进和传统方法以做出或柔软或坚硬的意象。这块面料先数码印花然后刺绣。

149
150
152
153
155
156

149—157. 乔伊斯·克里索德(Joyce Clissold)，足迹样品，约 1933—1937 年。

这些图案都来自同一本小样品参考书，图案是用合成染料在各种质感的棉布上手工印花的，增加了额外的表面趣味。这些样品都采用油毡印花。

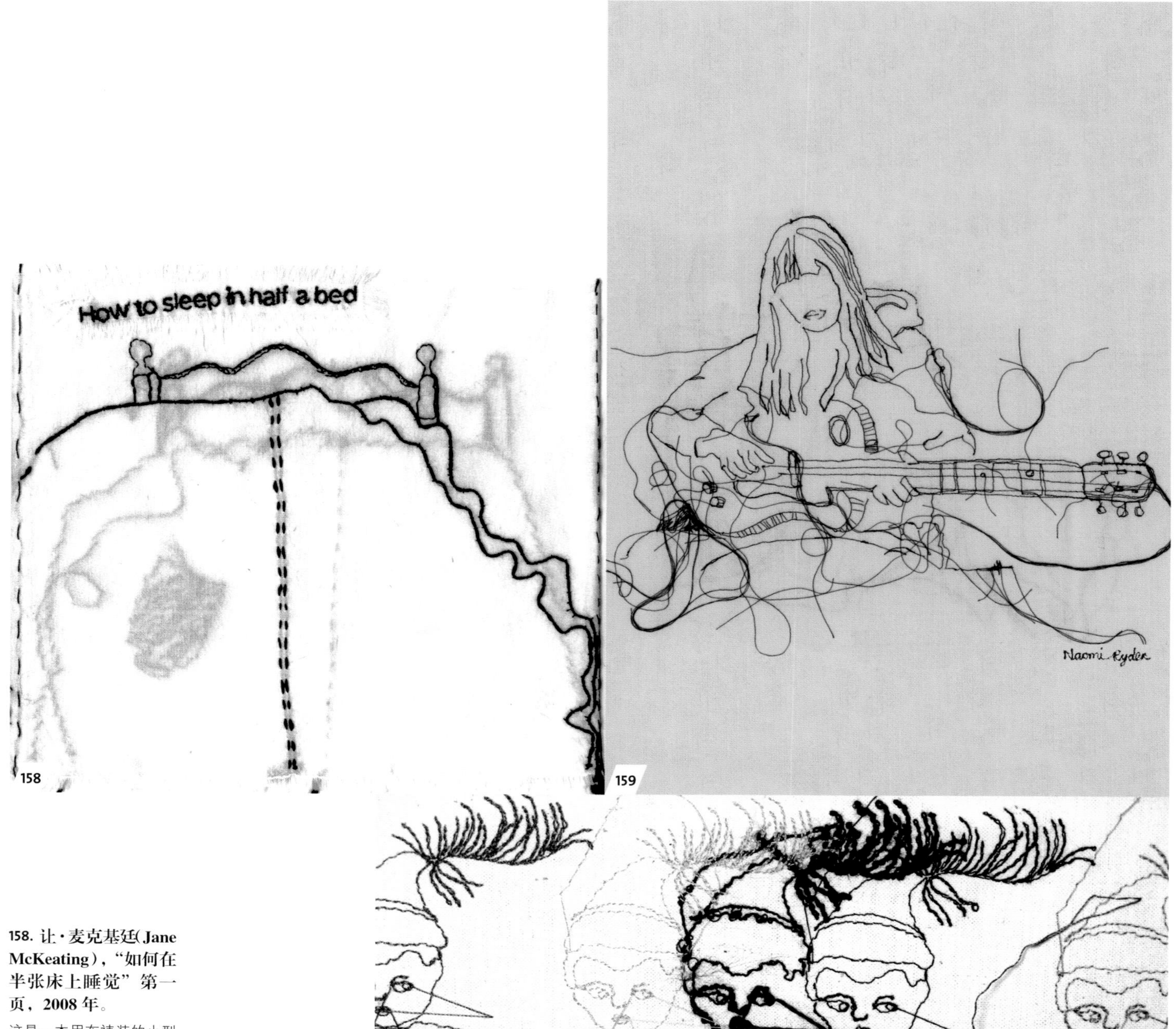

158. 让·麦克基廷(Jane McKeating)，“如何在半张床上睡觉”第一页，2008年。

这是一本用布裱装的小型儿童读物的扉页，18厘米（7英寸）见方，在棉薄片上手工缝制及钉线绣。

159. 内奥米·瑞得（Naomi Ryder），卡特和吉他，2007年。

瑞得既是一名插画师也是一名绣工，她在日常生活的片段中寻找灵感。在这件作品中，她描绘了美国歌手卡特·鲍尔弹吉他的场景，用缝线留存了鲍尔在《Foggy Notions》杂志中的画面。

161

162

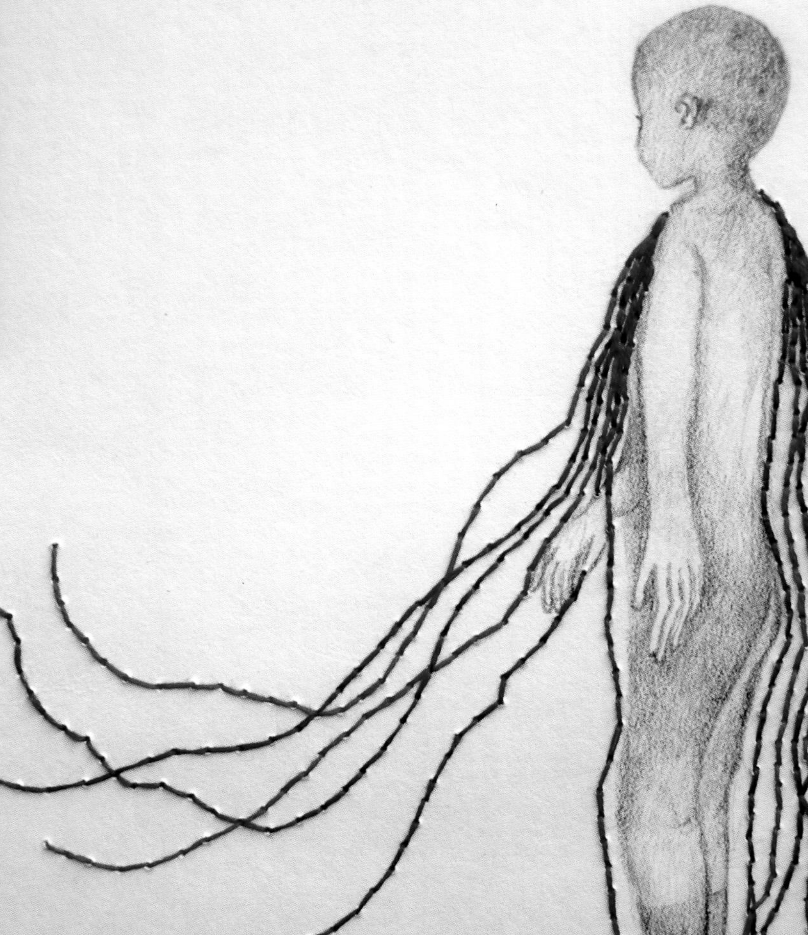

163

160. 梅勒妮·米勒（Melanie Miller），服饰民族（细节），2006年。

这件作品以白棉布上各式各样的线为特点，用多针水溶绣花机缝制。它是艺术家为探索如何将用于批量生产的绣花机用作绘画工具的系列作品的一部分。它也提出了关于服装生产全球化的问题。

161. 纳西姆·达尔贝（Naseem Darbey），找到我漂亮的蕾丝短背心，2010年。

这件在可溶的罗密欧·阿夸提克斯薄膜上机缝的画作，是西约克郡克利夫城堡博物馆的一个装置作品的一部分，艺术家在当地有一年的居住权。

162. 卡伦·戈尔芬(Caren Garfen)，它会响铃（细节），2010年。

将丝线手缝在丝网印花的棉布上，描绘出一个实物大小的电话机。

163. 阿斯特丽德·波尔曼（Astrid Polman），Voortbordurend（向前绣花），2008年。

红色刺绣凸显了铅笔画，展现了艺术家对标记的敏感，还有线在跃动的图像中的力量。

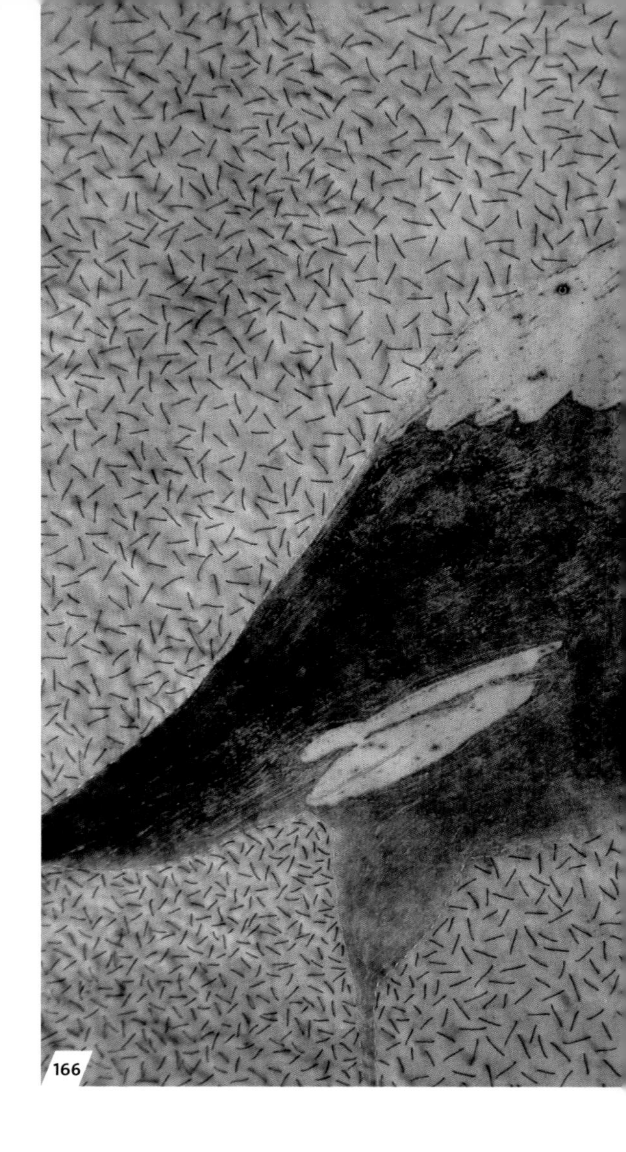

164. 日本染工，节日旗帜（细节），1987年之前。

该图像被认为是描绘了一段武士的传奇，在未经染色的细纺棉布上用tsutsugaki工艺（徒手画糨糊防染）制成。

165. 安得利·伊利斯（Andrea Ellis），Miss Taken，2009年。

这件作品用酸和活性染料、脱色和烂花工艺处理真丝/粘胶纤维面料，叠加在一张绘制过的照片上。埃利斯之前对数码图像不感兴趣，直到她发现可以"破坏表层的'完美'去揭露下层的其他图像"。

166. 希拉里·彼得森（Hilary Peterson），喜鹊花园（细节），2009年。

作品用植物染料、版画印花和针缝处理丝绸，记录了艺术家对她居住的海岸地区的探索。正如彼得森所说："植物染料保护面料不受时间、地点的破坏，因为植物会根据季节、气候条件和土壤类型变成不同色调。"

167. 安德里亚·埃利斯（Andrea Ellis），江户女孩，2008年。

埃利斯深深着迷于"痕迹"和"踪迹"，她用烂花工艺创作了这个缥缈的图像，侵蚀了布上某些涤纶/亚麻/粘胶纤维的区域，然后放置到一张照片和一块活性染料印花的布上。

167
168

170. 杰西卡·沃森(Jessica Watson)，玩具商，2007年。

在大麻纤维上用丝和棉绣花，图案来自艺术家的“里约素描”系列。这些作品的创作基础是有魅力的里约海滩小贩，她对仅用复杂技术表现图像价值提出质疑。沃森问道：“作品当中还有更多内容吗？正如我们看见一个人时，他们只是他们的工作呢，还是他们其实有着更深刻的内涵？”

171. 泰尔克·施瓦茨(Tilleke Schwarz)，无偿恢复，2010年。

这件作品是在亚麻底布上用丝线、棉线和人造丝线绣花，主要是十字绣和钉线绣，它记录了荷兰艺术家到英国的出访经历。包括右上方的信息：“无偿恢复，等待救援。”对这样的短语，她说：“我很喜欢它们，因为它们很乐观且充满信任。”

168. 胡安·比德尔(Joan Beadle)，艺术家的书：减少一个褶皱(细节)，2009年。

这本书有5个版本，对偶然但有重要价值的缝纫错误进行了评论。它用一个复杂的褶裥合起来，并且运用了矛盾的重新拍摄的数码图像层层堆叠。这本书也以各种缝纫方法为特色：压烫、起皱、熨烫和针缝。

169. 休·斯通(Sue Stone)，面包和鱼，2010年。

斯通在祖父母的这张肖像画中还描绘了一排排的纺织品和焙烤食品。作品名称指出了他们循道宗公会信仰和她祖父的烘焙师工作，以及他们在林肯郡的家乡格里姆斯比后来变成世界上最繁忙的渔港的事实。部分被遮住的“closed”标志着这种生活已经走到了尽头。

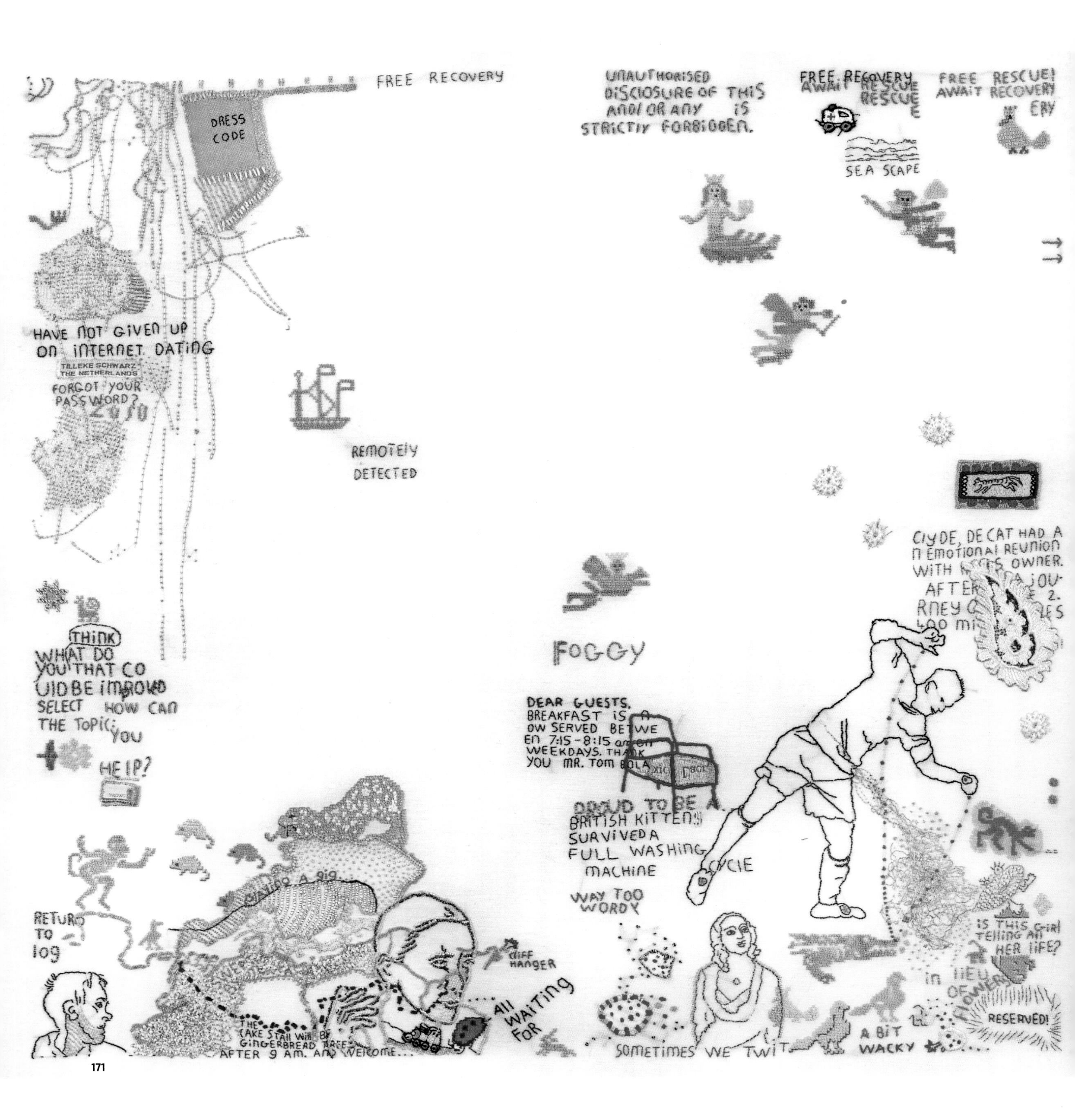
FREE RECOVERY
DRESS CODE
UNAUTHORISED
DISCIOSURE OF THIS
AND/OR ANY IS
STRICTIY FORBIDDEN.
FREE RECOVERY
AWAIT RESCUE
RESCUE
FREE RESCUE!
AWAIT RECOVERY
ERY
SEA SCAPE
HAVE NOT GIVEN UP
ON INTERNET DATING
TILLEKE SCHWARZ
THE NETHERLANDS
FORGOT YOUR
PASSWORD?
REMOTEIY
DETECTED
CIYDE, DE CAT HAD A
N EMOTIONAL REUNION
THINK
WHAT DO
YOU THAT CO
UID BE IMPROVD
SELECT HOW CAN
THE TOPIC YOU
HEIP?
FOGGY
DEAR GUESTS,
BREAKFAST IS
WEEKDAYS.
YOU MR. TOM
BRITISH KITTENS
SURVIVED A
FULL WASHING
MACHINE
CYCIE
WAY TOO
WORDY
RETURN
TO
log
CIIFF
HANGER
ALL
WAITING
FOR
AFTER 9 AM.
SOMETIMES WE TWIT
A BIT
WACKY
IS THIS GIRL
TEIIING AII
HER IIFE?
IN IIEU
OF
RESERVED!

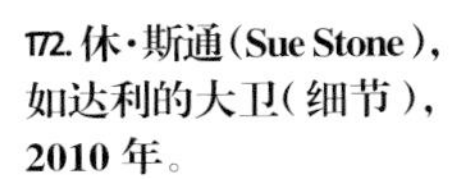

172. 休·斯通（Sue Stone），如达利的大卫（细节），2010 年。

这件作品来自艺术家手缝和机缝布片系列“巴塞罗那的周末”，描绘了她自己和她的丈夫。包括当地的鳕鱼和黑线鳕也采用了超现实主义的构成手法，背景图像来自从巴塞罗那格尔公园看到的高迪马赛克和瓷砖，以及他们的家乡英国格里姆斯比的意象。

173. 安东·凡斯塔（Anton Veenstra），金发碧眼的男孩和自行车，2005 年。

这块大布片高 150 厘米（59 英寸），是一位有经验的织锦织工做的试验品，用家居装饰的表现手法，用线将复古的扣子缝到可拉伸的帆布上。图像来自于艺术家家里的一张照片，那时他们已经从澳大利亚考兰的移民营出来，那里也是凡斯塔出生的地方。就像艺术家说的：“自行车代表了拘留而被限制之后潜在的自由和不固定的公民状态。”

174. 玛格丽特·佐拉贺（Marguerite Zorach），为希尔达和拉尔夫·约纳斯所制（细节），1926—1927 年。

这件描绘乔纳斯家族的作品出自美国现代主义刺绣领军人物之一佐拉贺之手。作品为 122 厘米（48 英寸）见方，艺术家花了两年多的时间用羊毛纱线在亚麻底布上绣制而成。佐拉贺曾学习绘画，也是一名画家，她制作的刺绣品不到 20 件。她在抚养孩子的过程中开始将针缝作为创作媒介。

175. 雷蒙德·邓肯（Raymond Duncan），无题连衣裙布片（细节），约 20 世纪 20 年代。

1911 年，邓肯 37 岁，他和希腊妻子佩内洛普在巴黎成立了阿卡德米学院，开设了他们专长的三门课程：舞蹈、艺术和工艺。（他们后来在伦敦也开设了类似的学校。）他们依靠巴黎的两间商店维持生活，两间商店卖的商品种类包括手绘和手工染色的纺织品，可以用作围巾、束腰连衣裙和披肩。

176. 苏西·维克里（Susie Vickery），莱伯提·曼达尔（Rebti Mandal），艺术家（细节），2005 年。

尼泊尔、中国西藏和印度的手工艺品和服装，成为维克里刺绣灵感的来源。她的作品关注图像学、身份、性别和亚洲艺术。莱伯提·曼达尔是尼泊尔南部贾纳克布尔的女性手工艺项目中的一位艺术家。

177. 苏西·维克里（Susie Vickery），伊朗国王马亨德拉：人力车车夫（细节），2005 年。

在旧的纱丽服上手工绣花和拼贴。马亨德拉国王在尼泊尔贾纳克布尔是一名人力车车夫。

178—181. 利伯蒂一直因印制精美的“对话者”而闻名，其中有四个在下一页展示：布鲁·罗斯克洛的戴布登（图 178），1990 年；杰克·普林斯的卡米尔（图 179）和兰迪·佩内洛普（图 180），均为 1992 年；以及玛丽亚的扇子（图 181），2005 年。由 Circle Line 这个由杰里米·萨默斯创建的伦敦设计工作室创作。

182. 拉格菲尔德（Langfield）时装，棉布裙（细节），约 1958 年。

这块滚筒印花的面料描绘的衣物就是这片布料之前制作裙子的剪裁样式。

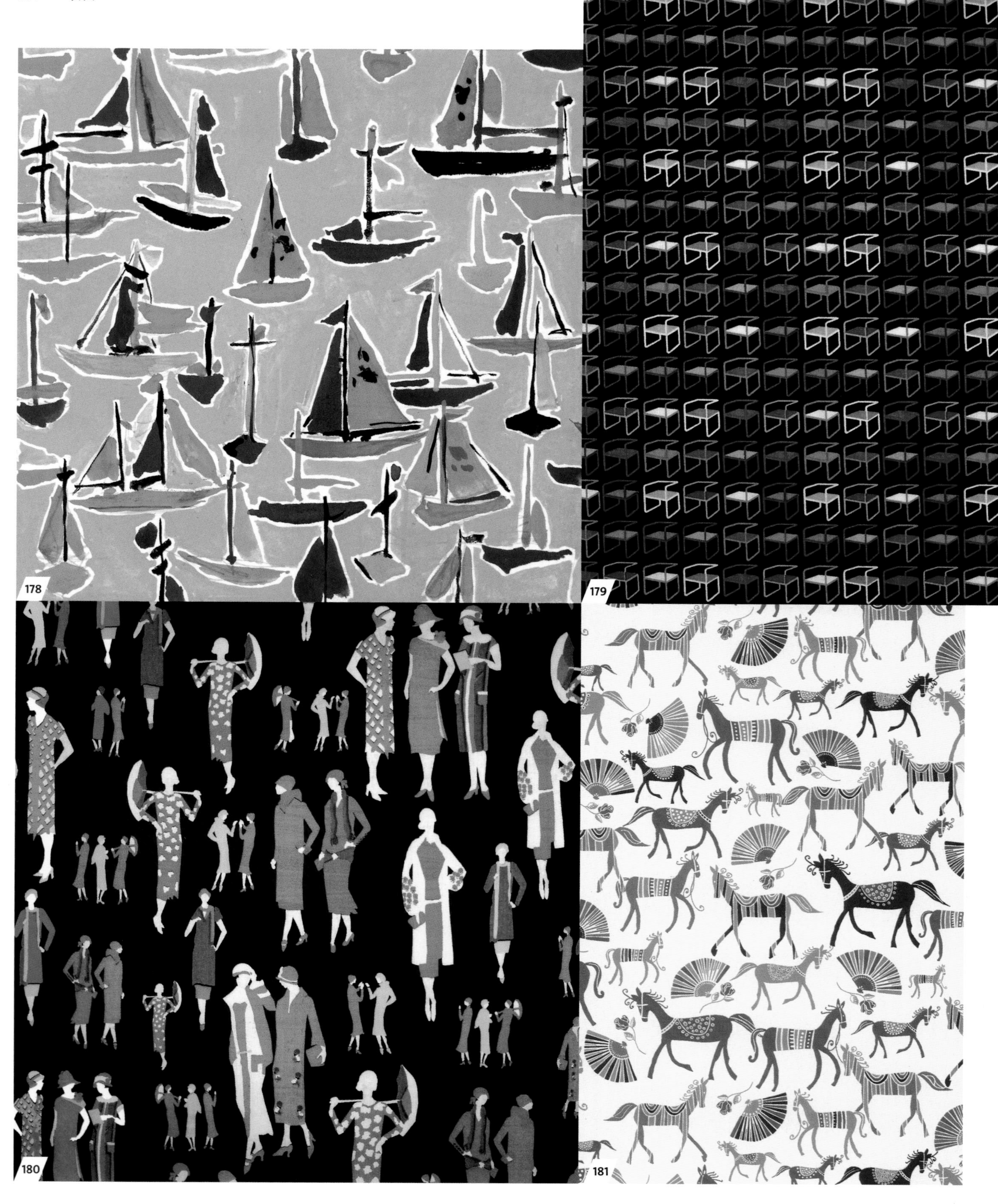
178
179
180
181

183. 日本制作者，女孩的和服（细节），20世纪。

这块多彩印花的花绉绸（一种“有皱纹的”绉绸，用并置的线反向加捻制成），上面有模仿鹿斑绸扎染染出的点。

184. 雷蒙德·荷里曼（Raymond Honeyman），茶壶（两种色彩方案），1990年和2011年。

这个荷里曼设计的图案来自利伯蒂有限公司的档案馆，由凯菲·法瑟特为其手工艺面料系列进行挑选和重新上色。

185. E.A. 塞吉（E. A. Seguy），蝴蝶（细节），1926—1928 年。

这块天鹅绒由塞吉设计，印了密集放置的蝴蝶图案。她是位多产的法国设计师，也生产镂花模版印花的设计对开本，包括大约1925年的《群蝶魅舞》。这块面料也许用镂花模版印花方法印制，利用薄锌或铜镂空压印版手工染出黑色轮廓。

186. 让·帕图（Jean Patou），围巾（细节），1964—1966 年。

这块围巾由手工丝网印花的斜纹丝绸制成，描绘了三盆花，圆形的花朵由字母组成，较深的字母拼写出了设计师的名字和“巴黎”字样。这个图案显示了艺术家对小普林尼（62—110 年）《字母》一书的解读，作者在书中描写了他位于托斯卡纳区的别墅花园，那里的灌木修剪成了名字的形状。

187. 英国业余绣工，双线刺绣针线袋，1675 年。

这件作品塑造的真实的动物和想象的生物来自动物寓言集和刺绣图案书，加密部分和阴影针法是制作者自己的创意。作者姓名首字母被绣在背面。

188. 德麦·邓肯（Domita Duncan），英式绣样，签名并注明日期 1738 年 6 月 23 日。

这件绣样用了大量的对角刺绣针法，这件样品与众不同，因为字母和数字的背景使用了黑色羊毛。这一手法和底部呈自然色调的亚麻织物形成对比。

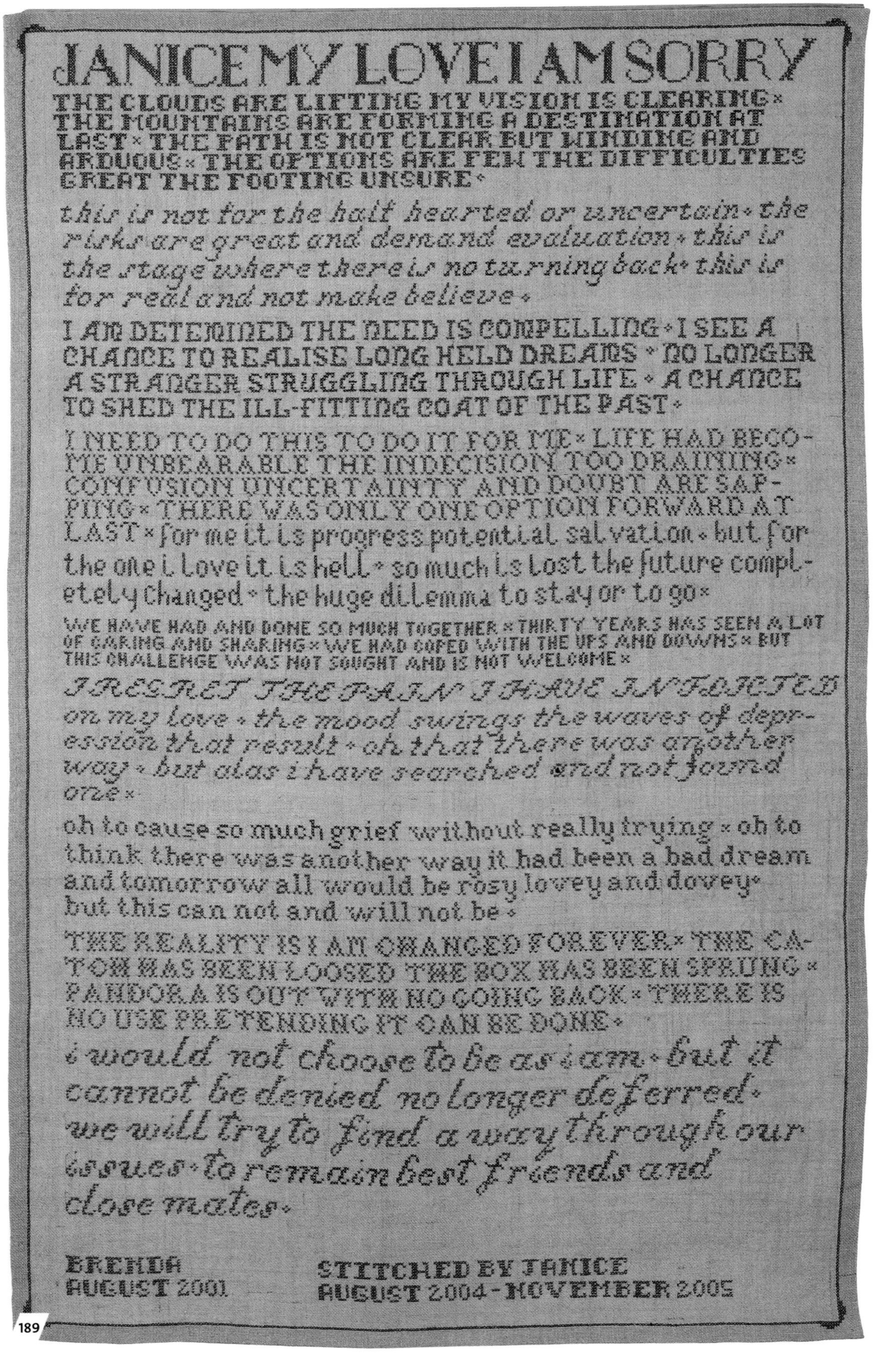

JANICE MY LOVE I AM SORRY
THE CLOUDS ARE LIFTING MY VISION IS CLEARING × THE MOUNTAINS ARE FORMING A DESTINATION AT LAST × THE PATH IS NOT CLEAR BUT WINDING AND ARDUOUS × THE OPTIONS ARE FEW THE DIFFICULTIES GREAT THE FOOTING UNSURE ×
this is not for the half hearted or uncertain × the risks are great and demand evaluation × this is the stage where there is no turning back × this is for real and not make believe ×
I AM DETEMINED THE NEED IS COMPELLING × I SEE A CHANCE TO REALISE LONG HELD DREAMS × NO LONGER A STRANGER STRUGGLING THROUGH LIFE × A CHANCE TO SHED THE ILL-FITTING COAT OF THE PAST ×
I NEED TO DO THIS TO DO IT FOR ME × LIFE HAD BECOME UNBEARABLE THE INDECISION TOO DRAINING × CONFUSION UNCERTAINTY AND DOUBT ARE SAPPING × THERE WAS ONLY ONE OPTION FORWARD AT LAST × for me it is progress potential salvation × but for the one i love it is hell × so much is lost the future completely changed × the huge dilemma to stay or to go ×
WE HAVE HAD AND DONE SO MUCH TOGETHER × THIRTY YEARS HAS SEEN A LOT OF CARING AND SHARING × WE HAD COPED WITH THE UPS AND DOWNS × BUT THIS CHALLENGE WAS NOT SOUGHT AND IS NOT WELCOME ×
I REGRET THE PAIN I HAVE INFLICTED on my love × the mood swings the waves of depression that result × oh that there was another way × but alas i have searched and not found one ×
oh to cause so much grief without really trying × oh to think there was another way it had been a bad dream and tomorrow all would be rosy lovey and dovey × but this can not and will not be ×
THE REALITY IS I AM CHANGED FOREVER × THE CATON HAS BEEN LOOSED THE BOX HAS BEEN SPRUNG × PANDORA IS OUT WITH NO GOING BACK × THERE IS NO USE PRETENDING IT CAN BE DONE ×
i would not choose to be as i am × but it cannot be denied no longer deferred × we will try to find a way through our issues × to remain best friends and close mates ×
BRENDA
AUGUST 2001
STITCHED BY JANICE
AUGUST 2004 - NOVEMBER 2005

189

189. 贾尼斯·阿普尔顿（Janice Appleton），贾尼斯我的爱，对不起，2005年。

这件在粗麻底布上的纯棉十字绣作品叙述了艺术家的丈夫写给她的一封信，那时他的丈夫认识到自己想成为女性。这件大作品（92厘米×121厘米，36英寸×48英寸）是对传统绣样尺寸的戏谑。

190. 琳达·比哈尔（Linda Behar），中国祖母，1995年。

这件小作品，高24.8厘米（9¾英寸），用棉和聚酯棉线绣花，复制了艺术家的中国祖母的一张照片，并且保存了艺术家祖母口述给她叔叔并被叔叔翻成英语的故事片段，故事有关祖母的婚姻和在夏威夷的生活。

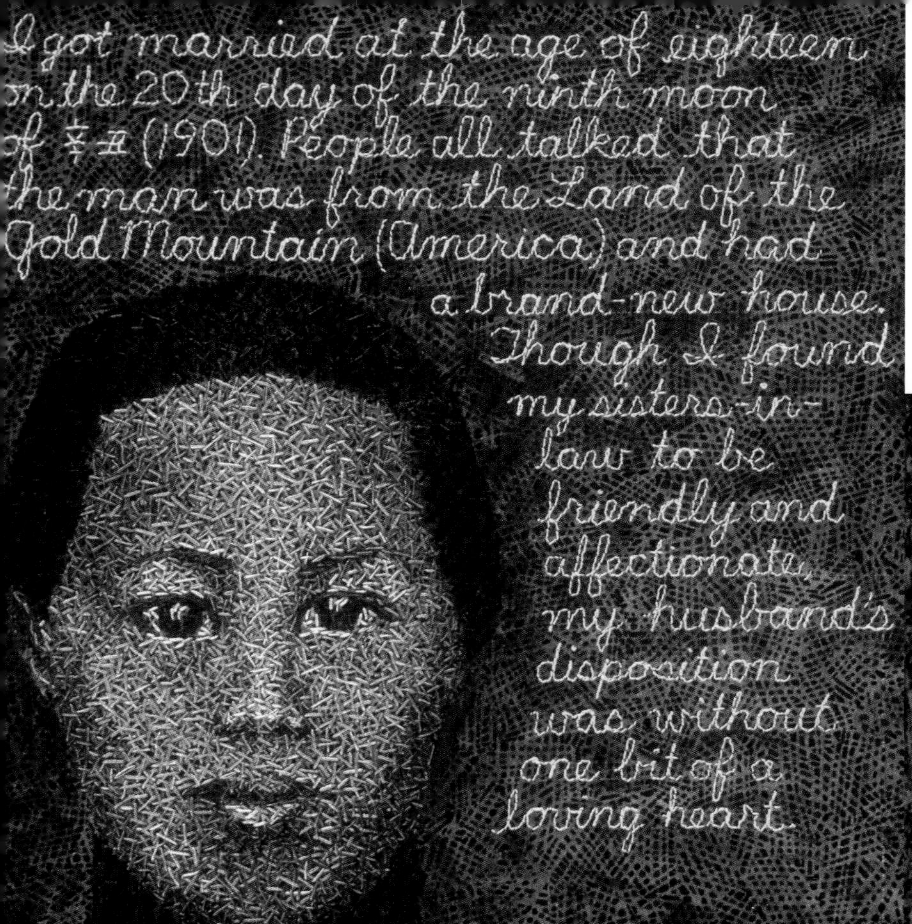

I got married at the age of eighteen
on the 20th day of the ninth moon
of 辛丑 (1901). People all talked that
the man was from the Land of the
Gold Mountain (America) and had
a brand-new house.
Though I found
my sisters-in-
law to be
friendly and
affectionate,
my husband's
disposition
was without
one bit of a
loving heart.
190

192

191. 苏珊·泰伯尔·阿维拉（Susan Taber Avila），花园墙（细节），2009年。

这件手工染色、印花、激光切割剩余部分的装置作品，用机缝合成三层，表面绣有文字和短语。

192. 爱丽丝·凯特尔（Alice Kettle），回望过去（细节），2007年。

凯尔特因大尺寸的挂帘而知名，细看她叙事布片中的一小段，就会看到艺术家做的复杂的表面。作品从布的背面进行了自由式机缝，这种方法保持了素描原型的自发性。

193

194

193. **墨西哥绣工，绣样，约1785年。**

这块亚麻绣样上，1/3是真丝和金属丝线绣的独特的动物、纹章和宗教图案，剩余部分用多彩的抽花绣和本色针绣花边进行装饰。

194. **安·霍尔韦尔(Ann Holewil)，朱迪思·海尔绣样，1699年。**

1691到1710年间，作者在朱迪思·海尔的指导下完成了11件知名的英式绣样。这件技艺纯熟的女性刺绣作品是那个时期的代表，那时候绣样不再是无组织的针迹的记录，而是能够说明技术的巧妙的构成。

195. **汉娜·希克斯(Hannah Hicks)，阿克沃斯中学绣样，1790年。**

阿克沃斯中学是约克郡的一所贵格会教徒学校，成立于1779年。这件作品全部采用十字绣用多彩丝线绣成。圆形纹章和团花，与德国和北欧的样品相似，半团花的“框架”是这个学校的特色。这件作品和图194的作品都大约36厘米（14英寸）高。

Hannah Hicks 1790

ATOKEN
OFLOVE

1

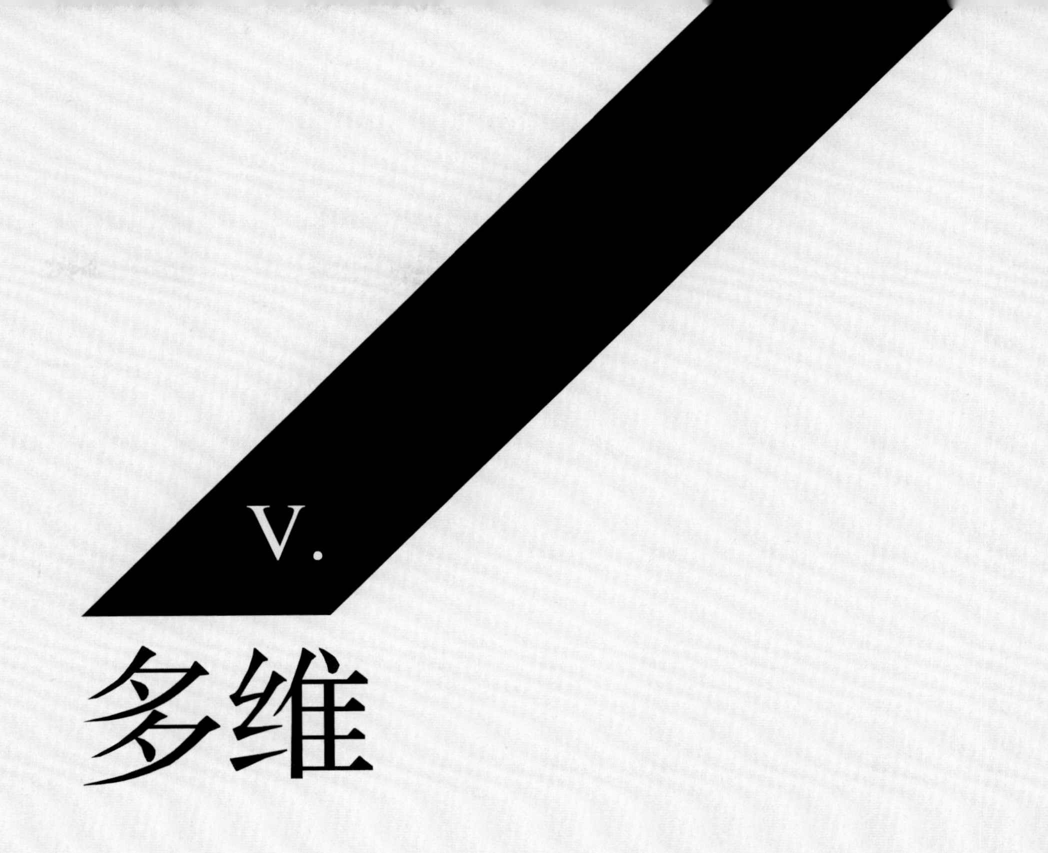

V.

多维

2

V.

多维

布料一旦被织造出来，就可能会被印花或针缝，也会被剪开和用种种方法进行处理，或被加入到多块布料中去创造一个更大的整体。这种多面性正是纺织品的魅力所在，也令它们的分类更为复杂。被子所具有的特性，部分来源于它们至少是由三层缝合在一起。也就是说，被子可能仅仅是绗缝的（一“整块布”），也可能是由呈某种形状和小片的布料组成（拼缝），或把其他有图案花样的布片缝上去（贴布绣），抑或是以上三种工艺的结合。这些制造被子的方法中的每一种技术都是古老的。传统上，它们是作为修补或加固的方法而发展起来的，或是为了回收利用，或者是用小布片制作东西。关于后者的例子可以在某些通常使用狭幅织机的地方找到，比如在非洲，布都被裁得尽可能小；由此产生的小段布料被再次缝到一起，边对边制成“条布”。日本布不那么窄，也被裁得尽可能的小，因此导致了和服本质上非合体剪裁的形式。在织机上产生或组成的面料中加入了打褶和褶皱的方式，这样就能生成许多不同的效果，包括从老挝北部和中国贵州省传统的靛蓝色褶裙，到苏格兰短裙以及全世界都能找到的在腰部密集束紧而形成的宽下摆女裙。

在工艺、时装与艺术之间的发展中，民族和历史的先例给近来许多时装的表现方式提供了灵感，也给以纺织品为表现媒介的艺术家一个跳板。这在艺术布拼与佛教僧侣袈裟之间的关系中显而易见。袈裟最初由旧布片拼接起来，作为谦卑的标志，后来开始用最高品质的新材料剪裁（作为赠与乞食僧侣的礼物）。就像西方的拼缝，最早是一种不可避免的循环利用的形式，现在则成为精美组合的艺术“祷文”。撇开这些美学和前后关系的相似性，过去和现在之间的对话常常围绕屈指可数的特性所表现出来的创新挑战而展开。我们已经讨论过纺织品对非纤维装饰的支持能力和承载图像的能力，它对文化、地点和观点的象征能力也已经出现（这些观点在第六章会有更详细的讨论）。本章将会重新审视这些属性，并以布料与布料之间差异极大的可塑性和重量，也就是我们所说

1. 英国业余绣工，印花棉布贴花镶边，1842 年。

这块布片可能开始是一条大床单的一部分。英国连衣裙印花棉布的历史可以追溯到 19 世纪 20 年代至 30 年代，以人物、动物、红心、方片、黑桃和梅花贴片为主要特征。

2. 日本工匠，袈裟（一角的细节），19 世纪。

这件佛教僧侣的披肩由镶边、内部的真丝条带，以及金色金属丝线织成的锦缎组成，四个内角有长方形真丝锦制的麦特拉斯提花图案（织造得像拼被）。

的“手感”，以及它加入多种技术和复杂处理方法的趋势为背景。同时我们也会论及，当人们可以接触到更多的民族材料和历史材料这两个过去 40 年中纺织品的重要特征时，会产生怎样的影响。

让布料说话

将布条缝合到一起的操作技术是简单的，但它却能产出大量引人注目的布。这些布在视觉上很醒目，不管是用补充纬线（supplementary-weft）做图案还是简单细微的条纹变化、格子以及靛蓝色纱线的波动。条布在西非的众多文化中有漫长且延续的历史，均衡的或是经线平纹组织结构的织物曾经被当成货币使用——其使用记录从 11 世纪开始，持续到 20 世纪。[1] 如今，全世界都有人收集这种令人艳羡的面料，它的名字叫做 kente（彩色手织布料），由加纳的阿桑特人以及加纳和多哥的埃维人制作。一般由男性穿着，类似托噶，或是作为女性的上下包裹的衣服（**图 35—38**）。从印度次大陆到亚太地区，长久以来穿衣方式都是相同的。抛开纱丽、纱笼或其他类似的（利用宽幅织机编织的、长度单一的布做成的）服装不说，有接缝的衣服也遍及这一片广阔的区域。例如，在不丹，女性穿一种叫作 kira 的衣服，它由三片丝绸锦缎装饰的棉布片组成，每一片约 46 厘米（18 英寸）宽，比 kente 的衣条宽六倍（**图 3**）。在世界的另一端，也就是美洲，当地文化也以整块布料或简单缝制的衣服为特色。人类学家、民族志学者和从 19 世纪 80 年代开始加入的材料文化的学者们已经确认了所有这些纺织品，不论是条状布还是整块布，在土著仪式、社会和经济领域中都十分重要。

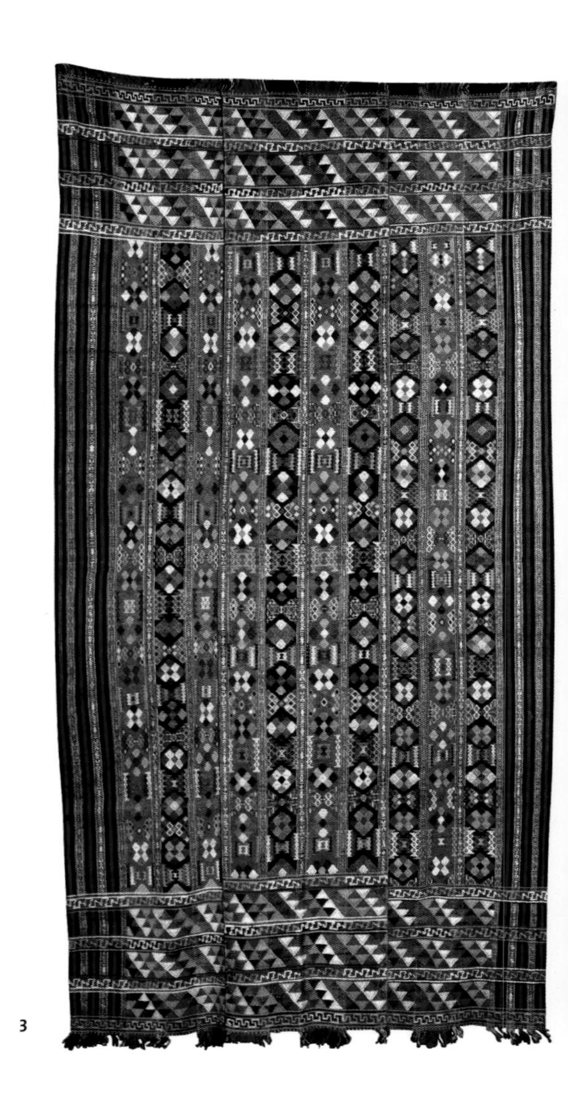

3

3. 库尔特（Kurtö）女织工，不丹，Kira，约 1900 年。

这件纯棉条织的 kira（一种女性的外衣）是在一台背带织机上织造的，有 thrima 和 sapma 区域（像锁缝法和缎纹绣的锦）。它的图案在不丹有智慧和宗教含义，在那里，艺术追求和色彩反思是精神意识的外在形态。

令这些传统布料受到更加广泛关注的是，它们为它们的制造者所有，社会价值非常高，即使是在不了解布料涵义的局外人面前也没有失去高尚的地位。这些布料能够“讲出”许多层面的事：对刚接触的人来说，它们是精湛的手工艺品；对那些习惯解读象征意义的人来说，它们是复杂而又古老的图案；对具有艺术思维的人来说，它们有着和谐的色彩和肌理。从更平淡的角度看来，布片展示不错。这些因素已经在超过一个世纪的时间中保障了这些民族纺织品在西方博物馆的位置，并且收藏量颇丰。[2] 许多纺织品来自考古学家、民族志学者和其他拥有专业兴趣的人的捐赠，而对于私人收藏者来说，它们是稀缺的而且往往很昂贵。然而在 20 世纪 70 年代，这种情形开始发生变化，全球旅行更加容易，伴随而来的结果之一就是苗族的纺织品被发现——这是一个中国南方的少数民族，他们中有些人移民到了东南亚，在 1975 年老挝由人民革命党执政之后，又到了澳大利亚、法国、美国和其他一些地方（**图 4、5**）。约翰·吉洛是一位收藏家、贸易商、作家，他描述了自己在 1975 年后第一次进入苗族地区的经历，把自己形容成“第三次出国旅行的年轻英国人，不断购买苗族女性的服装”。

他着迷于她们构造简洁的短上衣和褶皱密集的裙子（它们由三块长方形的布料组成：一块平布折叠在髋骨上方，附加一片打活褶的布，下面一条蜡染的带子，上面有十字绣、贴布绣或其他装饰）。在吉洛返程 6 个月后，人们对这些纺织品的需求就十分明确了，那时受过良好教育的女性是购买的主力军，到了第二年风气更盛，这些纺织品从数百公里之外被运来，进入了主要的市场。吉洛说他为纺织品长途跋涉是因为“它们便于携带，价值又很高；我可以带着一对价值一万英镑的筒状帆布包在印度坐火车”。他回忆道，十年间他和其他开创者把民族纺织品推广到某种程度，以至于专门为纺织品而进行旅游的人数激增：“人们去当地，购买，带回它们，并且非常喜爱它们。”到 20 世纪 90 年代中叶，民族纺织品产业都非常重要，以至于学者也开始关注，他们能够研究“由公众对购买和收集纺织品的渴望所产生的涉及权位利益的经济”。[3]

纺织品正在吸引着资金，以至于诞生了诸如《纤维艺术》（1973—2011 年）之类的杂志，不仅突出了纺织品的后现代发展，还记录了纺织艺术收藏家的历史，详细说明他们为什么收藏、如何开始收藏、如何获得物品以及如何展示他们的藏品。同一批消费者也促使穿戴艺术（Wearable art）的崛起，穿戴艺术是美国习语，表示服装、披肩或帽子中的实验性纺织品。纺织艺术家埃伦·豪普特利就是那些对苗族褶裙着迷的艺术家之一，20 世纪 70 年代，她率先开始了在褶皱面料方面的工作（**图 6、25、32**）。那时候，豪普特利的理念在美国穿戴艺术中

4. 赫蒙族女性，夹克，20 世纪末期。

这件现代的布卢赫蒙族夹克用黑色的人造丝绒做成。前部边缘在白色疏松织造的棉布上有明亮多彩的腈纶十字绣绣花，用人造丝带和精细的三角形人造丝线贴布绣镶边。这些都用机缝固定；贴布绣和绣花的艳阳图案则是手缝的。1997 年购于泰国清迈阿奴沙市场。

5. 赫蒙族女性，裙子（细节），1980 年。

这条传统的裙子由三块横向的布片组成，包括臀部上方看不见的那一片。这件留存下来的裙子用靛蓝防染染色，还经过打褶、锁边缝。

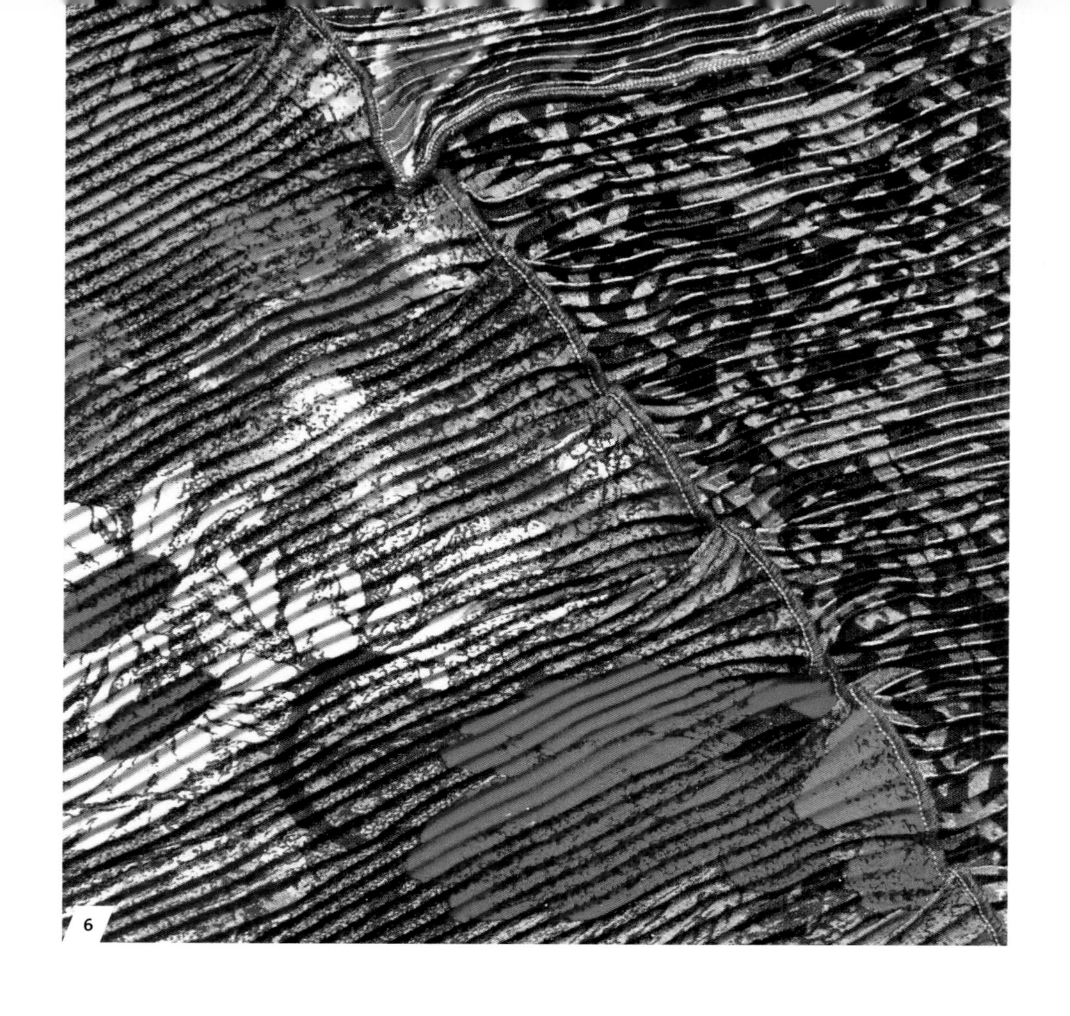

是很独特的，因为比起天然纤维，她的作品更多地使用人工合成材料。她的作品最终要将经过褶皱处理并缝制过的涤纶布合并，采用商业印花，用喷枪过度染色，她的服装是围绕身体塑形的，这一特征与后来三宅一生的 Pleat Please（施褶）系列有所关联（**图 54**）。三宅在 1989 年展示了他的第一个系列。1993 年他推出个人同名系列，也用到了轻质的涤纶针织面料，但是通过剪裁和缝纫比成衣大两倍半到三倍的裁片，然后通过加热永久固定这些褶皱，从而创造了他特有的风貌。三宅的服装是一个工业化的工艺过程，虽然必须手动填塞布料进行熨烫，但能同时塑造肌理和形态。他采用竖直的、水平的和锯齿状的施褶来创造不同的效果和建筑般的轮廓。同时，许多人继续探索施褶的方法，包括在织机上产生褶皱。与此同时，霍普特利将她个人特色的“线痕”（左侧悬空的之字线缝）转变成造型简单的服装，结构来自厚绗缝的 ralli（一种古老的印度乡村床被），在巴基斯坦的信德邦和西印度有着很长的制造历史（**图 32**）。起初，ralli 由回收布料组成，用 kantha（平针）固定到一块黑色的底部面料或旧的 ajrak（长约 2.5 到 3 米的布，上面有古老的印度河谷图案）上，做成床罩。20 世纪 80 年代，这种纺织品开始流通，大约于 1995 年后开始在全球盛行。

西方市场中民族纺织品和民族服装的日益普及给纺织品艺术家带来了其他方面的启示。有些装饰，比如在接缝上起强调作用的装饰（不论面料厚薄都很重要）和在服装上其他可能的区域采用贴布绣，这些都能很容易被观察到（**图**

6. 埃伦·豪普特利（Ellen Hauptli），在绿色森林里的全套服装（细节），1996 年。

打褶和针缝涤纶面料，混合了工业印花、喷枪套色，组成裙子、上衣和夹克，表现出豪普特利自 20 世纪 70 年代开始引领的褶裥服装的进化。这套服装的灵感来自于她对中国褶裙的研究。

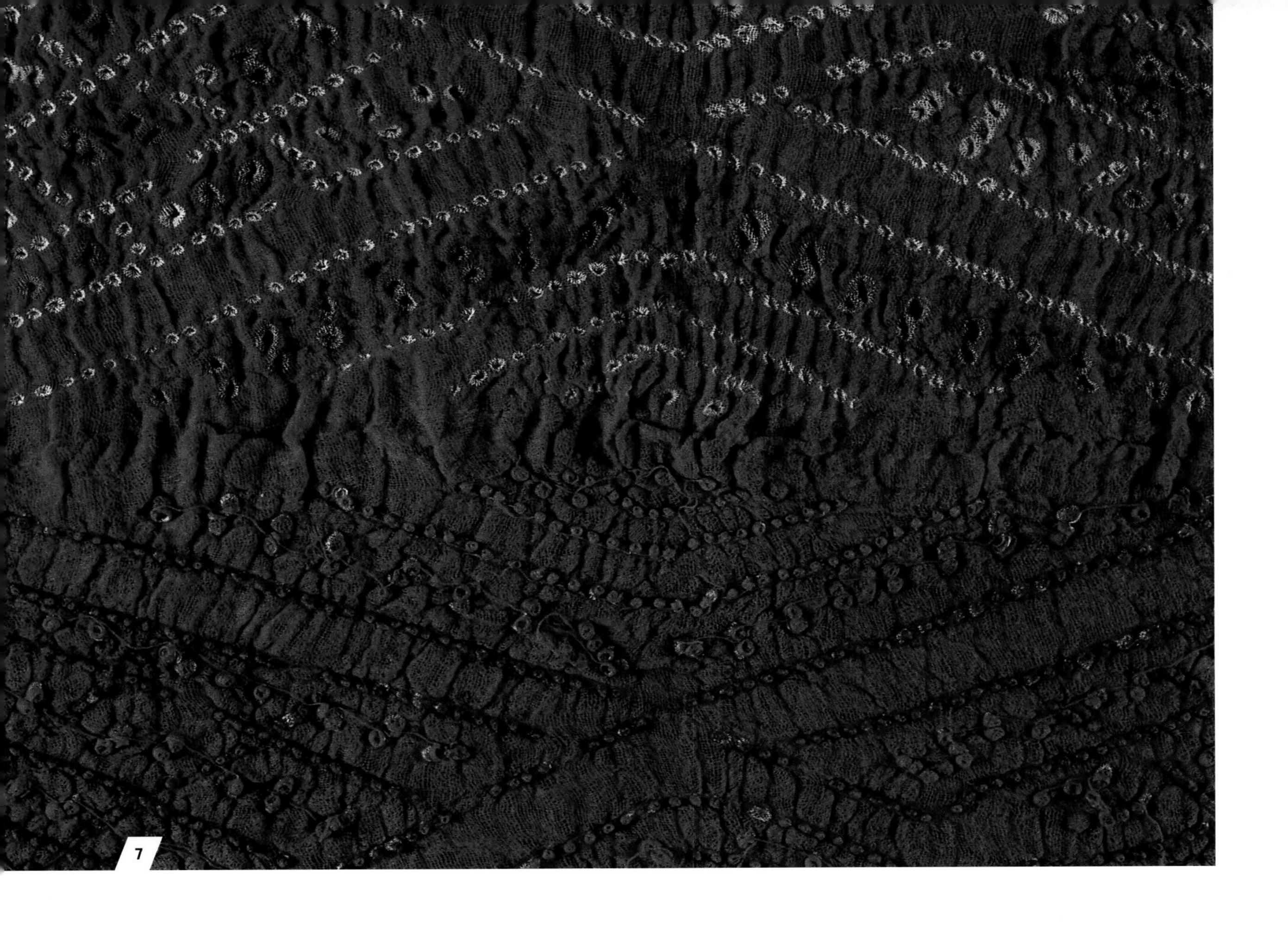

22）。其他的则需要仔细研究。通过折叠、褶皱、包裹或夹起，进行物理防染的手法就属于后者。这种通过操控一整块布来创造图案的复杂方法在全世界使用已经超过 1000 年，每种都有其当地的名字，并代表一种特定的方法。例如，bandhani，是印度语中的一个词，指的是将布绑成小点（**图 7**）。防染技术在 20 世纪 60 年代有了新的发展，一小部分像玛丽安·克莱登一样的艺术家自学了一种后来在英语中被称为“plangi”的技术，它来自马来—印尼语中缝紧和捆绑布料的表达。克莱登，1967 年从澳大利亚迁居加利福尼亚，并获得了令人羡慕的声誉。随后，她还以自己的染色技术为基础，加之对布料的经济且颇具创意的运用的敏锐直觉，开展了限量版服装的业务。1981 年，她的《影子和服》是一个精心参考民族纺织品并结合西方方法制造的突出细微之处的杰作。在作品中，她将工业棉布带子进行烙印、染色、组装和刷子去色（**图 40**）。此时，shibori（扎），也即日语当中能够指代所有物理防染色技术的词汇，开始受到关注。它在全球的普及与 1992 年在日本举办的“第一届国际扎染研讨会”有关。这项活动由世界扎染联盟组织，联盟创办人和田良子被形容为“这种艺术形式最热情也最具影响力的推广者”。[4] 扎染仍然是一项专业技术。从 1975 年到 1987 年，良子和唐娜·拉森教授一起在著名的加利福尼亚伯克利纺织艺术纤维中心开设课程。安娜·丽莎·海德斯托姆（**图 66、67**），这位 20 世纪 80 年代末因精通这门技艺而获奖的人就是她们的首批学生之一。她说：“我和面料对话，它可能是微妙的、

7. 印度染工，扎染染色布（细节），1988 年之前。

这块纱布般的棉面料，沿长度方向对折，沿宽度方向三折，系紧然后染色。线结在中间连接。它的尺寸为 208 厘米 ×122 厘米（约 6 英尺 9 英寸 ×4 英尺），对一件纱丽来说还是太小，可能是一件奥德哈尼平布肩巾，被女性用作围巾或披肩。

大胆的、诙谐的、诱人的。Shibori 这种防染染色技术创造了错综复杂的图案，它可能被解读为一种语言或剧本。我希望自己与这种工艺、色彩和接线的对话最终能与观众产生共鸣。”[5]

拼布与绗缝

包括床罩制作者在内，许多对本章有贡献的人都提到了个人收藏的影响。戴安娜·芬尼根讲到澳大利亚土著艺术对她自己作品的影响，特别是从马宁里达的梅尔巴艺术家那里购买的一件作品，梅尔巴是澳大利亚北部的一个族群。在梅尔巴文化中，描绘用绳子做的袋子的树皮画非常有意义，因为梅尔巴文化认为孩子们是装在这样的袋子里在天空飞行，等待着被撒向下面的千家万户（**图8**）。芬尼根解释了梅尔巴作品的风格以及对她自己作品产生的影响：“在澳大利亚土著艺术中，空间层次分明……通过景观元素之间的关系以及历史对景观进行塑造。我在学习了传统的绗缝技术后，也就是学习了由规则重复的布片组成拼被后，这种极为不同的划分物品表面区域的方法让我重新整体思考我的作品。土著艺术中的同心方形和圆形还有长条有多重含义，它们让我想到小木屋和成条切割（将不同的条带缝合再进行切割）的构造，在我的作品中则表现为供人坐下的空间和小径，同时也是地貌形成的过程。拼被的意义也有了更多相关性：我现在将大的表面视为表现我的空间故事和空间感的机会……因为我最初学习的是地貌学，所以我常常表达出地貌和形成地貌的力量。在作品《在房间里，远离……一部分……》（**图9**）中，我采用平面的视角，根据我们公寓的结构，松散地排列我的作品……颜色反映房间的用途，蓝色和绿色的水用在厨房和洗衣房，热情的红色用在卧室和起居室。在公寓下方，蓝色的悉尼港比棕色和绿色的岩石和植被更加耀眼。当我的儿子托马斯还在幼儿园时，他在一个图书馆的袋子上做了染色和刺绣，袋子的残片现在放在图书馆中，而最喜爱的艺术家们的名字都被题写在书脊上，一条条拼排成行。”

在居住这个主题上，没有人能忽略亨利·弗朗西斯·杜邦，他是一位美国人，收集了大量的纺织品去布置他特拉华州的房产温特图尔，以及他夏季在长岛度假住的切斯特敦村。1951年，温特图尔变成了一家装饰艺术的博物馆，琳达·伊顿是博物馆纺织品部门的负责人。在《材料世界中的绗缝：温特图尔收藏选集》中，她详细叙述了杜邦在20世纪上半叶对室内设计深厚的兴趣：“他并不孤单，其他富有的民间艺术家和民俗艺术收藏家，包括伊莱克特拉·海维梅尔·韦伯、伊玛·霍格、伯特和尼娜·利特尔、亨利和海伦·弗林特、亨利·福特以及约翰·D. 和艾比·奥德里奇·洛克菲勒，也开始为装饰而做收藏。”这些美国社会精英成员用藏品布置他们自己的家，继续创造“收藏，这些收藏现在成为了谢尔本博物馆、美国装饰艺术馆、新英格兰历史博物馆、迪尔菲尔德历史博物馆、

8. 梅尔巴（Melba），网袋，2011年。

这件作品用赭色的颜料和固定在澳大利亚桉树树皮（桉树齿）上的PVC进行装饰，是澳大利亚北方马宁里达族的一位艺术家创作的。Rrark（表示重复的土著用语）和条状的、网纹网状的图案是阿纳姆土著艺术的典型特色。作品为戴安娜·芬尼根所有。

9. 戴安娜·芬尼根（Dianne Finnegan），在房间里，远离……一部分……，2008年。

将手工染色的和已有的棉布进行机器拼合以及大量的自由式绗缝。每个“房间”都绗缝了家具或人，仔细观察就能慢慢发现。餐厅桌子上有盘子、刀叉，甚至有一瓶花。

10. 美国拼被工，拼合的被子，约1820年。

这条被子用补丁块的编排遵循了床的形状，滚筒印花的棉布沿侧边放置。它曾属于亨利·弗朗西斯·杜邦，后于1969年遗赠予特拉华州的温特图尔博物馆。

8

9

10

格林菲尔德庄园、威廉斯堡以及温特图尔重要的基本藏品”。杜邦 1969 年去世时，他自己保留使用的拼被加入了温特图尔的收藏之列。其中之一（**图 10**）表明伊顿发现，两次世界大战之间的拼被的颜色和图案“也被公认为适合现代家具”。她引述了作家露丝・芬利 1929 年写道的：“现如今的品位既不会为复古的紫色与艳红的搭配而震惊，也不会为单调几何形结构所触动。”[6]

因此，至少在装潢师、收藏家，大概还有拼被人自己看来，现代主义和拼被之间的联系已经建立，在 1971 年纽约惠特尼美国艺术博物馆的“美国拼被中的抽象设计”义卖展中，以及一年之后在华盛顿史密森尼美国艺术博物馆的“美国拼被展”中，艺术家们发现了拼被。同样是在华盛顿，1970 年已经举办了第一届全国拼被协会展。[7] 玛丽・谢弗是后一个奖项的获奖人之一，她的研究和作品在美国现代拼被制作的建立中扮演了十分重要的角色。[8] 正是在这之后，更多人认识到了艺术拼被，艺术拼被也逐渐具有更多展览的机会。像 1989 年由加利福尼亚人伊冯・珀塞拉创立，已经拥有超过 2500 名会员的艺术拼被协会工作室这样的组织，推动了全国上下对拼被的接纳。（为了能够正确看待这个数字，1906 年在伦敦成立的刺绣者协会，拥有超过 25000 名全球会员。）1997 年，国际拼被学习中心与博物馆在林肯内布拉斯加州大学成立，同时拥有来自阿迪斯和罗伯特・詹姆斯捐赠的藏品作为基础收藏。如今，博物馆的藏品已经涵盖了 3500 多件近 3 个世纪以来 20 多个国家的拼被。据估计，2008 年，只是在美国，年度绗缝业价值就达 33 亿美元。在全球范围它也同样充满活力：在欧洲，最大的年度盛事是拼被捻线节，这个节日由 1979 年成立的不列颠群岛拼布协会支持，从 2003 年开始每年都会在伯明翰举行。在这个活动中，大批的国际参展商（**图 185—191**）在仅有的 4 天时间里吸引了约 35000 名参观者。

许多拼被仍然基于格子造型，这是纺织品的一种基本排列，它来源于自然的容易创造直角结构的交织趋势。为了能够跟随布料结构，许多抽线刺绣品的早期例子和雕空绣使用了同样的组织原理（**图 12**）。实际上，在每种形式的纺织品中都能发现格子，就像汉娜・希金斯提出的，格子是西方文化中最显著的视觉结构，历史悠久。另外，希金斯强调，就像格子一样，“人类的感官和认知框架在有序和无序之间建立了一种关系。这就是为什么心理学家霍华德・加德纳将人类的智力形容为思维‘框架’，这是与格子有关的术语”。[9] 砖块、地图和乐谱中，也有与格子相同的结构，这让我们在看到布的时候联想到建筑用的砖块、感人的风景以及有关颜色与肌理的散文，当然还有声音。砖块可能是固定的（**图 10**）——这是一种常见的交替排列，不仅仅对拼被而言，对地毯和地板而言也是如此，这种交替排列能够加强所选材料和材料安排方式之间的“平衡”。不使用格子时，所选材料和安排方式的可能性及挑战依然存在，就像随机拼凑的“疯狂的拼被”，这个名字也取得非常合适。玛莎・奥普达（**图 151**）的作品

11. 阿曼达・施瓦兹（Amanda Schwartz），样品，1986 年。

在一块家用的贝尔尼纳上用无光泽的粗棉线机缝出自动的图案，染色的薄纱棉布层层放置以产生格子绗缝的表面和贴布绣。手缝平针和人字形针缝线在软绣花棉布上添加了更多的肌理和色彩效果。

受到美国“疯狂的拼被”、日本和服、条带编织以及前哥伦布时期安第斯编织的影响——“有限的图案语汇中的变奏”。她还将自己对秩序的追求和对之即兴的反叛称作“自发性、抒情的、自由的。在我的作品中，线条开始又消失，图案旋转又解散，背景的移动常常会颠覆原本清晰的结构。我将这种紧张的关系视作对现实生活中冲突的反映”。作品不需要通过抽象来表达相同的感觉。玛丽亚·侯拉罕的具象拼图（**图 162、166**）含有“潜在的威胁，同时在拼贴的表面进行绗缝，做出刮痕或凸起，暗指人类无法控制情绪环境”。正如后面这两个例子说明的，尽管有很多人利用了部分的绗缝技术，或利用了完整的绗缝技术，严格说来他们仍然没有生产出拼被作品。

纺织品跑酷

从 20 世纪 70 年代开始，纺织艺术作品向三维空间延伸的自由性给纺织品艺术家提供了越来越多的机会，他们掌握了一种理念上的景观，在景观中他们可以随意在有纹理的区域内往任何方向移动。像这种活动，似乎没有比“纺织品跑酷”（textiles parkour）更好的词汇可以形容了。跑酷是一种非竞技性的体育活动，20 世纪开始从越障训练发展而来，参与者也将之比作一种意志状态。虽然跑酷的目的是快速有效地穿过城市景观，但由于跑酷能够提升空间意识，鼓励人们在面对障碍时能够自信并且拥有批判性的思考方法，所以人们可以将

12. 印第安绣工，红色绣片，约 1600 年。

在亚麻底布上用红色丝线双平针缝制成 12 种图案，随机分散到 48 个方格中，每个方格都绕有一条剪开的带子，并用黄色丝线勾边，在花卉图案的空隙处也用了这种黄色丝线。这件稀有的作品可能是一个枕套，只有约 42 厘米（16½ 英寸）见方。

之与纺织品类比。然而，纺织品跑酷中产生的“巧妙的回避”则犹如慢动作。正如社会分析学家理查德·森尼特在他的书《手艺人》中所写，他将历史记录描述为实验的目录，材料的文化并不“跟随生物生活的节奏……历史遵循不同的路线，在人类发展过程中，蜕变和适应发挥了强有力的作用”。[10]

因此，分离派刺绣在苏格兰超过一个世纪的发展，对后现代主义的贡献就像 20 世纪 60 年代的那些大事件一样。让我们来看看（可能是）安·麦克白制作的优雅的刺绣拼贴，这件作品可以追溯到 20 世纪初，乍一眼看去，人们可能很难接受关于移动的战斗已经开始这一情况（**图 13**）。麦克白还有其他与格拉斯哥艺术学派有关的人合作，采取了激进的制造纺织品的方法，这一方法通过面向学校教师的出版物而广泛传播。通过极端的简化，加宽平纹布和平整的形式，最终产生了一种来源于日本、中世纪和凯尔特先例的原始抽象。对透视法的减弱是对文艺复兴之后纺织品艺术家以及机器装置的成果的否定，因为他们把图像变得越来越逼真。这种方法是对返璞归真的诉求，是一种向“根源”的回归，我们在其他民族主义运动中也可以看到这一点。从第一章中讨论的在美国为原住民风格发起的运动，到爱尔兰艺术刺绣，以及 1908 年在慕尼黑产生的装饰艺术风格 l’art Munichois，这种风格和两年后在巴黎举行的展览互相呼应。（在保罗·波烈 1911 年建立马丁尼学校时，这一风格对他的影响很大。马丁尼是一所实验性质的学校，在那里，巴黎工人阶级的女孩可以自由描绘，波烈则购

13. 格拉斯哥（Glasgow）艺术学校，可能由安·麦克白（Ann Macbeth）设计，两个穿着唯美裙子的女人，约 1908—1916 年。

用真丝绣花丝线（未加捻）在真丝缎上做缎面绣和法式结，用丝线和金属丝线做各种各样的钉线绣，与玻璃珠一起增加了同大面积朴素丝绸贴布绣的微妙对比。

14. 玛丽·劳埃德·琼斯（Mary Lloyd Jones），Barclodiad y gawres（巨人族的围裙），1983 年。

Barclodiad y gawres 是一个具有 4000 年历史的安格尔西墓穴。艺术家在棉布上使用染料和蜡染，目的是创造一个女性作品的正面形象，包括对史前史、大地和威尔士身份的参考。

买她们最好的画作，用于他的设计工作室，也就是马丁尼工作室。）一旦真实性被视为理智层面的合理性，刺绣中就开始更加自由地使用布料，并且出现更加自由的针法，通常的方式是暴露毛边，以及使用分层面料（最上层是透明的）来强调拼贴工艺。然而，在两次世界大战期间甚至更长的时间里，这些作品仍然处在已经限定的艺术范畴中，并且逐渐形成自己的框架，直到下一代才避免了这一障碍。玛丽·劳埃德·琼斯就是反抗标准格式的人之一（**图 14**）。在 20 世纪 70 年代到 80 年代中期的作品中，她试图“创造女性的工作和威尔士拼被制作之间的联系”，但是有一种“直观的需要去打破框架，突破展开的、钉好的画布的专制”，形成“可以飞越围墙的作品”。最后，她采用折叠、施褶、加捻、撕扯、擦除和悬挂的方式，这些方式都有着非常强烈的内在联系。劳埃德·琼斯最近回归到了这种形式，她发现同样的技术可以表达现如今被威胁的农村和不稳定的全球局势。[11]

同一时期，其他“规则”也开始被打破。例如，17 世纪的起绒创作在 1907 年被视作“那个古怪的阶段”，那是一个“欣然不顾任何比例和角度的规则束缚”的阶段，它产生的最好的作品可以被描述为离奇有趣，最坏的就是粗糙（**图 86**）。[12] 在这几年中，玛格丽特·朱德茵，一位装饰艺术方面的收藏家，同时也是一位多产的作家，正倡导立体刺绣，她赞同立体刺绣此前曾被视为“怪诞的”，但认为现在这种风格应该是“古怪而有价值的”。[13] 然而，它仍经历了品位准则的一些挑战，才在 20 世纪 80 年代，有了相关主题的实践类、指导类书籍的激增。

波普艺术摒弃了美术和商业艺术之间的区别，它在这种转变中扮演了很重要的角色，与此同时，西方消费者发现了新的民族纺织品，其中有些我们已经讨论过了。这些纺织品中有一件来自拉美的毛拉斯（一种镂花织物），在 20 世纪 70 至 80 年代受到热情的追捧（**图 174—181**）。这些与众不同的产品，是由巴拿马圣布拉斯岛的库纳印第安女性制造的，用来做女式上衣的前片。毛拉斯包含反面贴布绣，意味着顶部的面料需要裁剪出区域以露出下面的面料。通过插入不同的单色面料，位于顶层的贴布绣显得富有变化。基特·S. 卡普船长在 20 世纪 60 年代多次对海岛的探险中收集了很多这样的纺织品，之后这类纺织品就在巴拿马以外广为传播。[14] 卡普随后于 1972 年自费出版了《圣布拉斯岛的毛拉斯艺术》一书，并且在 1982 年第五版中解释了毛拉斯在 19 世纪晚期是由人体绘画、布料着色和宽松衣服下摆的装饰带的传统发展而来，这不仅仅是与人类地貌学主题的交互影响。在许多其他的民族纺织品都是抽象的或高度风格化时，毛拉斯却是泰然自若的装饰化的，与安第斯或危地马拉纺织品相比，它更接近雕花的盒子、镜子框架以及其他类似的东西。

让纺织品转向装饰性是有风险的，鉴于各种各样的纺织品长久以来就是因

15. 丰人（Fon nu）工匠，贝宁（Benin），旗帜（细节），1973 年。

这种传统样式的贴布绣棉布旗帜来自贝宁（以前的达荷美共和国，在尼日利亚西南部），使用宽阔的平纹布和一种原型抽象的平整图像，这件作品在“一战”和“二战”期间的法国颇具影响，而法国在 1892 年到 1960 年间统治丰族王国。

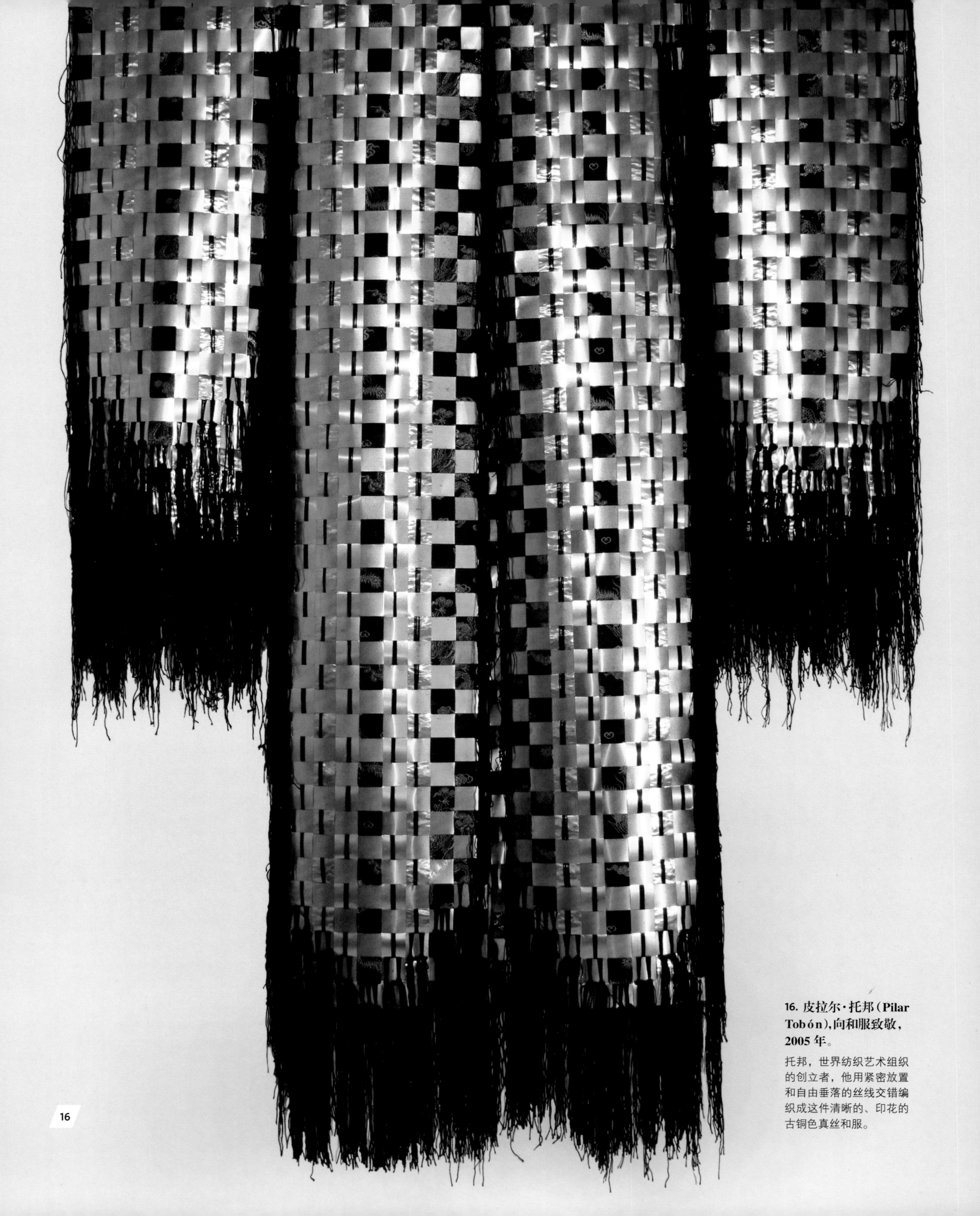

16. 皮拉尔·托邦（Pilar Tobón），向和服致敬，2005 年。

托邦，世界纺织艺术组织的创立者，他用紧密放置和自由垂落的丝线交错编织成这件清晰的、印花的古铜色真丝和服。

为装饰性而一直被视为女性的工作，因此，坚持装饰性是一个冒险的转变。到了 20 世纪 90 年代，纺织品展现了对极简抽象艺术和室内设计的兴趣，这似乎消除了几十年以来的创新和公众形象。1995 年洛桑双年展的中断并不是好兆头。约西・安纳亚确切地阐述了美洲的情绪："这是一个大学关闭自己的纺织学院、重要的纺织品双年展被叫停的时期，是一个已经长久存在但是又默默无闻的活动——主要还是对妇女来说——必须接受新的适应方式的时期，因为它正面临着迂回、障碍和终止的局面。抛开艺术家当前不同程度地想重新回到家庭式和旧时辉煌的想法不说，在这个艺术已经并且持续向概念层面和夸张层面转移的时期，如何重新确定艺术家制造创新型纺织品仍然是有用的呢？由于与纺织品有关的活动有着太多不同的表现形式，以至于人们几乎无法对其进行分类，此时，如何证明和留存材料、形式、技术、颜色、空间和历史当中所包含的创意过程？"[15] 1997 年，皮拉尔・托邦（**图 16**）在佛罗里达州迈阿密成立了现在所说的世界纺织艺术组织（WTA），就是对这些问题的回答。作为一名哥伦比亚纺织品艺术家，她意识到拉丁纺织品艺术不为国外人所知，甚至"在他们内部，情况都是危险的，对于祖传文化中的传统艺术家来说，都是这样"。[16] 在拉丁美洲和迈阿密，双年展还包括了国际的参与者。欧洲不存在双年展的空白也被填补了——2011 年，第八届国际纺织品双年展在立陶宛考纳斯举办。同时，其他有影响力的成员组织也开始产生动力，包括 1990 年由《纺织品论坛》杂志编辑比阿特里斯・斯特克和迪特马尔・劳厄发起欧洲纺织协会（ETN），协会于 1993 年获得欧洲理事会的赞助，正式成立。

回顾过往，20 世纪 90 年代是一个标志性时期，那些身处此领域中的人开始拥有一种自我意识，最终能够允许自己更少地关注外界的观点。以玛丽・科曾斯 – 沃克为例，她的作品与凸花刺绣类似（**图 87、91**）。1993 年，身为英国著名刺绣师的奥德丽・沃克这样描述玛丽的作品："玛丽的作品是'奇怪的'，它不顾清晰的分类， 挑战好品位的审美标准，因此任何先入为主的'高雅艺术''低级艺术''美术''工艺''雕塑'或'刺绣'的观念必须先放一边。"[17] 2000 年，据说科曾斯 – 沃克的作品仍然"不顾当代视觉艺术中的时尚"。[18] 抛开这个观念来看，许多艺术家也采取了这种方式，他们不再关注别人给的标签或是接受程度。没有什么是太"普通"而要被摒弃的。就在山姆・莫里斯事业的起步时期，她以有百年历史的印花和填充动物为基础创作出了新的作品，她将作品描述为有"一种幽默感，但是也加入了黑暗的元素。它用一种滑稽的方式让人感觉有吸引力，但也有一点可怕"。

在这场纺织品跑酷的游戏中，捻线和捻度已经排除了单一的认可方式，而为艺术家转向不受拘束的领域提供了可能。他们的灵感可能来源于东方、 西方、拉丁、原住民、詹姆斯一世时期或洛可可时期；材料可以是天然的或极端现代的。

17

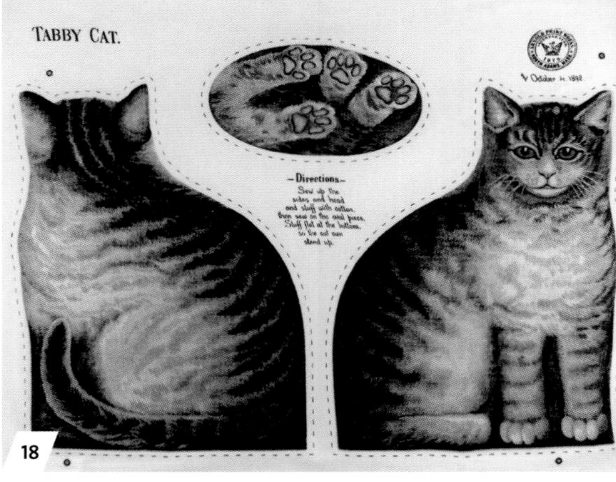

18

17. 山姆・莫里斯（Sam Morris），原型填充玩具，2010 年。

莫里斯的目的在于创作成人的玩具，她把图像做成拼贴画，然后印到帆布上，创造出轮廓鲜明的角色，她所做的可能会引发记忆中被忘却的童年故事。

18. 阿诺德（Arnold）印花，马萨诸塞州，虎斑猫，约 1892 年。

这件作品是阿诺德印花公司专利生产的若干滚筒印花玩偶和动物图案立可缝厚棉布中的一件。公司成立于 1860 年，1905 年成为世界最大的纺织印花商之一，在纽约和巴黎设有办事处，于 1942 年关闭。

19. 弗朗西斯·巴特勒（Frances Butler），围裙（细节），20世纪70年代。

这是弗朗西斯·巴特勒坐落于加利福尼亚埃默里维尔的Goodstuffs面料公司丝绢网印花的棉帆布。那时候，巴特勒是加利福尼亚大学戴维斯分校环境设计系的一名教职工，她一直工作到1994年退休。

20. 凯瑟琳·韦斯特法尔（Katherine Westphal）壁挂（细节），20世纪70年代。

艺术家参考复杂的传统纺织品制作了这块格子油布，采用棉线钩出兔子和花贴绣。它尺寸较大，为1米×2.25米（40英寸×89英寸），为加利福尼亚大学戴维斯分校应用行为科学系的会议室所制。

21. 印第安工匠，衬裙（细节），1750—1775年。

这块绘制和染色的棉布，采用金色套印；在科罗曼德尔海岸为供应荷兰市场而制作。

露丝玛丽·哈金斯从她存在已久的对神龛的兴趣出发，立足于自己严格的宗教教养，以她的希腊和墨西哥的旅行为动机（**图134、135**）：“我的作品利用强烈的色彩、低俗甚至幽默的设计，挑战了观众，让他们开始怀疑让人感觉舒服、熟悉的基督教的标志来自哪里，神话、迷信和异教终止于何处，以及有组织的宗教活动从何处开始。”丹尼斯·普雷方丹与之相反，利用“纺织品和玻璃媒介以及光与空间，将它们结合起来，创造能够回应它们所处环境并且能够与之互动的作品”（**图81**）。这些艺术家们都参与了今天被我们认为是后现代的混合物的运动，就像后现代主义本身在一个世纪以前开始时就饱受批判那样。

此情形出现的原因之一是大学和学院中的纺织品部门开始拥有学术性收藏，这与博物馆相对。这些收藏更少受受托人的品位的制约或只收保存最好的作品，以及不可避免的繁文缛节的限制。前几页中描述的毛拉斯，还有很多其他纺织品，都属于加利福尼亚大学戴维斯分校（UCD）的设计精品收藏之列，是教学用收藏品的一部分。乔·安·斯坦贝于1968年在洛杉矶加利福尼亚大学完成她的硕士学位后成为UCD教员，正如她所说，现在福勒博物馆知名的民族纺织品藏品只是“在地下室里的好东西”。而在UCD的实践课程和服装史课程上，斯坦贝却看到过凯瑟琳·韦斯特法尔（**图20**）带了各种各样的纺织品给学生学习。看着她，又想到设计系的福勒的收藏品，斯坦贝认识到，“这才是教学的方法”，然后她决定扩充UCD的藏品（**图167—171**）。其他院校的教师也采取了同样的方式，由纺织品艺术家收藏并且为纺织品艺术家利用，创造了一种有影响力的亚文化。这也启发了一些作品，比如斯坦贝的《天鹅之歌：我最后的学术计划！》（**图 98**）：那是一件 2002 年为庆祝她退休而制作的大衣。大衣有着有趣的外侧，由回收利用的丝绸碎片组成，既有热情奔放的羽毛的轻盈感，又有 20 世纪 20 年代中期转向"年轻女郎"风格带来的神气活现的样子（**图 97**）。内层是手工压花印花，印的是加利福尼亚大学又长又复杂的学术计划，还有一圈金色的美元标志也被绣在了这件大衣内部的下摆。斯坦贝想明确地表达："大学不得不像商业一样，关注能够产生可观的收入以及利润率的'底线'——以保证生存！基本上，政府资助、研究拨款和外界机构会主导这些计划。通常，金钱比'创意'更掷地有声。"

斯坦贝话语中的真相鼓舞了越来越多的人参与到纺织品跑酷中。人们需要适应，纺织品似乎因此而繁盛起来。矛盾、问题和拒绝被"当下"限制为我们带来了多样的、颠覆的形式。里安农·威廉姆斯利用传统的（注重节省成本的）拼布方式处理废弃的（无价值的）报纸和彩票，来批判拥有一切的欲望（**图 99、100**）。珍妮弗·维克斯也使用了报纸（**图 103**），但是将之作为"强调思考人类战争代价的焦点"，放到能够"将当代观众与历史事件和历史人物持久关联"的纪念馆中。正如朱莉·蒙特格瑞特（**图 84**）所说："通过偶然或隐含的关系，我希望对当代生活的理性联动的期待进行反驳，对单一的具有支配权的白人定居者所诉说的殖民历史进行反驳……我的作品既尽可能多地依据刺绣的历史，也尽可能多地依据现代的观念，相对来说放弃充满艺术和工艺的领域，而不是像很多当代艺术家那样，主要借用纺织品作为做出创新效果的材料。"过去永远是现在。

22. 俄罗斯绣工，连衣裙（细节），1930 年之前。

在拼合并带有贴绣的绉纱前襟周围用多色丝线十字绣。带扣环的纽扣覆盖有钩编的丝线。这件作品于 1930 年购于佛罗伦萨，当时它正挂在一家俄罗斯茶室的墙上，在西乌克兰或东斯洛伐克制作。

23. 桑迪·斯塔克曼（Sandy Starkman），裙子（细节），2006 年。

层层抽褶的涤纶雪纺和涤纶缎（上数第二层），同时带有西方和东方的图案，后者还包括仿扎图案。在布鲁克林出生的斯塔克曼于印度——他的第二故乡创造了许多他自己的时装。

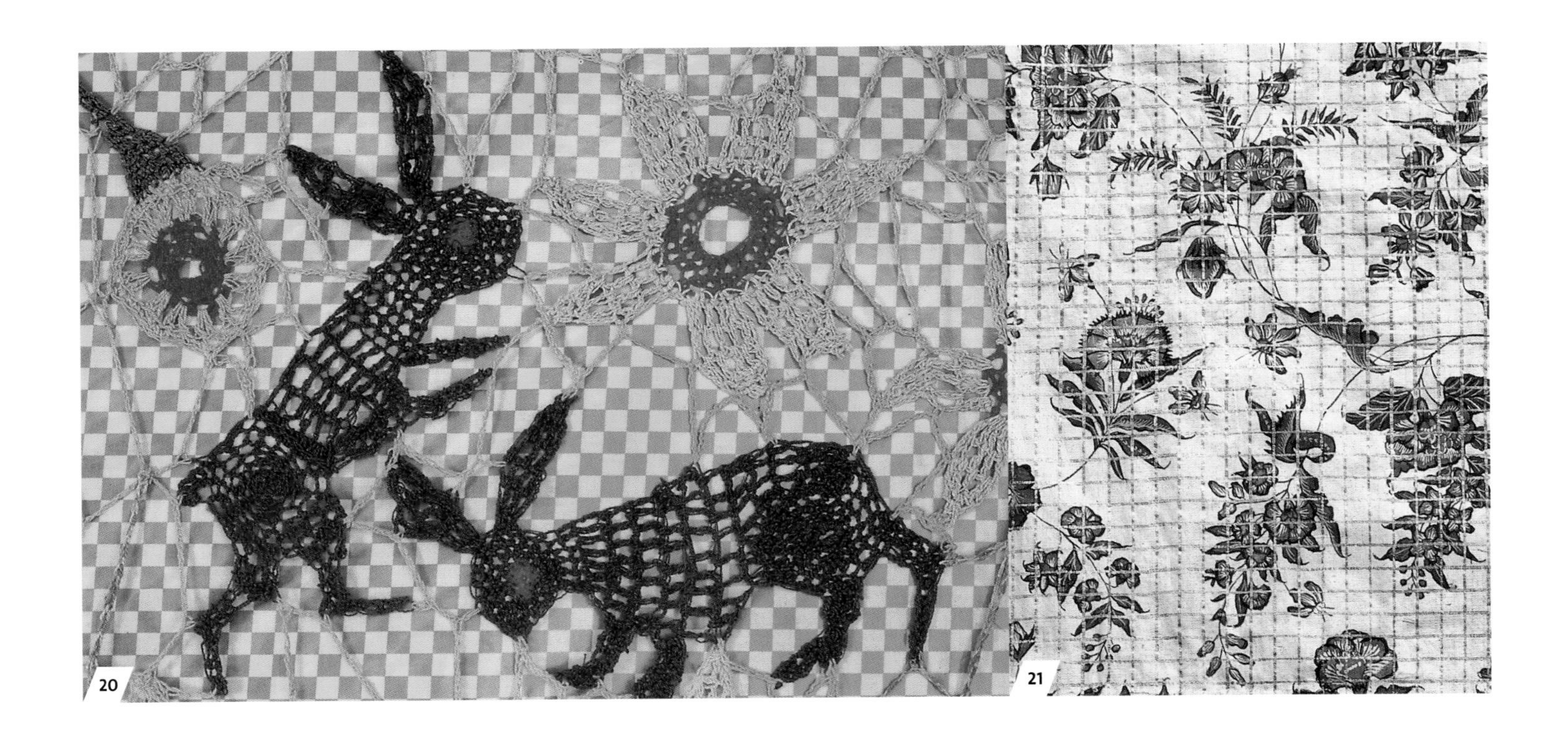

24

25

26

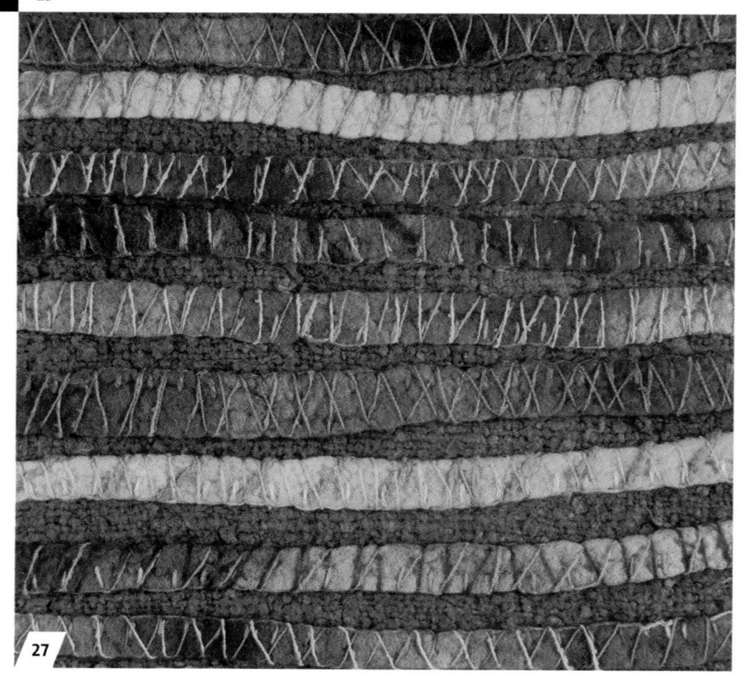

27

24. 塞米诺族(Seminole)工匠，佛罗里达州或俄克拉荷马州，儿童的收紧式裙子（细节），1970年之前。

在粉橙色的人造丝缎上，一行行的曲折形花边环绕着后来嵌入的典型塞米诺族拼缝布条。

25. 埃伦·豪普特利(Ellen Hauptli)，袜子，2006年。

一双平针织棉袜，上面的印花图案像随意的笔触，背面有线缝，袜筒口的边是蓝绿色的珠式缝边。

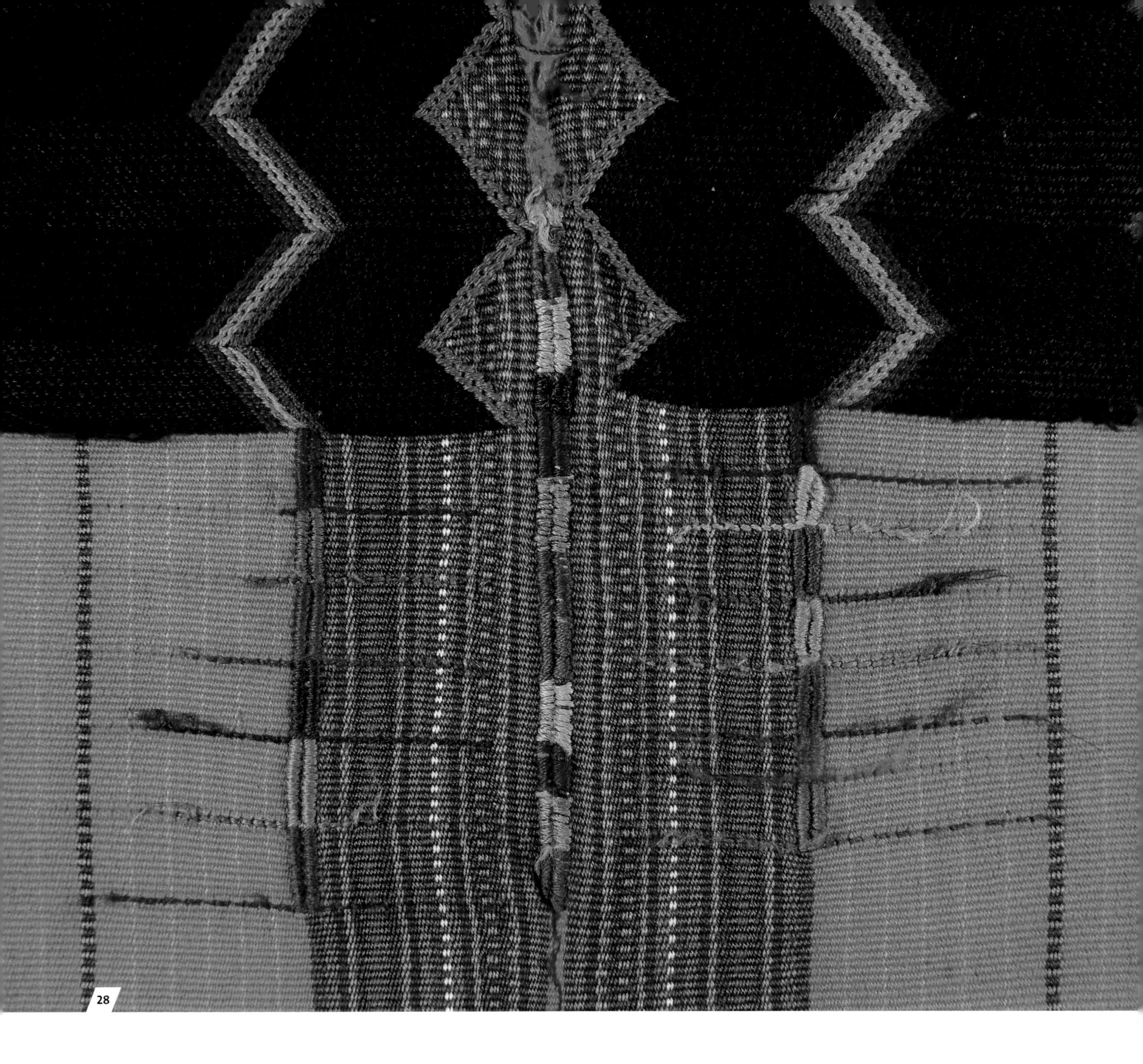

26. 土库曼制造者，儿童连衣裙或衬衫，约1940年。

这件衣服由中间折叠作为肩部的棉布片和两侧拼合的裙片构成，袖子和刺绣的过肩是人造丝制成的。辫编和拼接而成的棉碎花衬布——衬布可能来自俄罗斯——和纵向排列的平针缝线连在一起，固定衣服的边缘。

27. 贝利·柯蒂斯(Bailey Curtis)，马甲（细节），2006年。

将浸染的手制羊毛毡条带缝到一块染过的丝绸底布上。

28. 基切(Quiché)织工，危地马拉，套头穿连衣裙（细节），1980年之前。

这件套头穿的连衣裙购于危地马拉城的一个市场，由两片单独的手织棉布组成。紫色的抵肩上有蓝色的对角线图案，是在织造过程中缠绕红色纬纱创造的，用的是苏麦克地毯技术。小流苏是线头。

29. 让·卡西塞多(Jean Cacicedo),T形外套,1988年。

艺术家受羊毛布在缩水、拼合和染色时的变化启发,将面料视为诸多作品的主要元素:“我的缝纫结构讲述了物质和精神旅行中收集来的图像的故事。”

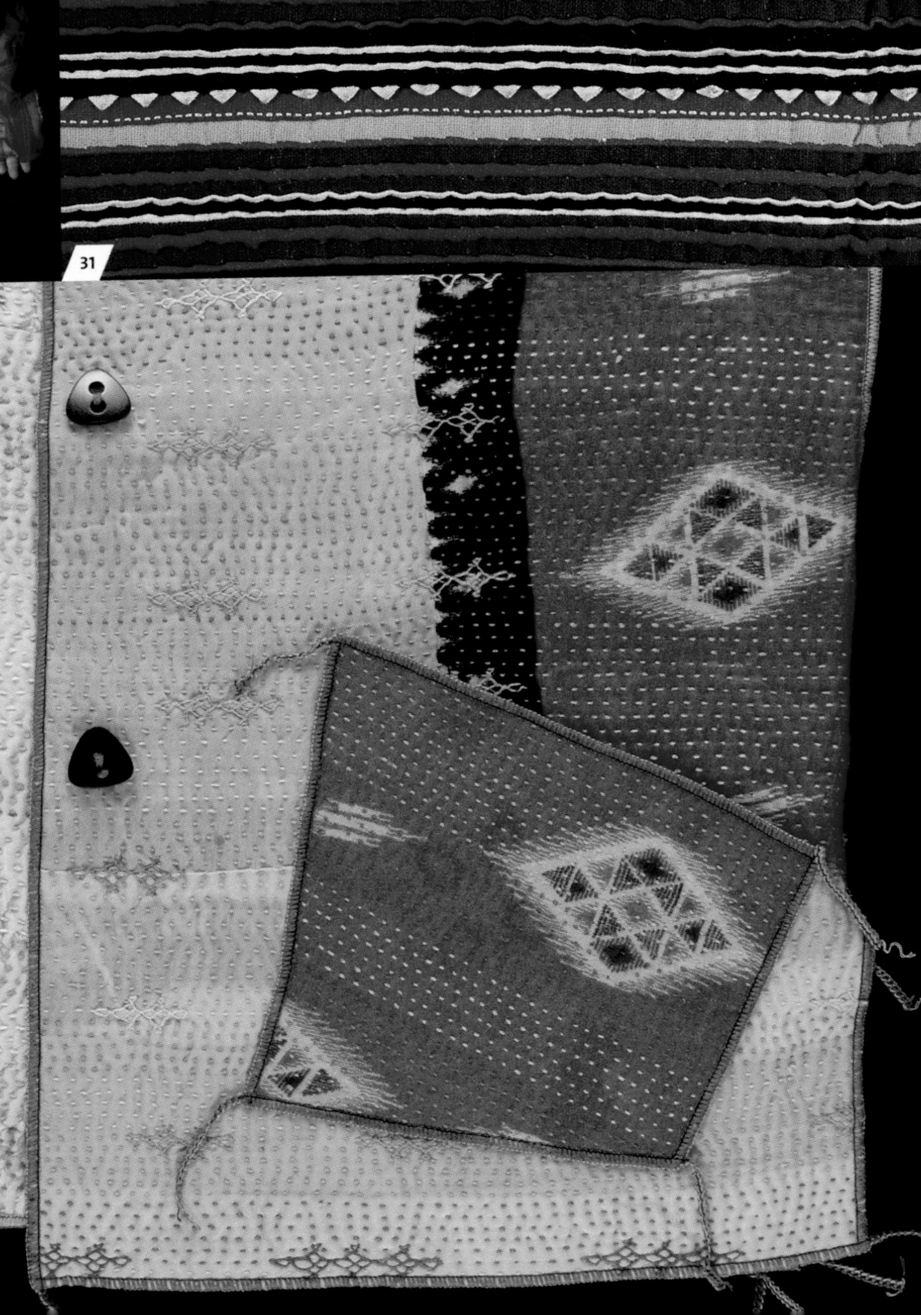

30. 凯瑟琳·奥利里（Catherine O' Leary），红色 Bojagi，2010 年。

Bojagi 是一种韩国传统缝纫技艺，通常用来做包裹布，其中小片的面料用细细的接缝拼合在一起。这件作品的接缝强调了透明硬纱的可塑性和透明特质。

31. 赫蒙族女性，老挝，夹克（袖子细节），20 世纪。

这件衣服的袖口装饰了层叠贴花的窄条带，插入曲折形花边，花边是用折叠的白色棉条手工制作的。

32. 埃伦·豪普特利（Ellen Hauptli），夹克（细节），2009 年。

这件衣服通过回收利用巴基斯坦棉 ralli 被子制作而成。接缝和口袋边缘用豪普特利标志性的人字缝针法加固和强调，并延伸到带有装饰意味的最后成品中。

33

33. 三宅一生（Issey Miyake），夹克（细节），约1978年。

这件夹克的上身和袖子由毛边外露的条状双面羊毛面料纵向拼接形成，反面的图案令人想起扎染效果。

34. 尼日利亚工匠，可能是约鲁巴人，男式阿格巴达长袍（细节），1964—1965年。

衣服中的这些10厘米（4英寸）宽的条状靛蓝色手织棉布条，沿着布边机缝在一起，并用手工包缝。黄色钩针绣和装饰性绣花加固领线，形成了一个可从上面进入的小口袋。

35—38. 埃维（Ewe）工匠，条布（细节），约20世纪50至70年代。

这是加纳、贝宁和多哥的族群成员手织而成的窄条带。埃维的许多棉布室内服装的特色就是包含这种块状的补纬图案，图案会被缝纫到一起创造出花格序列。

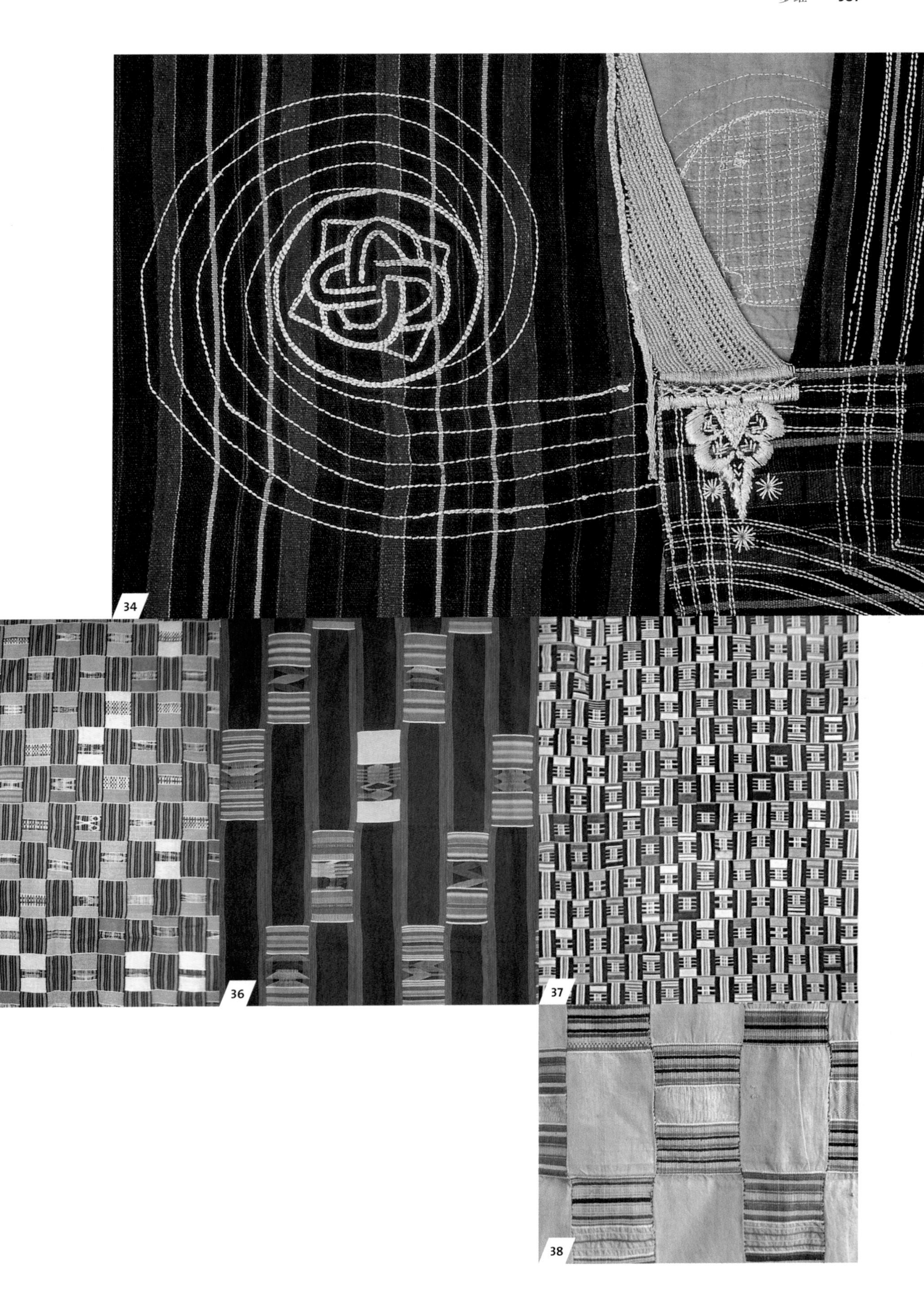
34
35
36
37
38

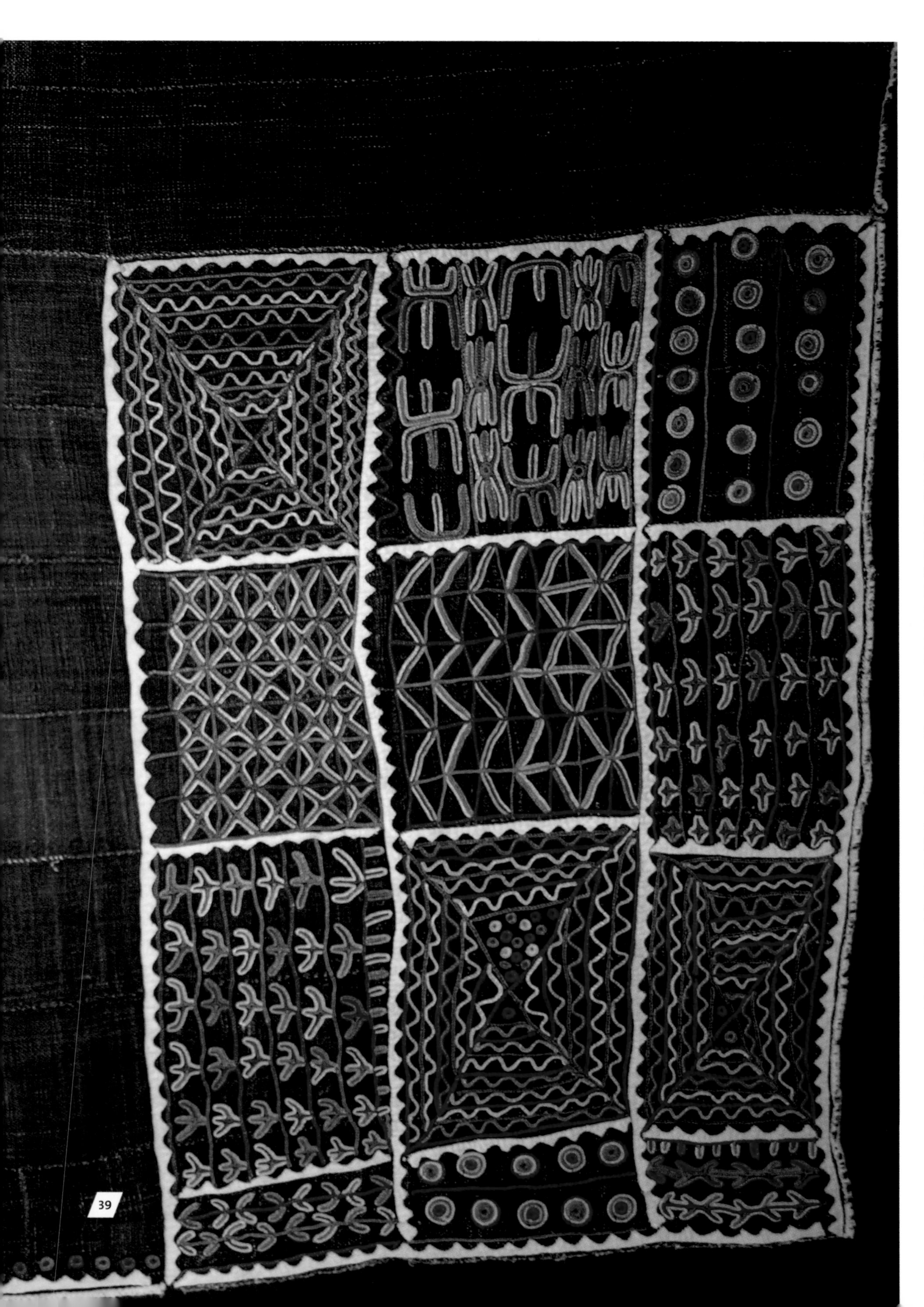

39. 瓦达比（Wodaabi）工匠，裙子（细节），约1950年。

这件用靛蓝染色的条状棉布裹裙的前片饰有锁缝法刺绣形成的几何图案，这种象征游牧和贸易文化的图案很有名。他们从尼日尔南部过来，经过尼日利亚北部和喀麦隆东北部，直到中非共和国的西部地区。

40. 玛丽安·克莱登（Marian Clayden），影子和服，1981年。

工业棉捆扎带被烙印、染色、集合，然后用刷子擦掉色彩。

41. 福本保子（Shihoko Fukumoto），对马岛IV，2009年。

一件老旧的手织taima（大麻）okusozakuri（未染色的和服）被撕碎了，有的布片用靛蓝染色。所有部分最后重新组合成一块长方形的布，大小为220厘米×99厘米（86.6英寸×39英寸）。

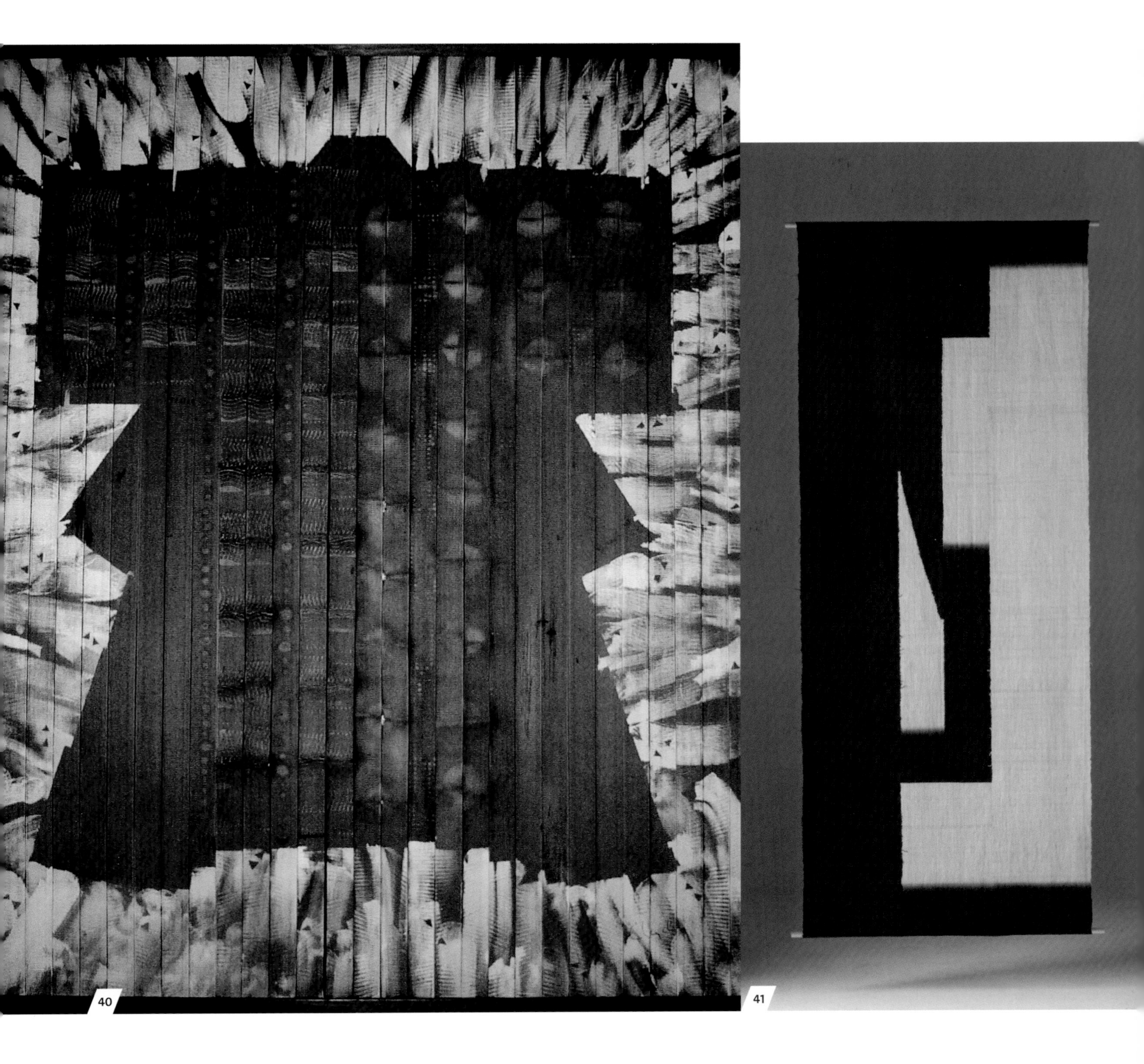
40
41

42. 洛蕾塔·奥利弗（Loretta Oliver），捕获/保护，2011年。

奥利弗受斋普尔的粉红宫殿和其既代表安全又代表监禁的窗户激发，运用湿毛毡技术创作了这件作品，采用羊毛纤维和嵌入的棉毛及手工染色、手工编织的面料。

43. 瓦里（Wari）织工，秘鲁，男式束腰外衣，500—800年。

运用安第斯历史上独有的支架技术，在织机上单独织造了每一块方形和S形的布片（边线折回自身），然后移开支架线，将布片进行平面染色或扎染，最后再重新组合成一整块布。

44. 詹姆斯·巴斯尔瑟（James Basslser），弯腿，2007年。

作品灵感来自于秘鲁的支架编织技术，大麻、真丝和染色羊驼毛被缝到一块经纬纱联锁的手织底布上。

45. 约翰·帕克斯（John Parkes），覆盖/除掉覆盖（学习纳斯卡），2008年。

用亚麻线和棉线进行手工拼合及绗缝，表面为丝绸，用合成染料和天然染料手工染色，形成一整片。大小为183厘米×122厘米（72英寸×48英寸）。

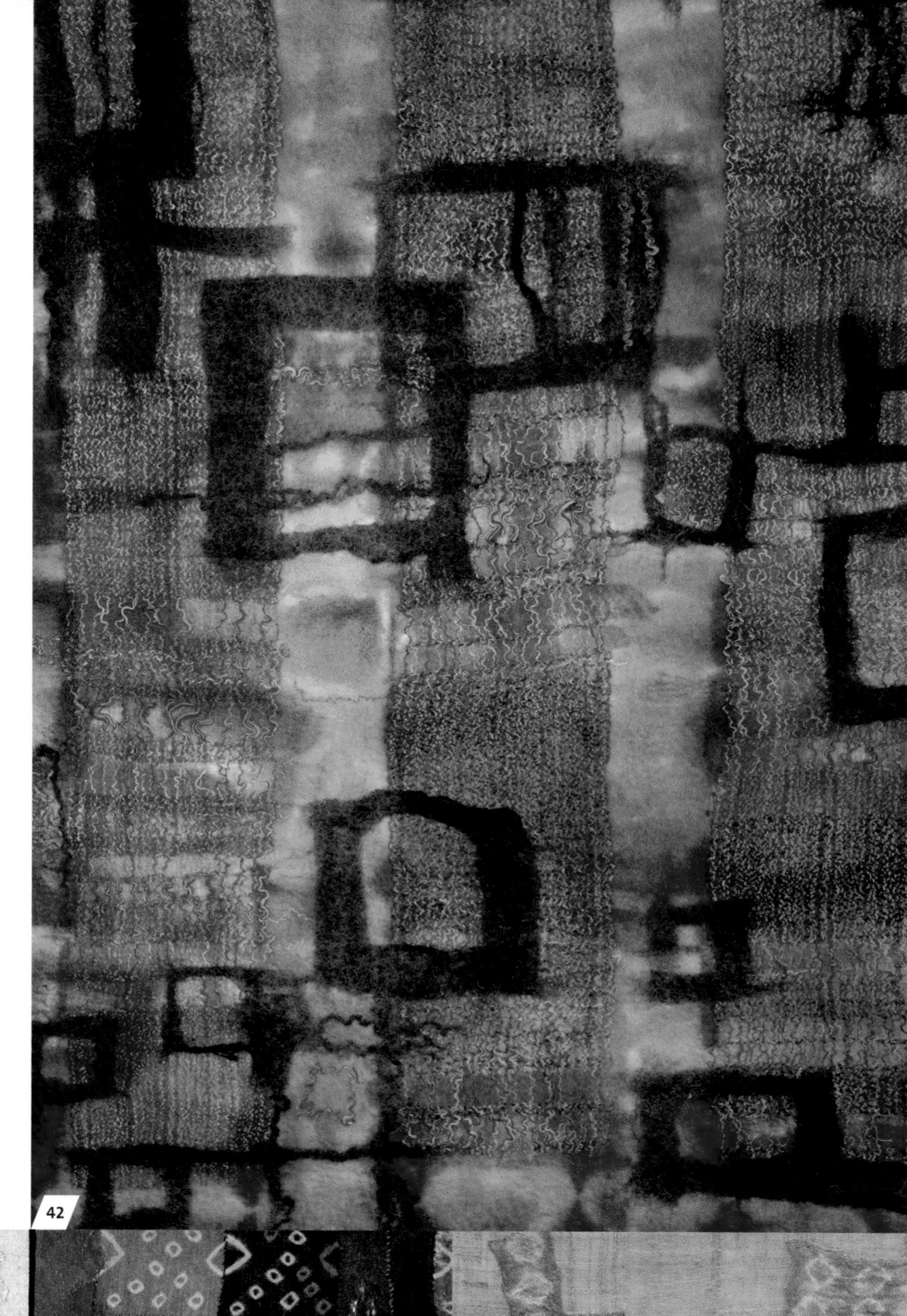

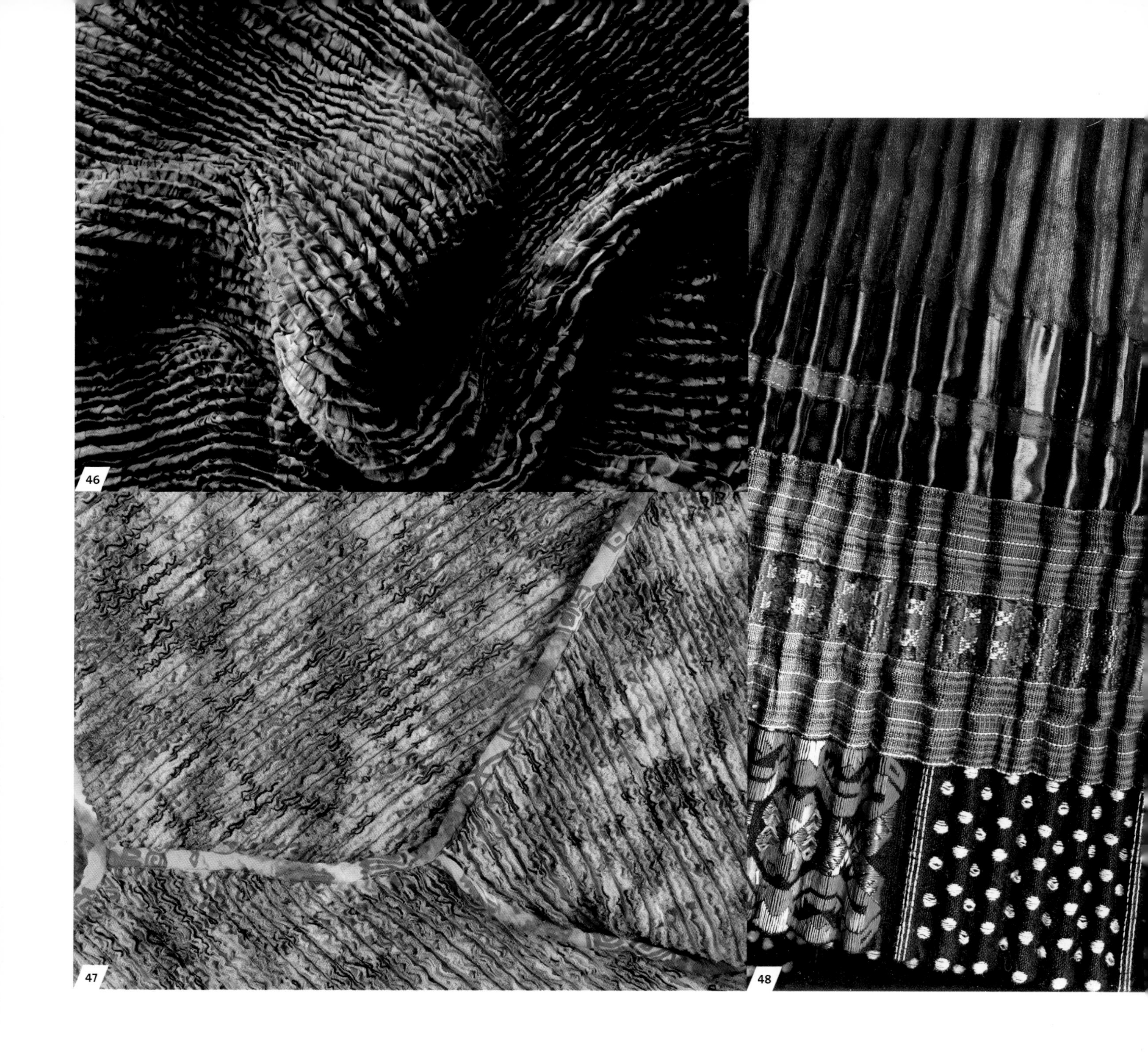

46. 曼蒂·索翰（Mandy Southan），乐烧（细节），2011年。

这块手绘的双面施褶套印真丝面料通过双面 arashi 扎染和浸染技术制造，有动态感："布的灵活性容我塑造纺织品，开合的动态可以揭露和隐藏下层的图案。"

47. 可穿着艺术的美国匿名制作者，夹克（细节），2003年。

这件作品由印花人造毛织物层层堆叠，呈斜向平行的窄条缝在底布上，之后的剪切和洗涤过程让面料形成一种绳绒织物的效果。这件服装来自于南卡罗来纳州查尔斯顿的诺玛·梅国际公司。

48. 苗族工匠，裙子（细节），约2000年。

这件打褶的靛蓝染色棉布裙在外侧的下摆贴边用绣花和丝带装饰。褪色的铜绿色调来自绿豆粉、蛋白、柿子汁、黄明胶、浸泡树皮的水、牛血或龙胆紫。

49. 贾丝廷·里姆帕斯·帕里什(Justine Limpus Parish)，领巾/项链，约2000年。

成型的热定型之字褶扎染涤纶面料，在上边缘用手工着色的镀金颜料进一步装饰。

50. 萨莉·韦瑟里尔(Sally Weatherill)，泰晤士河带褶领巾(细节)，2010年。

这是用真丝、羊毛和莱卡在一台提花织机上用凹织法织造而成的，这种方法能让莱卡收缩形成褶子。

51. 印第安制作者，晚装夹克(细节)，2001年。

锁边线迹的接缝强调了不同的烂花缎面料和雪纺面料的结合。

52

53

54

52. 雅各布·施莱佛（Jakob Schlaepfer），样品，2011年。

施莱弗为2012夏季高级定制系列做的供货样品。图案运用了激光切割和三维褶饰技术。

53. 洛特·达尔加德（Lotte Dalgaard）和安·施密特-克里斯滕森（Ann Schmidt-Christensen），瓦吉特（细节），2011年。

由羊毛和亚麻平纹织造，高捻的羊毛“扎染”纬纱，形成层阶式的褶子，在蒸汽下施压将其变得牢固。这种蜂巢褶的技术能让织物斜裁成两片，围绕身体，无需更多剪裁。

54. 三宅一生（Issey Miyake），Pleats Please（三宅褶皱）裙子、上衣和钱袋（细节），2004—2005年。

轻质的涤纶针织面料线被剪裁并且缝纫到一起，然后热定型永久压褶，褶子可以是直的或者多维的（中间的上衣）。激光切割的图案装饰裙边（最上方的裙子）。

55. 尼尔·波特尔（Neil Bottle），页岩（细节），2011 年。

波特尔探讨了数码技术和手工艺技术之间的关系，展示了这些看起来对立的方式是可以共存的。这件作品是在手工施褶的涤纶面料上进行染料热升华数码印花。印花是手工生成、数码操作的。

56. 安妮·塞尔比（Anne Selby），斐波纳契女用围巾（细节），2010 年。

真丝面料上运用了施褶和 arashi 扎染技术。

57. 安·理查德斯（Ann Richards），纱布褶（细节），1997 年。

柞蚕丝在这里形成了纱布的（交叉）经纱，创造了一种稀疏但很结实的结构。马海毛的纬纱是单纱线且因此不平衡，所以能够在表面湿处理的过程中产生“自然”褶皱。

58. 安·理查德斯，真丝褶（细节），2001 年。

真丝和亚麻形成了这些自然的褶裥。理查德斯在成为一名织工之前学习的是生物学，她着迷于生长的潜在原理和生物形式。她利用“差异较大的材料创造富有肌理感的伸缩面料，面料经历了从织机上织成的顺滑、平面的状态到表面湿处理后发生巨大的转变，变成起皱或有褶的纹理”。

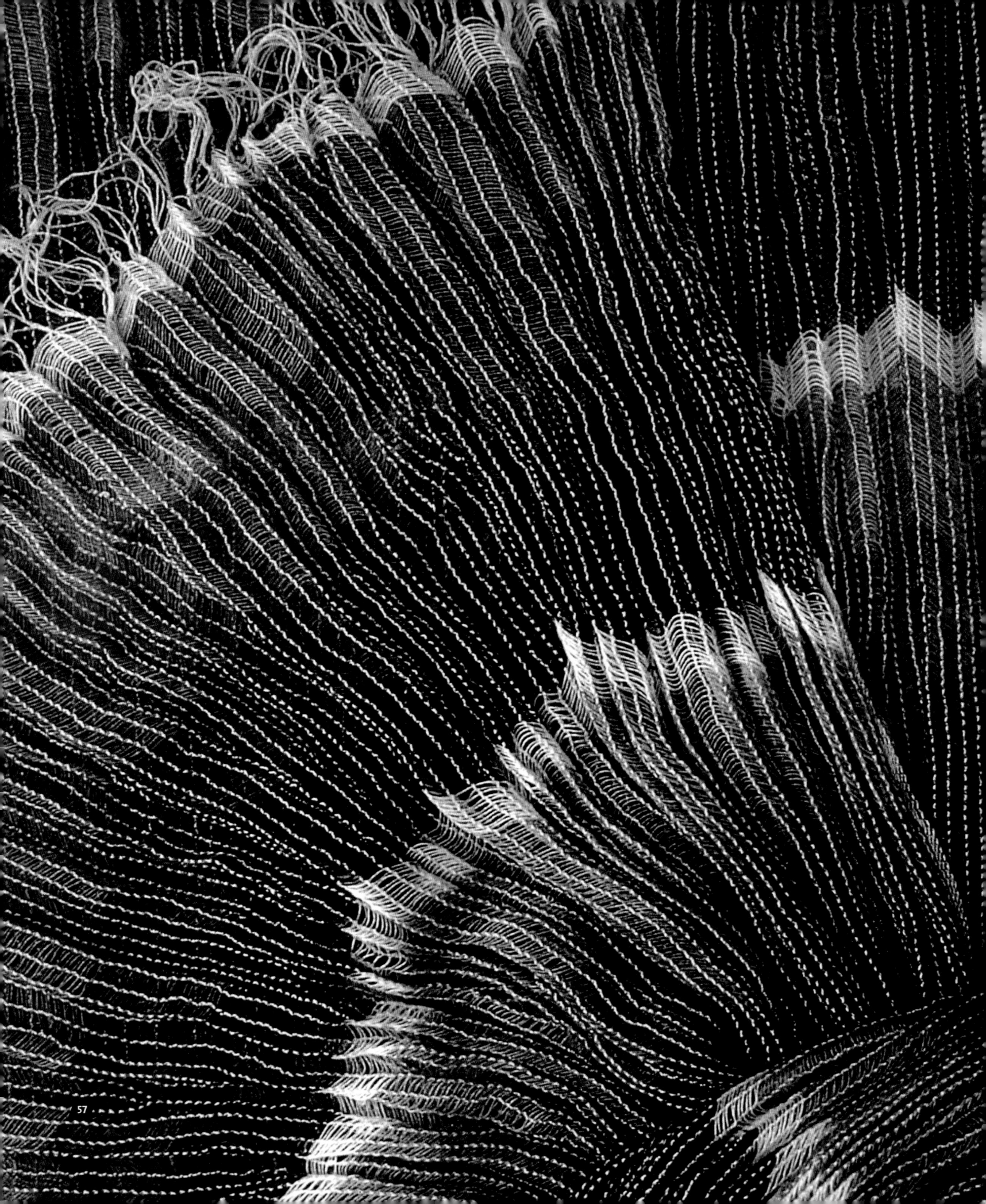

59. 伊夫·哈拉瑟里（Havva Halaceli），黑&白(细节)，2008年。

哈拉瑟里这件无装饰连衣裙的近照显示出她用丝线处理真丝面料，看起来好像已经准备好了进行扎染。

60. 西尔克·斯巴赫(Silke Bosbach)，现代扎染——水体，2011年。

这件雕塑作品将古老扎染技术放到现代活动中，艺术家将水放到塑料袋里，用金属纱线包起来，就像在plangi（扎染）中将其束紧一样。

61. 帕特丽夏·布莱克（Patricia Black），发光的中阴身（细节），1993年。

“发光的中阴身”这个词来自《西藏度亡经》。该书描写了从现实到另一个领域的过渡。布莱克的纺织品以闪耀的光和移动的光谱为特征，在丝绸透明硬纱上通过染色与褪色达到效果。

62. 芭芭拉·夏皮罗（Barbara Shapiro），Ndop恩多普（细节），2005年。

手织的真丝条带、拼合、靛蓝针缝防染。从技术和主题来看，它是向巴米累克人的ndop布致敬，那是一种喀麦隆哥拉斯菲尔德斯的人们用来做衣服和划出仪式空间的布。

63. 安·布朗(Ann Brown)，河，2010年。

《河》是一本艺术书，包含靛蓝染色的双宫丝、桑蚕丝、棉股线和尼龙防虫网，《河》的旁边还有一个废弃并改造的纸板容器。作品探索了缝线防染作为绘画媒介和附加的绣花标记的潜能，作品指向发展对河流的威胁。

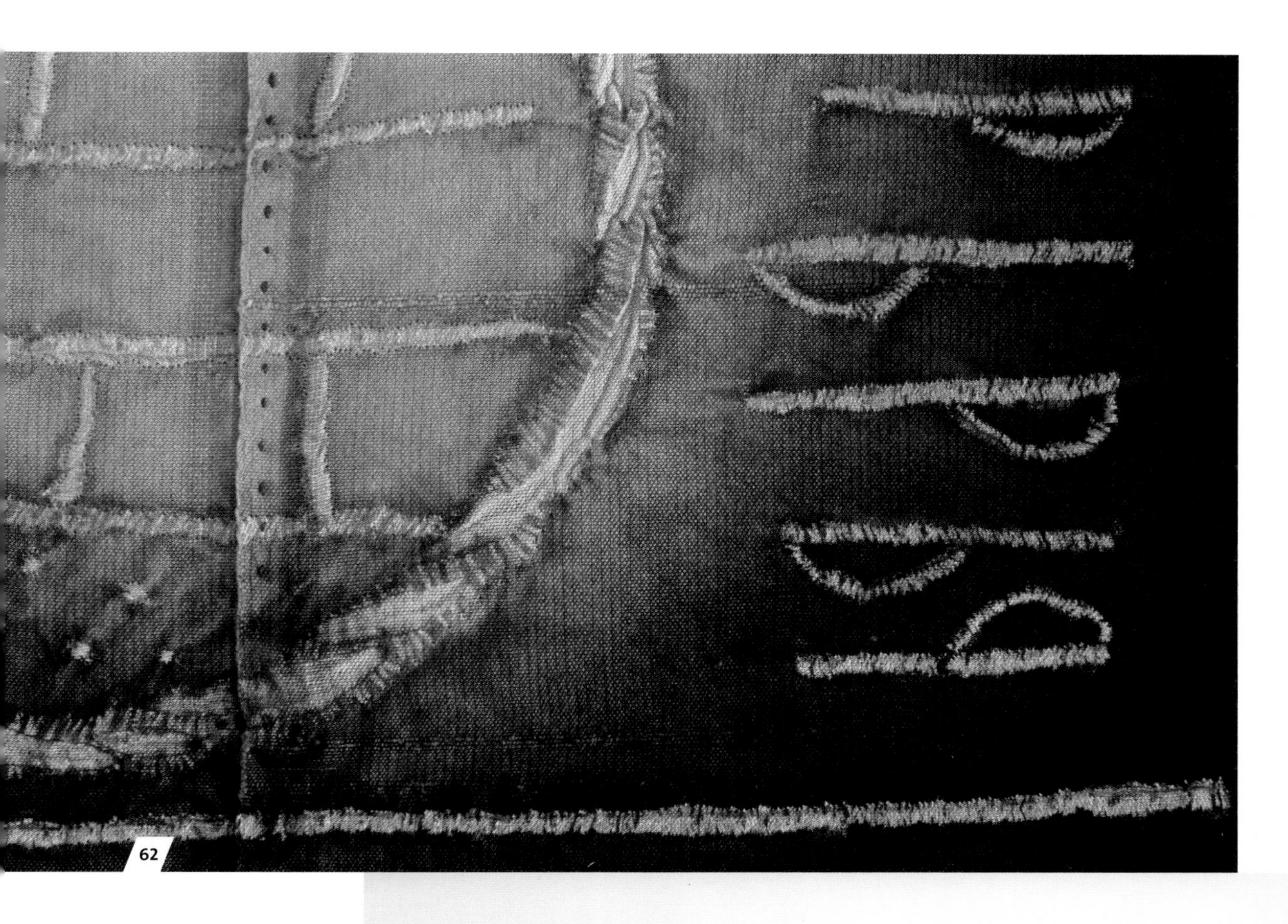

62

63

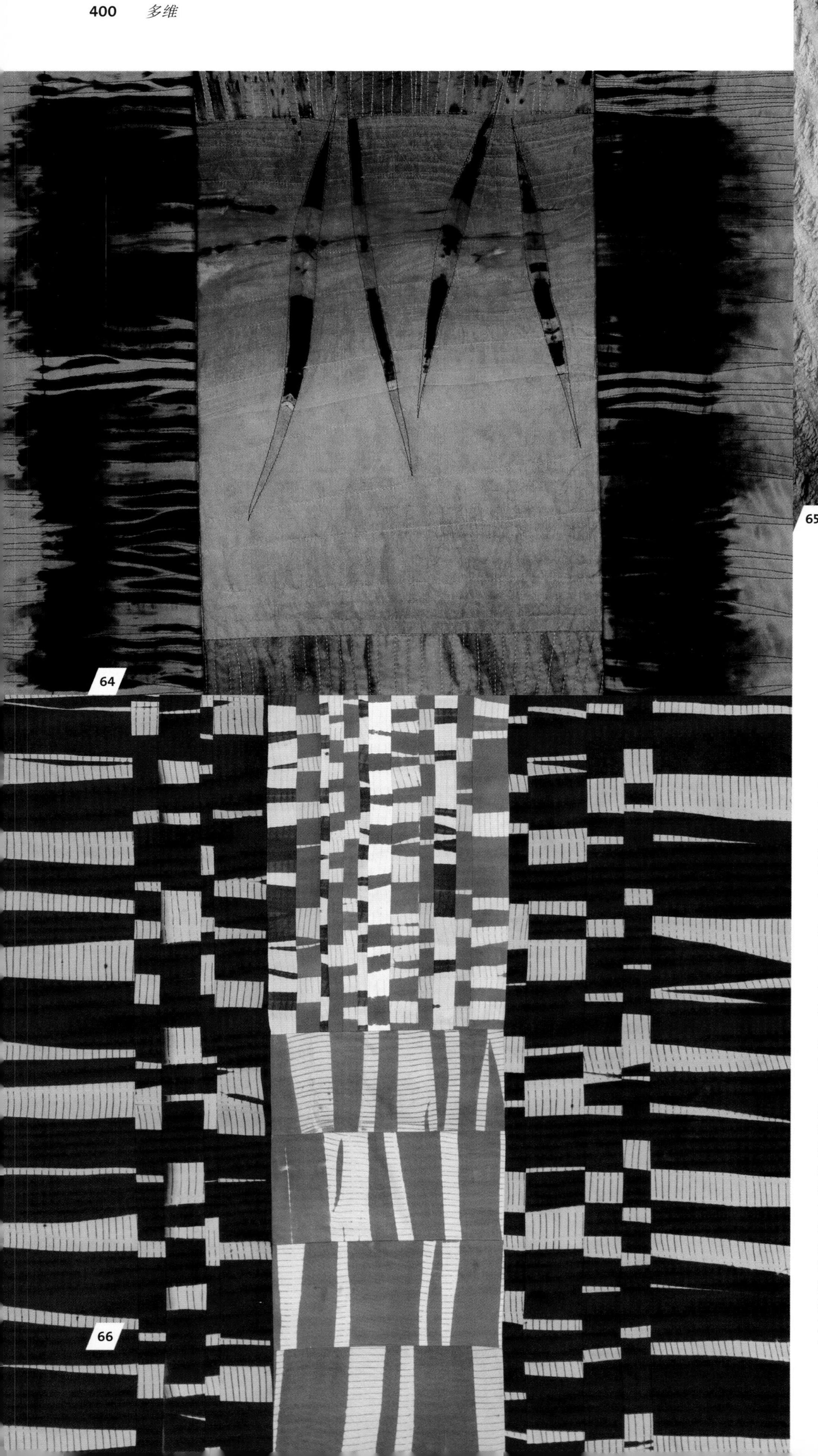

64. 朱迪思·孔唐（Judith Content），幽灵（细节），2008 年。

这件作品高 185 厘米（73 英寸），包含了拼合的真丝缎、查米尤斯丝绸和泰国丝绸，运用 arashi 扎染和机缝，留存隆冬黄昏时刻大海防波堤边波浪起伏的影像。那时波浪“就像液态的水银，波浪的顶尖带有夕阳生动的光泽”。

65. K.C. 洛（K. C. Lowe），极光梦幻海洋（细节），2005 年。

努诺毡结构的澳大利亚美利奴羊毛，通过 33 米（36 码）的真丝起皱绉织和真丝羽二重（habotai，一种平纹丝绸织法）进行手工黏结，用能染出红色、棕色或紫色的苏格兰梅衣属地衣（在哈里斯岛塔伯特渔村大缸染色），再用苏格兰水和各种阿拉斯加染料织物套染，再用卢勒克斯织物和柞蚕丝表面包含物处理表面。

66,67. 安娜·丽莎·海德斯托姆（Ana Lisa Hedstrom），横向变换和库巴地毯，2009 年。

两件都是防染染色、拼合缝制，丝绸采用横向缝制，库巴地毯是亚麻制的。第一块为 119 厘米（47 英寸）高；库巴地毯更大一些，为 203 厘米（80 英寸）高。

68

68. 卢德维卡·兹特克艾维兹–奥斯特罗夫斯卡（Ludwika Zytkiewicz–Ostrowska），连接，2007年。

艺术家表现了把这种扎染过的打褶丝绸卷起来的设计趋势，他“不想要‘强迫’物体以非自然的形状运转……我主要的目的是捕捉并记录这种我认为最有表现力的瞬间”。

69. 莫·克尔曼（Mo Kelman），它捂住了那些消失的东西，2006年。

这件作品是缝合的结构，直径为61厘米（24英寸），由 mokume（木纹）扎染和定型的真丝、黑色胡桃壳、棉绳和钉子组成。Mokume 在整块面料上做出一排排的缝迹；线被缝得很紧以制成缝线防染，同时染缸的热度可以定型压缩后的外形。

69

70

71

72

70. 凯茜·穆恩（Cathy Moon），昆虫面料（细节），2011年。

在真丝羽二重面料上用云绣扎染技术创造出扭曲的山峰。三维的扎染面料常常呈现出有机的形式，这件作品令艺术家想到神话中的山脉，因此她创造了比实际串珠昆虫更大的物象在山间“生活”。

71. 洛伊斯·哈德菲尔德（Lois Hadfield），善良、邪恶以及二者之间（细节），1990—1999年。

折叠和夹紧数次（itijime扎染）是为了在施褶表面的正反两面都能着色。在这块真丝可穿面料上，艺术家让表面颜色缓慢地渐变，主要的颜色变成次要的，反之亦然。

72. 曼蒂·索翰（Mandy Southan），斐济——黑珍珠（细节），2011年。

这件作品展示了只有丝绸能够表达的手绘的微妙变化和染色深度。白色的区域用胶防染。这块丝绸为大摆裙子设计，索翰将丝绸缝到热可塑的涤纶面料上，手工捆绑扎染使之永久定型。

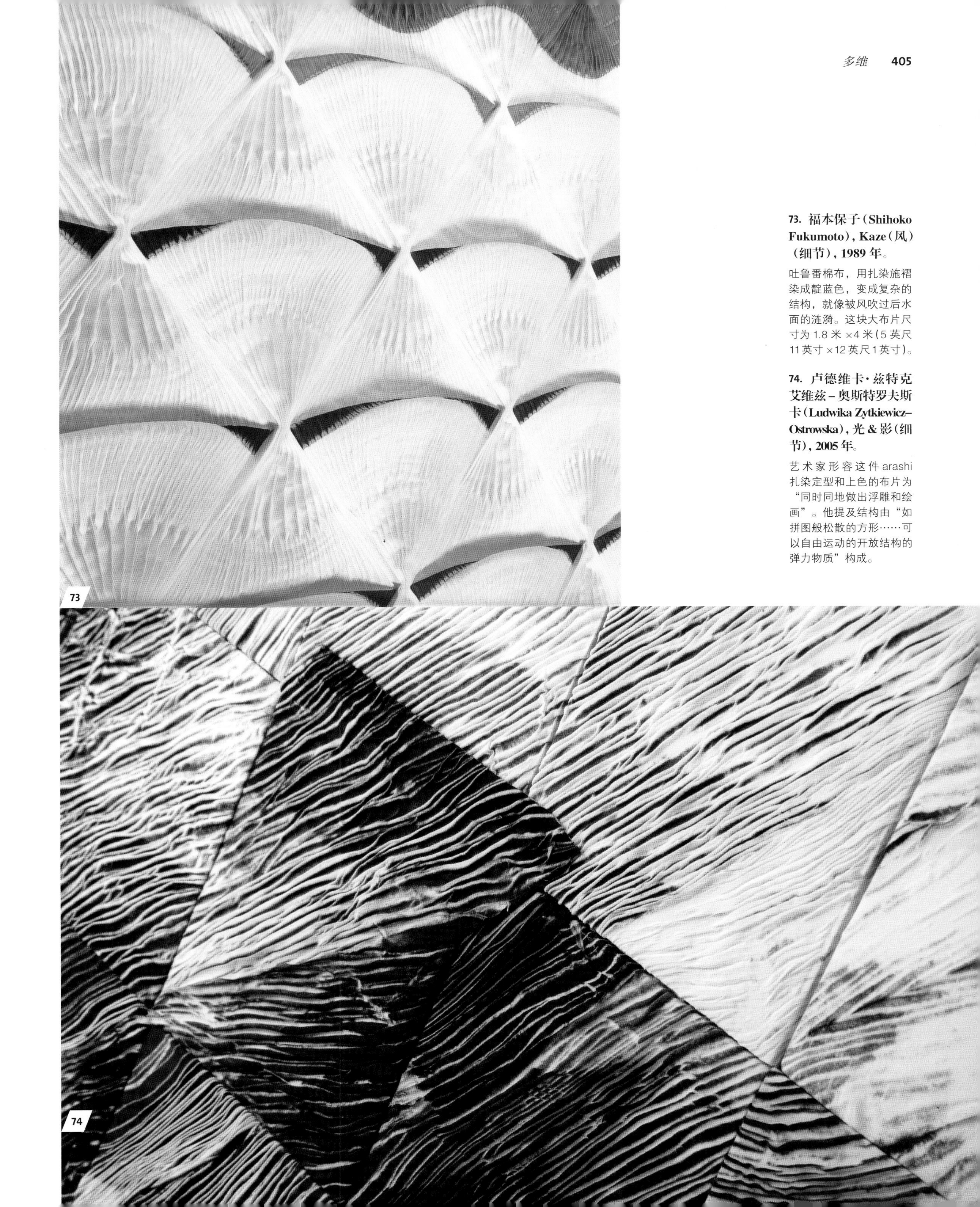

73. 福本保子（Shihoko Fukumoto），Kaze（风）（细节），1989 年。

吐鲁番棉布，用扎染施褶染成靛蓝色，变成复杂的结构，就像被风吹过后水面的涟漪。这块大布片尺寸为 1.8 米 ×4 米（5 英尺 11英寸 ×12 英尺 1英寸）。

74. 卢德维卡·兹特克艾维兹－奥斯特罗夫斯卡（Ludwika Zytkiewicz-Ostrowska），光 & 影（细节），2005 年。

艺术家形容这件 arashi 扎染定型和上色的布片为“同时同地做出浮雕和绘画”。他提及结构由“如拼图般松散的方形……可以自由运动的开放结构的弹力物质”构成。

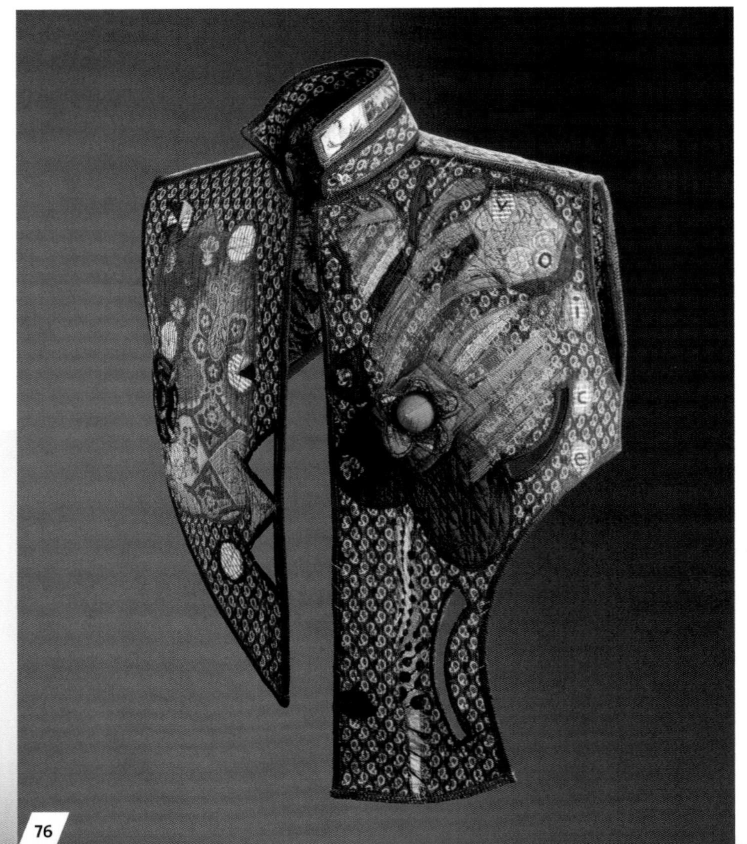
76

75

77

78

78. 露丝·莱文(Ruth Levine),改变阿尔托,2011年。

这件作品受阿尔瓦·阿尔托的经典1937花瓶中光滑优雅的线条的启发，通过厚涂的颜料凝胶和塔斯马尼亚岛摇篮山照片转化成的图像，将亚麻帆布变得粗糙和有肌理感，探索了“可能的阴暗面……改变自我/改变阿尔托”。内部有加重的毡底以保持稳定。

79. 克莱德·奥利弗(Clyde Olliver),静物,2006年。

奥利弗的作品反映出他在纺织品、石刻和静物绘画方面受过的训练，但艺术家40岁的时候才开始学习这些。这件静物缝在石板上，石板放在一个长33厘米(13英寸)的石板架子上。

79

75. 西比尔·海宁(Sibyl Heijnen),观色,1989年。

这件立着的雕塑高1米(39英寸)，由卷起、缝纫和裁剪的棉布组成。

76. 凯·卡恩(Kay Kahn),声音,2011年。

这件衬衫出自艺术家的“盔甲系列”，使用手缝和机缝把一件衬衫拆解、绗缝、拼合以及用丝绸和棉布贴布绣，最后进行重构。卡恩形容她的作品是“集合了经历、信息和图像片段的马赛克”。

77. 珍妮弗·福尔克·林森(Jennifer Falck Linssen),庇护(细节),2009年。

用katagami风格手刻纸板制作的手工艺容器，还使用了档案棉纸、铝、上蜡的亚麻、包铜电线、颜料和亮光漆。立起来有近50厘米(20英寸)高。

80

80. 安妮－玛丽·沃里（Anne–Marie Wharrie），玛丽姑妈，2010 年。

在这件作品中，沃里向她的姑妈致敬，她的姑妈是战后澳大利亚悉尼的家族服装厂中的领头机工。手工制作的羊毛人体模型饰有“被破坏的有代表性的时装配件收藏……暗指我相信‘一切都是相关的’”。

81. 丹尼斯·普雷方丹（Denise Prefontaine），拼缀物（细节），2011 年。

艺术家被短暂的、易碎的和幽默的东西吸引，将多面反射不同颜色的玻璃用尼龙线绑起来，不论是通过风的效果、太阳光线还是“因光和运动产生的舞动的影子”，“使无生命的东西生动化，同时也带来可能的变化”。

82

82. 玻利维亚(Bolivian)工匠，欧鲁罗女式嘉年华帽，2002年。

这顶帽子由灰白色硬羊毛毡和腈纶帽带以及帽带中间的一个锡框的镜子装饰构成，并使用了染色的羽毛、腈纶流苏以及包缠的金属丝，上面有串珠的绒球和精致的串珠圈，以此丰富外观效果，这些装饰都被固定在帽带上。

83. 塔德克·布特利希(Tadek Beutlich)，蚕茧中的人像2，1996年。

布特利希利用PVA浸泡的棉毛纤维，在弹性茅草纤维编织的结构上塑造人像。布特利希在职业生涯的后期发明了这种技术，他的职业生涯具有影响力，因结实、感性、个性化的原创织造形式而闻名。“除非你是一个天才，不然必须先观察，感到兴奋，然后再思考如何表达”。

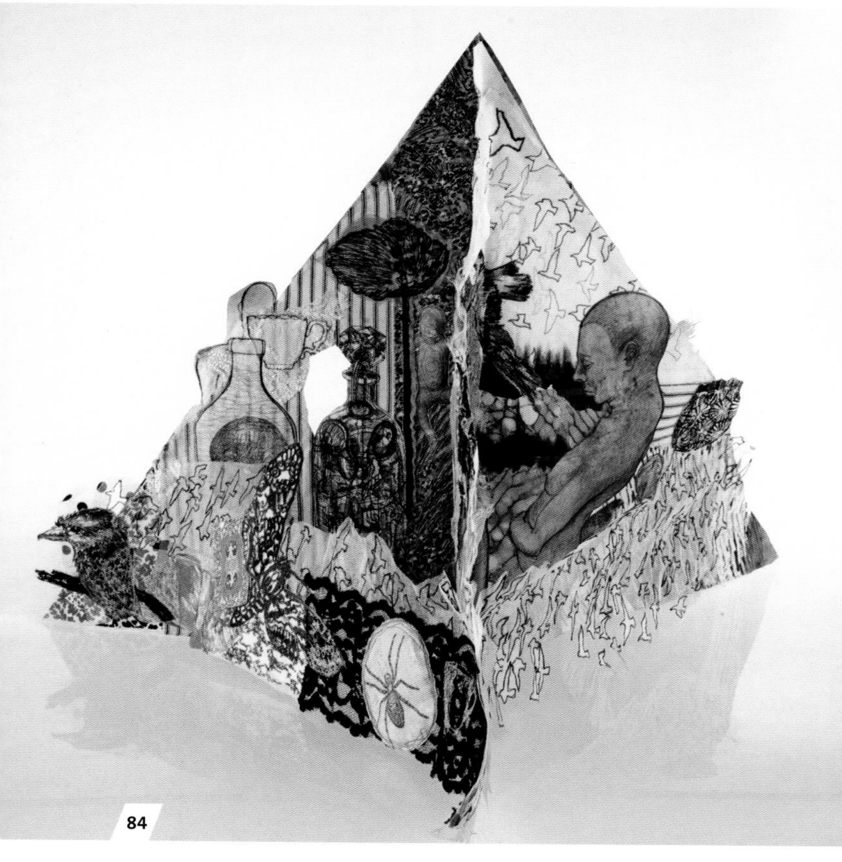

84. 朱莉·蒙特格瑞特（Julie Montgarrett），别样：隐藏在普通场景中的脆弱真相和美丽谎言，2011年。

在纸上用单色印花、丝网印花以及数码印花的抽绣丝绸、棉布、涤纶和天然亚麻布，运用手工和机器贴绣，然后剪切部分，“像组装在一起的未完成的句子……确定性和逻辑被含糊和矛盾取代”。

85. 普莱米·乔利（Primy Chorley），跳舞的玩偶，1986年。

这些形象的灵感来自玩偶之家里的老式玩偶和玩具，用细绒羊毛、成股棉线和珍珠绒线在天鹅绒和威尔士法兰绒上缝制而成，高度为28厘米（11英寸）。

86. 英国绣工，凸绣和刺绣镜框（细节），1650—1670年。

凸绣在英文中也叫作“stumpwork”，由熟练的业余绣工完成，需要高超的技术。这里的人物有填充的形式，还有黄杨木做的脸和手，它们完全被独立的扣眼、缎子和长短针刺绣针迹、真丝包绳、小颗珍珠和彩色丝线覆盖。

87

87. 玛丽·科曾斯－沃克（Mary Cozens–Walker），在被窝里（实用5），2005年。

美国实用标志引出了一场全国性的运动，将“修修补补将就过去”作为战争的后果之一。艺术家按照这种心理，使用了床单、开口式枕套和她结婚时的篮子，强调了“人体在被窝中形成的有趣形状”。

88. 克莉丝汀·阿特金斯(Christine Atkins)，护送，2008 年。

这些雕塑形式在一个 53 厘米（21 英寸）长的宽阔区域里“游行”，采用吉尔福德草（洋葱草）做成的特殊的布，还有棉线、手工染色及手工或机器在废弃物和构筑物上缝制。阿特金斯邀请我们“深度观察以了解其隐藏的信息和秘密”。

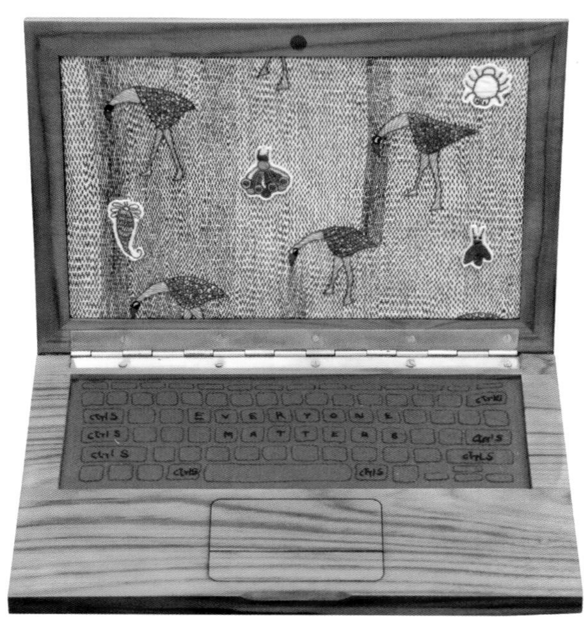

89

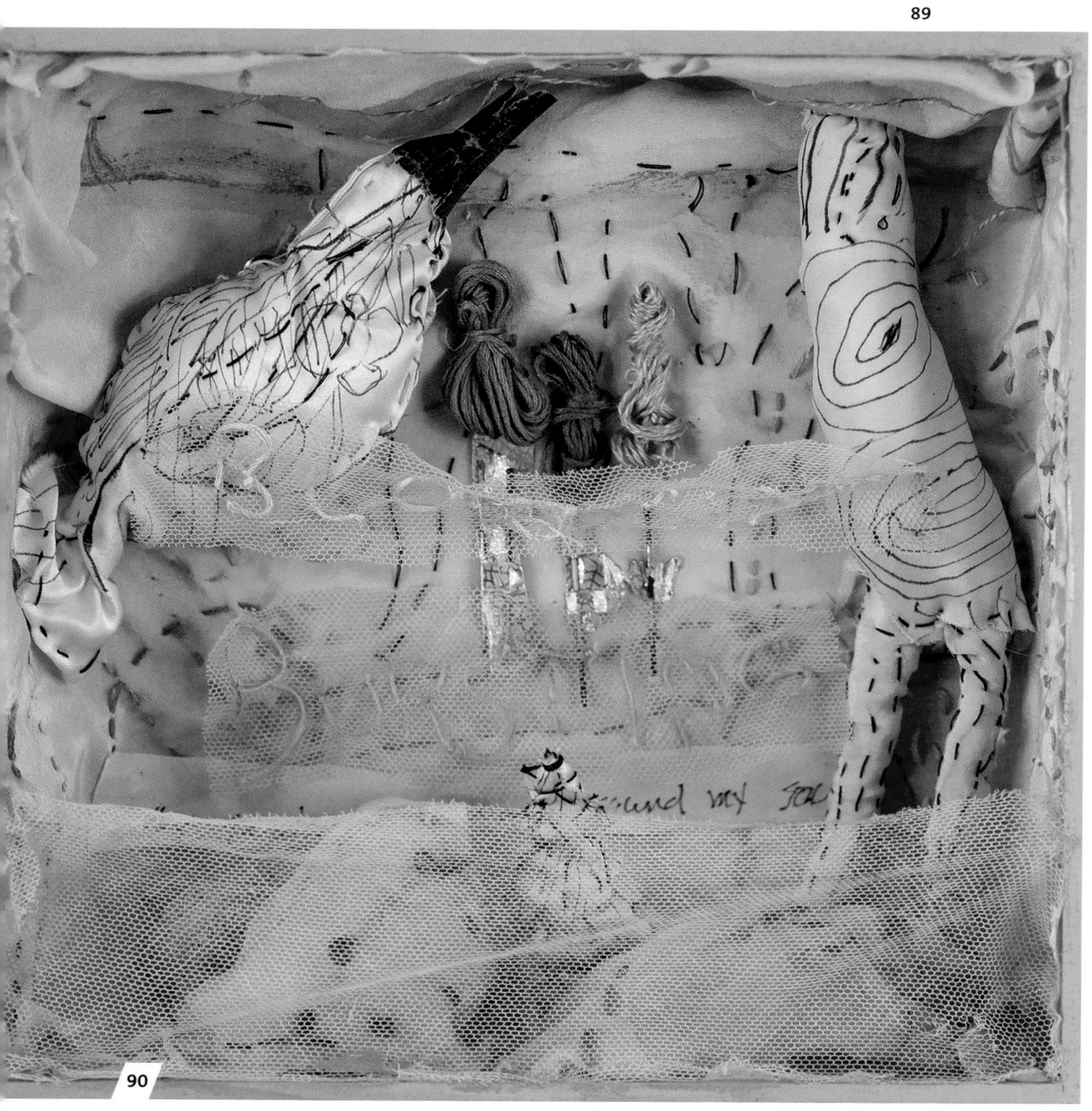

90

89. 帕德马赛·克里希曼（Padmaja Krishman），宝贵的几秒钟，2009年。

这是受印度时间永恒的价值观的激发所创作的5个笔记本之一。“显示屏”采用传统 kantha 工艺，用棉碎布手工绣制。Kantha 是一种孟加拉国和孟加拉地区使用的刺绣工艺。键盘是用二手布料缝制的，它所传达的信息与艺术家所强调的辩证关系相符——“在过去与现在、文化与市场、手工艺与技术、慢与快……少与多、永恒与一次性之间”。

90. 珍妮特·库珀(Janet Cooper)，缝制的景观，2011年。

在一个22.9厘米(9英寸)见方的手绘松木盒子里，作者用二手面料、线以及模糊、部分被遮盖住的字表达对“用过的东西的表层氧化物、废弃物的神秘感、记忆和普遍”的迷恋。

92

91

91. 玛丽·科曾斯-沃克（Mary Cozens-Walker），卡茨家族树——第二版，2007年。

描绘了一棵长在伦敦国会山的栗子树，树上有艺术家的家庭成员，用棉线手缝。该作品最初完成于2001年，随着四个孙子的加入，树也“长”大了。

92. 扬·霍普金（Jan Hopkins），母鸡，2009年。

艺术家用上蜡亚麻线复合锁边绣，结合哈密瓜皮、葡萄柚皮、阿拉斯加黄杉和鸵鸟贝壳珠，创作了这件小品。

94

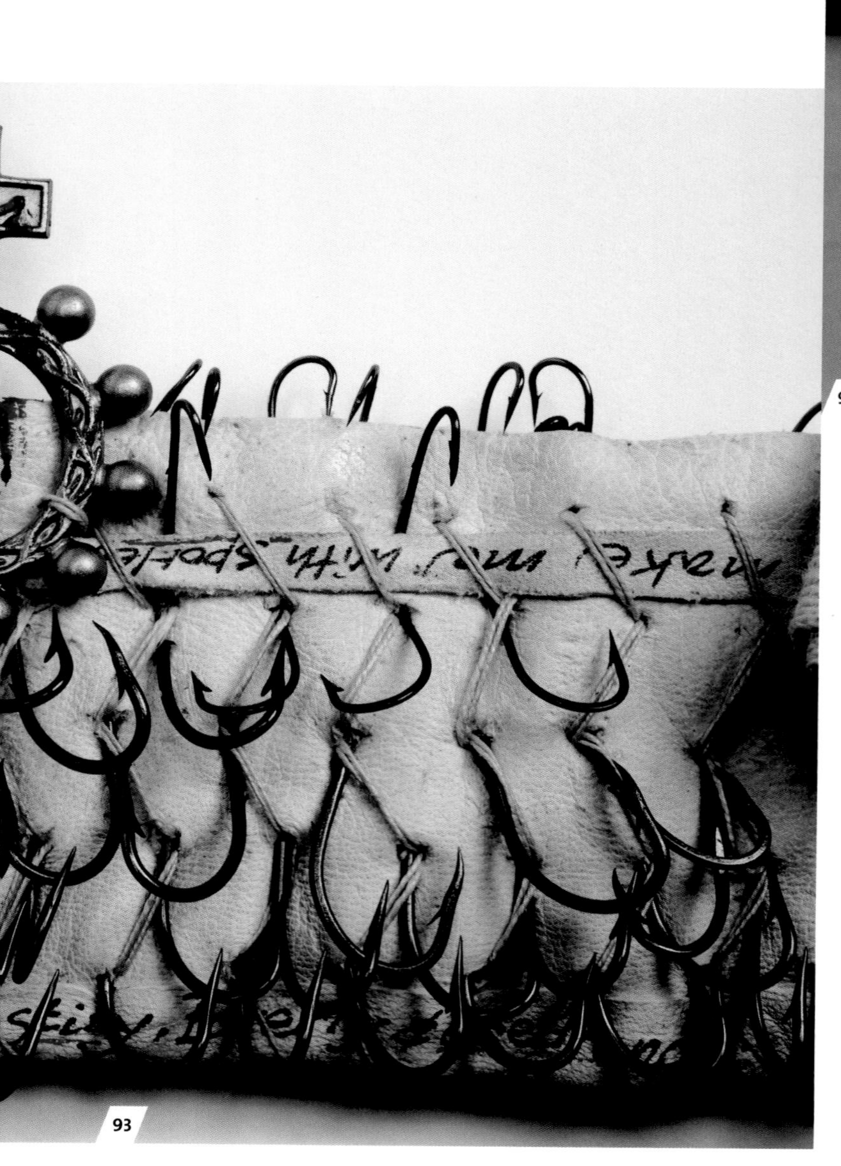

93

93. 罗珊·霍克斯利（Rozanne Hawksley），赎罪 I：赎罪的吊袜带（细节），2006—2007 年。

皮吊袜带用鱼钩做成花边，上面写了这样的话："让我拥有无瑕的思想、纯洁的心灵和贞洁的身体"——圣约瑟夫的祈祷。

94. 丹尼斯·斯坦顿（Denise Stanton），无题 1（细节），2007 年。

这件手工制毡的美利奴羊毛容器涵盖了艺术家在过去 7 年中研发的诸多技术。它是 6 个容器系列之一，灵感来自于"通过纺织品的感性特征探索蘑菇和寄主之间有趣的共生关系"。

95. 阿黛尔·张（Adele Zhang），幻觉（细节），1999 年。

在这块泡泡纱上，用机缝做出图案和那些需要肌理的区域，碱液处理的真丝同棉薄纱发生化学反应做成不同形状和大小的收缩。这既提供了灵活性又提供了控制的可能，能够让它无缝嵌合进任何可想象轮廓的可穿带物品中。

96

97

98

96. 瓦尔·詹姆斯（Val James），梦想的外套（细节），2010 年。

这件外套除去了传统的接缝，维持了面料的轻薄性。它有彩色的图案，通过自由式刺绣、反面贴花和双头针缝法创造肌理。

97. 美国制衣工，女式无袖衬衫（细节），20 世纪 20 年代中期。

这件服装 3 层下摆如同贴签一样交错，边上有机器刺绣和清澈的玻璃珠以及莱茵石。

98. 乔·安·斯坦贝（Jo Ann Stabb），天鹅之歌：我最后的学术计划！（细节），2002 年。

这件大衣的外面覆盖了回收利用和改造的工业丝绸碎片。里面印的是艺术家接下来的目标："提议想法，重新审视和修订、关联分析，整合想法与范式、影响分析，压缩想法、群聚效应分析，资源分配、资源再分配、底线。"并用美元符号环绕内部底摆一圈。

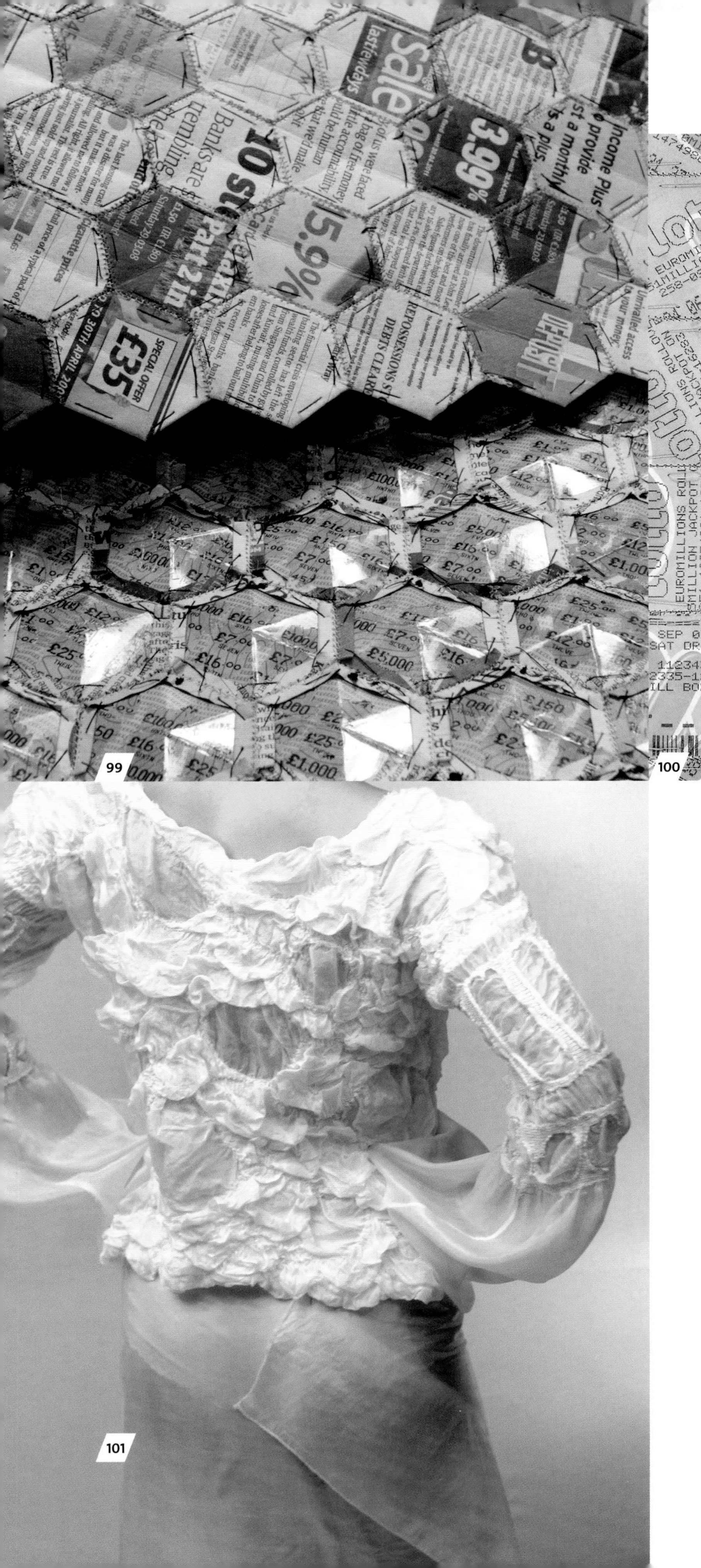

99. 里安农·威廉姆斯（Rhiannon Williams），钱的会谈（背面细节，上面是正面细节），开始于 2002 年。

这件作品还未完成，六边形纸片用背面贴有全球经济报道的报纸卡片制成，报纸显示“我们的金钱关系的个人面和公共面”，探讨了“时间的利用、劳动力、投机和赚大钱的幻想”问题。

100. 里安农·威廉姆斯，我的损失就是我的损失（细节），开始于 2002 年。

这件作品是批判资本主义文化作品的一部分，由每周购买的乐透彩票组成。到 2011 年，艺术家已经花了 4500 英镑，作品长 4.5 米（14 英尺 9 英寸）。她说：“收集和慢慢累积这些小纸片足以戏剧化地呈现消费文化。”

101. 安妮·罗伯森（Anne Robertsen），百夫长，2009 年。

作品由细亚麻纱织造，然后层压到真丝上，用苛性钠创造出轻薄材料的表面肌理，艺术家使用一台针织机得到针织的效果。她将自己形容为“永远在探索制造有趣的表面、轻薄的质地和可穿以及舒适而富有弹性的物品的方法”。

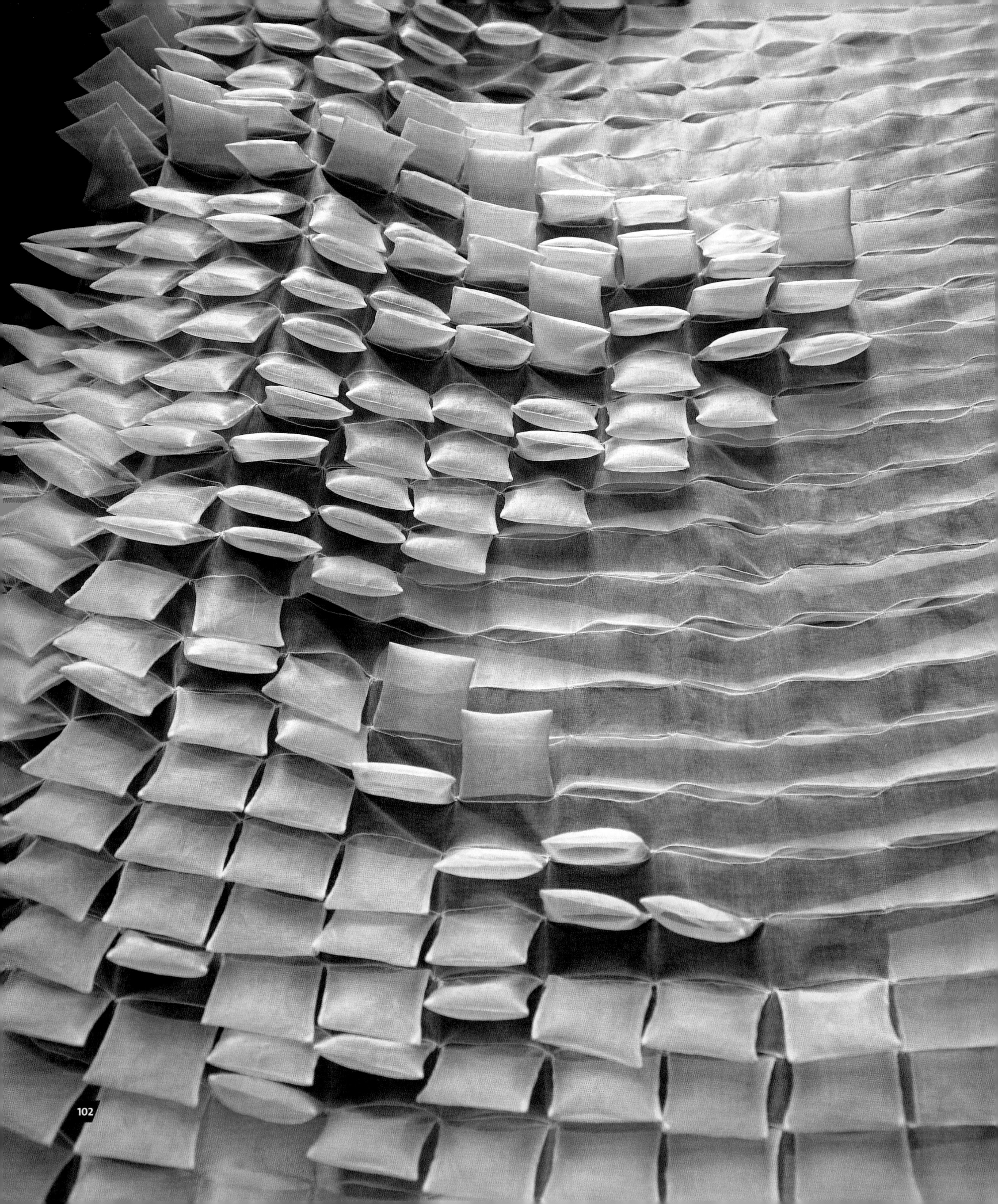

103

104

102. 迪帕·潘查米娅（Deepa Panchamia），1445个口袋（细节），2005年。

剪切、施褶和缝制真丝透明硬纱面料，利用透明材料强调内部空间和外部空间的相互作用。潘查米娅试图创造“微妙的阴影和错综的色调细节……强化线性运动和作品的轮廓”。

103. 珍妮弗·维克斯（Jennifer Vickers），缺席——16×16(细节)，2010年。

这是一件纪念用的拼被的一部分，用印刷油墨、手缝和机缝制成，背面有薄纱。它将代表2003年伊拉克战争开始后估计死亡平民数目的空白方格，与前100位英国军队伤亡人员的报道图片形成对照。

104. 简·克拉克（Jane Clark），织造光，2008年。

将黑暗的黑色棉经纱和明亮的光纤纬纱织成波状斜纹，呈现出本质的对比：“移走其中一个手织的东西或电子元件，这件作品便没有了实质。是它们之间的这种相互依存、联合的关系，实现了我的作品。”

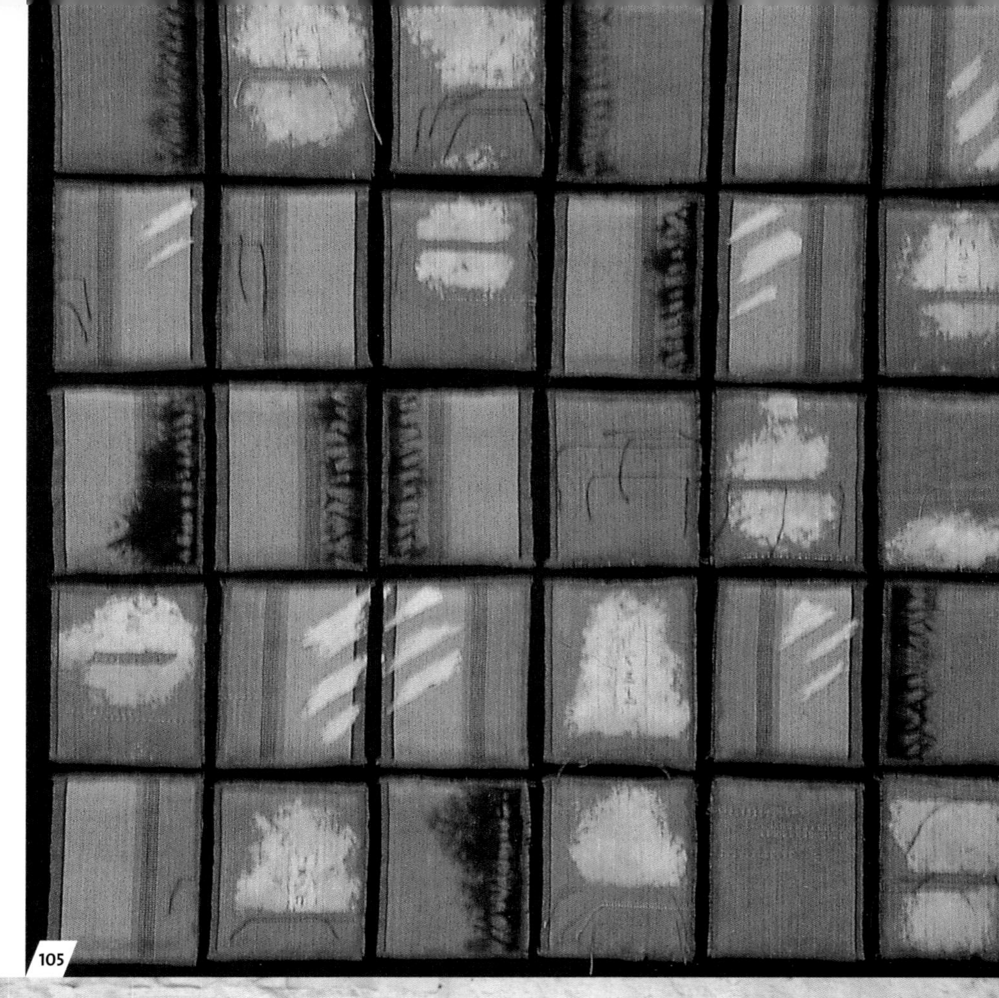

105

105. 芭芭拉·夏皮罗（Barbara Shapiro），片段 II，1988 年。

手织的真丝面料通过扎染、褪色，颜料着色，然后拼合成一块 86.4 厘米（34 英寸）长的方布。艺术家的这件壁挂“代表了许多文明中的历史纺织品，随着时间的推移，铜绿又被擦亮了”。

106. 卢德维卡·兹特克艾维兹–奥斯特罗夫斯卡（Ludwika Zytkiewicz–Ostrowska），蓝，2007 年。

方块网格，每一块都由 9 个小的 arashi 扎染褶和扎染真丝方块布组成，最后形成了这件壁挂。为控制扎染技术，艺术家采用了模块式的编排，由此“通过方向、动态和色调的变化……重整秩序”。

106

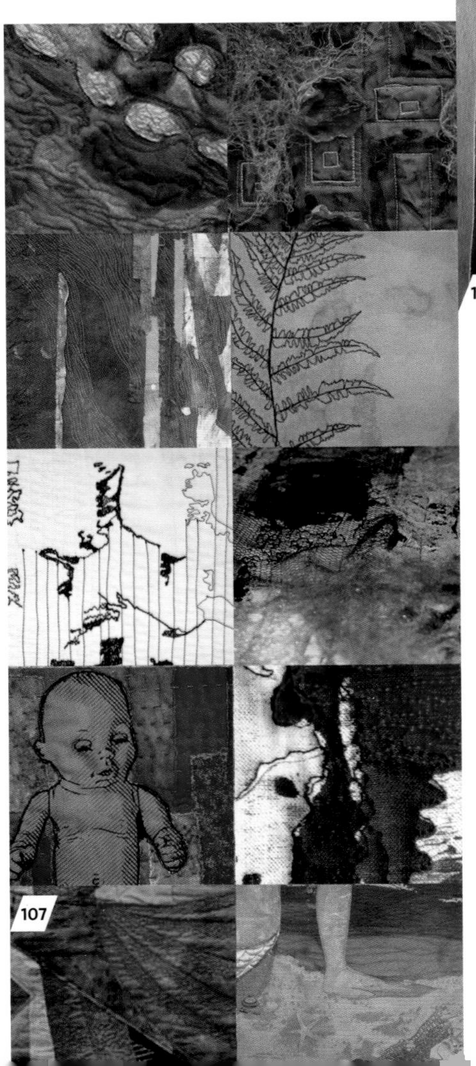

107. TeXui，组拼，2011年。

TeXui是一个于2003年成立，由10位荷兰艺术家组成的群体。从左至右，从上到下，方块作品的作者依次是杰利·迪杰斯特拉、安妮特·杰肯斯、丽塔·博古伊斯、马乔恩·霍夫提杰尔、威利·多拉雷杰尔、杰奎琳·德容、埃尔克·鲍斯维科尔、汉尼·卡佩尔、科比·布林克尤斯和马乔恩·霍夫提杰尔。

108. 珍妮弗·谢拉德（Jennifer Shellard），投影2，2010年。

聚焦光与色的作品系列之一，通过一些基于时间的装置探索视觉感知。手工纺织品映射出投影的色彩，在眼睛适应的过程中色彩会慢慢变化。

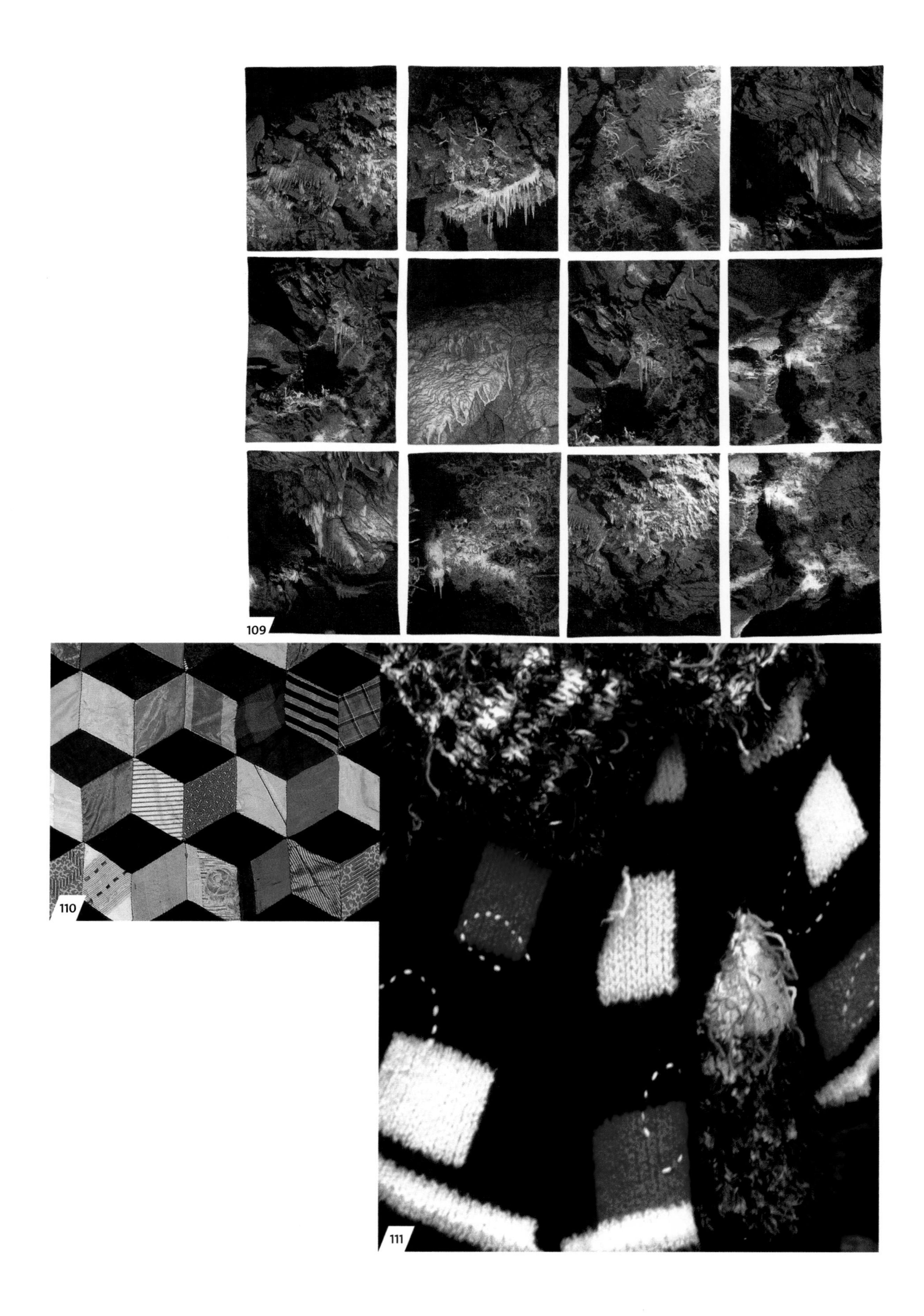
109
110
111

109. 苏珊·泰伯尔·阿维拉（Susan Taber Avila），洞穴，2009 年。

这件作品包含了 12 块独立的布片，每一片都在背面带有 Ingeo（商标名，是 NatureWorks 有限责任公司用玉米制成的合成纤维）的印花大麻布上进行自由式机缝，整体大小约 147 厘米（58 英寸）见方。

110. 美国拼被工，拼合的床单（细节），约 1870 年。

素色和印花的真丝面料被编排成“婴儿积木”或“要滚下的积木”图案。

111. 珍妮特·利普金（Janet Lipkin），几何（细节），2007 年。

制毡并刺绣的涤纶纱线手工编织成拼接短外套。

112. （被认为来自）非洲的加拿大艺术家，被单，20 世纪 20 年代。

这件贴花被单使用棉籽麻袋布和回收利用的家居纺织品，主要是羊毛制成的。安排成 15 个方块和 5 个“镀银的”方块，整体的大小为 127 厘米 ×203 厘米（50英寸 ×80英寸）。

113. 印第安 Shipibo 绣工，筒裙（前面的细节），1968 年之前。

这种几何图案来自秘鲁普卡尔帕，由白色和蓝色的棉条带，以及蓝色的曲折形花边贴布做成，并用橙色绣花线运用锁针绣和直线绣完成整个图案。

114. 法国或英国绣工，床幔（细节），16 世纪晚期。

在精美的亚麻布上抽丝，用绿色和桃色的真丝刺绣加重。

115. 波斯绣工，赠送的钱包（细节），1890—1899 年。

这个小钱包是在平纹细布上包覆切割和抽丝，有一个绘画镶边。它由纯洁的新娘制作送给她的母亲；最终它成了卡斯帕·珀登·克拉克给托马斯·沃德尔先生的礼物。克拉克后来成为伦敦维多利亚与阿尔伯特博物馆的董事。

116. 巴基斯坦绣工，壁挂（细节），1988 年之前。

这些粗线块和围绕它们的格子是用反面贴花技术生成的。

117. 美国机织花边制造商，200 周年纪念花边（细节），1976 年。

这件“拼缝”意象的作品为纪念美国建国 200 周年而创作，在一台 1813 年的列维斯花边机上制作。

118. 意大利制作者，桌布，约 1580—1600 年。

这是那个时代精美与奢华的欧洲家居用品的缩影，四个华丽的针绣花边图案各不相同，伴随着 punto tagliato 刺绣方块交替出现，punto tagliato 是表示挖花花边的意大利语。整块布料是亚麻的。

119. 法国绣工，白色绣制品被单，1600—1625 年。

方形象征图案上结合了刺绣、方网眼花边和挖花花边工艺，代表神秘和神话概念。

120. 日本织工和染工，日式床罩（细节），20 世纪。

这件床罩由接缝的窄棉布组成，老虎和竹子图案用靛蓝 kasuri（纬絣）染色。几何形状的图案则是经纬线絣织染色。

121. 美国绣工，桌毯（细节），约1840—1845年。

将贴花的羊毛方块组合到一起，用钉线绣凸显接缝。这些图案围绕中心图案对称。在拼被中也能找到这种图案，同时期也用作印花图案。

122. 藏传佛教制作者，宗教仪式用拼缝物，可能是19世纪。

由18世纪的锦缎组成，这种拼缝物经常可以在佛教寺院中找到，据说代表时世无佛。缝合仪式用的纺织品，像复制佛经一样，被认为是一种虔诚的追求。词语sutra（经文，表示佛陀的教导）的字面翻译是“有意图的一针”。

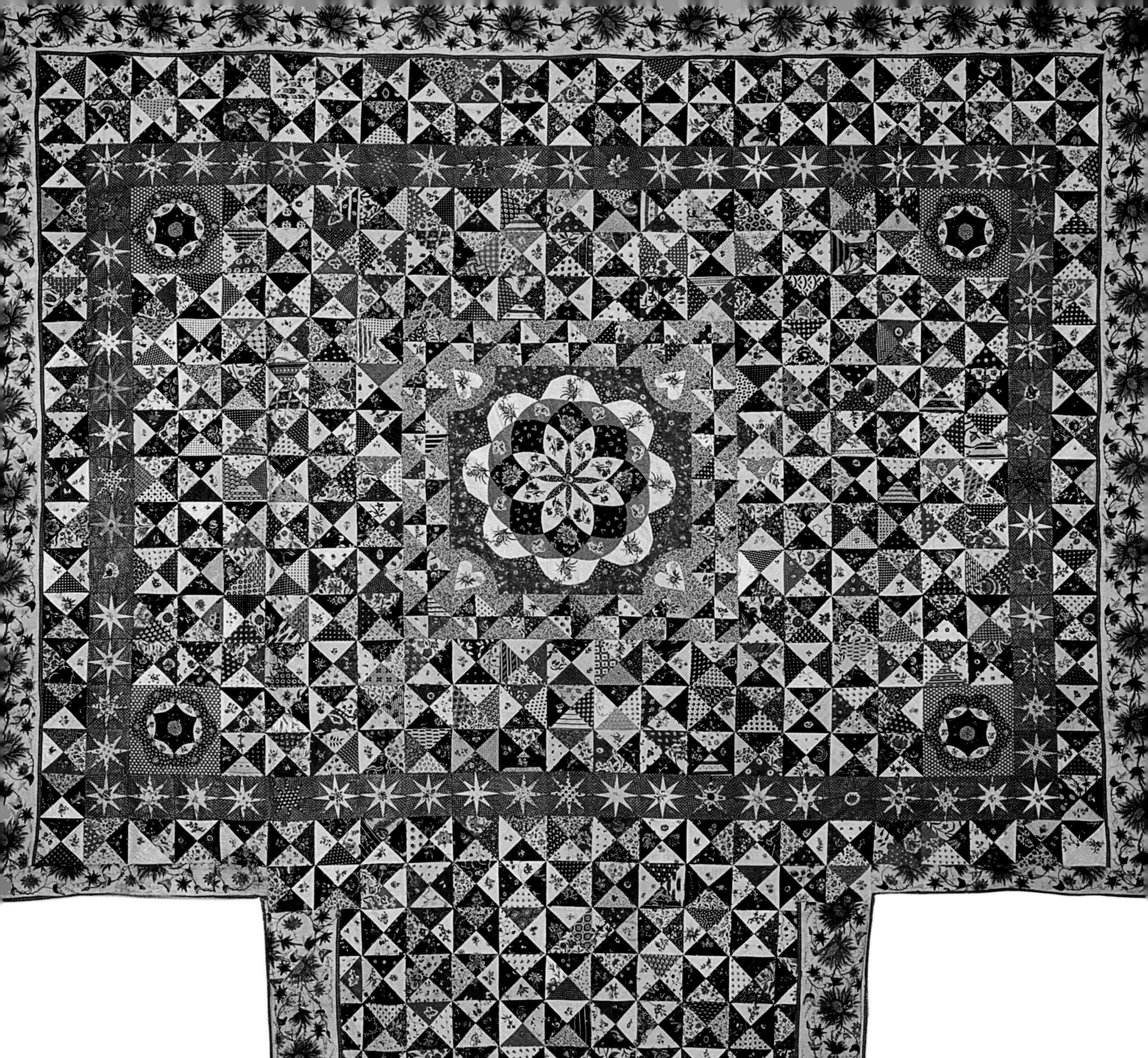

123. 荷兰制作者，拼缝被单，约 1795—1800 年。

随着 1602 年荷兰东印度公司的成立，荷兰拥有了大量的印度印花棉布。本例中，来自 18 世纪 70 至 80 年代的作品结合了法国印花棉布（以几何和抽象图案为特征），那是 1794 年尼德兰败给法国大革命势力之后唯一可选的材料。

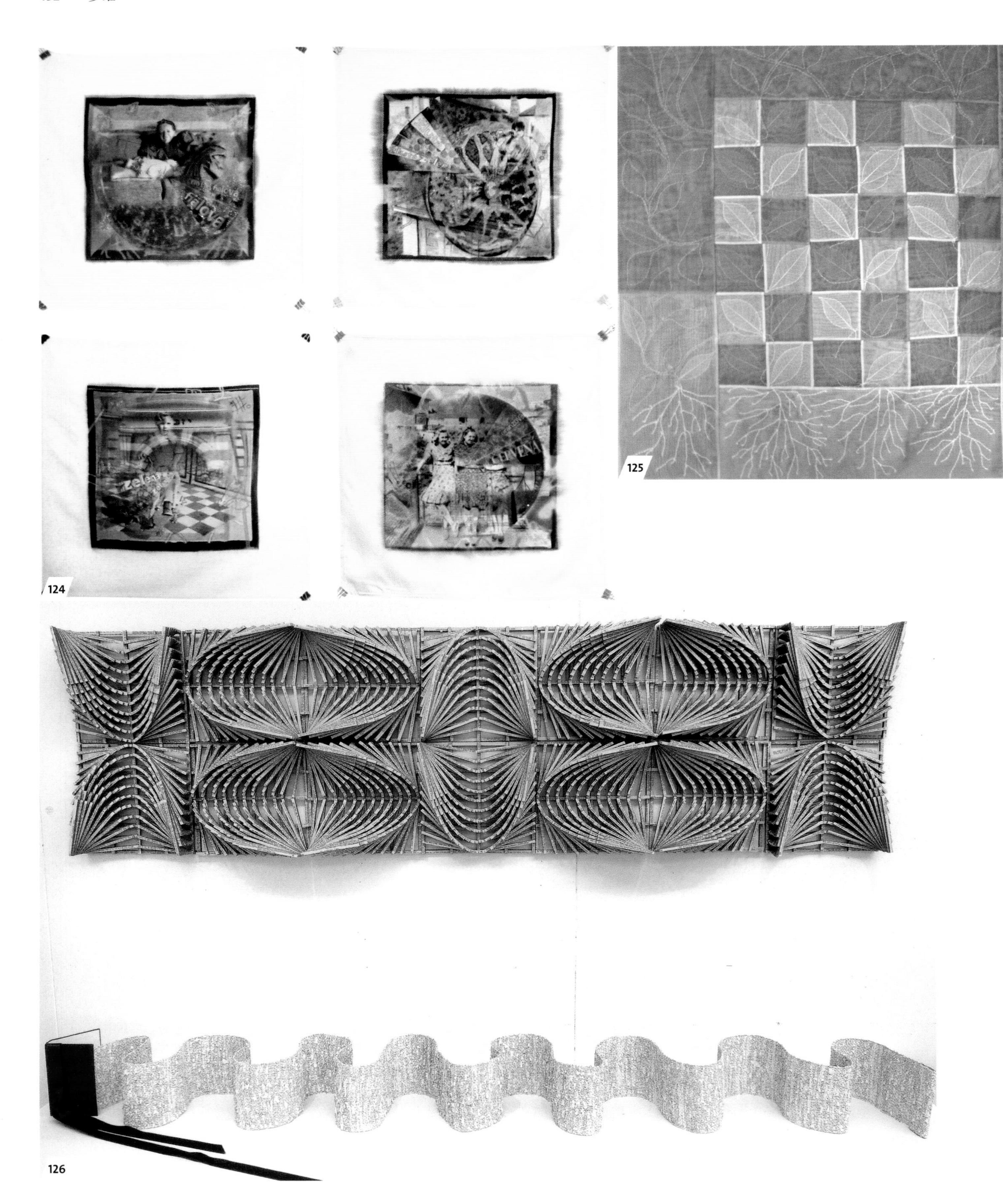

124

125

126

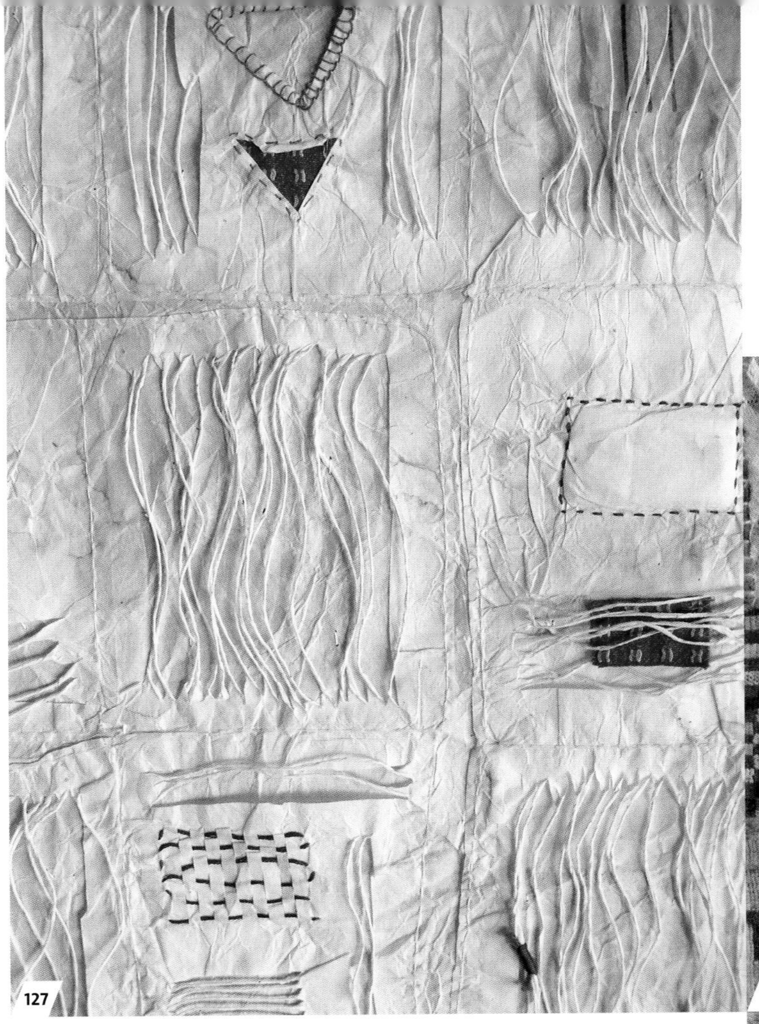

124. 莱斯利·诺伯勒(Leslie Nobler),布拉格棱镜:4“页”,2010年。

这些布片将混合媒介、数码艺术、转移印花、丙烯颜料、染料和石墨结合,用在锦缎上,“重新想象了博物馆品质的宝贵物品……艺术史、遗产和‘灵魂’的巨大价值与这些庄严的出土手工艺品联系在一起,对于将电子艺术变得更‘人性化’和更容易接触来说,这是非常重要的”。

125. 南茜·克拉斯科(Nancy Crasco),长出方格之外,2009年。

艺术家在真丝透明硬纱面料上绣了叶脉,受到了日本袈裟和韩国褓的影响,两者都将丝绸条带结合到一块单独的布中。

126. 曼蒂·冈恩(Mandy Gunn),文本纺织品系列,塔斯马尼亚的故事(《无期徒刑》),2011年。

这件作品由书本文字拼贴做成纸板结构,取自马尔库斯·克拉克写于1874年、背景在澳大利亚的犯罪小说《无期徒刑》。该书的剩余部分被切成条状,编进一条棉经纱上做成画卷。

127. 桑迪·韦伯斯特(Sandy Webster),纺线与血统(细节),2010年。

韦伯斯特制作这件作品纪念她的母亲和祖母,是她们教她缝纫。作品由撕成条的泰国构树纸和一条回收的洗碗巾缝制而成。

128. 印第安工匠,拼缝物(细节),1994年之前。

这条拼被由回收利用的杂物组成,主要是纯棉材料,桑迪·韦伯斯特为个人收藏而购买。

129. 格洛丽亚·汉森(Gloria Hansen),方形幻觉6,2007年。

艺术家利用真丝面料、蜡笔、彩色铅笔和机器拼接、绗缝的着色面料,探索了用布和缝表达出的模棱两可的视觉。

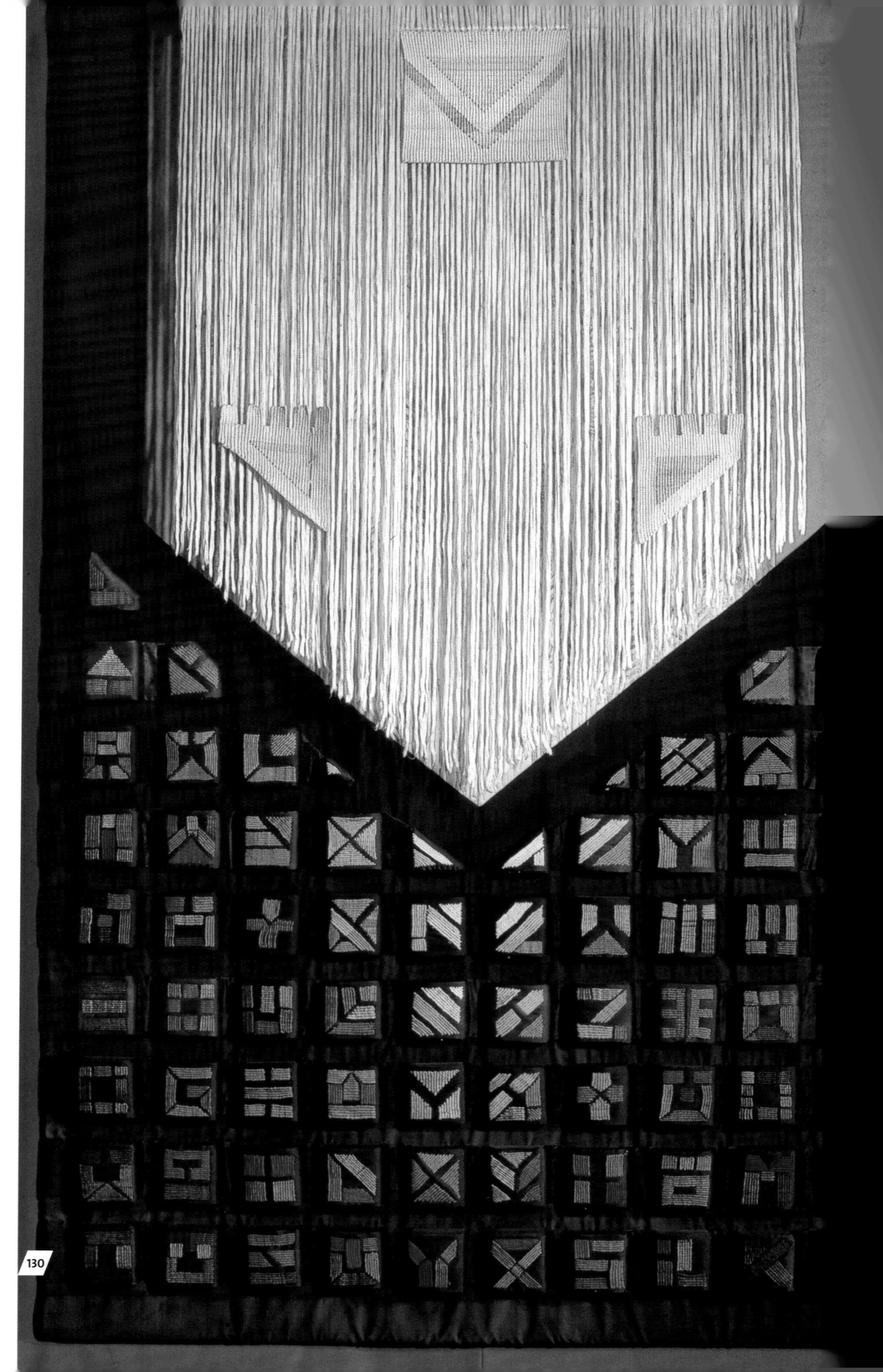

130. 西尔克（Silke），从《波波尔乌》看出的人类创造力，1993年。

《波波尔乌》（人类之书）是前哥伦比亚时期的神话历史故事文集，来自危地马拉西部高地。这块真丝布片使用一系列针缝和贴花技术，尺寸为175厘米×250厘米×80厘米（69英寸×98½英寸×31½英寸）。

131. 伊德瑞尼（Yderne），凯伦，2010年。

由夏洛特·伊德教的一个拼被艺术团体制作，描绘了作家凯伦·布利克森，凯伦最知名的作品是《走出非洲》。这个团体的成员有比吉特·奥比、莉丝贝特·伯格林、科尔斯顿·霍尔姆、比吉特·达姆－延森、艾菲·奇士格德和汉娜·斯达曼恩。

132. 辛西娅·希拉（Cynthia Schira），爵士，2007年。

这件作品用棉线在一台提花机上织造，用的是经线织锦结构，上层布片拼贴了其他材料，宽264厘米（104英寸），表现了艺术家对不同领域的视觉标记方法或系统的着迷，不论是音乐、纺织、建筑或数学方面。

133. 珍妮特·黑格（Janet Haigh），防火幕——蒙住全身的长袍之眼（细节），2010年。

手缝或机缝打捆及丝、羊毛、棉和人造丝布料贴花，结合切割与雕刻的铜以及玻璃釉，表达了这位艺术家对伊斯兰罩袍和个性的评论。

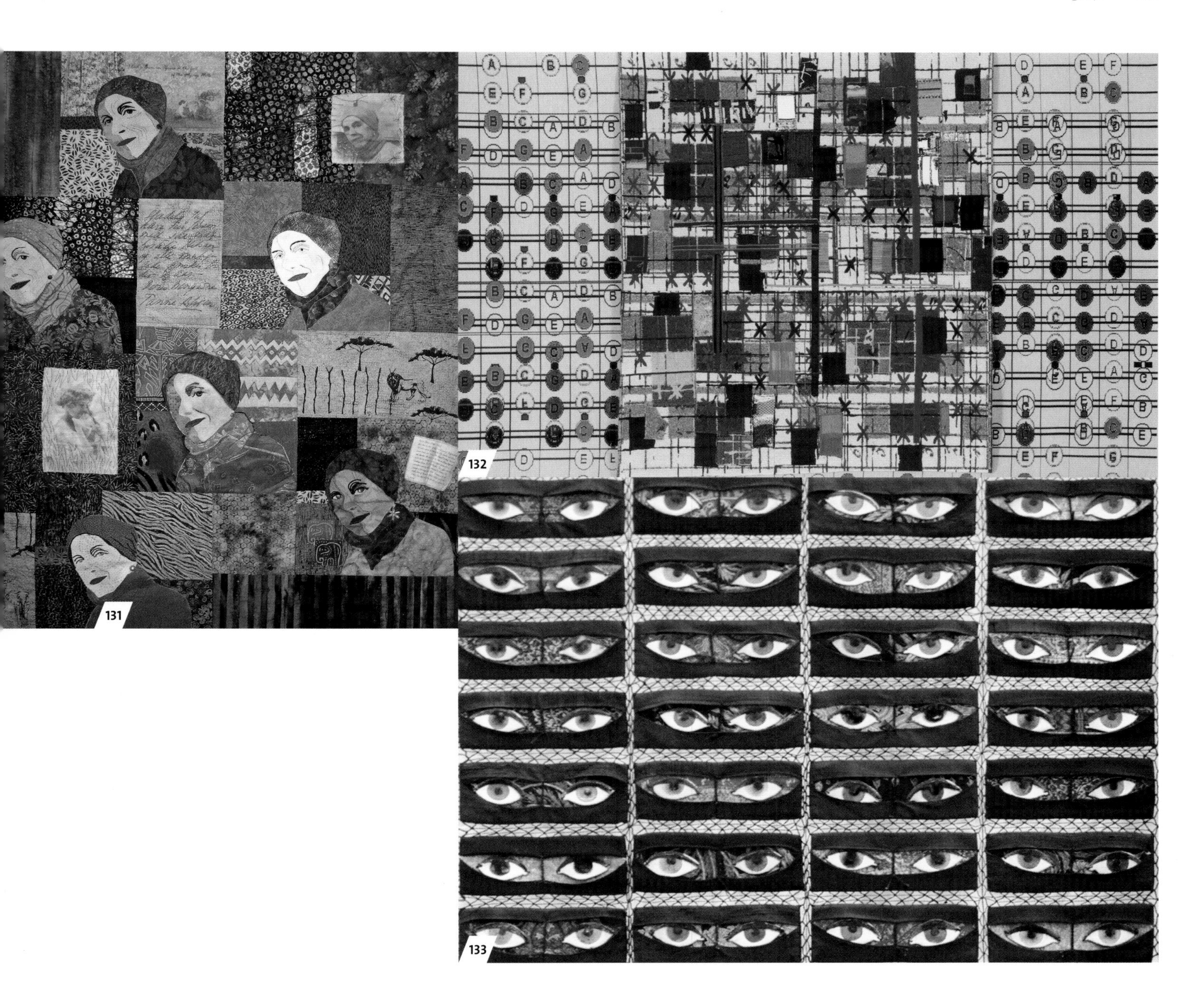

134,135. *瓦莱丽·哈金斯*
（Rosemary Huggins），中毒的心（细节），2011 年；瓜达卢佩女士（图 135，细节），2010 年。

艺术家受墨西哥精细纺织品的影响，将综合材料（包括从瓦哈卡和恰帕斯收集来的材料）结合到手绣的祭坛覆盖物和机绣的布片中。后者收藏于墨西哥城，是根据瓜达卢佩圣女圣殿制作的。

134
135
136
137
138

139

136. 特雷西·哈马尔（Tracy Jamar），雨后（细节），2002 年。

这件作品在僧侣服装上用手工钩的花和机器缝纫贴花进行强调，由不同织物、羊毛纱、棉纱、合成纤维和玻璃珠组成。许多物品是重新定位的个人物品：“这是利用日常生活中的面料去描述一件事、一段记忆或一幅图像，令私人化的东西公开化。”

137. 波斯工匠，雷什特，家用帘子或窗帘（细节），19 世纪。

雷什特曾经是里海的丝绸贸易和丝绸织造的中心，但是这种同名艺术形式更加出名：轻微毡化的羊毛贴花，剪出的细节钉线绣和覆盖绣花。大多数这样的织物被出口到高加索西部和俄罗斯南部。

138. 墨西哥绣工，诵经台挂帘，约 1730 年。

这条复活节前两星期用的挂帘由多彩丝线和各种金属线紧密刺绣而成。连同金属色辫编，它的尺寸是 43.2 厘米 × 79.4 厘米（17 英寸 × 31¼ 英寸）。

139. 马蒂·乔纳斯（Marty Jonas），直立的垃圾（细节），2004 年。

这件绣花拼贴画大约 6 米（20 英尺）长，76.2 厘米（30 英寸）宽，是艺术家对“多年来不知名的人们在电线杆上粘贴广告传单所产生的无意识艺术”的记录。染色、剪切和拼贴的棉布为丝线手绣增添了细节（提取自照片）。

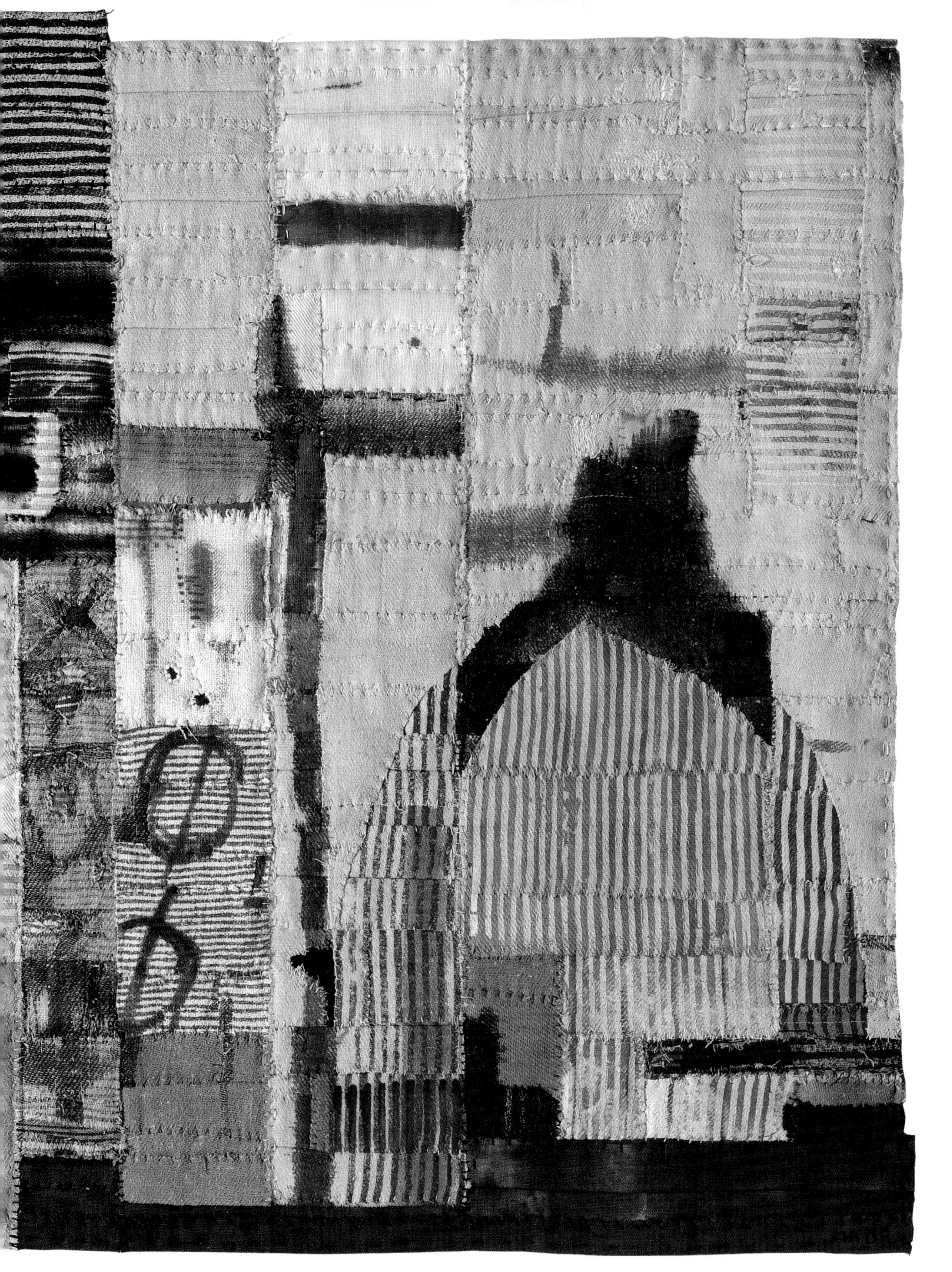

141

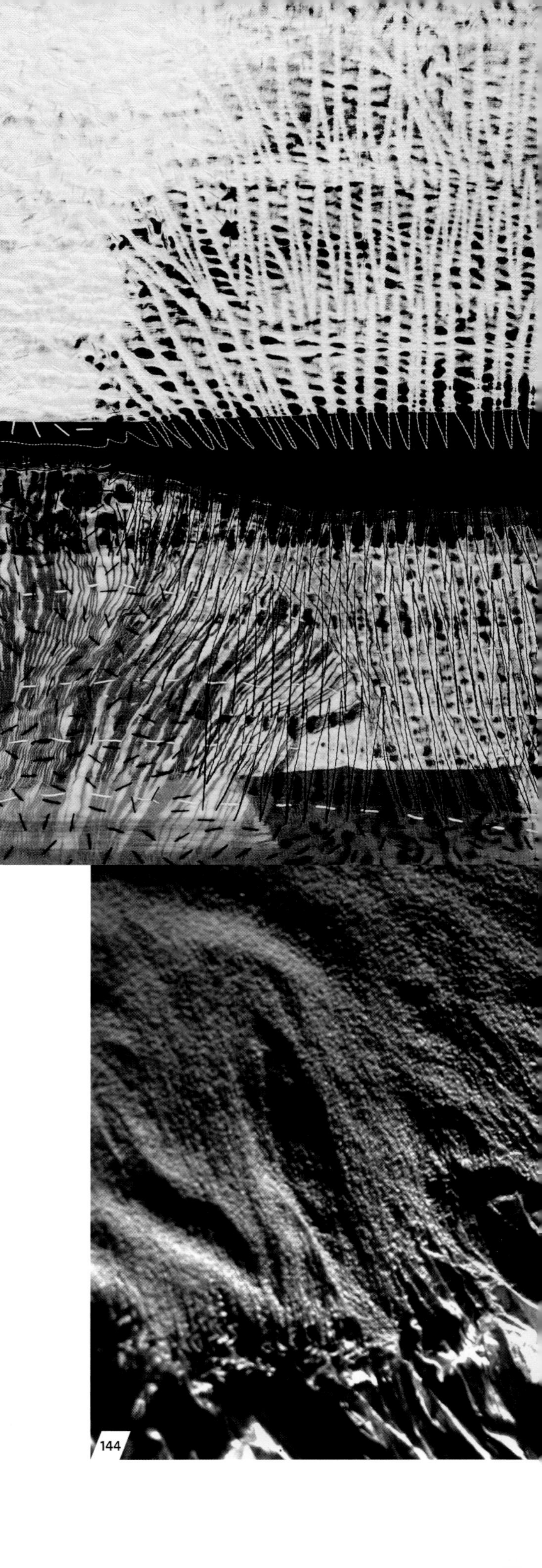

142

144

140. 马修·哈里斯（Matthew Harris），青山窗帘布 No.II，2009年。

这件作品通过分部分裁切、拼合和粗缝程序构造而成。哈里斯利用破洞、补丁、织补和散边制作了这块刻意不完美的布，创造出视觉冲击，赋予作品一种与目的不协调的状态。

141. 波林·伯比奇（Pauline Burbidge），瀑布之下，2004年。

伯比奇将几层透明的、绘制过的和打褶的细棉布通过机器和手工缝制以及绗缝，制成这块方形布片。他在走过纽约州北部的沃特金斯峡谷瀑布时受到启发，创作了这件作品。

142. 波林·伯比奇（Pauline Burbidge），阿普克洛斯绗缝（细节），2007年。

艺术家用机器和手工将细棉布、真丝面料进行缝合、施褶、着色以及绗缝，表现了从苏格兰西北海岸的天空之岛眺望到的阿普克洛斯周边地貌和氛围。

143. 新井淳一（Jun-ichi Arai），涤纶/热转移，20世纪80年代。

这块涤纶布应用了多重揉皱和热压工艺，以及散色染料，表现了新井的创新精神，对这项技术之后的广泛应用有所帮助。像这里展示的他的其他纺织品一样，这件作品是新井将手工艺和工业化相结合的一个缩影。

144. 新井淳一，鳄鱼，20世纪80年代。

使用涂铝的聚苯硫醚纱条当作经线，和羊毛纬线一起，通过扎染（捆绑防染）和热转移处理进行局部收缩，制成鳄鱼皮肌理。

145. 新井淳一(Jun-ichi Arai),布目(布眼图案),1982—1983年。

这块富有肌理感的羊毛腈纶混纺面料用数码图案和电脑提花机制作。新井是首个倡导使用电脑提花针织机和机织机的人。这些机器能够更加方便地添加补纬图案和复杂的结构与材料的结合体。

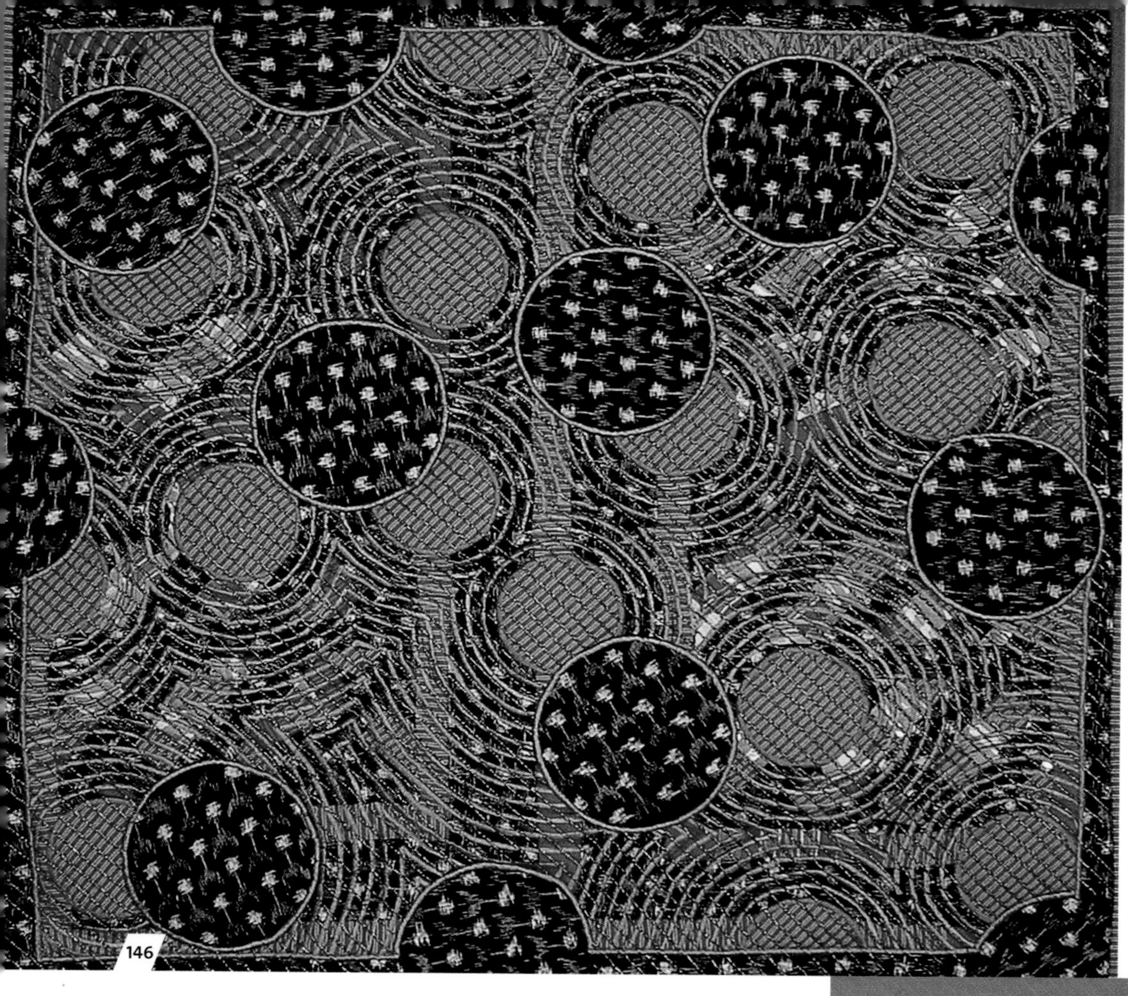

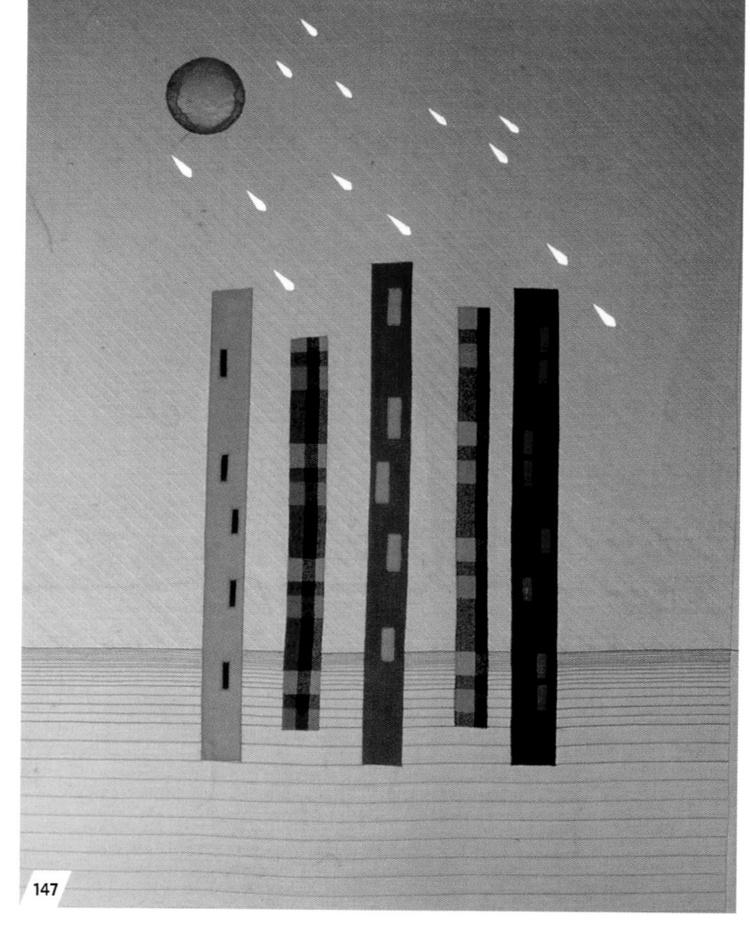

146. 格雷格·萨默维尔（Greg Somerville），山中一日的祝福（细节），2010年。

艺术家使用他自己的丝网印花面料，然后使用塞米诺尔技术对条布碎片进行切割和重组。这件拼缝和贴布绣被子的颜色唤起了萨默维尔对悉尼西部山区家中秋天的回忆。

147. 玛格丽特·华莱士（Margaret Wallace），月全食，2004年。

这件机缝贴布绣的被子全部用澳大利亚羊毛面料织成，其中有些面料已经有50多年历史了。灰色的背景面料是艺术家母亲从金先生那里买的，“他经常穿梭于古老的帕卡德乡村地区，手提箱里装满了面料”。

148. 休·哈奇开斯（Sue Hotchkis），阿德维克，2011年。

作品由热膨胀印花媒介进行丝网印花和褪色的棉布，以及着色和做旧的Kunin毡（100%使用后回收利用的塑料瓶）组成。部分进行自由式机缝，抓取“时间流逝带来的美，显露出的元素在人工与自然之间创造出了一种和谐感”。

149. 埃尔斯·万·巴尔勒（Els van Baarle），一位朋友的信，2007年。

在这件装置作品中，艺术家给信封上蜡、染色和针缝。一位朋友去世后不久，艺术家就开始创作这个作品，那位朋友的信都装在这些信封里。

148

149

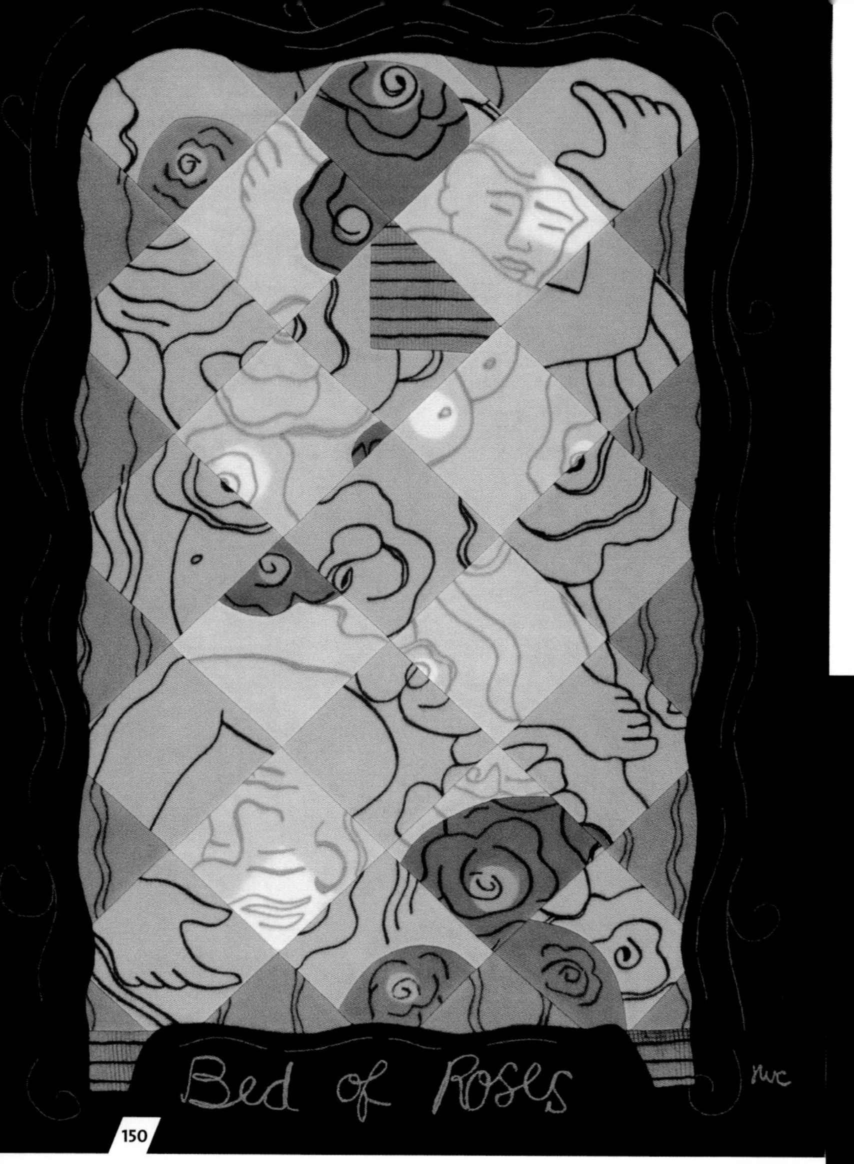

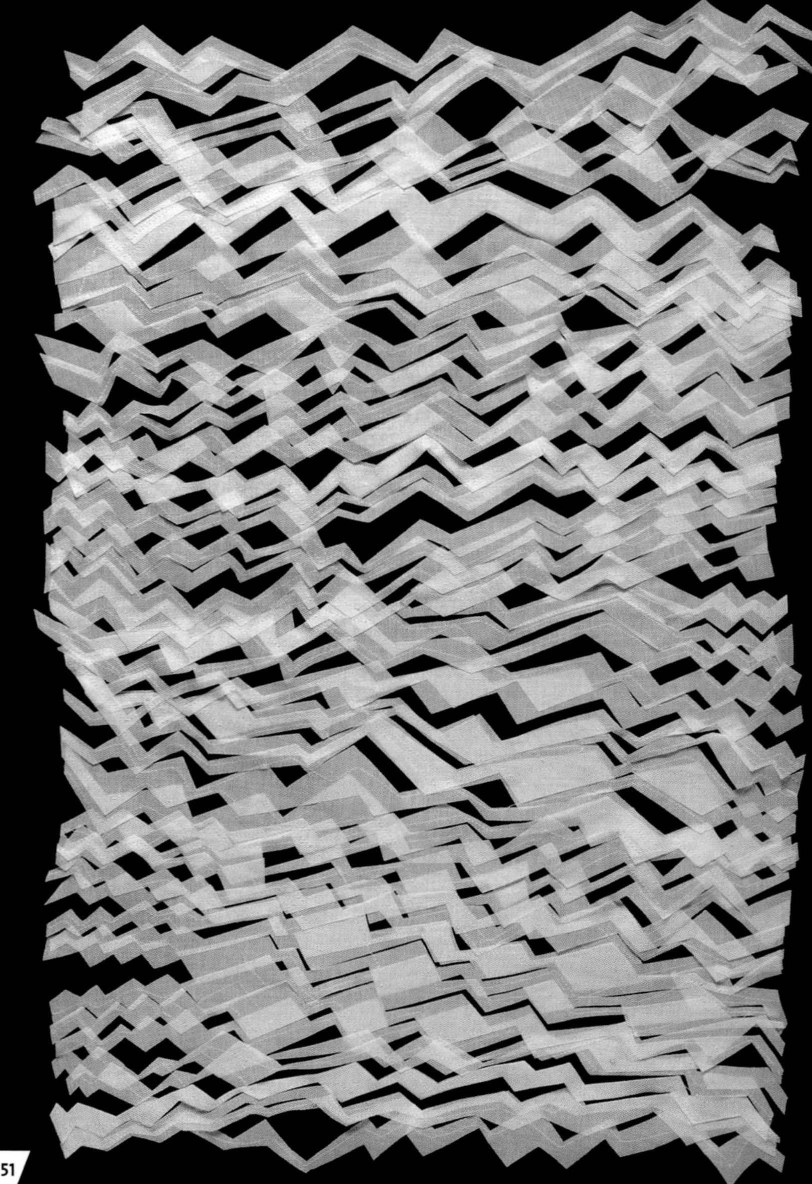

150. 让·卡西塞多(Jean Cacicedo)，玫瑰床，1998 年。

这件作品结合了艺术家自己创造的一种羊毛面料特殊处理工艺，这件作品由洗净与加厚的纺织羊毛经过夹具防染、线缝、拼合以及绗缝工艺做成。这件大型作品上的图案唤起了卡西塞多对学习雕塑的经历的回忆。

151. 玛莎·奥普达（Martha Opdahl），构造 #59, 2008 年。

将层状的机绣棉质蝉翼纱手缝到黑色腈纶上，黑色腈纶是这件作品构成整体所必需的部分。作品显示出奥普达对技术和尺寸的摒弃：她之前因大幅植绒羊毛作品而闻名，但是这一件只有 94 厘米（37 英寸）高。

152. 让·卡西塞多，层叠的意义，2008 年。

这些布片，每一片大小为 91.5 厘米 × 152.4 厘米（3 英尺 ×5 英尺），是洗净和加厚的纺织羊毛经过颜料染色、拼合、线缝和绗缝制成的。

152

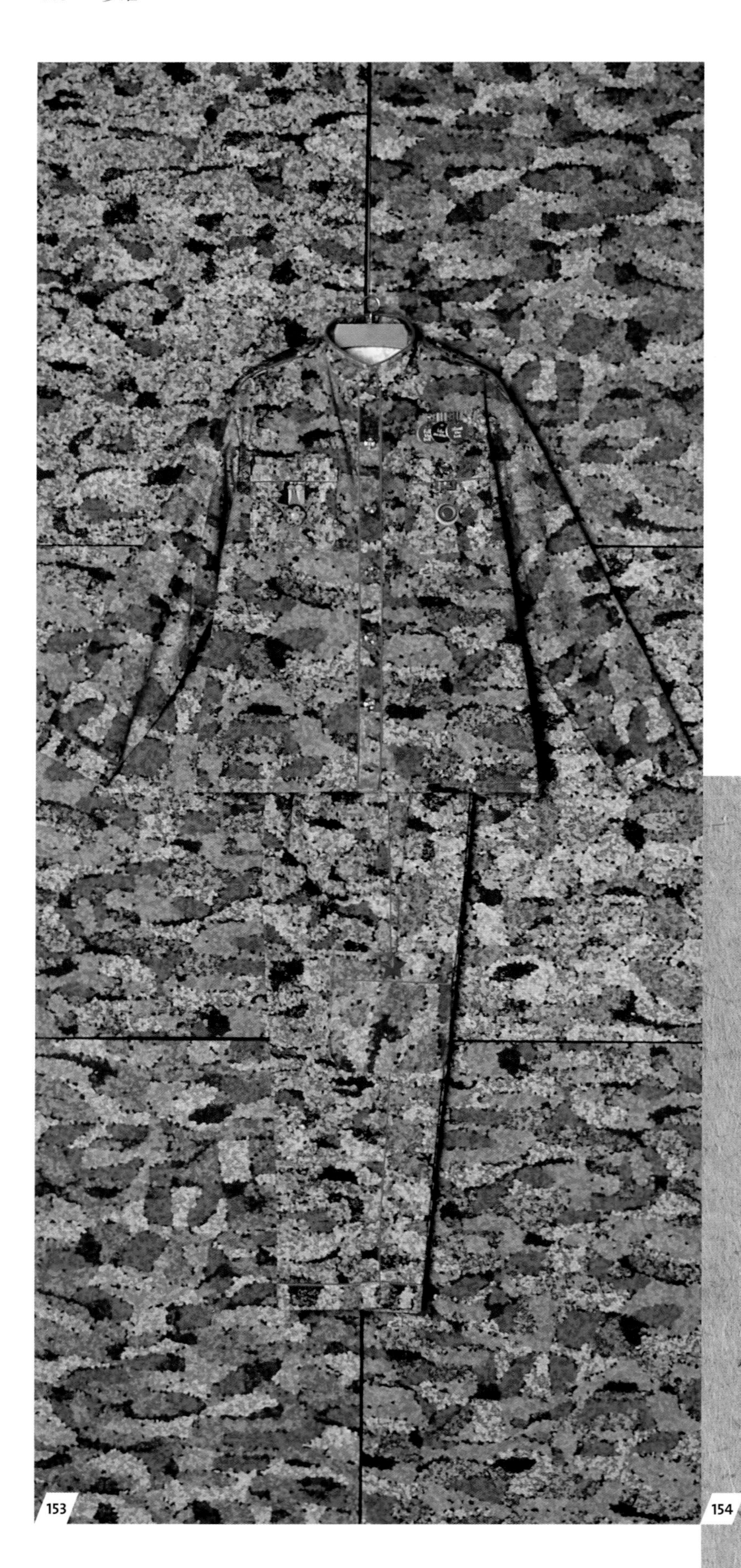

153

154

153. 安娜贝拉·科利特（Annabelle Collett），新保护色装置（细节），2008年。

这是6块经过缝纫并且有外框的电脑设计、数码印花的面料之一。科利特解释道：“最近我以保护色、仪式、舒适和差异的概念为切入点看待社会的方方面面。我采用了各种技术和媒介来制作新的意象，反映时下人们的关注点。”

154. 唐娜·琼斯（Donna Jones），跟着沙子的曲调跳舞（细节），2003年。

这件作品是描绘沙滩的4件作品之一，人造的标记因为潮汐而扭曲并逐渐消失。这块布通过缝线“钩在”手工做的纸上。

155,156. 利奈特·道格拉斯（Lynette Douglas），我的曼德拉外套（细节），2005年。

这件外套使用了贴布绣、绗缝和刺绣工艺，加入了isishweshwe（传统南非印花棉布，本例中则是由De Gama织品公司制作），背面有印花者的印章（图155），也用了这种棉布。为了纪念尼尔森·曼德拉而制作的isishweshwe面料，面料被切割成饰针的样子，上面的图案是曼德拉的脸。

157. 阿尔文娜·霍尔（Alvina Hall），弦月窗景观，2008年。

将回收利用的羊毛毯进行扎染施褶、灌木染色，然后缝到灌木染色的棉布和丝绸上。艺术家抓取了“被深深地侵蚀并演变的南威尔士蒙哥湖弦月窗的形式，以及这一过程显现出的历史”。

155

156

157

158

159

161

158. 苏西·维克里(Susie Vickery)，酥油茶（细节），2007年。

这幅肖像采用手工刺绣、西藏织锦及围裙贴花。它描绘的是阿妈，一位来自尼泊尔珠穆朗玛峰地区的夏尔巴女性。

159. 简·麦克基廷(Jane McKeating)，“当我走时——一本算术书”，第8页，2010年。

这本书在磨损的亚麻布上手缝和数码印花，大小为20厘米（7.9英寸）见方，描绘了艺术家女儿从出生到18岁之前的经历，每一页的反面都记录了麦克基廷同时期的经历。

160. 克莱朗·菲罗诺（Clairan Ferrono），通过女儿的眼睛，2004年。

在这件作品中，改作他用的布料经过机缝拼合、混合、贴花和绗缝，反映了艺术家的问题：“当我的女儿5岁时，她画了一幅我的肖像——只有头和挥舞着的胳膊。这就是她眼中的我吗？”

161. 罗斯玛丽·雷伯（Rosmarie Reber），蒙娜丽莎，2005年。

这件作品探讨了时间概念、时事性话题和瞬间，艺术中的这些概念同新闻中的一样。艺术家将被汽车车轮压过的报纸，刻意平放并做上标记，敷在丝绸上。它们象征着我们这个时代的匆忙的节奏。

162. 玛丽亚·侯拉罕（Maria Holohan），女王，2009年。

这位艺术家用布和缝线在卡片上作画，探索了妄想型精神分裂症病人的梦与噩梦。

163. 阿里·弗格森（Ali Ferguson），餐具柜的抽屉，2010年。

这个抽屉里填满了白棉布、石膏、复古花边、杂货店的物品、报纸、蜡、铜币和其他东西，不仅是艺术家对祖先的致敬和“传承到我这里的技艺”，也表明艺术家认识到了“一些前辈的看法已经不再恰当了”。

164. 罗莎琳德·拜厄斯（Rosalind Byass），寄给家的明信片，2010年。

拜厄斯在参观了莫奈花园之后创作了这件面料拼贴画，她用堆叠和 broderie perse（用印花纺织品“作画”）将厚厚的家居装饰材料用机器缝制。狗的皮毛用羊毛、羊毛毛絮和细棉线碎片做出。

165. 拉瑞莎·默多克（Larissa Murdock），片段，2009年。

这件手缝和机缝的合成物是用尿布衬里、亮丝、回收利用的穆斯林妇女头巾、数码印花的帆布、报纸、shiva 油画棒、珠子同刺绣和绘画结合制作而成。

166. 玛丽亚·侯拉罕（Maria Holohan），上帝知道她的时间，2010 年。

这件拼贴和针缝的布以及综合材料表面意味着人类无法掌控他们的情绪。这件作品由艺术家与诗人希尔达·希恩合作完成，希尔达在诗的开头写道：“上帝知道她的时间 / 她的脸停住了 / 一只小手指向五。”

167. 乌兹别克斯坦工匠，流苏挂件（细节），1971 年之前。

这件有玻璃珠的精美真丝和羊毛流苏挂件，和插图里的其他物品一样，是加利福尼亚大学戴维斯分校的设计藏品。

168. 沙特阿拉伯工匠，阿西尔风格的女性面罩（细节），1982 年之前。

这件面罩由手绘棉布、银和铝装饰物、银币、棉线流苏和刺绣、塑料亮片、白色玻璃小珠子、细棉绳和一条皮带构成，曾经由阿卜杜勒·阿齐兹国王的一位妻子所有。

169. 突尼斯工匠，小袋子，1971 年之前。

回收利用的羊毛布穗和流苏以及棉布组成了这个小袋子，有羊毛纱线提手和两个中空的竹棒“衬垫”。

167

168

169

170. 波斯工匠，壁挂（细节），20世纪早期。

这种类型的作品开始被称为Rashti-duzi（“来自波斯雷什特地区”）或者“雷什特”。用锁绣（Golab-duzi）和钉线绣装饰经过拼合、贴布绣（tikeh-duzi）和刺绣的羊毛法兰绒（mahout）。

171. 白族工匠，过背（细节），1995年之前。

这件过背是中国云南的一个少数民族——白族的一种独特的婴儿背带，用丝线和腈纶纱线刺绣而成。中间的布片用纯棉和合成纤维面料、塑料亮片和铝制装饰物贴花和绗缝而成。

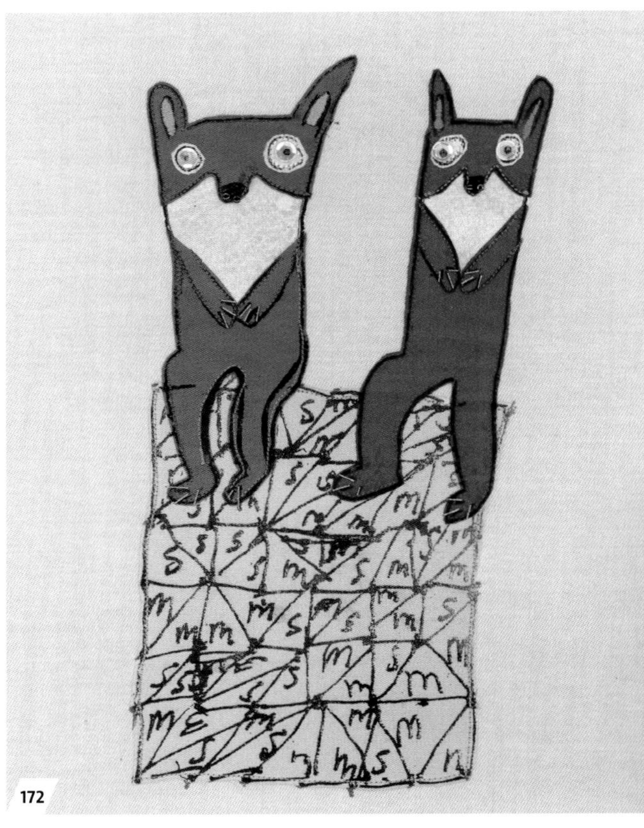

172. 蕾切尔·霍华德（Rachael Howard），墙上的狐狸，2011 年。

淳朴的素描、注释和涂鸦被转成丝网印花、贴花绣和刺绣的叙述性图案，每个尺寸为 30 厘米 × 40 厘米（11.8 英寸 × 15¾ 英寸）。

173. 伊丽莎白·辛克斯（Elizabeth Hinkes），池塘溜冰人，2005 年。

辛克斯受到库纳毛拉斯的影响，用商业化的制毡替代棉布，在剪裁之前先机缝几层织物。“面料的触感对我来说特别重要……因此我创造了绳绒和清晰的效果”。

174—181. 库纳（Kuna）印第安工匠，毛拉斯，约 20 世纪 60 到 70 年代。

毛拉斯通常全部由棉外贸布制成；普遍使用锁针绣，但也使用滚针、平针和锁眼针，以及诸如之字形花边的镶边。这些例子展现了各种各样可能的图像。有的反映了外部影响，比如图 174，描绘了一对汽油弹，而其他图例则展示了当地的动物和人。其中一些织物由基特·S. 卡普船长于 1970 年远征巴拿马期间收集。

174 175

177

176

178

179

180

181

182. 苗族工匠，小布片，1988年之前。

这块靛蓝染色的棉布只有24厘米（9½英寸）高，上面有蜡染的几何图案，以及色彩明快的棉手工贴布绣风车。

183. 皮娅·韦尔施（Pia Welsch），卵形No.50——水果硬糖，2009年。

这件作品将手工染色的棉府绸和缎子机器拼合和绗缝。她探讨了不断地重复这一概念。

184. Ziazhai或Badaoshao工匠，Chiubei风格女式围裙（细节），1994年之前。

黑色斜纹棉布上有螺旋形的白色棉贴花、苜蓿叶以及多色丝绸缎纹的交叉和阶梯形状。

185

186

187

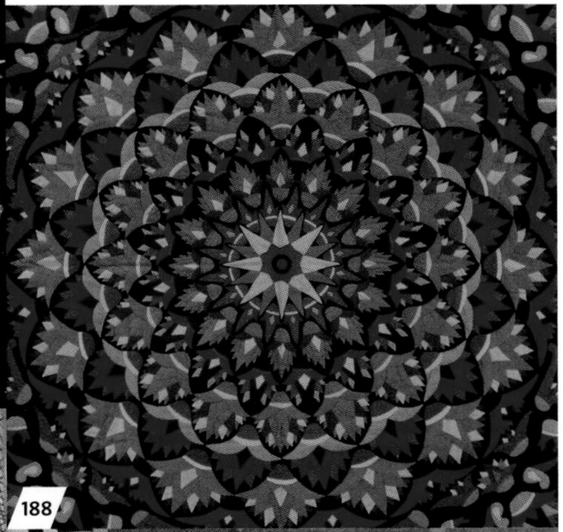

188

189

190

191

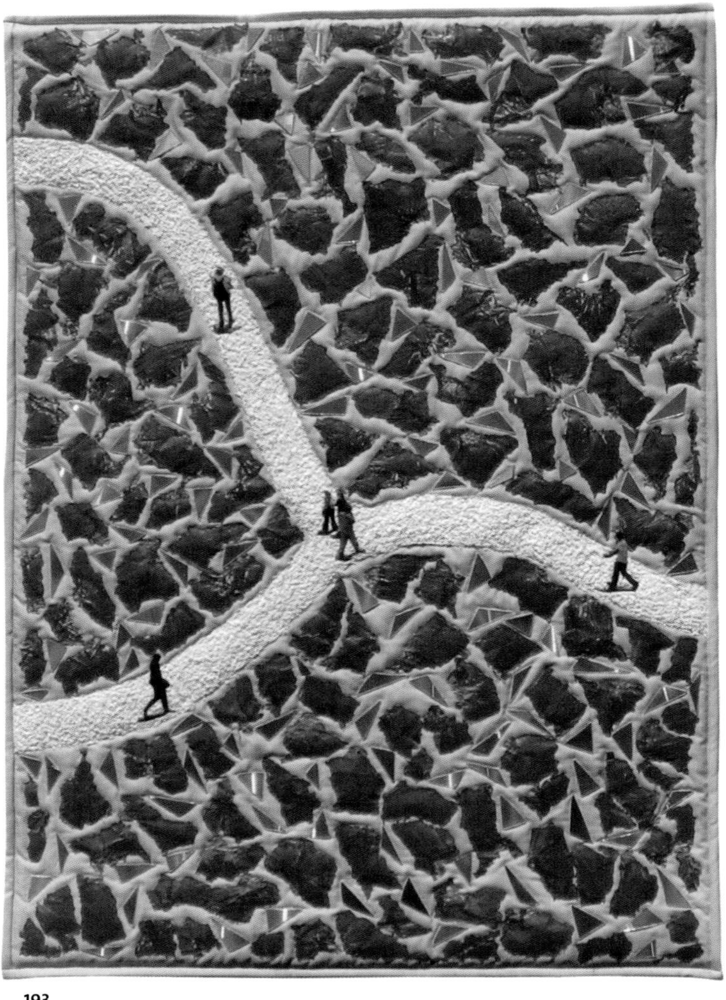

193

185. 格雷格·萨默维尔（Greg Somerville），因陀罗网 No.9，2009年。

这是萨默维尔送给儿子的21岁礼物，灵感来自于印度神话中包裹宇宙的因陀罗网。作品采用了丝网印花、贴布绣、刺绣、拼布、绗缝和扎染。

186. 片桐良子（Yoshiko Katagiri），深红 381，2001年。

将手工染色的被单布、人造丝缎、五种真丝 chirimen（绉绸）、shiborizome（扎染丝绸）、ro（一种柔软的黑色真丝）、绣花领进行手工拼合、贴布绣和手工绗缝。片桐的创作描绘了“许多蜻蜓将夜空变成红色”的场景。

187. 卡特里娜·弗伦斯堡（Katriina Flensburg），中间地带 IV，2008年。

这件作品在手工染色的商用棉布上进行单色印花、手绘和机缝，映射出几种文化之间“灰色地带”的地理环境和精神面貌。

188. 穆罕默德·丹顿（Mohamed Dendon），开罗造帐篷工匠的贴布绣布片：2007—2011，2007年。

由开罗为西方定居者开设的“帐篷匠人街”的男性工匠制作，厚重的帆布背景上有层叠的传统图案，如莲花。本图和图185—191中的作品，都在2011年伯明翰拼被节展示过，面向全球销售。

189. 片桐良子（Yoshiko Katagiri），真朱 382，2004年。

和《深红 381》（图186）一样，这件作品用手工拼合、贴布绣和手工绗缝布片制成。

190. 皮娅·韦尔施（Pia Welsch），椭圆形 28—DieKeimzelle（胚细胞），2005年。

这件手工染色的棉被有190厘米（75英寸）高，用机器拼合、刺绣和绗缝，部分用双头钩针编织。

191. 伊莲娜·泽曼诺娃（Irena Zemanova），花边（细节），2011年。

为捷克共和国的艺术拼被会社年展制作，展览主题要求含有花边。

192. 马蒂·乔纳斯（Marty Jonas），加利福尼亚伯克利阿什比大道，2004年。

艺术家将贴着传单的电线杆看成为都市艺术装置而做的作品之一，由堆叠的染色和裁切棉布拼贴而成，并加入了手绣的装饰细节。乔纳斯说：“结果是，这几乎是一种类似于绘画的转变，模仿了原创街头艺术的分层和碎片的特点。”

193. 玛丽亚路易萨·斯邦戈（Marialuisa Sponga），蓝色公园，2010年。

在三层棉布的基底上，用透明线自由式机缝，“将水果板条箱的蓝色塑料热处理，呈现出纯粹抽象的色度。CD 的碎片有晶莹剔透的效果。照片中的人像行走在白色碎线做成的小路上”。

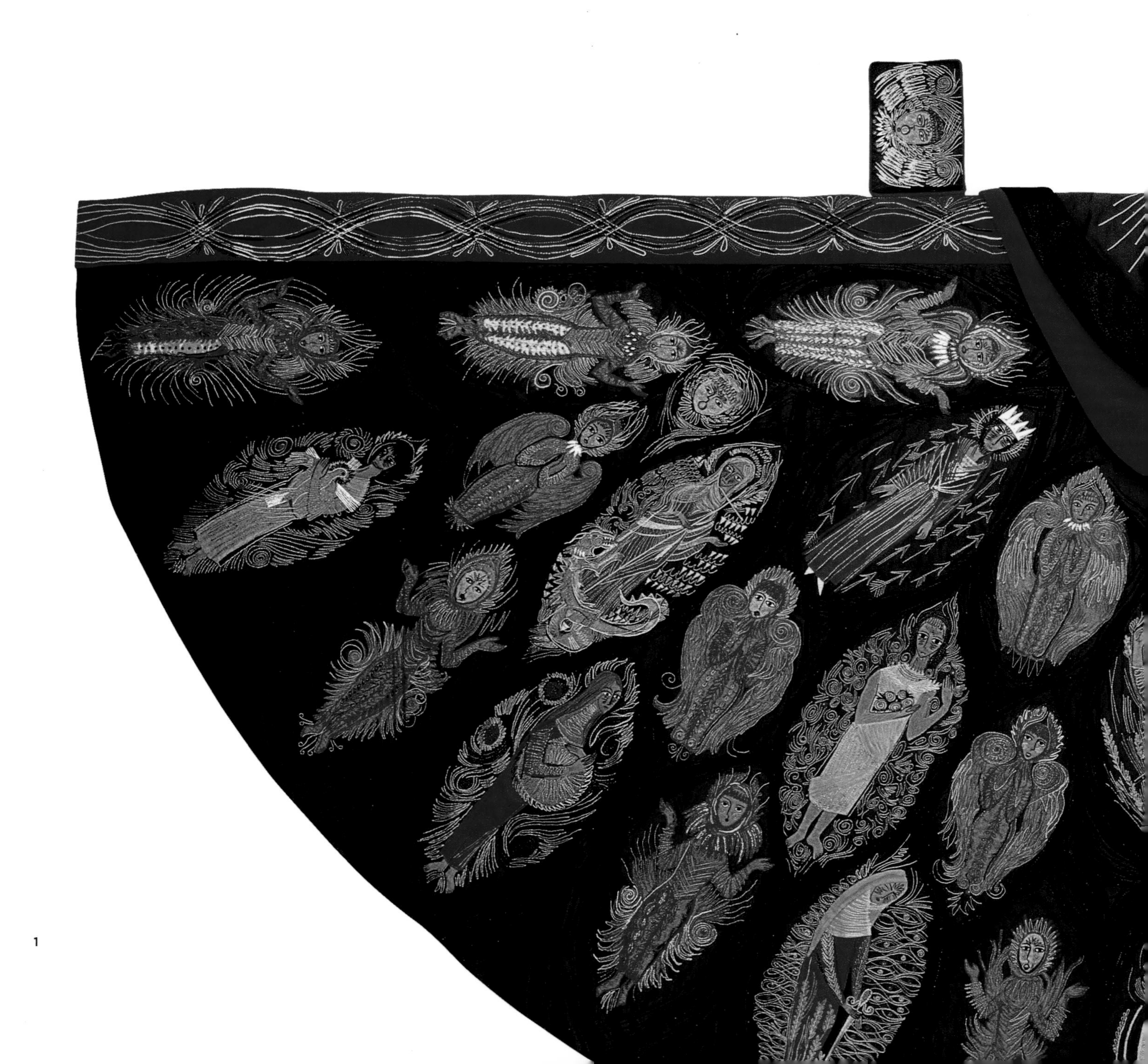

VI.

意象

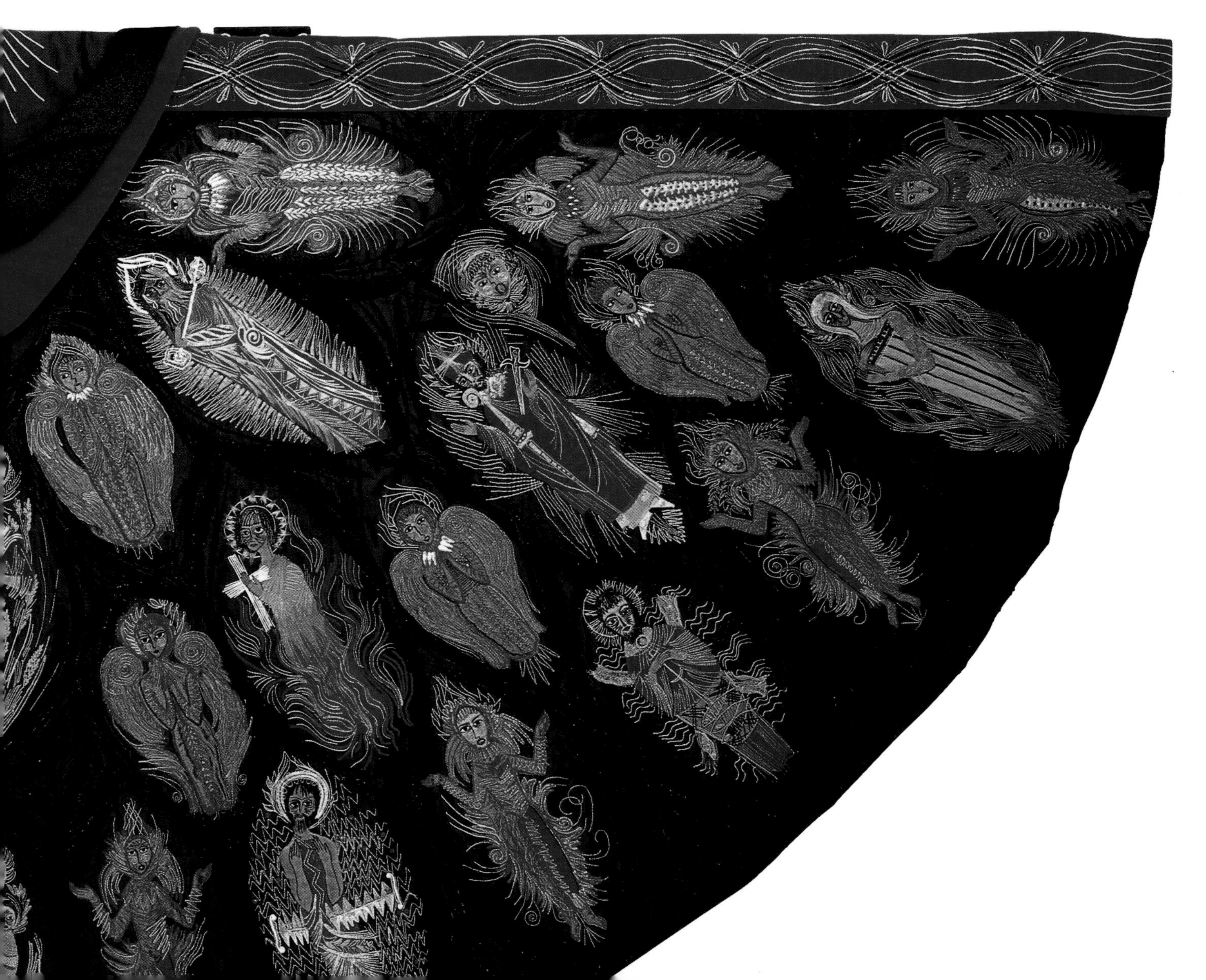

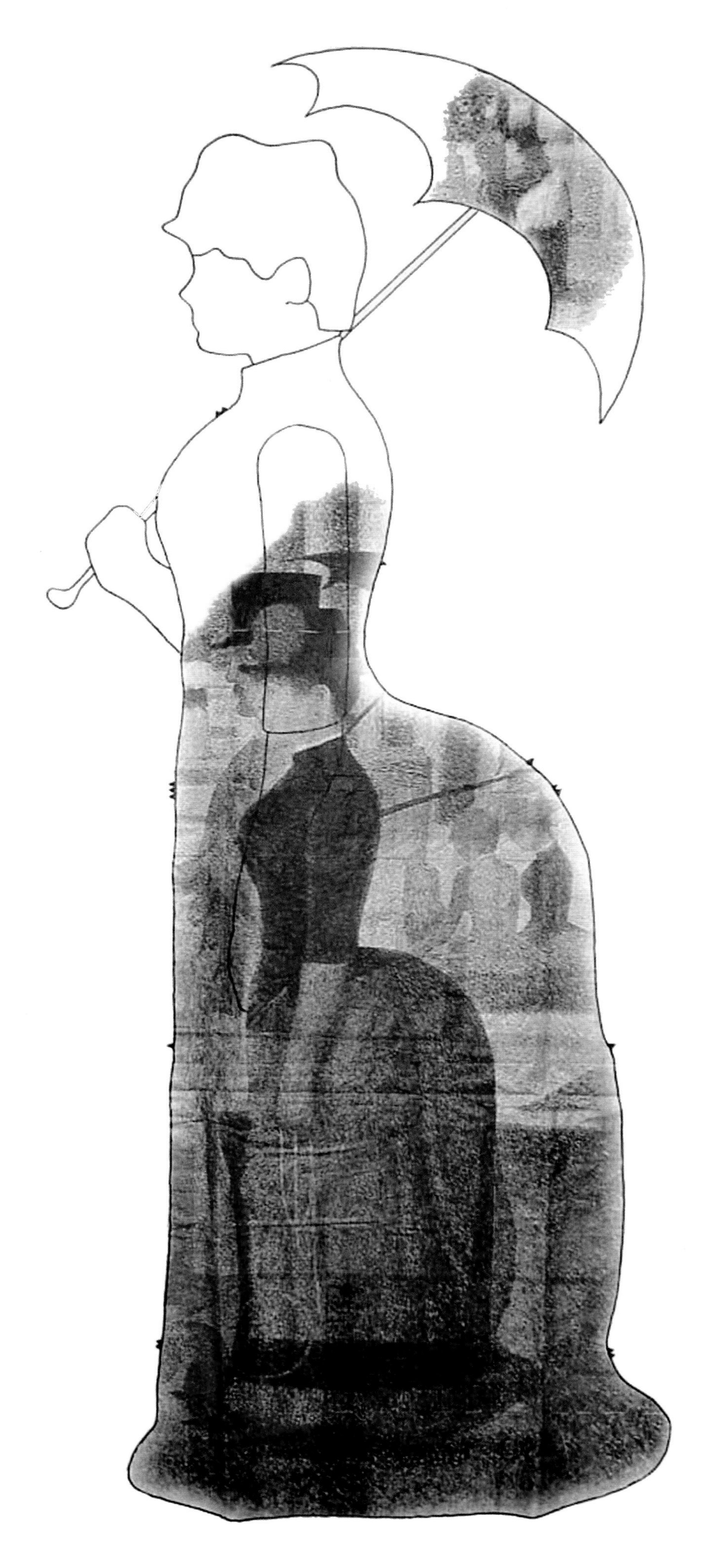

VI.

意象

形象化的意象是观者希望在纺织品中找到的元素之一，尽管它是这个庞大领域中的一个方面。从本书的开头看到现在的读者会意识到，我的一个基本观点是：纺织品是三维的物体，它的结构、肌理、嵌入物、附加物、处理手法和动势会互相作用。实际上，将纺织品描述为一种感觉艺术比将之描述为视觉艺术更确切，它可以调动所有感官：触觉、视觉、嗅觉、听觉以及——好奇的婴儿的——味觉。通过激活这么多的感觉器官，纺织品甚至能够提高那些有大脑和神经系统功能障碍的人的生活质量。一种名为“智能纺织品”的感官织物能够证明这一点，它能让大脑性麻痹的人与一台电脑连接，这台电脑知道它在哪里、如何以及何时被触摸。这项技术由阿莎·佩塔·汤普森和斯坦·斯沃洛开发；汤普森将她的面料设计和面料结构的技术与斯沃洛的电子学知识结合起来。

纺织品对塑造我们的想象能力也同样重要，即它们有助于训练思维去想象一个内部的意象，例如当我们阅读一本书中描述性的文字（在文学研究中，这被简单地称作“形象化”）或回忆路线的时候。认知心理学家口中高水平的“视觉想象”，已经被证实对计划和解决问题是有益的。同时，意料中的是，在艺术、设计、技术和科学中，它能够帮助人们很快地了解物体之间的空间关系和空间比例。几项研究显示，女性在视觉想象方面的得分远高于男性，考虑到纺织品制作中想象、计划和解决问题有多么重要，这能够在一定程度上解释为什么女性在纺织艺术领域如此成功。这个结论当然符合一个事实，即男性往往能够主宰“已经完善的”机器和磨坊，而女性则独自在过去一个世纪为纺织品技术探索阶段做出了许多重大贡献：从丝网印花到数码成像的纺织技术。[1] 另外，视觉影像形成了自我形象的基础，这与许多纺织品有关。除了表达身份的纺织品外，很多纺织品是对叙事和“映射（mapping）”的探索，而这最后一章就着重于这三个主题。

1. 苏珊·赖利(Susan Riley)，哈默史密斯长袍，1968年。

这件长袍由贝列尔·迪恩和哈默史密斯学院的40位学生为伦敦圣保罗大教堂制作。苏珊·赖利是迪恩的学生，她为迪恩的刺绣课程设计了若干教会项目，其中就包括这一件。上面的形象单独机缝，然后用到真丝的底布上，再用金属丝线、亮片和珠式反针装饰完善。这件作品需要5000个小时才能完成。

2. 杰基·朗菲德(Jackie Langfeld)，格兰德·加特——受限制的图案，2009年。

在裁缝包衣服的包装纸上喷墨印制真人大小的图案，加上在白棉布上的缝线，参考了乔治·修拉的画作《大碗岛的星期天下午》（1884—1886年）。紧束的服装形状是对当今自我形象常受时尚和风格约束的评论。

身份

就像我们从周围收集的纺织品，可以变成一种精心或有趣的安排，它们也反映我们的身份，这就是为什么领带或头巾可以显示一个男性的状态（**图 35、99**）。对于女性的表达有同样意义的围巾，由于人们在文化方面的期许已经定义了其功能，可能个人主义的选择就会更少，或着说，由于裁缝的自由发挥受到鼓励，围巾并不令人感到惊奇。环顾全球，纺织品依然代表了文化意识形态，尤其是宗教信仰（**图 1、20—24**）。许多研究已经将纺织品对穿着者身份的宣示作为研究的主题：从古代秘鲁布料图案上象征等级的图案，到近 300 年来像威尼斯参议员特有的天鹅绒面料的设计（**图 3**）。[2]

3

4

其他纺织品，例如格子花呢，拥有多重身份，它一直与苏格兰格子呢联系在一起，在美国也人尽皆知。在美国有一种印花棉布叫“马德拉斯棉布”，从 20 世纪 60 年代起开始与非正式场合穿着的衣服相关联，尤其是百慕大短裤和高尔夫服装（**图 37**）。“马德拉斯棉布”这个词来源于印度城市金奈的英文名，然而在高尔夫球场上很少有人会认识到其穿着的纺织品的印度根源，尤其是 20 世纪 80 年代“预科生风格”将之作为风格的关键元素之后。在更复杂的图案中，最多元化的可能就是今天俗称“佩斯利”（有多色涡纹图案的毛织品）的图案（**图 25—34**）。它起源于 16 世纪前一种风格化的波斯花卉花纹，或者 buta（一种液滴形的蔬菜——译注），它能够丰富华丽的丝绸大披肩或腰带的装饰。这些图案是如此受人追捧，以至于到 18 世纪，亚美尼亚商人已经在伊斯坦布尔、俄罗斯和波兰创建了可替代的生产中心，创造了一条通过土耳其帝国、西班牙帝国和西班牙 – 摩尔人聚居区的风格轨迹。波斯的 buta 图案也凭借欧洲对奢侈的克什米尔披肩的狂热追捧，从印度莫卧儿王朝传播到欧洲，这到 1800 年已得到考证。不久之后，为满足欧洲的需求，俄罗斯、法国和英国包括苏格兰佩斯利在内的几个城市开始制作这种图案的变体。从那时起，佩斯利就一直存在于西方设计词汇当中，而这一术语通常只有苏格兰本地人会把它与苏格兰联系起来，比如吉尔·金尼尔，一个从苏格兰迁徙到澳大利亚的移民。金尼尔的作品（**图 31、36、39**）展现了她对“传统苏格兰纺织品派斯利，或更确切地说，对格子呢，在苏格兰的身份和神话故事里所扮演角色”的兴趣，通过这种方式苏格兰的身份已经“连同它的神话故事一起迁移到世界的每一个角落”。

除了苏格兰短裙，其他西方时装则依靠纺织品和剪裁来展示或微妙或明显的文化忠诚的标记。举例说来，第一家因绘画时装面料出名的公司是比安基尼 – 菲利尔公司。它在 1912 年，也就是自公司在里昂成立 20 年后，与拉乌尔·杜飞签约，生产独家的图案（**图 4、56、59、119、132**）。杜飞的野兽派风格的彩色花卉和几何图案，“通过使用大块的对比色，主体物和周围的负空间共同组成了图案”，概括地表现了爵士乐时代的青春活力。[3] 即使在大萧条之后，杜飞不再向其提供设计，比安基尼 – 菲利尔仍保持了它特有的风格，公司继续意气风发

地走在时尚前列，从 20 世纪 50 年代末到 80 年代，他们为纪梵希、巴黎世家、皮尔・卡丹、香奈尔、莲娜・丽姿、迪奥、菲罗和伊夫・圣罗兰等提供的设计就可以说明这一点（**图 61—66**）。其中很多设计保存在纽约和伦敦的设计库中，那是一个大型的纺织设计档案馆，所有者彼得・科普克说："20 世纪的设计对我们来说很有吸引力，因为它如此鲜活，而且与我们现在的客户相关。"

纺织品对于街头风格来说也同样至关重要，梅勒妮・米勒的牛仔裤、棒球帽、运动衫（**图 5**）就是这种风格。其中，她利用飞梭刺绣机重新生产了这些线迹并按比例绘制，以强调现在无处不在而又流行的西方工装与其他穿着普遍、结构简单的服装之间的联系。如今，街头风格在时尚中如此有影响力，以至于关于这一主题的博客已经被描述为"过去十年最大的网络现象"之一。[4] 首先将这种亚文化推向全球的是嬉皮士运动，它于 1967 年在旧金山的"Bi In（时髦的）"成形，很快在美国及更远的地方传播开来。伴随嬉皮文化传播开来的是非西方布料和服装的应用，尤其是古老的图案和结构，对可穿着艺术（Wearable art）的发展有着持续影响。（就可穿着艺术现如今的形式来说，它也受惠于旧金山和环旧金山海湾地区工作的艺术家们，但它在范围上是全球性的。比如，新西兰自 1987 年以来每年举办一次的可穿着艺术奖就很重要。）人们假定纺织艺术家们明白过去的纺织品的意义，这就意味着起源于一种文化的技术和图形被艺术家变成了个人风格的东西，这也是纺织品艺术中存在的典型矛盾之一。例如，简・顿恩沃德，通过制造 48 首如同冥想的练习曲，她在其中植入了非西方纺织品中发现的图案，包括那些对泰国人而言具有象征意义的图案（**图 44**）。尽管她将这些图案看作自己的，就像说英语的人很少认为诸如"ballet（芭蕾）"

3. 威尼斯织工，参议员等级标记（长袍），约 1500 年。

15 世纪威尼斯参议院服装上的图案，面料为真丝天鹅绒，有两种不同的绒线的高度，直到 18 世纪仍然用在威尼斯参议员服装上。

4. 拉乌尔・杜飞（Raoul Dufy）为比安基尼－菲利尔（Bianchini–Férier）制作，亚马逊骑士（no.8010），1918 年。

杜飞在传统的法国约伊印花布上描画了历史上的男女骑手。他通过大胆的色彩在这块套版印花的棉布上创作出一种对位的图案。

5. 梅勒妮・米勒（Melanie Miller），牛仔裤、棒球帽、运动衫，2007 年。

这件多针化学花边缝绣的棉布是艺术家对从当地到全球、手织到大批量生产，以及随之而来的社会服装标准的评论。

或“chauffeur（司机）”这样的词是舶来语一样。顿恩沃德解释道，“重新审视我的象征性的视觉剧目显然是非常公正的”。

许多纺织艺术家敏锐地观察到了纺织品在视觉识别或身份显示方面的能力。例如，詹姆斯·福克斯在其作品《你顺便探访的男人》（**图6**）中，力图“传达关于我们对性别角色、工作、文化以及其他社会和个人生活方面的想法和问题”。通过将花卉图案面料结合到他的作品中，福克斯设想了西方对恰当或不恰当的行为和装扮的期望和理解。显然，这些期望可能不会与其他文化和其他时代相同。通过比较福克斯的作品和一块19世纪的德干希拉（Deccan shira）（**图7**），也就是一种用于盖宝座或狮座的南印度布料，可以说明这一点。人们不用长距离或长时间的观察就能找到这种对比。凯伦·泰阿罗阿的《让我知道》（*Whakaaria Mai*）反映了新西兰土著毛利人和白人定居者在两种文化间不断地协商，她将与她那混合的文化遗产有关的家族故事放入其中（**图71、72**）。泰阿罗阿将欧洲人和毛利人的叙述手法、想象、象征和方法论交织在一起，“去探索当两种文化走到一起时所产生的相似和误解”，同时加上了她的结论：“文化会随着时间进化自己的规则以保护它们的成员。这些规则以故事、歌曲甚至游戏的形式代代相传。有时候，文化规则会被故意破坏。其他时候，当不同的文化共存时，规则就会由于单纯的无知而被打破和受到冒犯。”

6

7

在传承文化规则方面纺织品发挥了不小的作用。1975年在澳大利亚北部地区得到的一组着色的树皮布，就证明了它们的说教功能：那是对仪式性的处决所进行的警醒的描述。所有作品中除了一件以外其他都是由知名艺术家所作：吉米·米诺·米诺，昂佩利的彼得·纳姆巴莱，瓜德尔河的巴德嘉瑞（**图75、77、78、80**）。G. 莱迪亚德·斯特宾斯和他的妻子芭芭拉从加利福尼亚大学戴维斯分校的遗传学系（由他在1950年指导建立）退休后不久就收藏了这些作品。这是一个不小的进口量。作为一位坚持综合进化论的植物学“建筑师”和一名激进的环保人士，莱迪亚德通过自己的工作推进了历时分析（关注同种的起源或成因随时间产生的变化，将之作为遗传关系看待）和更多的“现代”共时分析（将任何单一时间点的现象进行比较）。可以想象，他对起源的兴趣让他将土著艺术看作是今天的产物，但也代表活生生的过去，它们被变得很现代，因为它还有意义。从伊娃·万格林（**图76**）和索拉雅·阿比丁（**图73**）的作品中也可以清晰地看出这一点，她们两位都将现代的方法引入了古代的意象。

通过观察起源于19世纪的日本kosode（小袖，一种基本的日本长袍——译注），我们可以进一步探索纺织品中历时性和共时性的结合（**图10**）。现在，这件长袍被洛杉矶国家艺术博物馆收藏，它证明了江户时代丝绸织工精湛的技艺。此外，它还与其美国捐赠者贝拉·马布里有关联，后者在1917年在亚洲旅行时从京都一名古董交易商野村正二郎那里买下了它，包括其他一些日本纺织品（**图8、9**）。这件长袍不仅唤起了个人的记忆，还象征着贝拉和她的3个兄弟姐妹卡洛塔、

6. 詹姆斯·福克斯（James Fox），你看到的男人（细节），2010年。

艺术家将自由机绣的贴布绣和潜在的不协调的图案一起呈现。这件作品反映了他在很多领域的工作经历，包括工程、艺术以及监护自己的孩子。

7. 印第安工匠，希拉，1800—1850年。

这块布是用来覆盖王座或狮座的，用颜料和黄金在棉布上绘画，描绘了与印度南部有关的细丝绸服装。

8. 日本工匠，小袖片段，18世纪早期。

底布是rinzu（真丝双面缎），真丝和金属线绣花中间有kata kanoko（模仿扎染）的叶子。这块片段及和服片段（图9）均由贝拉·马布里于1917年收藏。

9. 日本工匠，帷子，18世纪早期。

这件适合夏季穿着的无衬里和服，底布为平纹苎麻面料，上面用noribosen（糨糊防染）、kanoko扎染，以及真丝和金属线刺绣装饰。

10

埃洛伊斯和保罗通过丰富博物馆藏品为洛杉矶带来了国际化的文化身份。约瑟芬和海勒姆·马布里的这 4 个孩子通过加利福尼亚银行业和房地产业的财富，均以不同的方式向（日后的）洛杉矶博物馆作出捐赠。贝拉在 1931 年出借了对她意义重大的纺织品藏品，并在 8 年之后将其捐赠给了博物馆。那时候，保罗也给予博物馆“装饰艺术的精选品”，收藏它们是为了“有一天大众可以分享它，它一直是（一个）很好的快乐与丰富的来源”。据当地人说，这些捐赠意味着从那一刻起这个博物馆不再是省级的了。[5]《伊势物语》中小袖的形象与我们讨论的小袖有着历时性的联系。这本日本诗歌集从 9 世纪选辑起就非常有名，因为它代表了文化精英所理解的礼貌行为的规则。并且，在小袖制作的时期，正是“精英”一词（明显响应地）才刚开始包括新接受教育的武士的时期。长袍描绘了三河国内开满鸢尾花的沼泽地中荒凉的 yatsuhashi（八桥）地区，并旨在表达江户时代新儒学中自我修养的思想。这种意象将服装与其他上等工艺以及被广泛收集的日本物品相连，包括日本的插图书。

叙述

围绕“什么是艺术”这个问题的辩论本身也是叙述，它在纺织艺术中失去了作用，有时从字面意义上来说是这样的。例如，提尔厄克·施瓦茨喜欢将她的作品形容为视觉诗歌，其中的叙述元素不仅用来讲故事，而且用来邀请观者“解读或创造与之的关联”。她结合日常的甚至平庸的文字，挑战了品位的等级和社会秩序。当然，必要的解读建立在措辞和象征的流畅性的基础上，这些象征也包括传统的母题。叙述和身份以这种方式交织在一起——例如之前讨论的小袖，这样的艺术表明“我就是我所知道的”。在施瓦茨的作品《新人》（**图 101**）中，施瓦茨加入了一块刺绣样品区域，作为一种老式的信息传播形式的参考，在图案书籍出现之前，这是非常重要的形式，这一形式一直保持到现在。

16 世纪，刺绣图案书开始出现，在后来的一个多世纪中，它们仍相对罕见，对缝纫图像的理解取决于不同种类的书籍。举例而言，18 世纪关于希腊神话中太阳神福玻斯的儿子法厄同（**图 11**）的描写。法厄同鲁莽地驾驶着父亲的太阳战车驶离地球时造成了严寒，离战车太近的地方变成了沙漠，这导致宙斯用雷电击落了法厄同。尽管这个神话已经不再广为人知，但它是一个相当适时的隐喻，即我们需要考虑鲁莽的自我放纵的后果。这件作品的制作者，可能也是其所有者，期待 18 世纪观者能够理解它的含义，因为奥维德（古罗马诗人）的《变形记》中包含了法厄同的故事。这部拉丁叙事长诗完成于公元 8 年，据说是所有经典中在中世纪阅读最多的作品。在法厄同的形象被缝出来的时候， 中世纪法国版本的《奥维德的教化》（影响了乔叟）将这首诗变得广为人知，亚瑟·戈丁于 1565 至 1567 年的英译版则被莎士比亚阅读，并且后者比任何其他作者都更常

10. 日本工匠，女士小袖，19 世纪。

这件纺织品由真丝锦缎制成，上面有真丝和金线绣花，描绘了鸢尾花丛中的 yatsuhashi（八桥），是关于三河国省著名的鸢尾花湿地。这个设计也令人回忆起出版于 9 世纪的《伊势物语》中的一首诗，这让作品同时也抒发了谦恭与优雅的传统审美。

在作品当中暗指奥维德。[6]

除了神话场景以外，从中世纪一直到 19 世纪，历史性的事件和《圣经》故事是形象化的绘画纺织品的主题。重要的是，刺绣有别于挂毯画，由于其大小一个人也能完成，而且刺绣在年轻女性的教育中扮演了中心角色。17 世纪，刺绣的小箱子（表面被刺绣覆盖的装针线用品的盒子）是女性刺绣的专业程度的终极展示（**图 106**）。这种刺绣，以及这个时期的许多其他刺绣都描述了像以斯帖那样坚强的女性。以斯帖的形象来自于《旧约》，是个受人尊敬的形象，她英勇的行为帮助犹太人幸免于大屠杀。[7] 在 16 世纪末一套刺绣床幔中也出现了同样的故事（**图 107**），而 17 世纪晚期一位绣工制作的另一件作品，则描绘了希腊女神雅典娜和她的蛇形养子厄立克托尼俄斯（**图 12**）。雅典娜是智慧、美德、文明和谋略的女神，她是艺术和人类活动（包括编织）的守护神。小箱子以及这两件作品以强大的女性人物为特征，它们已经通过纽约纺织代理商科拉・金斯伯格有限责任公司得以传承，公司现在由蒂蒂・哈雷监管。我们值得在此停顿下来并注意到金斯伯格（旧姓克林，1910—2003 年）的影响，1929 年她嫁给了一个著名的古董收藏家，并加入到他家族知名的古董画廊，那时候纺织品“如同继子…… 所以我收留了它们”。她对 17 世纪英国的刺绣情有独钟（还有 18 世纪的欧洲服装，占了她大量私人收藏中的大部分），并且由于“她天生有精准的眼光，所以对装饰艺术和材料文化中被低估且很少研究的领域做出了深刻

11. 法国绣工，刺绣画，约 1700—1725 年。

这幅场景画用真丝和羊毛对角针缝制作，描绘了关于法厄同的希腊神话，这个人物因奥维德的《变形记》第二册中的描述而广为人知。

而持久的贡献”。[8]换句话说，金斯伯格解读纺织品的经验非常丰富。

纺织品叙述继续描述着神话主题，包括古代世界的那些神话故事，像英奇·诺加德提及的挪威神话《芬布尔之冬》（**图104**）以及玛丽埃塔·托恩瓦提到的《生命之源》（**图81**）就受到“善与恶、光明与黑暗之间永恒的斗争和永恒的吸引”的启发。其他故事更现代，并且常常有争议，比如苏·达夫的作品《女人会等待》（**图105**）中描绘的耐心等待的神秘女人的肖像，或像在利莱·泰勒的作品《猫咖啡》（**图103**）中描绘的不停地闲聊和购物的女人的故事。许多像这样的当代神话反映了对权力及其对性别模式（stereotypes）和性别关系的影响的关注，以及对存在本质的关注。利用纺织品引导人们去关注这些问题导致的生命的困境，增强了其本身的震撼力，尤其是因为纺织品其实常常是安慰的源泉。在帕迪·哈特利的《假象项目》（**图83、84**）中，他探索了“一战”期间使用的烈性炸药和重型火炮的影响，他把这个项目聚焦在沃尔特·约的故事上，后者是一名普利茅斯战士，是最早接受突破性的整形校正手术的人之一。哈特利解释道：“在战场的伤亡人数中遭受到骇人的面部损伤的人数前所未有，伤情严重到亲人朋友都无法认出他们。他们往往无法看、听、说、吃或喝，他们艰难地想回到平常的生活中。”苏茜·弗里曼和利兹·李博士的作品《白色痛苦》（**图13**）表现了痛苦、焦虑以及一个关于有一颗药丸就可以修正任何情况的现代神话，药片被包在一块长24米（26码）的板上，非常容易理解，因为这是苏茜·克拉吉的《Xs与Os》（**图85**）中曾经运用的标志——尽管对于克拉吉而言它依然能够成为额外的信息，她最近的作品参考了人与人之间的交友圈和书面交流，以及拥抱和亲吻的符号。

12. 英国绣工，雅典娜，17世纪晚期。

真丝对角针缝，描绘了雅典娜的白色鼬皮披肩、长袍和鞋。风景采用皇后绣（四条竖缝线中间弯折，一条横线从弯折部分穿过的样式），白色丝绸底布上有细格子图案装饰。

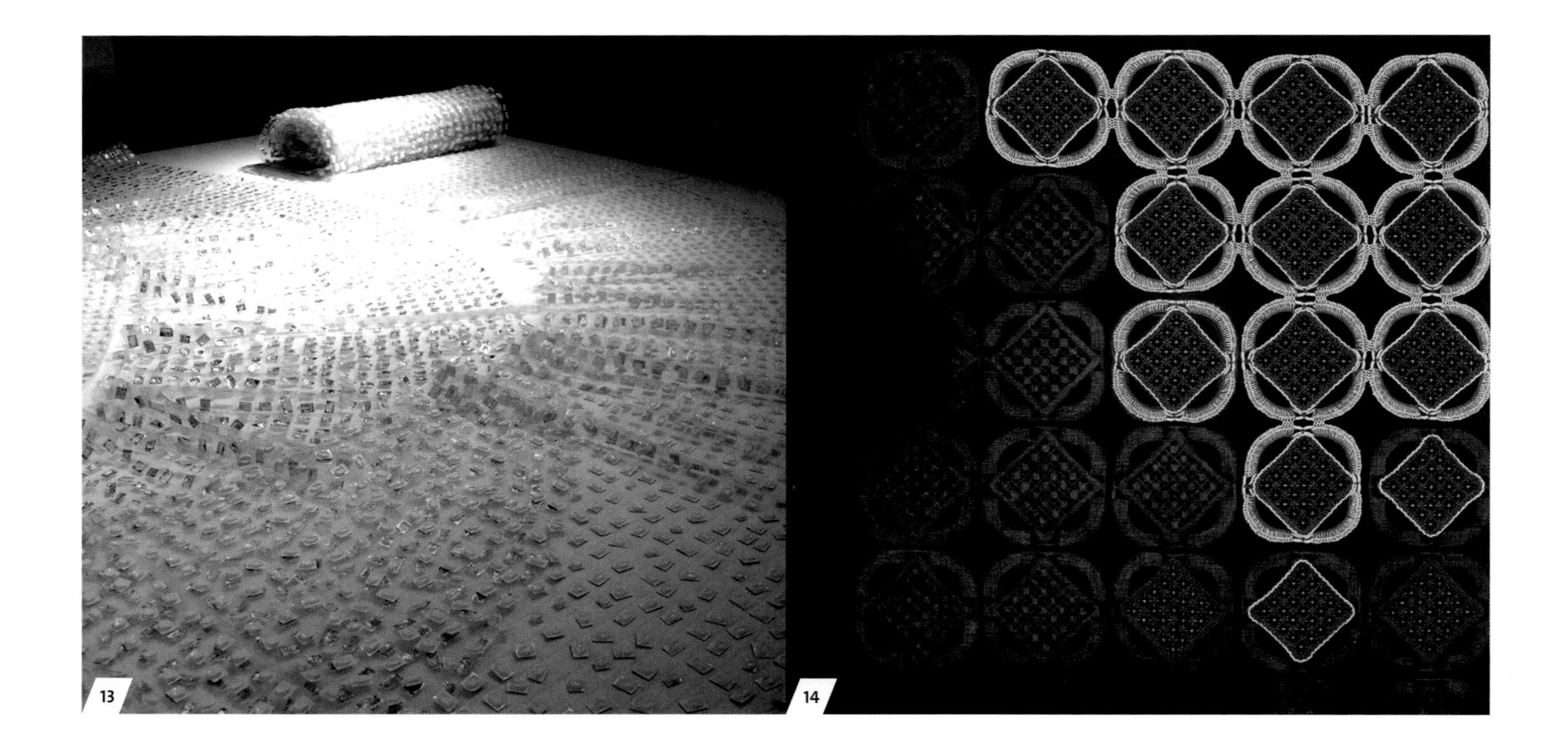

正如她解释的，“我婚后大部分时间都在国外陪同我那个在国家机构工作的丈夫和孩子，加强与我的家人和新旧朋友之间的联系，变得很重要”。不同的是，有些作品需要解码。伊莉莎·马克思－扬就通过创造一个似乎消失在《相当奇怪的错位的东西 #16》（**图 14、82**）中的图案，对一个普遍存在的问题进行了评论，即记忆的缺失。妮基·舍恩卡拉的作品《我的皮肤之下》（**图 86**）是一种个人叙述，交织了“过去、现在和未来的故事……我所在的澳大利亚中部这个空间位置和这个地方对我生活的持续影响……爱人的影响……我父亲的去世”——每一个话题反过来都由图案所暗示，而这些图案则使人联想到眼斑巨蜥（澳大利亚最大的本土巨蜥）的皮肤上的图案，一种“银河系斑点”和遗传密码。

除了镶嵌和悬挂，码数长度的叙述潜能也不能被忽略。不论布的剩余长度是直接还是间接加上的，其作用都是为了成为贸易商品、保留和传达它起源地的文化情感，或为了迎合远处的消费者的品位。通过研究与某些地区有关的图案，我们最能了解剩余码数所扮演的角色，这些地区的服装由非剪裁的面料做成（比如肯加女服、纱丽、纱笼、赛普拉毛毯披肩或披巾），或缝制成像土耳其长袍一样非精确剪裁的形式。西非的蜡防印花布是个恰当的例子。虽然蜡防印花技术在非洲一些区域已经有很长的历史，实际上却是荷兰商人在 19 世纪中期将印度尼西亚的蜡防印花布进口到此，才创造了符合非洲喜好的、带有复杂裂纹图案的棉布，图案色彩一般非常浓烈。19 世纪 30 年代到 40 年代，比利时 Previnaire 公司的工厂完善了一种改良型的滚筒印花机（用两个同步的或双重的滚筒同时将蜡沉积在布的两面，这种方法来源于法国印钞票的方法）。到了 19

13. 苏茜·弗里曼（Susie Freeman）和利兹·李博士（Dr Liz Lee），白色痛苦，2007 年。

这件作品由一个人活着时吃的止痛药留下的包装制成。小包装被封装在一个尼龙单丝的口袋式针织结构中，这一结构用手工操作的瑞士杜比德针织机完成。整件作品长 24 米（78 英尺 9 英寸）。

14. 伊莉莎·马克思－扬（Elisa Markes-Young），东西错位后奇怪的平静 #16（细节），2009 年。

扬对羊毛、棉和真丝线进行了复杂和精密的制作，象征了完美的记忆；而丙烯、铅笔和蜡笔描绘相同图案的＂阴影＂则暗指记忆的缺失。

世纪 50 年代，瑞士、荷兰以及英格兰大批量生产这类棉布，尤其用于出口，导致了“真正的荷兰蜡”和“曼彻斯特蜡”（两者更适合被当作“印花蜡防染”）等词汇的出现。是否有像蜡染这样裂开的花纹底色，是否是欧洲制造，是否适应非洲地区的偏好，是直到 20 世纪 60 年代之前占据着主导地位的供应条件。但是，到了后殖民时代，位于尼日利亚和加纳（**图 111、113—117**），还有印度尼西亚，以及最近在中国的工厂已经满足了真正拥有非洲文化的非洲人的需求。

他们的需求是这样的：像全球妈妈（Global Mamas，2003 年成立于加纳）这样的公平贸易组织，已经为手工蜡染带来了新的活力。对于流散在外的非洲人来说，蜡染明显是他们显示个人身份的必需品，但这种布料仍然还是在西非具有最强的叙事能力。根据全球妈妈网站资料显示：“印花图案从抽象几何到具象图像，且种类远远不止这些。对众多男性和女性来说，图案是表达甚至是交流的一种形式，可以宣告从婚姻状况到情绪再到他们的政治和宗教信仰等一切事情。”[9] 海蒂・奇泽姆——这位与加雷斯・奇泽姆共同创办了南非的设计集团 Extra Fancy 的人，在她位于纽约布鲁克林区的新基地里设计着热情洋溢的图案（**图 108—110、112**），颂扬她们称之为非洲的“超级古怪而又疯狂的不协调的色彩文化风格”。[10]

其他文化也用布料来叙事。弗朗西斯・厄金委托他人制作了装饰有欧雅（oys，安纳托利亚的一种纺织工艺——译注）图案的头巾和其他纺织品，由拥有这种传统安纳托利亚缝边和装饰技术（包括一种据说是针绣花边起源的技术）的制造商进行制作（**图 15**）。她自己设计了一些围巾边沿，而其他的作品则作为当地

15. 安纳托利亚花边制造商为伦敦的弗朗西斯・厄根（Frances Ergen）制造，欧雅，2010—2011 年。

弗朗西斯・厄根对这种来自爱琴海和安纳托利亚地区的布料进行研究、寻源、改变和贸易，以此来支持这种针绣花边的制造者。

不断更新的围巾作品的一部分："根据家庭礼节和传统，谈话中不能出现某些主题，因此这种工艺的进化，出现了相应的符号化语言，这是女性之间秘密的沟通手段。它是一种表达情感的形式……通过特定的色彩和图案的组合；一个迷人的、不成文字的女性聊天的原始资料……你可以谴责你的婆婆或表达对你的新丈夫的热情，而不必受到整个社会的嘲笑。"[11]

16. 玛吉·托纳－埃德加（Maggi Toner-Edgar），路标花边（细节），2006年。

这件纺织品设计源自数码操控的概略思维导图。托纳－埃德加2005年在哈罗盖特听了玛丽·斯科瑟在Twisted Thread的"指向新空间的路标"会议上的演讲后，创作了这件作品。正如她所说："我的特点……从数码图像中提取了粗糙的东西，并给予数码图像人情味。"

时间和地点

"Toiles"（这个词从前指用来进行测试和改良、用便宜布料制作的一种成衣，现在则指一种半透明的亚麻布或棉布——译注）能够消除叙述与其呈现出的时间和地点之间的鸿沟；如今这个词被用来表示某种布料，这种布料一般是白色或乳白色的棉布，上面印有风景。这个名字来源于法语 toile de jouy（约依印花布），是一种在凡尔赛附近的约依昂若萨印花工厂生产的面料，1770 年工厂将铜版印花添加到凸版印花中。约依印花布与众不同的特征是，会用单色细致的线条描绘来源于文学、戏剧、田园诗中的场景。尽管约依印花布与约依有关，但在法国国内外众多地区都有生产。法国人称它们为 toile d' Irlande（爱尔兰棉布），因为最早对这种布上风景画的记载出现于 1752 年，那时候西奥菲勒斯·汤普森和弗朗西斯·尼克松在爱尔兰用铜版印制了带有亚麻材料的棉布（后来尼克松很快也开始在伦敦印制）。至少一个世纪前，丝绸已经利用了同样的方式印花，包括绣花的底部图样。因为丝绸是一种蛋白质纤维，很容易被标准的胆汁性油墨染色，但是棉和麻是纤维素的，所以要先将胆汁性物质转化成染料。一旦这个问题解决了，布料上未经修饰的镌刻着的意象就能唤起有文化、具有全球观的受众的感受——这种关联从未消失过。虽然约依印花布偶尔也会通过凸版印花添加其他颜色，增强效果，但大多数还是继续在白色底布或染过的底布上做单色印花。直到 19 世纪 30 年代采用滚筒印花之前（**图 17**），约依印花布一直都是时髦的用于装饰的织物。之后，有一些约依印花布确实描绘了当时的场景和时间，包括军事行动甚至布料本身的铜版印花场景，但更多的是具有异国情调的中国式装饰风格和印度风格或复古艺术风格的作品，描绘对象来自古典神话。凸版印花工们通过更多彩的约依印花布追逐时尚的步伐（**图 123、124**）。

随着时间的流逝，"单独场景"的形式偶然地又一次出现：它被更新了，并且同之前约依印花布所表现出的博学更加契合，人们在其上加入了来源于大事件或考古发现的视觉内容（**图 122、133、135**）。20 世纪 90 年代，在得以留存的经典布料中，古董约依印花布变成了收藏家和装饰家都在寻找的布料。十年之后，一个新的品种出现了，新品种在之前有限的配色、主题图案的设置和描绘的内容方面参考了最原始的约依印花布，但是记录了现代的生活——我们的时间、我们的地点——以及它们所有的怪癖和弱点。例如，让·卡西塞多印染、切开并拼合的木制雨衣（**图 137**），便是对旧金山的天气的妙趣横生的反馈。数码

17. 玛丽－博纳文图尔·雷伯特（Marie-Bonaventure Lebert）为芒斯特的哈特曼·费丝与泽恩·赛制作，四种自然力量，约 1810—1818 年。

这块滚筒印花棉布展示了博学的意象，包括拟人化的元素之神，代表了拿破仑一世时期复古装饰的新时尚。

17

生产和设计技术在这一变化中，发挥了不小的作用（**图 16**）。比如，内奥米·瑞得的《配角图案》（**图 134**），就是用她自己刺绣的一部分进行图片处理然后数码印花的。计算机辅助生产甚至让人们可以在一台工业提花织机上经济地生产画作，就像杰西卡·史密斯做的那样（**图 121、128、129**）。虽然保罗·西蒙斯和阿利斯泰尔·麦考利（他们于 1990 年在格拉斯哥成立了 Timorous Beasties 公司）也会用到数码效果，但他们用手工丝网印制作了很有影响力的约依印花布，强调必须用正确的技术达到想要的结果（**图 125**）。受伦敦维多利亚和阿尔伯特博物馆馆藏的一件约依印花布的启发，西蒙斯和麦考利表达了他们对原始薄棉布图像清晰度的钦佩和他们对这种品质的追求，以及他们认为设计要求设计者知道如何做出最终产品的信念。[12] 由于绘画的线条如此直接而又在本质上成了变相描绘历史插图的媒介，这种布料包含了技巧感，这恰好是他们的中心主题。

“印刷革命”是从 15 世纪 70 年代到 300 年后的工业革命之前主要的文化影响，它不仅让文本和图像之间的相互作用得到更新，而且产生了全球化过程中最重要的标记形式之一，即广泛可用的地图，它能够结合图像和文字。它们被铜版印刷在丝绸上、纸上，还可以选择添加其他事物，比如四季的图像，它们由那些为绣工印染图案的印花工印制。纸上印花和在布上印花之间的关系从那时候起已经很明显了，尽管这种关系经常被隐藏起来（例如，在从生产新闻纸到纺织品印花中的技术演变）或转瞬即逝，比如 1897 年由普雷斯顿一家报社为了庆祝 1179 年成立的兰开夏郡小镇的同业行会而特别生产的一块服装面料（**图 18**）。20 世纪第二次世界大战中缝在伞兵夹克衬里内的丝绸逃生地图也是隐藏的。然而最近，数码印花的发展再一次向人们强调了纸与布的关系。同时，卫星技术已经改变了“地图绘制”的概念，如今这个词的意思远远超过地图绘制，而是被广泛应用于指代真实的关联和隐喻的关联。与主题相关的是，纺织品也反映了这一趋势，人们不仅在肌理方面采用“地图绘制”的方式将平面的电脑图形转变成三维立体图形，而且也在引入的地图图像本身进行“地图绘制”。在本书所举案例中，就包括来自南希·克拉斯科的“天气报告”系列（**图 159**），通过演绎常用的关于天气的谚语，比如“逆流而上（swimming against the tide）”、“历经风雨见彩虹（weathering the storm）”或者“感觉实在不舒服（feeling under the storm）”，强调气候变化。正如克拉斯科所说，“这些短语可以交替地在有关我们个人生活或地球上其他生命的方面使用”。

纺织艺术家也利用其他种类的地图思考二元性，从对建筑与建筑环境提出质疑的抽象的楼层布局——朱迪·费尔伯恩和戴安娜·芬尼根的作品中就有所探讨（见第五章）——到对某片区域转瞬即逝的元素的观察。尼基·兰塞姆在她的作品《脚步 II》（**图 145**）中问道：“我们在日常生活中，留下了什么痕迹？当我们经过之后，我们留下了什么证据——脚步，微风，折断的小树枝？这件作品隶属于一个系列，通过使用我的房屋周围的脚印的颜色和纹理，它试图反

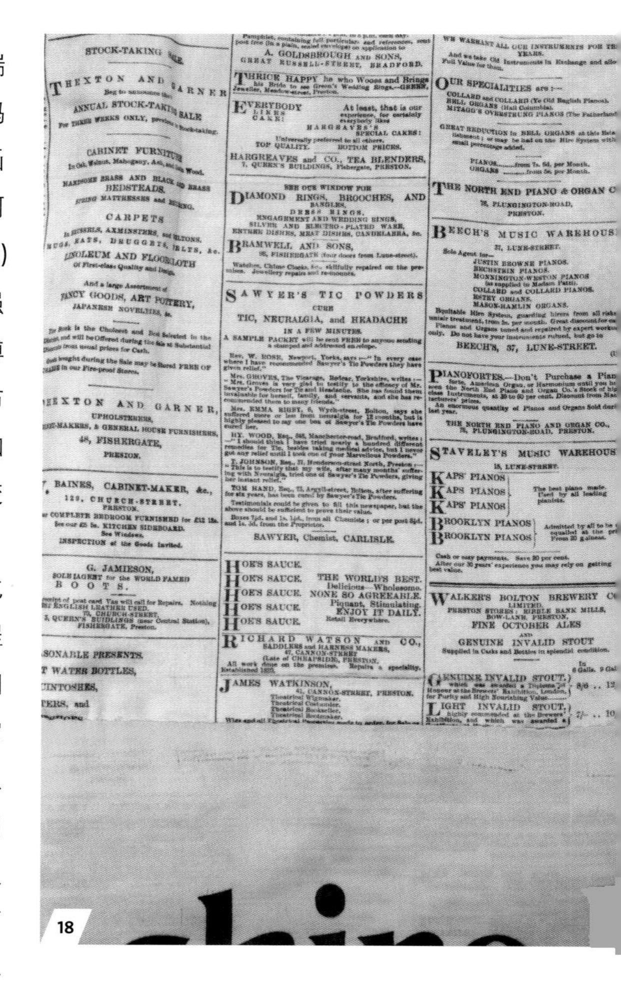

18. 兰开夏郡每日邮报，女孩的花式连衣裙（细节），1897 年。

从 17 世纪开始，大幅广告和报纸印刷者们就对纺织品印花贡献良多。到 19 世纪，他们经常制造这种类型的“新奇”真丝面料。

19. 海伦·琼斯（Helen Jones），卢顿纺织考古学（细节），2011 年。

这件作品是交流项目中的两件拼被之一，呈现了未加工的原材料。艺术家将参与者的记忆印在旧的缝纫图案上，并用针别住，创造出一种能够不断变化的集体“叙事”。

映出人走过后产生的细微变化。”诺尔玛·斯达兹科纳探索了墙上的人类痕迹，擦过的痕迹、破坏外观的痕迹、标记以及覆盖涂抹，她捕捉的是一个地方的时代面容，而非个人（**图 152**）。简·弗里厄－怀尔德将大厦的多面玻璃反射出亮光的瞬间作为主要题材（**图 153**）；罗比娜·萨莫斯观察了快速消逝的霜（**图 150**）；特里萨·波莱蒂·格洛弗保存了一个水池中转瞬即逝的倒影，这个倒影将永远不可能原样重现（**图 151**）。这些作品都暗示了生命中的暂时属性，只能暂时得到映射。安妮·莫雷尔同样致力于捕捉转瞬即逝的痕迹（**图 158**）：她记录汽车轮胎在淤泥上留下的短暂的痕迹，或是鸟从雪上走过的痕迹，以及像“我得乘胜追击，我得迎头赶上（I’ve got to make tracks，I’ve got to get on）”这样有关人的努力的短语，莫雷尔还说：“我喜爱那些标记，因为它们代表了那里发生过的事件的记忆，然后它们就走了。”这种记忆的“绘制”是任何留存下来的珍贵纺织品的核心功能，是海伦·琼斯的项目《卢顿纺织考古学》（**图 19**）中必不可少的方面。琼斯让参与者选择一种织物，并将之与一段回忆相连，她将织物纳入到一个装置中，以积极的视角呈现出一个经济衰退和社会关系紧张的英国城镇。她从慈善商店、破布回收工厂和其他渠道收集面料，她发现“人们常常惊讶于能够找到与过去相符的织物或图案……当参与者通过触觉、视觉……和嗅觉与布料相互作用时，强大的有意识或无意识的记忆就被触发了”。最后形成的装置是一条原始状态的被子，并且还融入了参与者的记忆，这些记忆被印在老旧的缝制图案上，并加以固定，以此呼应了在旧的拼被中使用的纸模版。这个案例最后将文字、身份、叙事以及对时间和地点的记忆结合到一起，阐释了它们彼此间的联系，这种联系经常被融入到纺织品当中。

如果说印刷革命推广了意象的运用，而工业革命令装饰产品变成更多人都能买得起的产品，数码革命则能让人们在虚拟场景下二者兼顾。这会使历史性纺织品贬值吗？据纺织品艺术家判断，答案是“不会”。艺术家们好像更清醒地意识到获得一手并且熟悉的过去的样式是多么重要。数码革命会成为当今纺织品艺术家们的阻碍吗？显然不会，正如公平贸易组织和类似的发起者所展现出的活力；内奥米·瑞德指出，当涉及佣金时，互联网是有益的，但挑战是“能让人们去看你的作品集而不是仅仅看你的网站”。在这个领域中，人际关系依然是成功的关键，就像其他一切尝试一样，如今许多纺织品是分享一个人的身份和故事的手段——二者是创建人类感情纽带的关键。特别值得注意的是，时间和地点的主题在过去10年左右如此显著地脱颖而出。这一时机表明，至少从某种程度而言，这是对崛起的互联网的反馈，在互联网中，既没有明显可见的时间顺序，又没有可供参考的地理位置。虚拟的“现在” 包括了已经有 20 年之久的网络内容，全球服务供应商的服务掩饰了使用者的位置。纺织品，作为最为根植于一切感觉的艺术形式，提供了一种病毒性神话的解药，这个病毒性神话就是，技艺是不必要的，知识不需要保留，而人们只要通过屏幕上的二维图像就可以理解世界。

19

20. 土耳其帝国纺织工坊，兰帕斯丝绸，1550—1600 年。

这块真丝面料制造于土耳其帝国艺术的黄金时期，使用镀银薄片包裹的丝线形成无指向性的图案，与土耳其帝国苏丹的伊斯兰信仰一致。

21. 印度印花工，Phanung（一种印度传统服装）片段，18—19 世纪。

这块绘制和染色的服装面料男女均可穿，是为暹罗（现在的泰国）市场制造的。它上面有佛教的图像，包括祈祷的天道众生和建筑门神图案，后者用暗红色描绘，同鲜明的红色背景形成对比。

20

23

24

23. 贝列尔·迪恩（Beryl Dean），天堂的王后，1983 年。

这件作品包含了小宝石和珠子，用 or nué（15 世纪的一种特殊织法）制作，其中的立体感完全来自钉绣针法落针的位置。迪恩被认为是当时英国最好的绣工，伦敦歌德史密斯学院的刺绣研究中心就以她的学生康斯坦斯·霍华德的名字命名。

22. A.W.N. 皮金（A. W. N. Pugin），德拉蒙德，1850 年。

这个哥特复兴式的图案是受 J.G. 格雷斯委托，为兰开夏郡高索普庄园的室内装潢制作。那是一座詹姆士一世时期的庄园，由查尔斯·巴里（与皮金再次共事，设计了英国国会大厦的建筑设计师）重新设计，图案最初在普雷斯顿附近的班尼斯特庄园木版印花。本例中的织物则是现在由威斯敏斯特的瓦茨生产的一件机织织锦。

24. 罗宾·芒卡斯特（Robyn Mountcastle），红色祭坛挂帷，2005 年。

这是为墨尔本圣保罗英国国教教堂制作的系列作品之一，整个系列完成于 2010 年。这块织造的挂毯是一块祭坛挂帷，纬纱采用羊毛、棉和粘胶纤维，经纱采用合股棉网线。采用了复活节前两星期，以及其他会用到紫红色罩衣的教派节日的意象和色调。

25

25. 克什米尔织工，女式披肩，19 世纪 60 年代中叶。

这件大披肩(363 厘米 ×140 厘米,143 英寸 ×55 英寸)是羊绒（山羊毛下层的绒毛）材质的，有两重相扣的织锦图案，斜纹织造，用羊毛拼合、刺绣而成。

26. 雷蒙德 · 荷里曼 (Raymond Honeyman)，小佩斯利，1992 年和 2008 年。

最初为利伯蒂 1992 春夏系列设计。这里展示的丝网印花棉布于 2008 年为日本利伯蒂重新绘制和重新着色。

26

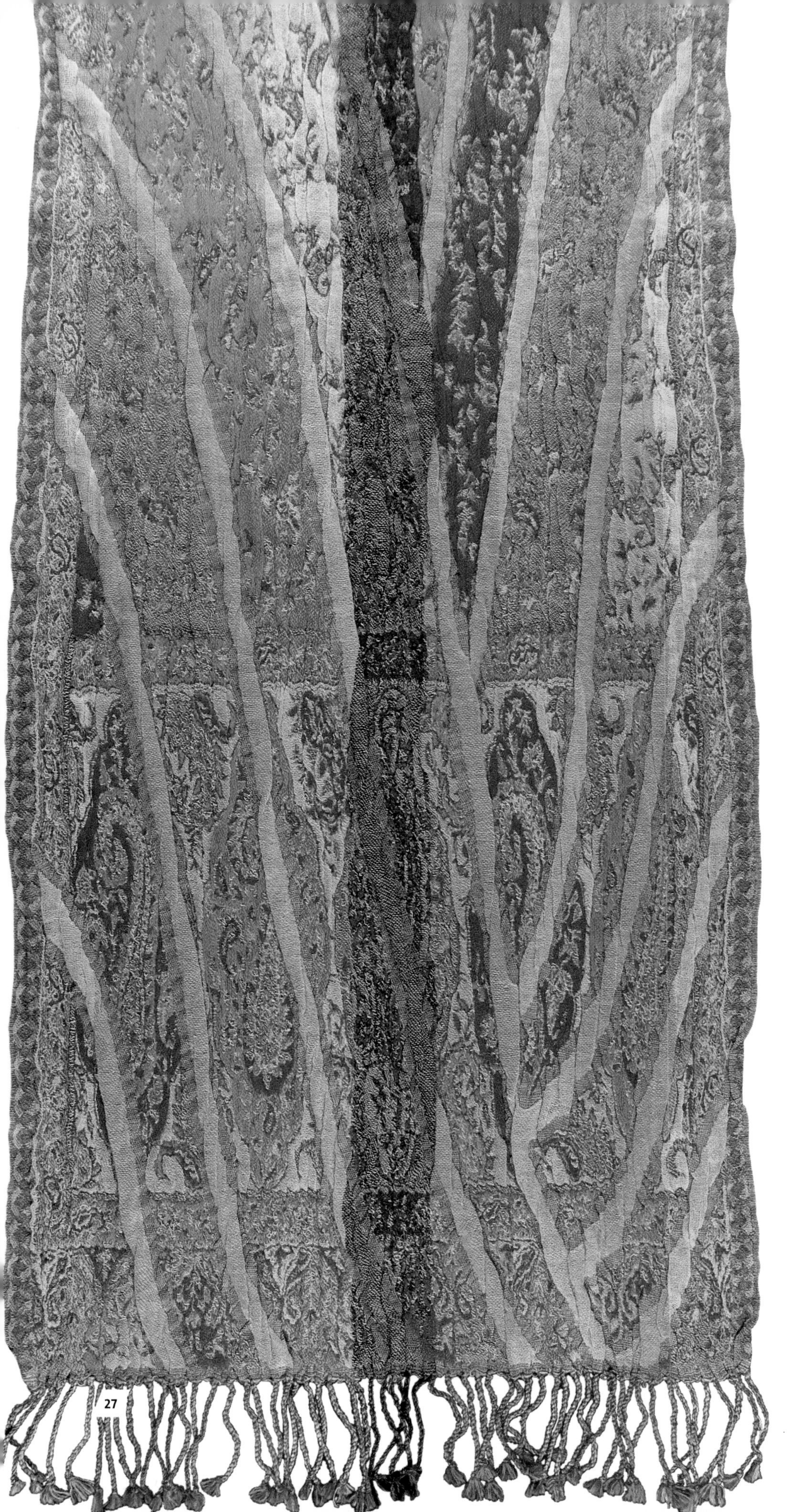

27. 印度生产商，长围巾，约2000年。

这条克什米尔围巾由人造丝和腈纶混纺，有单层布区域（后面留有无纺的浮动纬纱）创造出揉皱的效果。精美编辫流苏长6.4厘米（2½英寸），显露出经纱线的颜色。

29

30

31

28. 奥斯曼土耳其绣工，Bohca（束）（细节），约 1780—1815 年。

这件羊毛床罩有奢华的刺绣，用了锁针法，在恰当的位置用银箔和镀银薄片做了钉线绣。它的风格映射出欧洲和印度图案的影响。

29. 佩斯利织工，围巾（细节），19 世纪中叶。

这件大羊毛围巾在苏格兰小镇的一台提花机上手工织造，小镇的名字 buta 被用来命名这种图案。这个例子采用了那个时期欧洲围巾典型的加大、拉长的图案。

30. 比安基尼－菲利尔（Bianchini-Férier），木版印花连衣裙面料的纸面设计效果，1967 年。

这个图案是在佩斯利图案高度流行的时期创作的。设计此图案的当年，约翰·列侬甚至把派斯利图案绘制到他的劳斯莱斯车上。

31. 吉尔·金尼尔（Jill Kinnear），离散犹太人的佩斯利围巾 1（细节），2008 年。

金尼尔在这条围巾上“投射”与迁徙经历有关的神话故事和记忆，她利用激光切割的金属结构在 X 射线照射下的图像创造了这一意象。X 射线图案来自布里斯班国际机场候机厅的一台行李扫描机，图像重新组合并数码印花到真丝中国绉织上。（也可参见图 37 和图 39。）

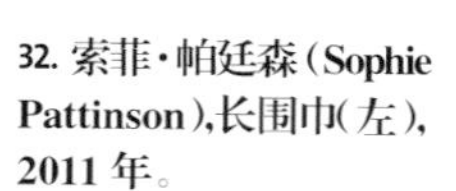

32. 索菲·帕廷森（Sophie Pattinson），长围巾（左），2011 年。

帕廷森训练孟加拉国的乡村妇女刺绣，开设公平贸易出口业务，生产原创图案以及源自传统图案的变形。图中左侧为丝网印花的缝纫围巾，右侧为来自巴基斯坦北部哈扎拉流域的复古刺绣。

33. 克什米尔（Kashmiri）织工，羊毛松紧长袜，19 世纪初期或更早。

这些长筒袜有一层厚重的针织羊毛内衬，用针缝固定。这种长筒袜适用于室内，穿在睡裤外面，不用穿鞋子。1773 年到 1785 年间印度的首任总督沃伦·黑斯廷斯也穿过类似的长筒袜。

34. 勒克瑙（Lucknow）工匠，纱丽（细节），19 世纪早期。

有镂空花纹的精美平纹棉布，用 Phanda 结（一种扣眼针迹的变形针法）和回针及锁针刺绣制成。

34

35. 拉贾斯坦（Rajasthani）染工，Pagri，约19世纪60年代。

这块男式头巾，或者叫Pagri，采用一种被称作laharia（印度扎染布）的工艺。这种工艺为经纱防染，包括横向折叠成手风琴形褶皱、对角轧平以及在每种颜色染色前用线紧紧缠绕，最后会形成对称的锯齿状图案或一种名为格兰达尔的图案。

36. 吉尔·金尼尔（Jill Kinnear），帝国工坊，以钢制的花格子为特色的连衣裙1（见图39），2008年。

这件服装由数码印花的单层和三层真丝乔其纱和山东绸制成，这件成衣是在诉说花格在苏格兰身份和神话中的作用。这件裙子的结构和图案都让人联想到“帝国”。

38

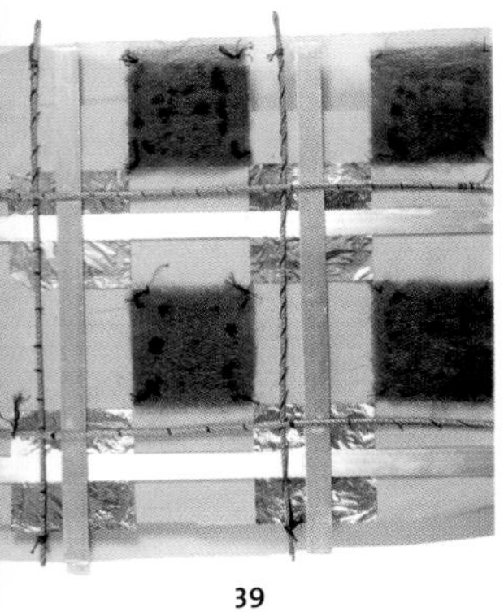

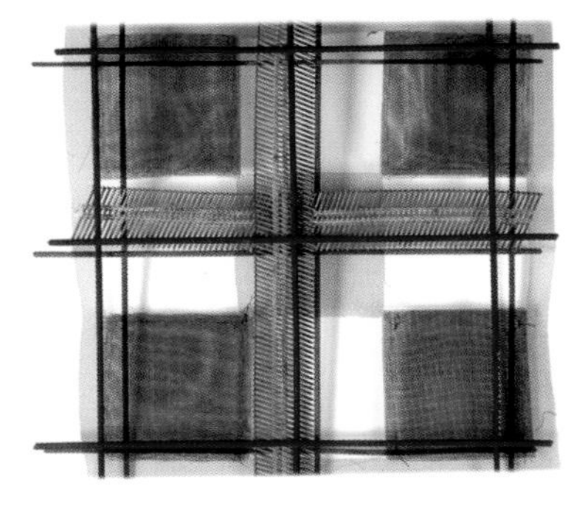

39

38. 波斯织工，饰带，1690—1750 年。

这块真丝面料是为一位贵族织造的，用金属箔线织出图案，有复杂的几何排列和阿拉伯式花纹。不论国内国外都有人找寻这种面料，特别是波斯的侍臣。

37. 印度印花工和裁缝，衬衫（细节），20 世纪 50—60 年代。

这种类型的面料由扎染的薄纱般的头巾棉布制成，为出口而生产。它被美国称为“滴血的马德拉斯棉布”，主要在印度城市马德拉斯（如今的金奈）集中生产。当地的人们认为这种图案模仿了苏格兰军团在 19 世纪占领印度南部时穿的花格衣物。

39. 吉尔·金尼尔（Jill Kinnear），钢制的花呢格纹结构，2008 年。

这些金属结构，每个大约 55 厘米（21½ 英寸）见方，是用 X 光透视创作的艺术家自己的格子呢纺织品，它类似移动空间或“第三”空间的概念。“就像地图，格子的图形与陆地有关，尽管不必是原始陆地。它们的经纱和纬纱指出了东、西、北、南”。

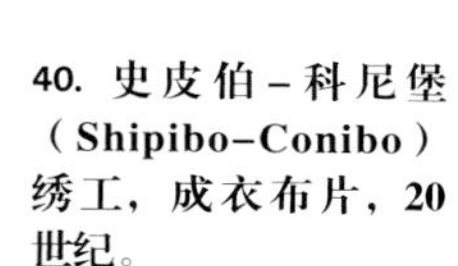

40. 史皮伯 – 科尼堡（Shipibo–Conibo）绣工，成衣布片，20世纪。

这些秘鲁亚马逊河流域的土著人保留着传统图案，据说这种图案可传递治愈的能量。收藏这块布的彼得·科普克，赞赏它与史前史的关联，而在此图中则通过现代丝线刺绣的贸易棉布体现出来。

41. 安·沃林格（Anne Woringer），迷宫编织，2009年。

黑色亚麻底布，上面的图案是nui（缝纫防染）扎染，经过手绣和绗缝，然后贴布绣到19世纪的大麻纤维上。

42. 库巴（Kuba）织工和绣工，开赛天鹅绒，约1950年。

库巴王国建立于17世纪，在如今的刚果民主共和国境内，保持了男性担任纤维制造者和织工，女性担任染色工和绣花工的传统。这块酒椰树叶纤维制成的布是在一台立式斜向织机上完成的，上面的绒毛由不同高度的线圈剪开形成。

43. 坎迪斯·克罗克特（Candace Crockett），库巴系列#2，2002年。

艺术家研究了库巴面料，通过变异和模仿衍生出一种对它们的自发性和即兴特征赞赏的方式。他选择了精美的透明白色真丝面料，在上面层层印上基础图像，通过操作面料以及添加颜色和褪色来改变外观。

41

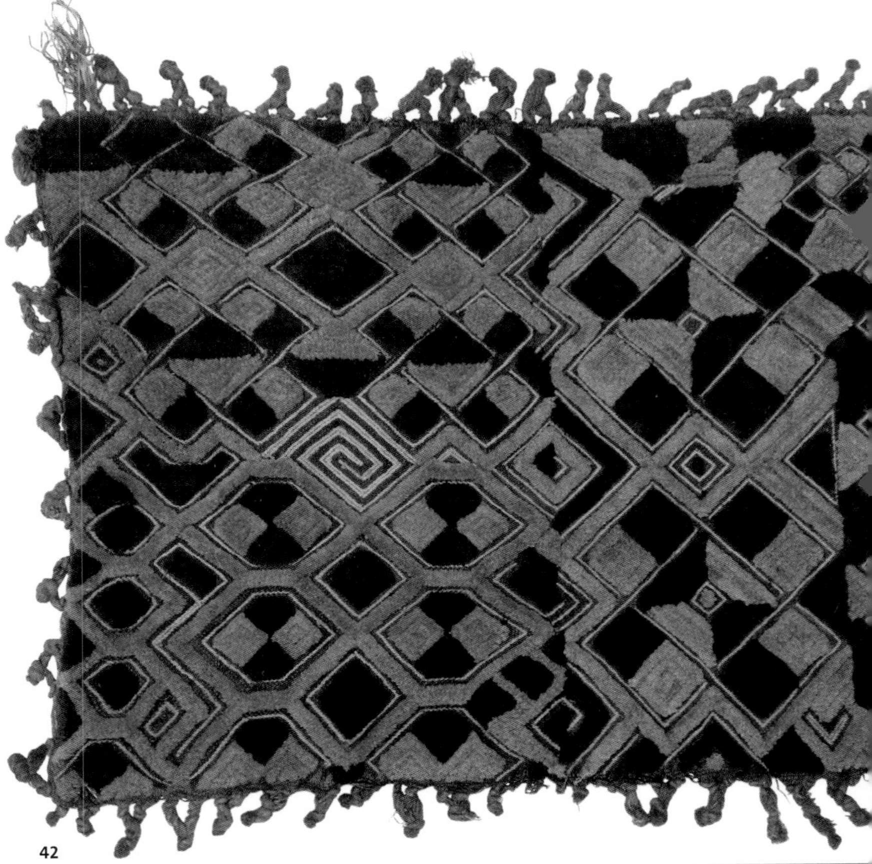
42

43

44. 简·顿恩沃德(Jane Dunnewold)，练习曲35——生机勃勃的阿拉伯花饰，2011年。

这是45件作品之一，源于一个每天都在创造某种东西的承诺，它是精神练习的形式之一。直接做出的图案和烂花效果的图案取自泰国复古靛蓝染色布片。结合手工染色和手工缝制，在丝绸上溶剂显像（影印）粘合到背景上。

45. 史皮伯–科尼堡（Shipibo–Conibo）绣工，裙子布片，20世纪。

这些图案采用绣制工艺和印制工艺，图案由亚马逊河流域的史皮伯–科尼堡人根据世界之蟒——罗宁创作，（根据当地的传说）罗宁的皮肤上混合了世界上所有的图案。这块布片被保存在克普克收藏馆，因为“作品的品质足以证明艺术家的思考和想象水平”。

45

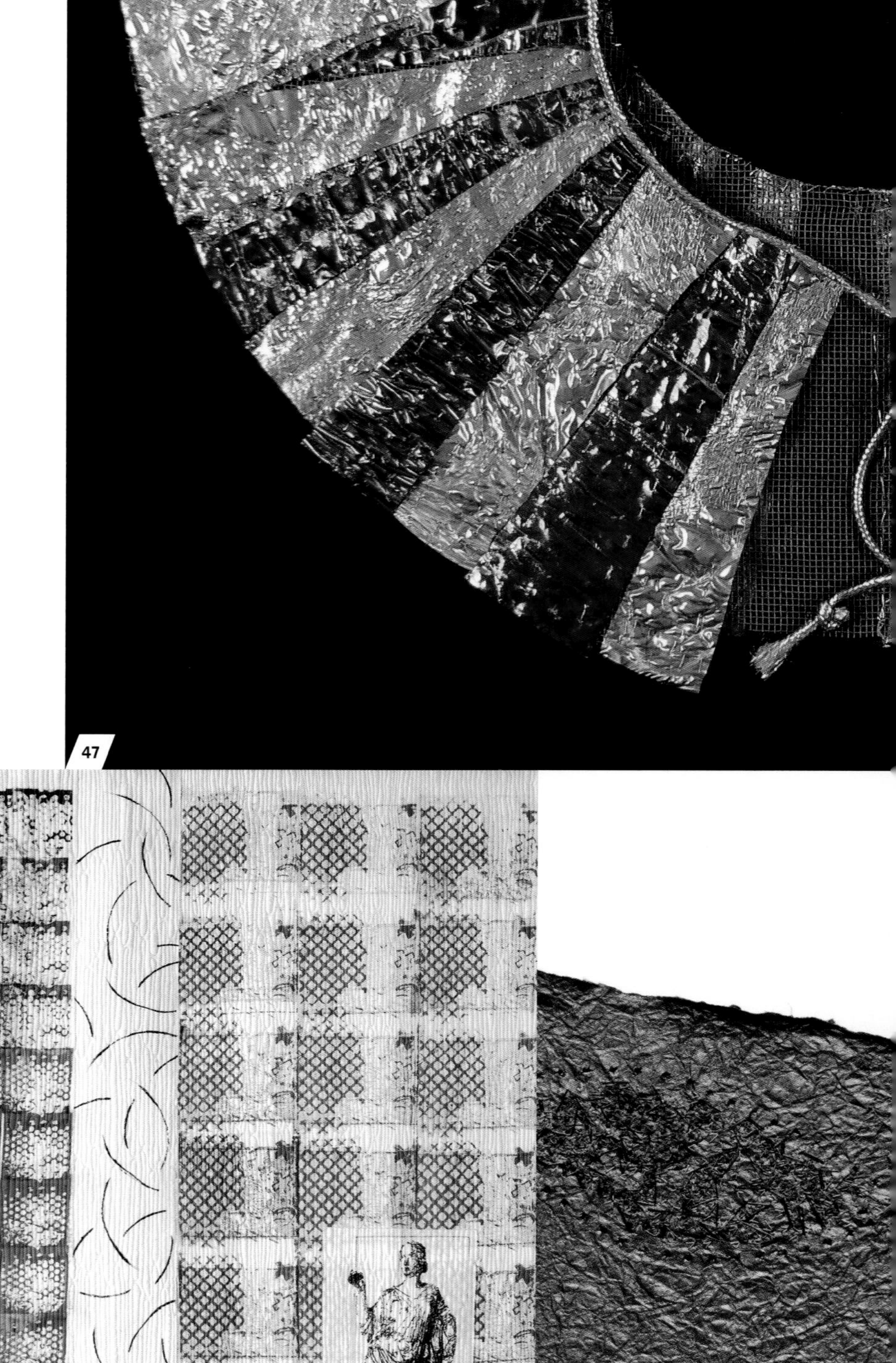

47

SHARIA VS DEMOCRACY
TEXTILE · FOLDS · BODIES
IS DIALOGUE POSSIBLE?

46

48

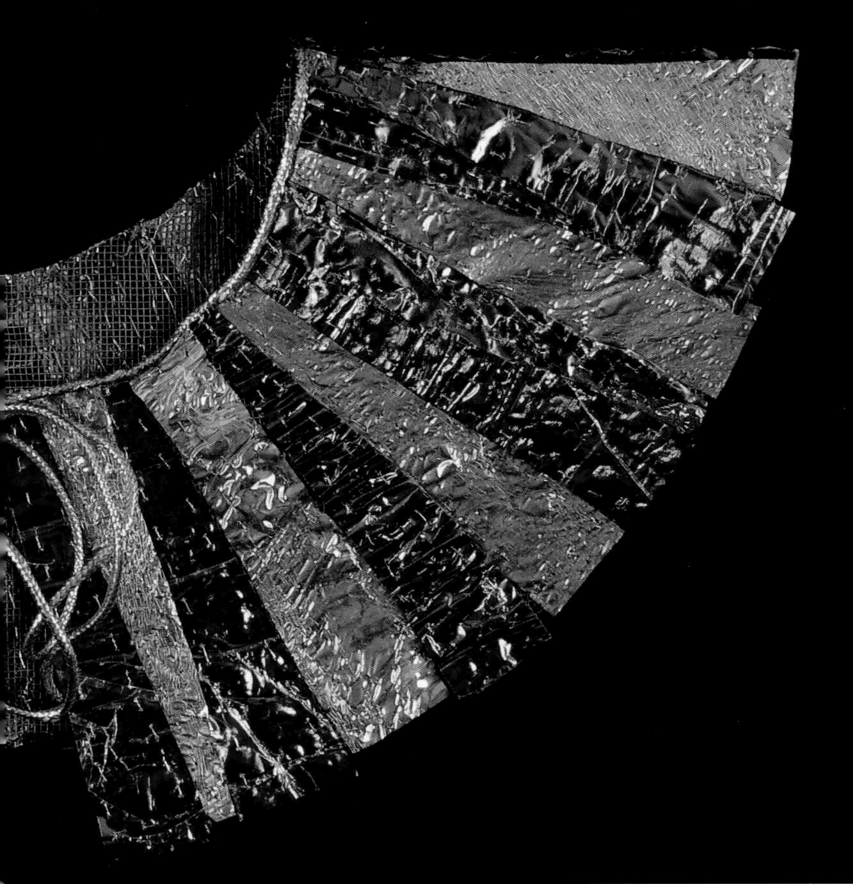

49

46. 夏洛特·伊德(Charlotte Yde),对话2,2010年。

这件机缝的棉布片(140厘米×186厘米,55英寸×73¼英寸),有通过丝网印花、直接印花、油画棒、数码编程缝制出的印花图案,反映了艺术家对起源于其他文化和时期的面料的兴趣。这里反映的则是伊斯兰和希腊、罗马文明。

47. 乔·安·斯坦贝(Jo Ann Stabb),埃及假领子,1992年。

这件作品是在一个塑料丝网上用聚酯薄膜和热改性塑料缝纫/贴布绣而成的,绑有人造丝"鼠尾"绳带。热改性塑料是在艺术家工作室不远处的索萨利托特别制作的起泡塑料和聚酯薄膜。

48,49. 德洛丽丝·斯洛温斯基(Dolores Slowinski),变化(整体和细部),2010年。

这件在金属云龙纸(unryu paper)上用打蜡的绣花棉丝线做出的作品是艺术家"线"系列的一部分,它引起了原子层面的变化,通过减少三个质子使铅变成金色。她思考了一种可能,即"我们可能会发现,损失意味着我们自身的转变,从我们曾经是谁,到我们是谁,再到我们会变成谁"。

50

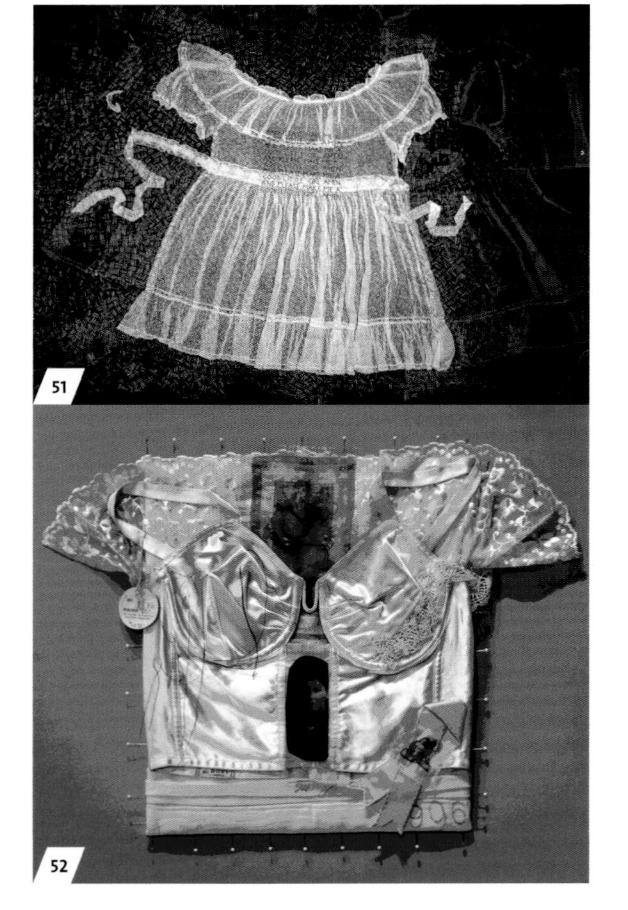

51

52

53

50,53. 瓦尔·杰克逊（Val Jackson），工作室的房间，你会打字吗，2009年。

厚重毛毡上层层堆叠手工印花丝绸和上等细棉布，在做旧露出下方堆叠的布料前先采用自由式机绣和反面贴花装饰。这一过程是为回应记忆随着时间的流逝而消逝和变化。两件作品均出自艺术家“变迁的仪式”系列，着眼于年轻人的欢乐时刻。艺术家使用旧衣服强调了布料的功能性和作为身份标记时的其他属性。

54. 伊丽莎白·布赖姆洛（Elizabeth Brimelow），461天——我的生活片段，2009年。

由布、纸和杂志卡片缝在一起制成。正如布赖姆洛所说：“每天我都拿一块碎布片放到书里，常常伴随一条小消息……天气、我的工作进展、假日、远足、家庭事务，甚至是赢得莱德杯。”

55. 艾莉·凯（Allie Kay），无声（细节），2010年。

将真丝条带锁缝到切割开口的亚麻底布上。在直线形的“嘴”之间手工绣制一首诗，词语“i's”用红色的珠子加了小点。

51. 卡洛琳·尼尔森（Carolyn Nelson），四岁的肖像，1976年。

这件由部分拆解的连衣裙创作而成的拼贴画是在1948年（由艺术家的祖母）制作的，是一幅坐着的肖像画。同时它也加入了手工染色的真丝透明硬纱面料和反向加捻的丝线，从视觉上和“乖小女孩”安静地坐着，但却更想自由移动的状态形成对比。

52. 马吉·托纳–埃德加（Maggi Toner–Edgar），内部力量，2003年。

艺术家的姐姐得了癌症并最终输给了癌症，为了向姐姐抗癌过程中忍受的痛苦和获得的力量致敬，她创作了这件作品。艺术家用一件巴黎20世纪50年代的女式紧身胸衣和20世纪20年代结合了转印到真丝透明硬纱面料上的图像的手工花边表示失去女性特质，同时，用大头针固定“以显示我们的精神是如何被缝到一起的，就像布上的大头针一样”。

56. 拉乌尔·杜飞（Raoul Dufy）为比安基尼－菲利尔（Bianchini–Férier）制作，时髦，1920 年。

这件木版印花设计描绘出了当时的时尚。这块木版印刷的面料本来要做成真丝连衣裙，在这里却被记录在纸上。

57. 英国制造商，康利（Cornely）“A 型”缝纫机做出的锁线绣夹克（细节），约 1920 年。

在里层和外层（图下方）都清晰可见用精美的羊毛线缝在水溶布上的时髦鲜明的色彩。

58. 阿尔贝托·法比奥－洛伦齐（Alberto Fabio–Lorenzi）为比安基尼－菲利尔制作，“花香”的水粉画图案，1926—1930 年。

洛伦齐也设计时装图样和其他图形作品。

59. 拉乌尔·杜飞为比安基尼－菲利尔设计，海芋，约 1919 年。

这块木版印花棉布保持了原有的轧光，它是家居装饰面料，还有同系列的墙纸。

60.（被认为来自）英国制造商，手工木版印花棉质天鹅绒，约 1913—1923 年。

野风信子图案在这里以一种颇有影响力的混合物风格附和了维也纳手工艺中心的设计。这种风格的玫瑰是格拉斯哥艺术大学的标签，也正是在那里，杰西·纽伯里曾经将近似的贴布绣玫瑰图案用在她的刺绣作品中。

61
62
63
64

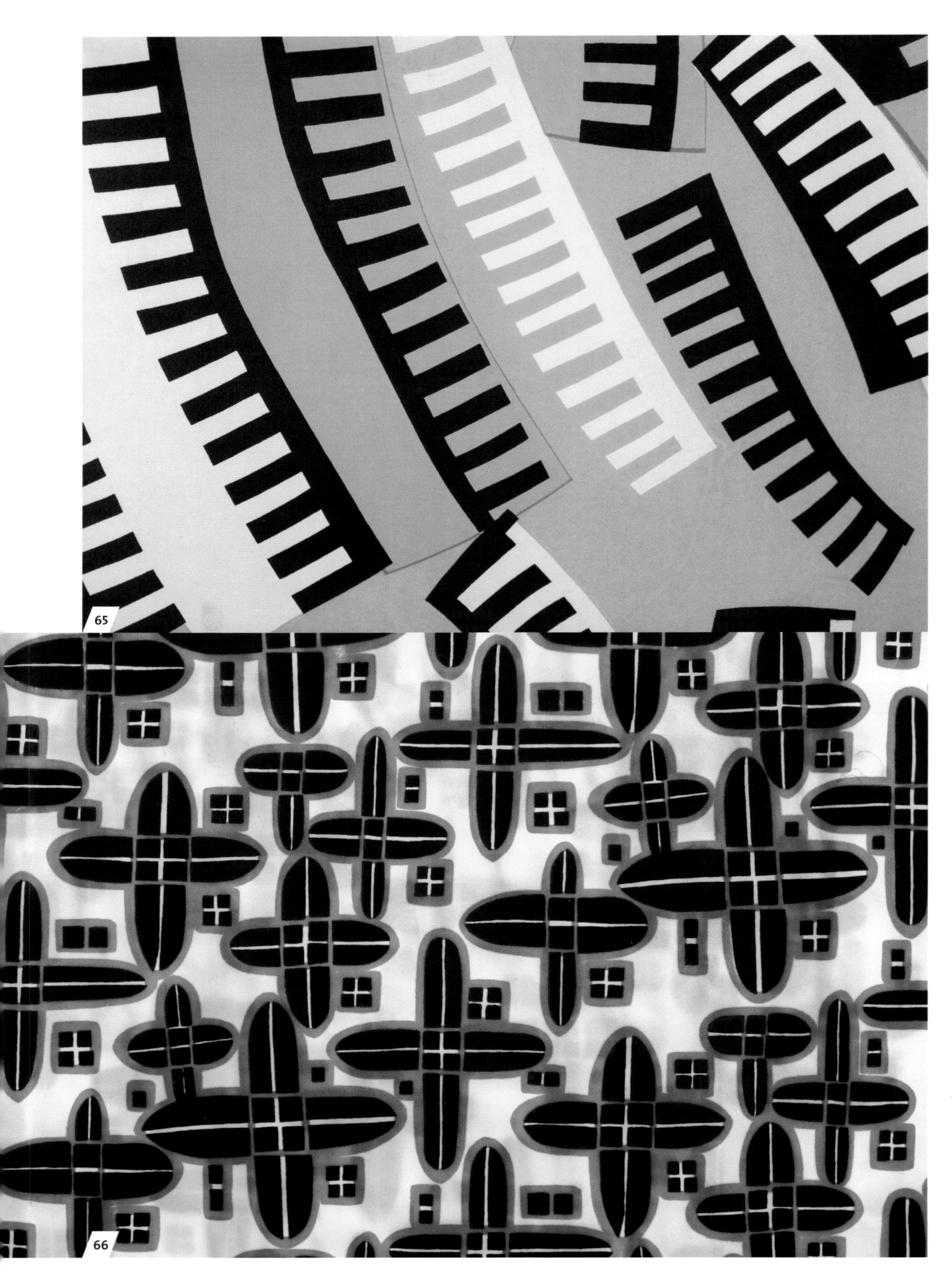

61—66. 比安基尼－菲利尔(Bianchini–Férier)，纸面效果，1961—1981年。

这些织物是这家公司持续生产的绘画式印花连衣裙面料的缩影，6 件作品的设计年份分别为 1964 年（图 61）、1980 年（图 62 和图 63）、1981 年（图 64）、1967 年（图 65）以及 1961 年（图 66）。

67,69. 阿尔弗雷德·拉图尔（Alfred Latour）为比安基尼－菲利尔设计，红心、黑桃和这些贝壳，设计于 1929 年。

两件作品都是在 1931 年手工木版印花和发布的。第一件是棉布的；第二件是亚麻布的。这是拉图尔设计的第一个系列，他接任了杜飞公司的工作室设计师职位。

68. 达戈贝尔·佩什（Dagobert Peche）为维也纳手工艺中心制作，木版印花亚麻布，1911—1915 年。

直到 1923 年去世以前，佩什一直是维也纳手工艺中心的一位主管，也是中心最多产的设计师。

70. 罗伯特·班费斯(Robert Bonfils)为比安基尼－菲利尔设计，叶子，1931 年。

这件纯棉锦缎包含了层压玻璃纸的亮部。

67

68

69

70

71

72

71,72. 凯伦·泰阿罗阿（Karen Taiaroa），whakaaria mai（让我知道）和后果，2009年。

泰阿罗阿在一块二手桌布上丝网印花、用布彩颜料绘制、模压印花、染色、贴布绣和机绣。通过一层层地切割和拼合，她思考了口头“叙事”如何转化文化规则，通过“重复、色彩、光线、构成手法、图案大小，将故事的不同部分”分清主次，“就和用来提升故事冲击力的形容词与动词的用法一样”。

73. 索拉雅·阿比丁(Soraya Abidin),骑我,2007年。

这件作品出自艺术家的“疯狂缝制的坏人”系列,将复古的波斯羊毛和金属线结合,在一块羊毛帆布上手工刺绣,抓取了阿比丁去墨尔本旅行时一个残余的梦境。正如她说的:“骑在一只鸵鸟上,与有意义的旅行中感到的精神自由和心理解放直接相关。”

74. 埃及工匠,布片,20世纪。

这块乳白色粗棉布上绘制了一只努比亚北山羊,是古埃及常见的在沙漠中生活的山羊。这种北山羊一直被当作好财运的象征。

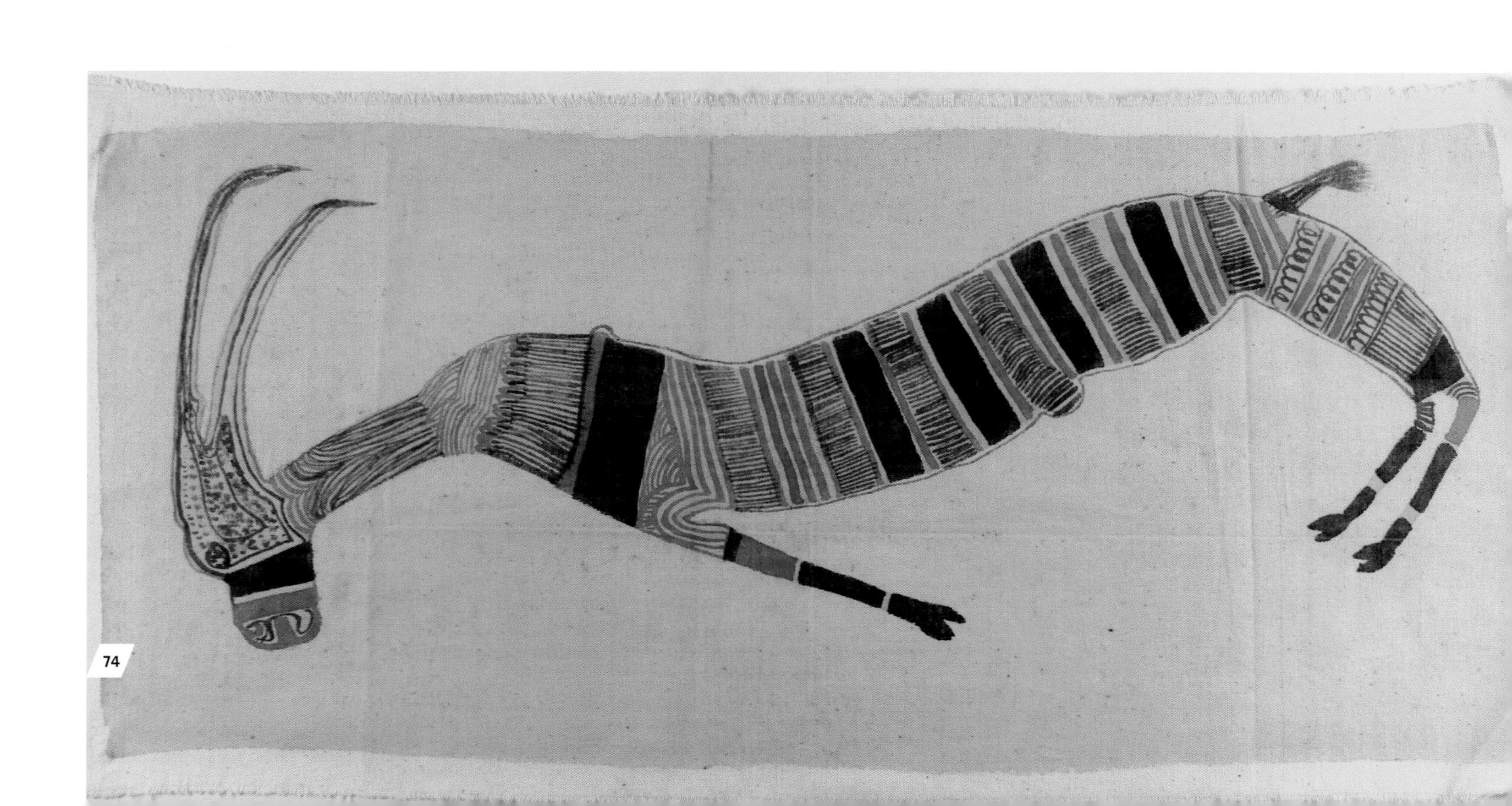

75. 彼得·纳姆巴莱（Peter Nambaraitj），X 光下的鳄鱼，约 1975 年。

77. 瓜德尔河的巴德嘉瑞（Bardjaray），采野蜂蜜的男人，约 1975 年。

这两件树皮画都是由安恒地区奥培利部落的艺术家创作的，那里是澳大利亚五个北部区域之一。

76. 伊娃·万格林（Eva Wanganeen），丛林食物，2007 年。

用酸性染料和古塔胶防染剂在丝绸面料上绘画，将这位土著艺术家引导至"探索阿伦特、沃灵谷和可卡萨人文化的旅途中，他们是我的祖先。在通过艺术传递这些知识的同时，我不断受到自己所学和所做的启发"。

78. 吉米·米诺·米诺（Jimmy Mijau Mijau），袋鼠，约 1975 年。

80. 北部区域古尔本岛（Goulburn Island）未知艺术家，执行仪式的故事，约 1975 年。

和这里展示的其他两件树皮布作品一样，这几件作品都由遗传学家 G. 莱迪亚德·斯特宾斯和他的妻子芭芭拉收集。

79. 汤加（Tonga）艺术家，树皮布，20 世纪。

用颜料在这块南太平洋的树皮布上进行绘制和印花。布料是被汤加贸易公司出口到夏威夷的，前海军军官安德鲁·B. 怀特先生 1969 年创立了这家公司，第二次世界大战期间他的瓦利斯语说得相当流利，他曾经想要以公平的价格获得太平洋岛的手工制品。

81. 玛丽埃塔·托恩瓦（Marieta Toneva），生命之源，2010 年。

艺术家用纸绳和光导纤维进行编织，灵感来自"善良与邪恶、光明与黑暗之间永恒的斗争和不断的吸引力"。

82. 伊莉莎·马克思－扬（Elisa Markes-Young），东西错位后奇怪的平静 #16（细节），2009 年。

艺术家在比利时亚麻布上使用腈纶、铅笔、蜡笔、羊毛、棉和真丝线，将她的图案、结构和集体意识、记忆的消失以及身份联系起来。这件作品的大小为 110 厘米（43¼ 英寸）见方（全图在第 472 页）。

75

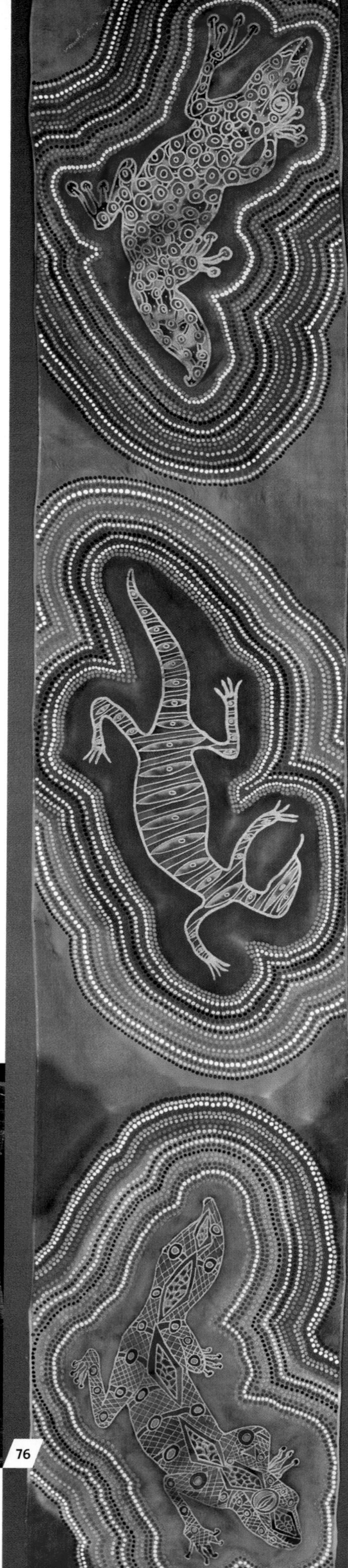

76

77
78
79
80

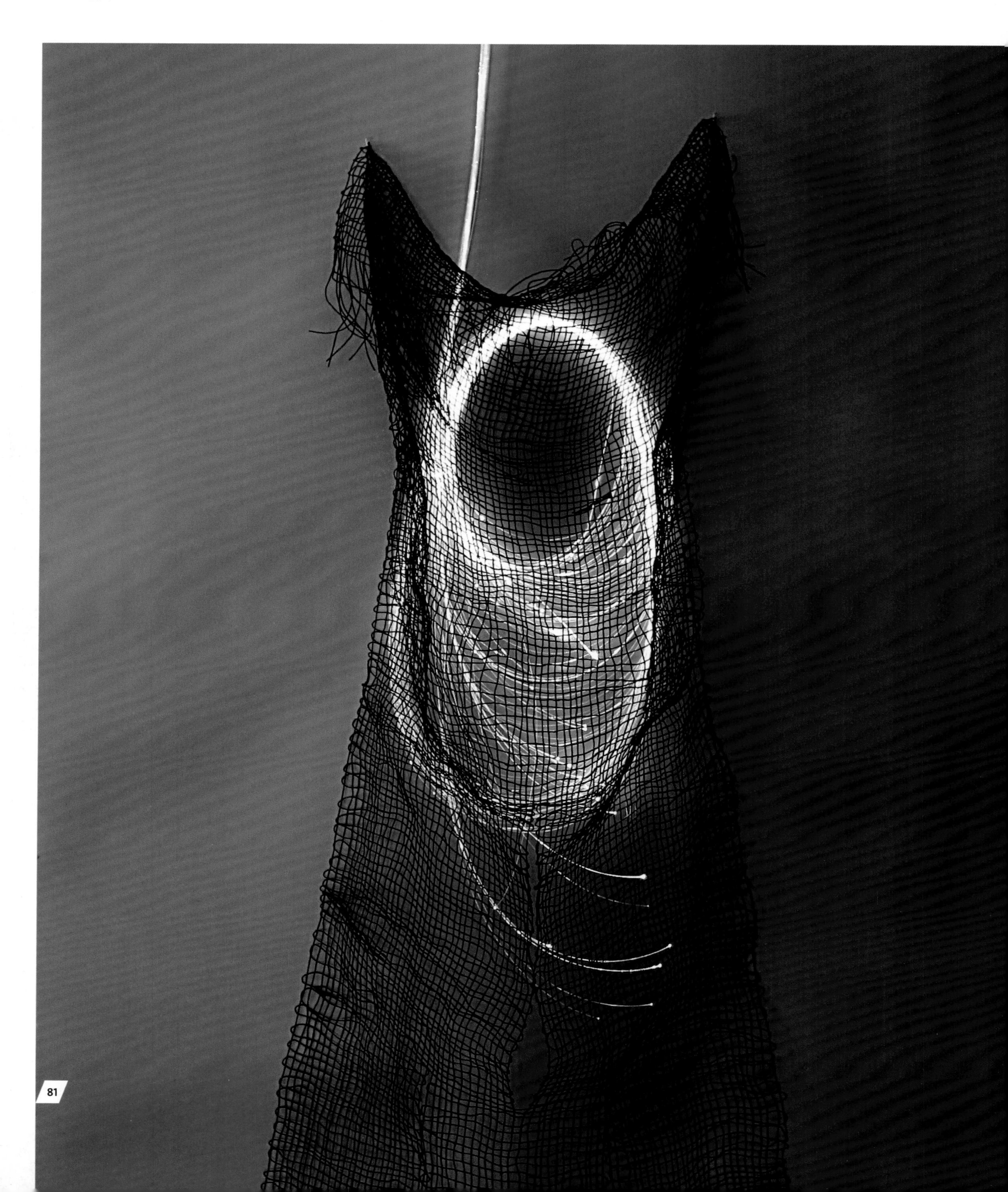

81

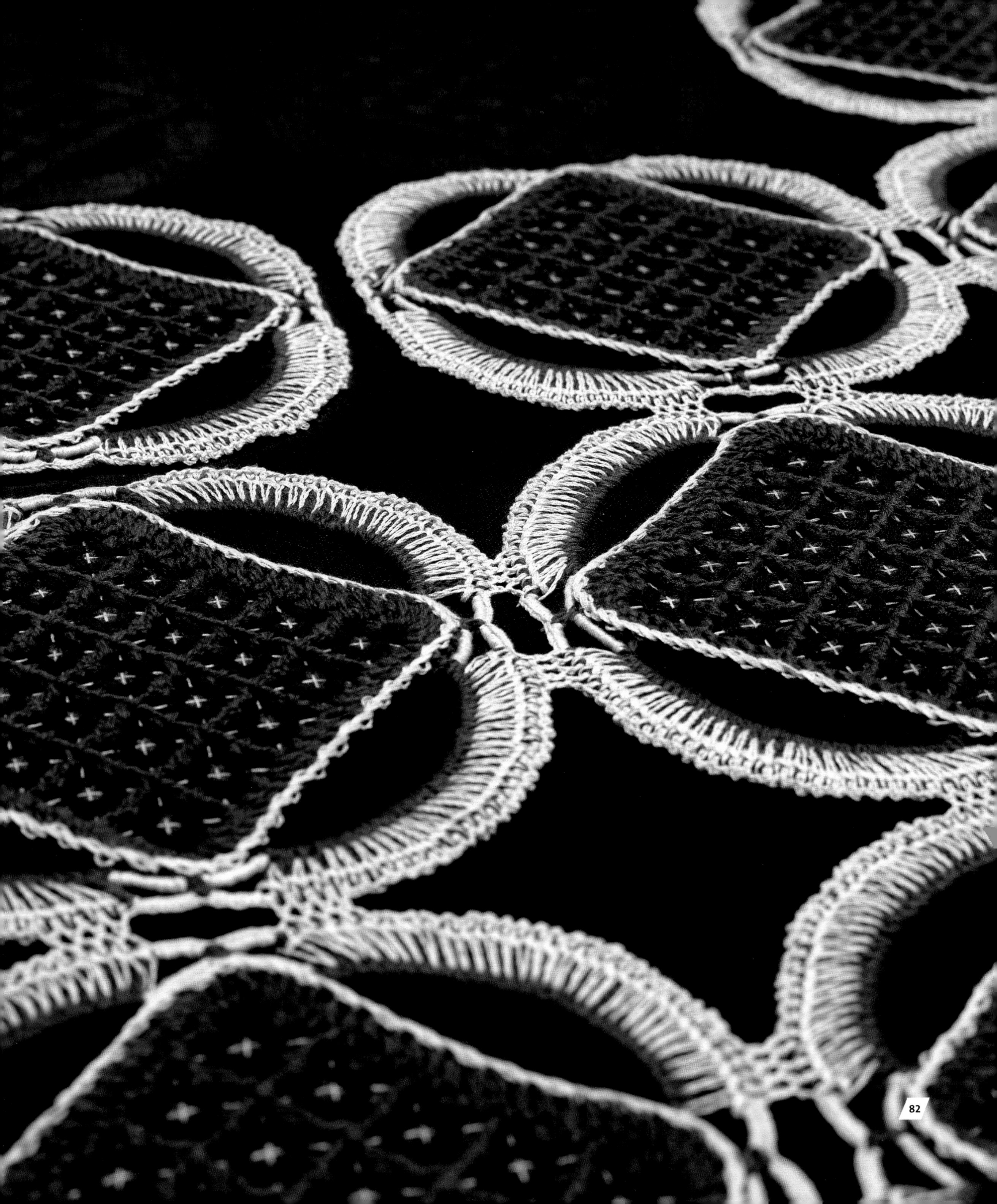

83

84

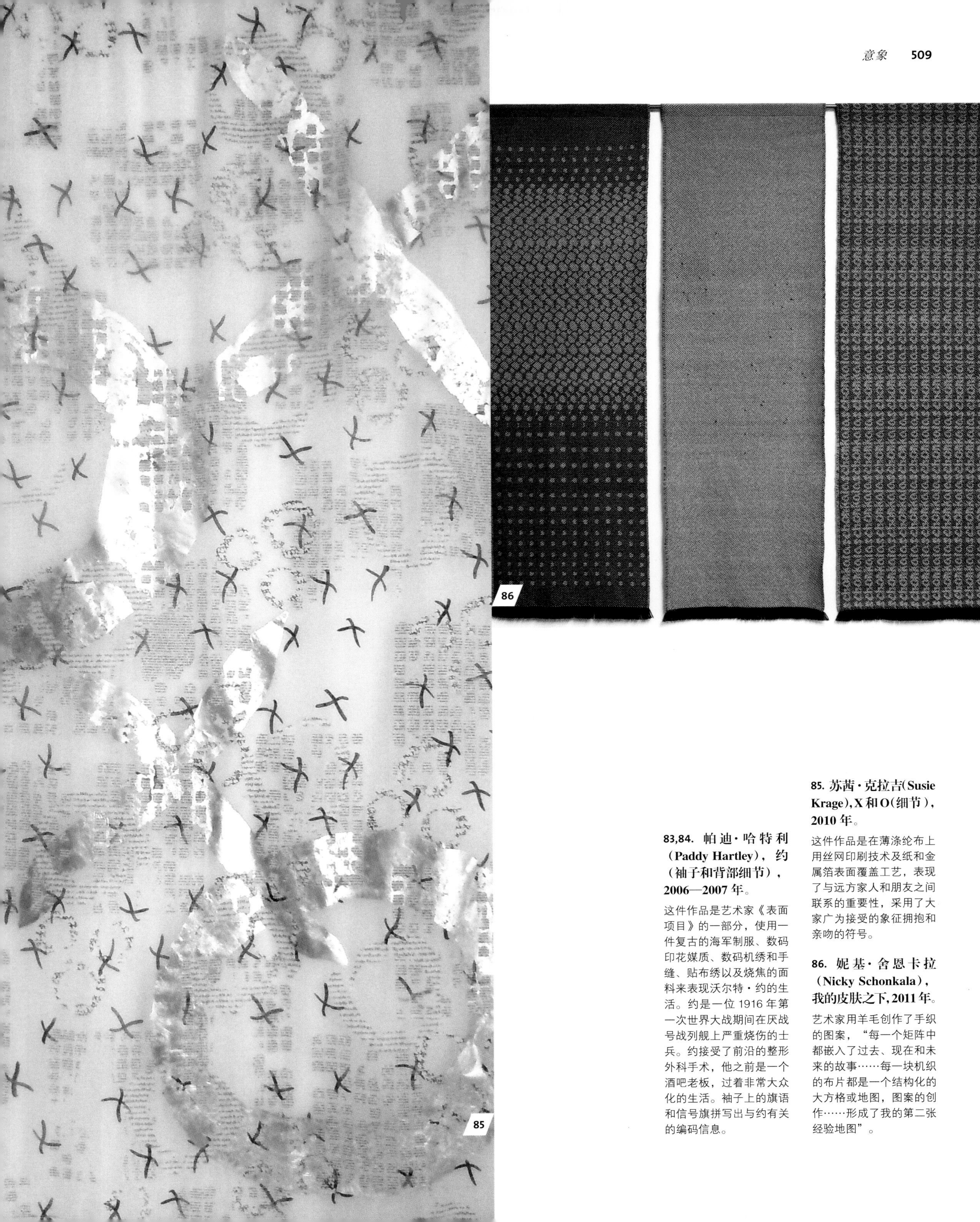

83,84. 帕迪·哈特利（Paddy Hartley），约（袖子和背部细节），2006—2007年。

这件作品是艺术家《表面项目》的一部分，使用一件复古的海军制服、数码印花媒质、数码机绣和手缝、贴布绣以及烧焦的面料来表现沃尔特·约的生活。约是一位1916年第一次世界大战期间在厌战号战列舰上严重烧伤的士兵。约接受了前沿的整形外科手术，他之前是一个酒吧老板，过着非常大众化的生活。袖子上的旗语和信号旗拼写出与约有关的编码信息。

85. 苏茜·克拉吉(Susie Krage)，X和O(细节)，2010年。

这件作品是在薄涤纶布上用丝网印刷技术及纸和金属箔表面覆盖工艺，表现了与远方家人和朋友之间联系的重要性，采用了大家广为接受的象征拥抱和亲吻的符号。

86. 妮基·舍恩卡拉（Nicky Schonkala），我的皮肤之下，2011年。

艺术家用羊毛创作了手织的图案，“每一个矩阵中都嵌入了过去、现在和未来的故事……每一块机织的布片都是一个结构化的大方格或地图，图案的创作……形成了我的第二张经验地图”。

87

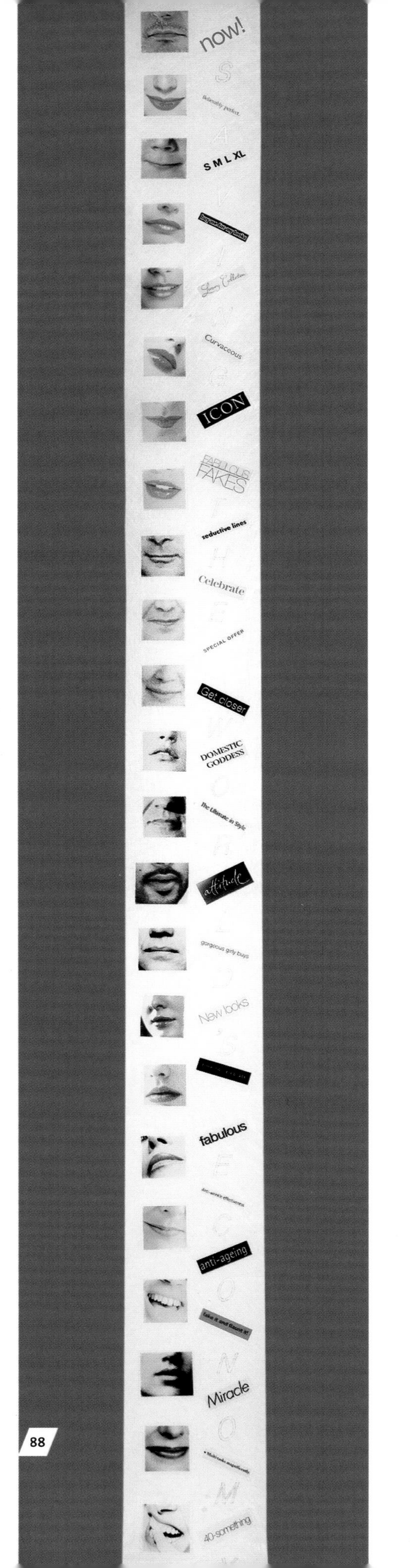

88

87. 贝唐·阿什（Bethan Ash），Rosyn Coch（红玫瑰），2010 年。

这件即兴剪切拼合的机器缝制与机器绗缝的棉质壁挂，灵感来自艺术家对她的好园丁丈夫查理以及儿子和狗的爱。在这件绗缝物还在制作的时候，查理就去世了，“他一直在我旁边，几乎要挡住我的路了”。

88. 艾莉·凯（Allie Kay），拯救世界经济（细节），2009 年。

这个讽刺性的广告极力要求我们这样花钱，令我们自己看起来更好。这是一条泰威克（一种合成纤维）带子，上面有切割出来的窗口，填满了醋酸盐印制的杂志广告，用看不见的线手工缝制，用丙烯颜料题字。

89

90

89,91. 杰特·克洛弗(Jette Clover),字母景观13,2008年,白墙5,2009年。

在棉布上采用丝网印花、广告纸覆盖、拼贴、手缝和机缝,这件作品让这位从前的记者通过收集"街头记忆"探索语言和交流。克洛弗说:"我在我的作品上绘制和印制的文本片段并不想要被当成它们原本的意思。它们在那里……被看作想要呈现人们说明'我在这里'的需求,从写博客、在岩石上乱写,或在废弃建筑上涂鸦,到制作一件拼缝物,都是如此。"

90. 凯·卡恩(Kay Kahn),肖像#3:火焰,2009年。

这个复杂的表面肌理运用了真丝、棉和纸,通过拼合、绘画、缝、贴布绣和绗缝生成。

91

92. 简·麦克基廷（Jane McKeating），信，2011年。

这是艺术家“印度的低语”系列中的一页，包含了层层堆叠的亚麻和透明硬纱，二者都采用缝线和数码印花。作品表现了时间如何让记忆失真，麦克基廷说：“布保持图像的方法和纸不同，旧作很自然地变成新作的一部分，就像思绪混合了时间，而呈现出被过去和可能的未来所影响的图像。”

93. 艾莉·凯（Allie Kay），退场线，2009年。

这件拼被的灵感来自于曼彻斯特的丹尼尔·利贝斯金德的帝国战争博物馆北馆的结构和表面。它明确有力地表达了凯对徒劳的阿富汗战争的回应。作品名称来自保罗·马尔登的一首诗，里面有一个句子是这样的：“天黑了，但还没有黑到看不见 / 离去的伤口变成一个退出的策略。”

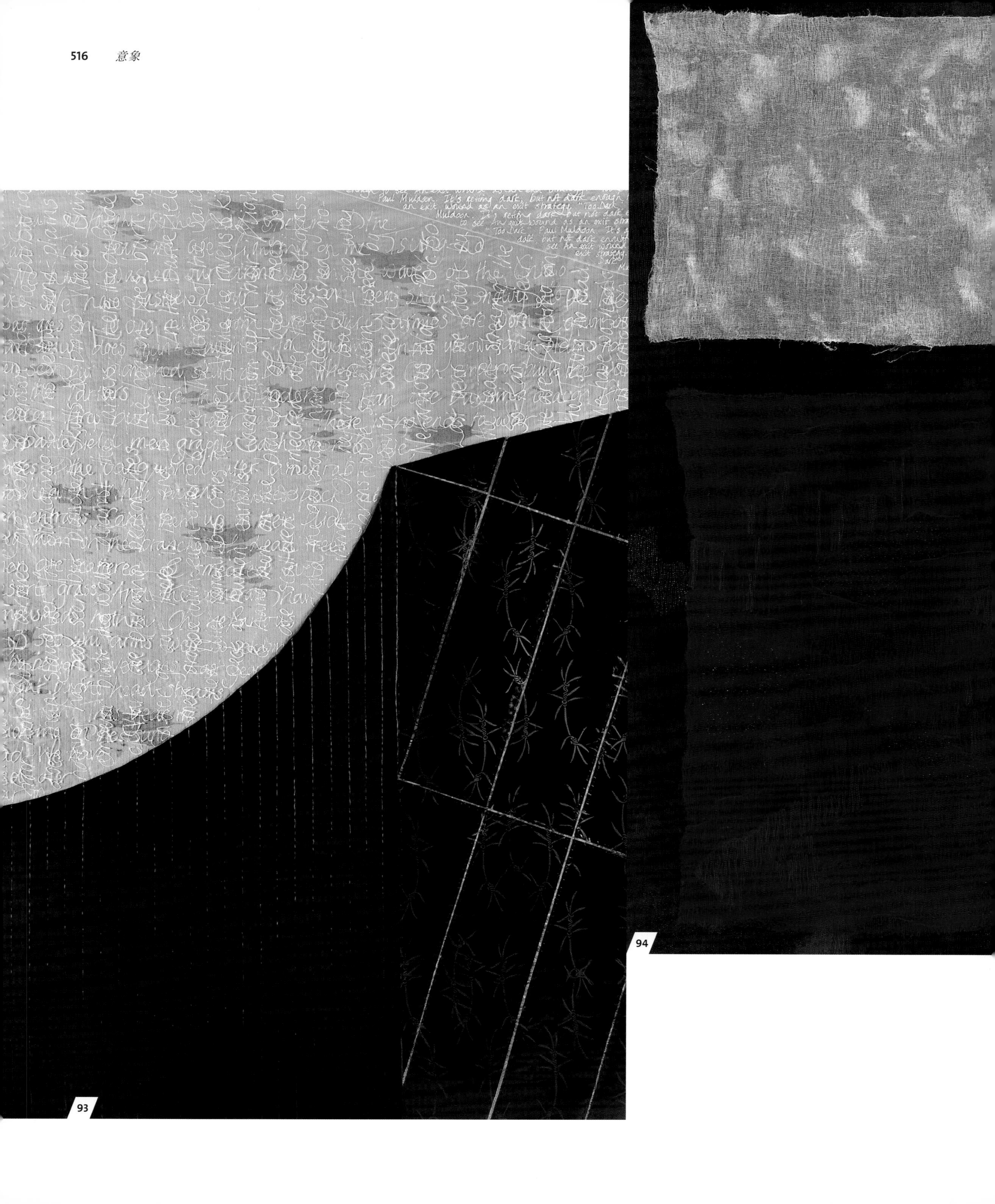
Paul Muldoon. It's getting dark, but not dark enough to see an exit wound as an exit strategy. "Too Dark"
93
94

94,95. 米丽娅姆·皮特－雅各布斯（Mirjam Pet-Jacobs），又是"黑夜是白色，黑色是白天"，以及改变或接受，2009 年。

这两件是艺术家"迷你孤独"系列 8 件作品中的 2 件。它们都采用了染色、绘画、手工和机器贴花、机绣和机缝。正如皮特－雅各布斯所说："你必须面对生活中的好事和坏事，接受它们，松手放开它们。"

96. 安妮·亨特（Anni Hunt），获得物：一罐金子（细节），2009 年。

这件作品由绘制、压印和有铜箔的回收纸浆制成，用一层真丝透明硬纱面料来减弱色调，将人造毛毡和丝网印花丝绸以及麻布拼贴在一起，这是包含"一个人在其生命旅程中所获得的所有宝贵财富"的容器。

Mother

97. 卡特里奥娜·福克纳（Catriona Faulkner），永远的弗里达，2011 年。

作品是对艺术家弗里达·卡洛以及她对角色的想象力和力度的致敬。艺术家将复古或废弃的珠宝组装和手缝到固定位置——“选择那些我感觉能从某种程度上连接我和弗里达的物件，探索她和我自己的生命的各个方面”。

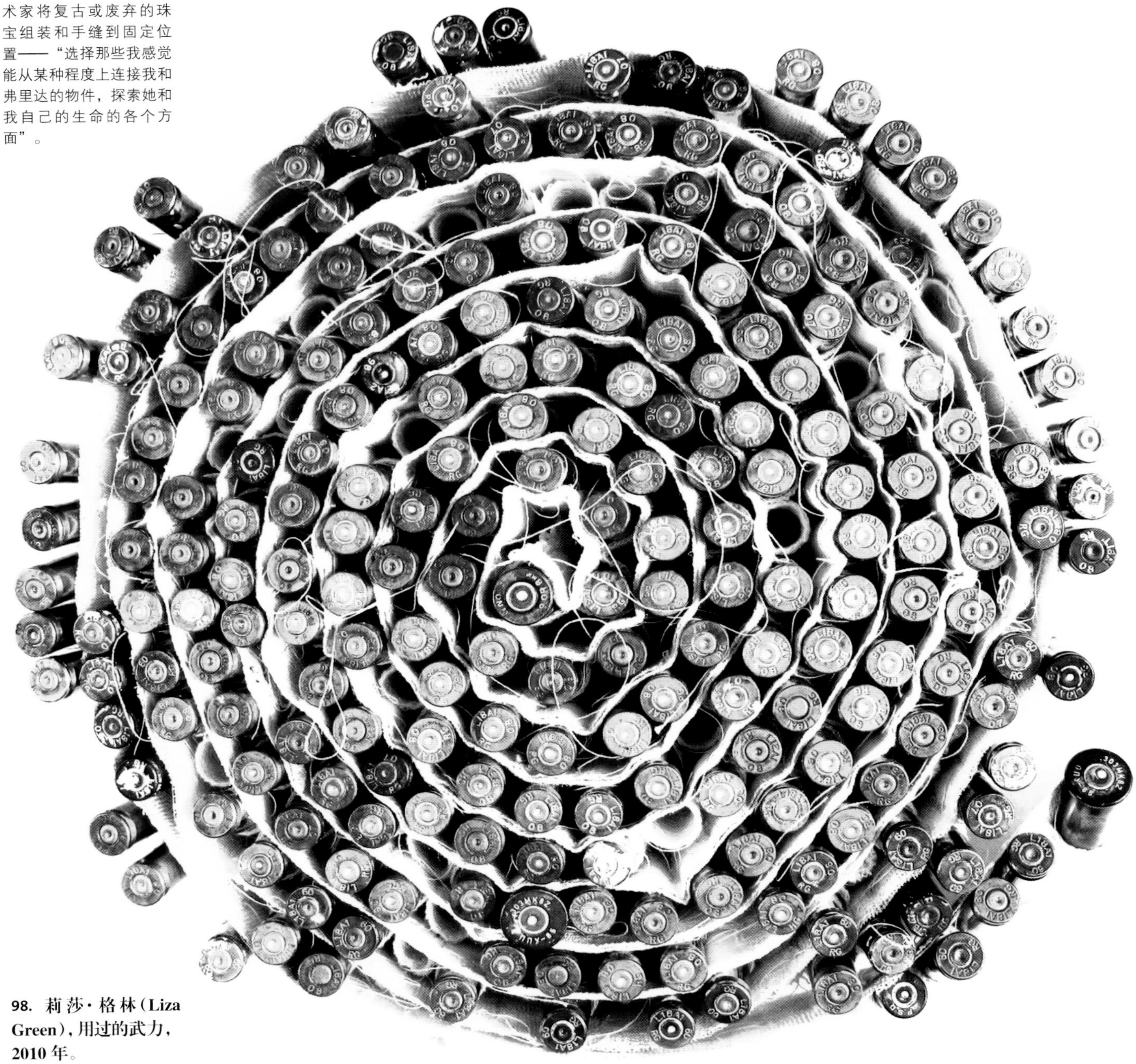

98. 莉莎·格林（Liza Green），用过的武力，2010 年。

艺术家在绷带上缝制并抹上灰泥，做成能够装回收利用的和找到的子弹的弹壳带，以纪念 2001 年以来在阿富汗战争中死去的士兵。“我清醒地认识到普通阿富汗人民承受的生命逝去和伤口的伤害。《用过的武力》也是为了他们而创作”。

98

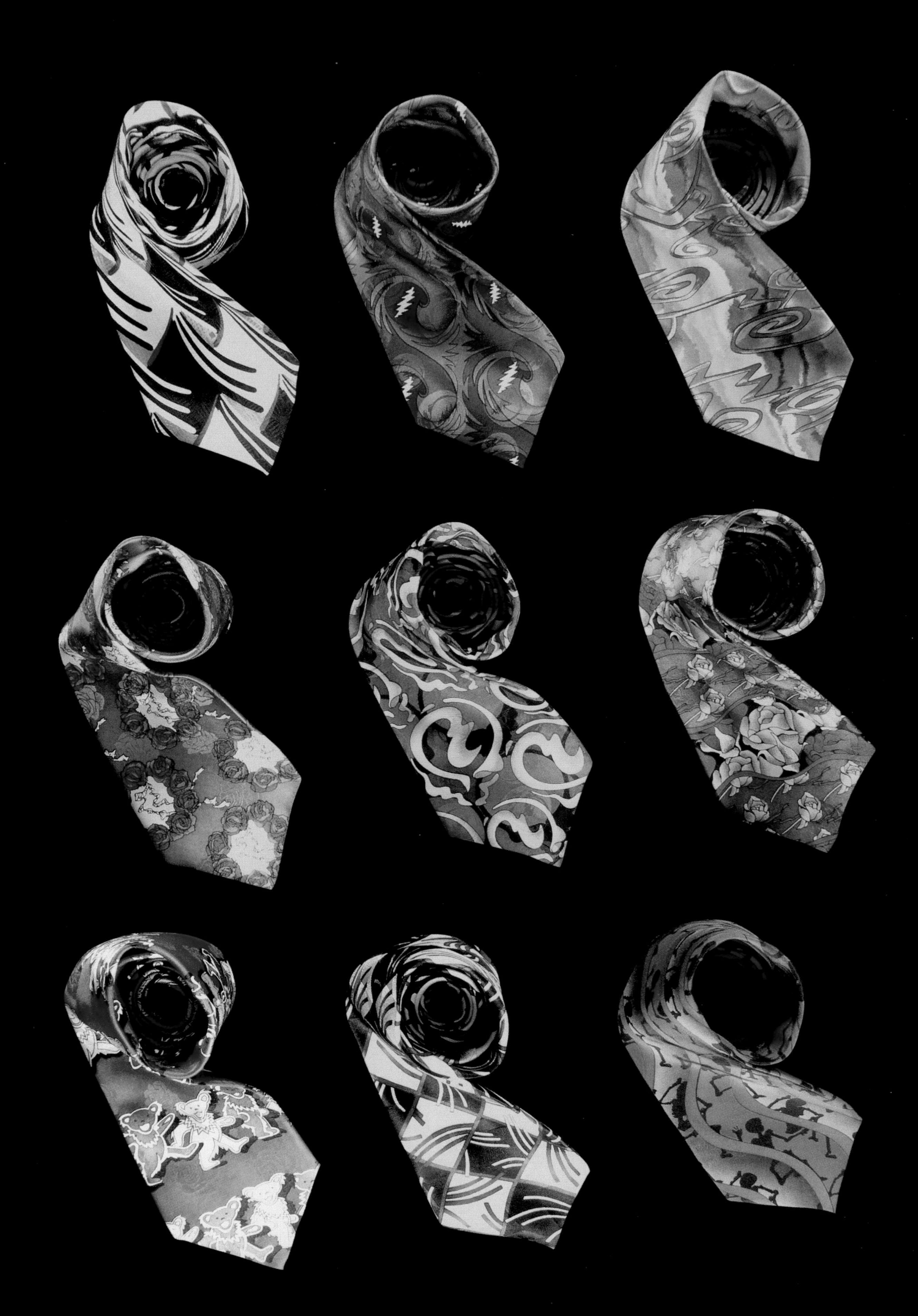

LOVE is
HATE
WING DENIES
CLIMATE CHANGE... also
obstinence is the best
independence
SECRETS
24946
humans are the product
WINDMILLS ARE OPPOSED BY SOME AS "AN EYESORE"
CLEAN ENERGY FOR AMERICA

99. 玛佰莉(Mulberry)领饰公司，领带，1996—2001年。

1988年，玛佰莉公司成立于加利福尼亚，最初使用的是手工纺织的泰国丝绸。在它成功的生产线中，有一条是“感恩至死的领饰”，图中一些丝绸印花锦缎领带就是其代表。他们将一部分收益捐给Rex基金会，那是一支乐队在1983年建立的慈善组织。这些领带可以追溯到1996年，也就是主音吉他手杰瑞·加西亚去世的那年，领带上的图案令人想到加西亚的艺术作品以及为他创作的艺术作品。图案包括“感恩至死”的标志——俯视角度的有闪电纹身（中间偏上）的骷髅，以及与唱片有关的图案，这意味着那些能读懂这些视觉代码的人可以认出穿着者是一名“死亡头颅”。

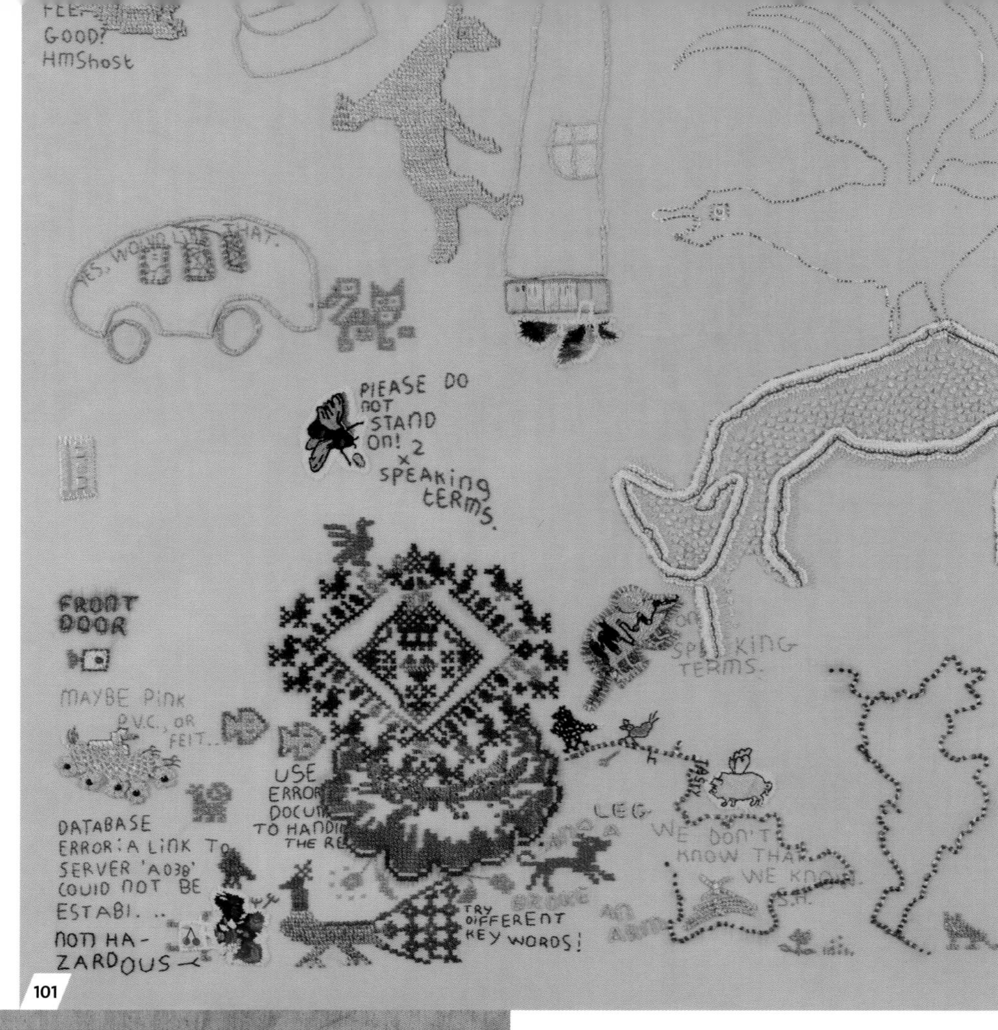

100. C.J.普莱斯玛(C. J. Pressma)，秘密，2011年。

这块机缝的大布片尺寸为264厘米×188厘米（104英寸×74英寸），将艺术家的照片拼贴和喷墨印制在棉布上。

101,102. 提尔厄克·施瓦茨(Tilleke Schwarz)，新人(细节)，2011年；常怀感恩，2003年。

艺术家将真丝、棉和人造纤维纱线染色，这两件作品在亚麻底布上主要运用了十字绣和钉线绣。《常怀感恩》（图102）具有讽刺意味地记录了在美国和澳大利亚的旅行，还引用了悉尼现代艺术博物馆中的言语，言语证明在装置中使用原住民照片和活金鱼是正当的——这在澳大利亚是敏感话题。

103. 利莱恩·泰勒(Liliane Taylor),猫咖啡,2008年。

艺术家使用边缘磨损的回收贴布绣材料和自由式机绣工艺,做出了一张速写,留下了一个恰巧看到的场景。

104. 英奇·诺加德(Inge Norgaard),芬布尔之冬,2006年。

这件织锦描绘了挪威神话中寒冷与黑暗的3年芬布尔之冬。一只狼吞下了太阳,另一只狼吞下了月亮,星星也将坠落。“在这次审判中,所有的道德都被破坏,上帝和巨人互相毁灭。此外,正如我们知道的那样,新世界出现了”。

105. 苏·达夫(Sue Dove),女人会等待,2000年。

艺术家用棉线手工刺绣,采用了“具有装饰性元素的色彩和图案创作欢愉、深思的图像。我所有的作品都是对日常生活故事的叙述,半自传体式的”。

107

106

106. 英国业余绣工，首字母 B.P.，刺绣小箱子，1622 年。

用真丝和金属线以及小粒的珍珠描绘了《圣经》中的以斯帖和亚哈随鲁。这种类型的小盒子被用来装一些个人物品，如墨水、纸和刺绣工具，显示了制作者精湛的刺绣技艺。

107. 法国或英国专业绣工，刺绣床幔（细节），16 世纪晚期。

这是描绘以斯帖和亚哈随鲁故事的系列床幔之一，在帆布上用羊毛和丝线以斜向线迹绣制而成。《圣经》中的人物形象被描绘为穿着现代服装的人。

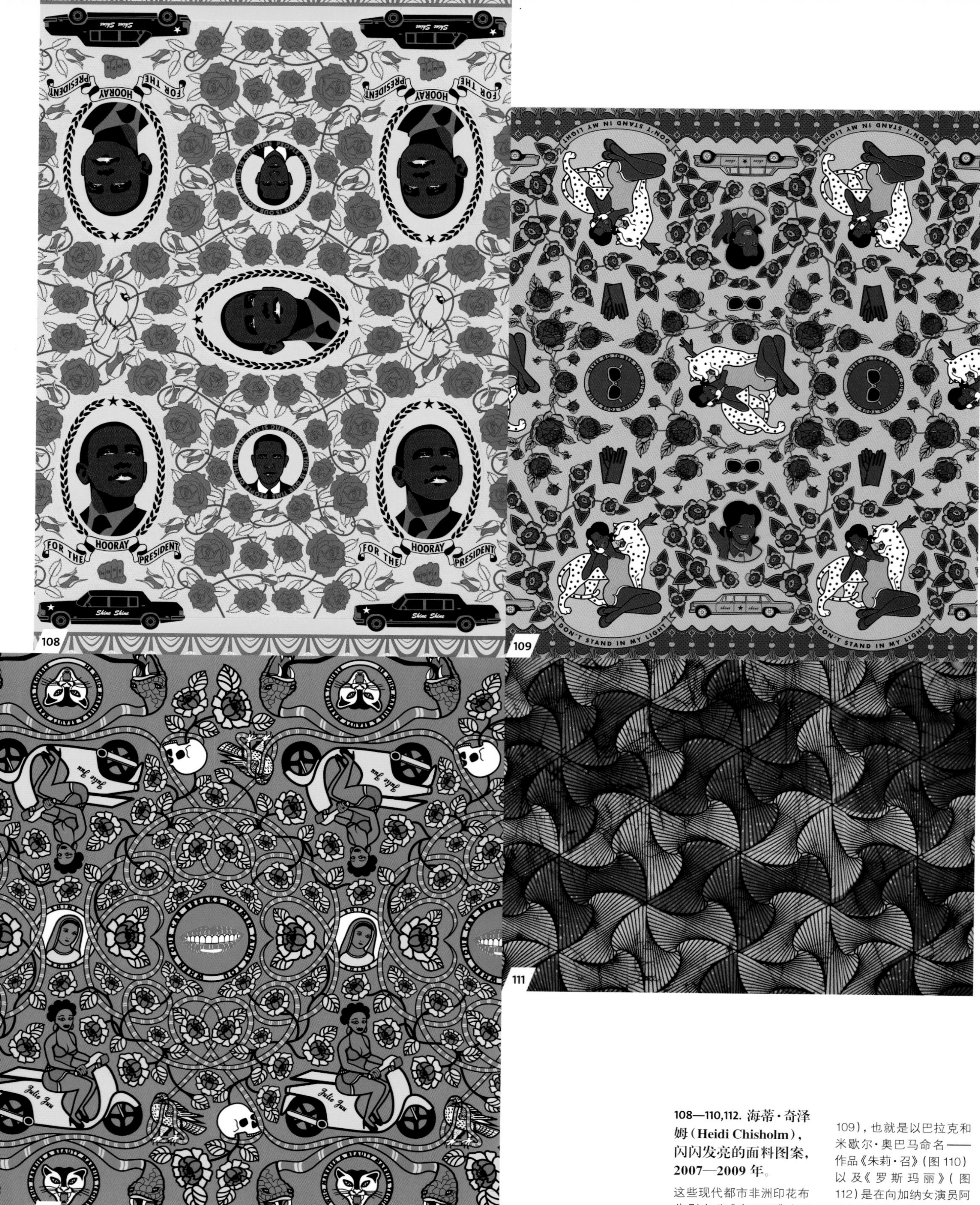

108—110,112. 海蒂·奇泽姆（Heidi Chisholm），闪闪发亮的面料图案，2007—2009 年。

这些现代都市非洲印花布分别名为《奥巴马》（图 108）和《MO 宝贝》（图 109），也就是以巴拉克和米歇尔·奥巴马命名——作品《朱莉·召》（图 110）以及《罗斯玛丽》（图 112）是在向加纳女演员阿比娜·阿施阿致敬，所有图案都用旋转式印花机印制。

113

111,113. GTP（加纳纺织品印花公司），蜡染印花布（细节），2000 年。

布的两面涂蜡，使用有凸纹图案的铜滚筒印花，之后用毛毡覆盖的手工雕刻木版再印着色区域。公司现在名为 Tex Styles 加纳有限公司，总部在加纳特马，截止到 2008 年大约有 500 名雇员，是总部在荷兰海尔蒙德的 Vlisco 集团公司的一个子公司。

1
2 3 4
5 6 7 8
9 10 11 12 13

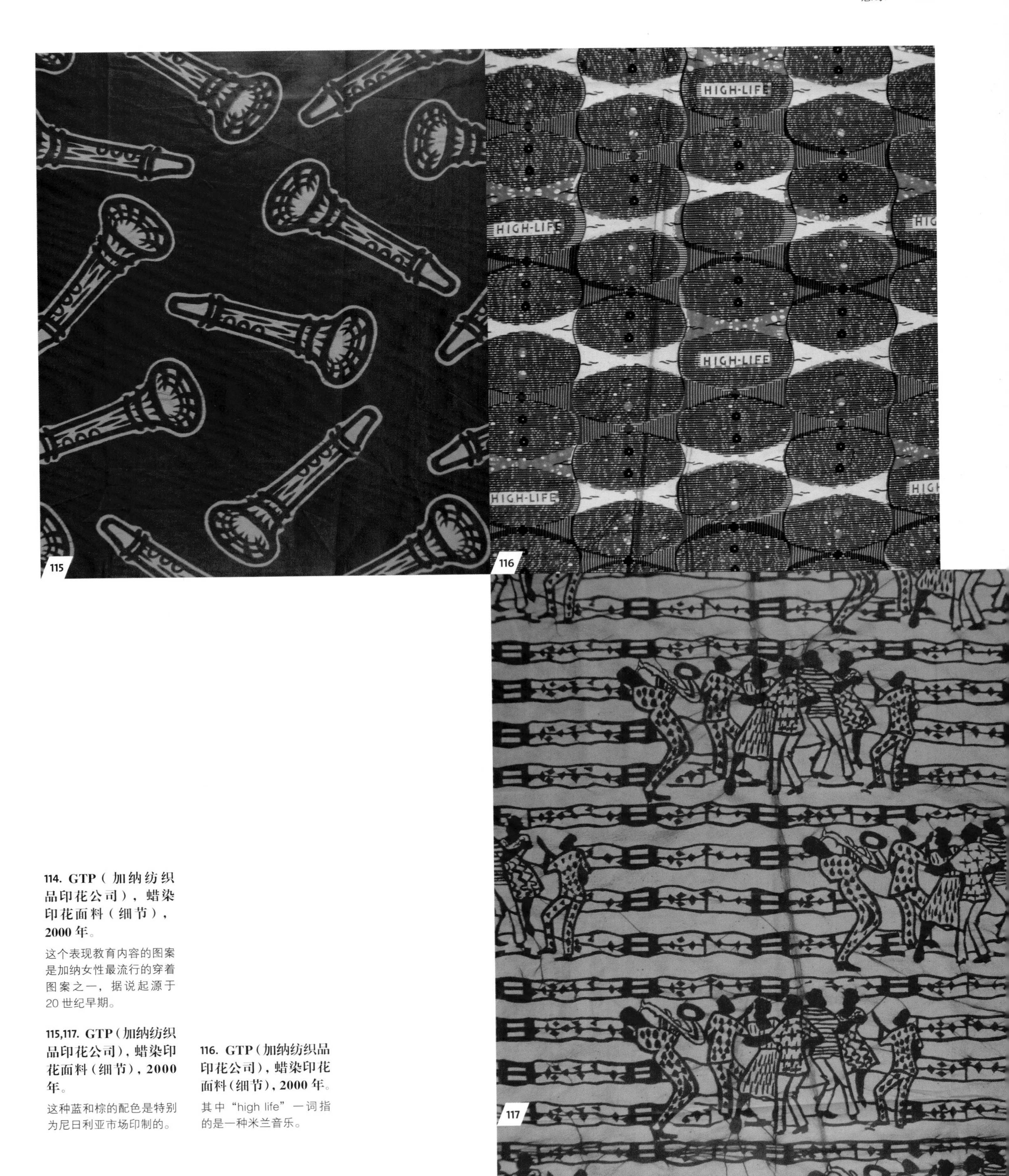

114. GTP（加纳纺织品印花公司），蜡染印花面料（细节），2000年。

这个表现教育内容的图案是加纳女性最流行的穿着图案之一，据说起源于20世纪早期。

115,117. GTP（加纳纺织品印花公司），蜡染印花面料（细节），2000年。

这种蓝和棕的配色是特别为尼日利亚市场印制的。

116. GTP（加纳纺织品印花公司），蜡染印花面料（细节），2000年。

其中“high life”一词指的是一种米兰音乐。

118,120. 喀麦隆工匠，蜡染印花面料，1985年之前。

现在位于中非西部的喀麦隆共和国的一部分，在1919年到1960年间曾经由法国统治。在那期间，法国纤维纺织发展公司（CFDT）负责这个地区的棉花耕种。

119

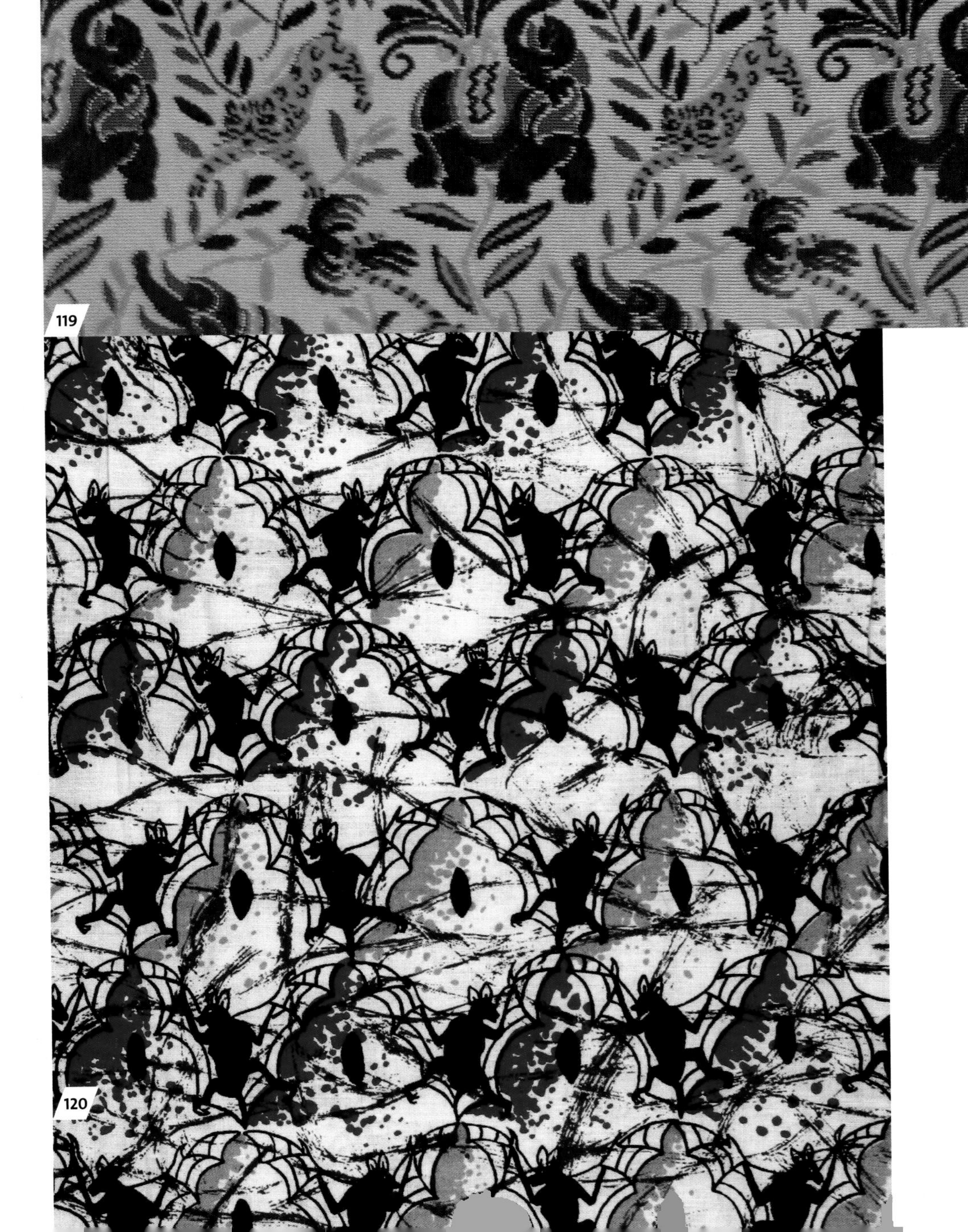

120

119. 拉乌尔·杜飞（Raoul Dufy）为比安基尼－菲利尔（Bianchini-Férier）制造，丛林，1922 年。

这个流行图案在本例中采用棉西塞莱天鹅绒材料，是 1922 年为“马赛国家交易博览会”之年发布的。这个展览展示了许多来自当时法国殖民地的物品，包括东南亚殖民地，如老挝和柬埔寨，还有法属非洲国家，包括突尼斯、摩洛哥以及法属赤道非洲、法属西非、法属索马里（现在的吉布提）、马达加斯加岛和科摩罗，这次活动增加了这些国家对法国艺术的美学影响力。

121. 杰西卡·史密斯（Jessica Smith），极端奇异的松鼠，2010 年。

这块布的经纱用埃及棉，纬纱用人造丝，是艺术家在北卡罗莱纳州亨德森奥利奥尔工厂的一台工业提花机上织造的。史密斯创造了具有历史形式的当代编织，这是她对数码艺术探究的一部分。她说：“工业可以尝试多样化，而好的艺术家可以探索机器生产。”

122. 英国制造商，印花人造纤维连衣裙面料（细节），20 世纪 20 年代中期。

1922 年霍华德·卡特发现图坦卡门墓葬，引发了人们对埃及图案的狂热。这块面料做的是一件低腰的衣服，在兰开夏郡自制而成，那里后来成为了英国纺织印花业的中心。

123. 阿尔萨斯（Alsatian）印花工，木版印花风景的家居装饰棉布，约1775—1795年。

这块面料上描绘的是在客栈旁嬉戏的人们，以及六角星的符号，它可能是受托为庆祝有利于犹太社区的改革而制作的。尽管这颗（与犹太教有关的）星星是当地存在已久的好啤酒的标志，但是仍然有3/4的法国犹太人居住在阿尔萨斯乡下，而经营客栈是他们可做的职业之一。

124. J. J. 皮尔曼（J. J. Pearman）为丹尼尔·卡林公司（Daniel Carling & Co.）制作，班尼斯特中心的木版印花棉镶边，1806年。

班尼斯特中心印花厂在兰开夏郡的普勒斯顿附近，是英国木版印花家居棉布生产的领头羊。这块有场景的镶边，高23厘米（9英寸），迎合了具有中国艺术风格的图案风尚。

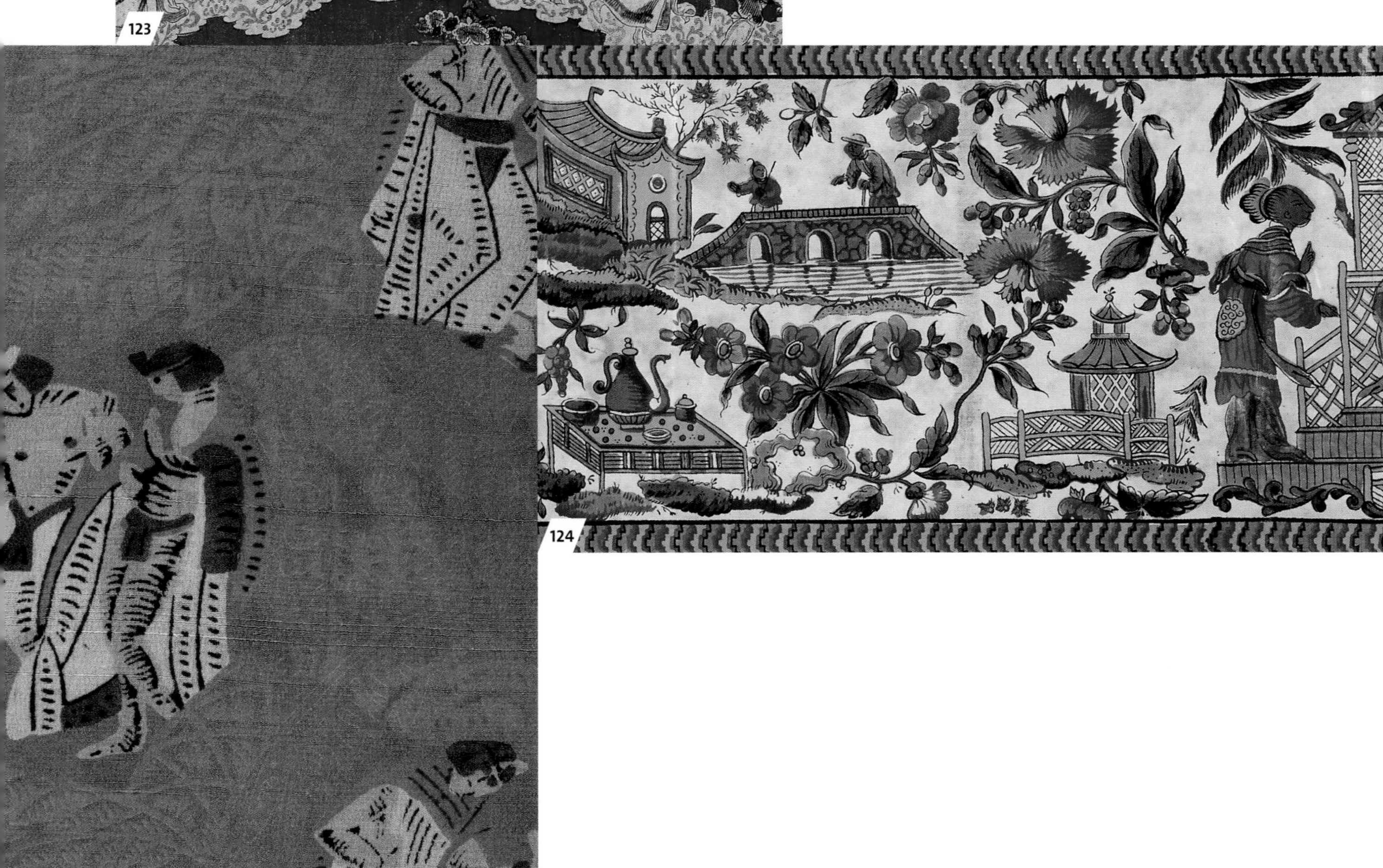

125. Timorous Beasties公司，伦敦约依印花布，2005年。

这块面料的灵感来源于对伦敦的爱以及它的贫富对比，同时也受古老约依印花布的启发。他们通过“分离画作，在画作中覆盖和留白，产生出额外的深度和肌理，在墨水交叠处创作出更多色调”来设计这块花布。

126. 象牙海岸艺术家，科尔霍戈布（细节），20世纪。

这种图案以科尔霍戈村命名，用一种一段时间后就会变黑的天然矿物颜料在手纺条织的棉帆布上绘制图案。鸟意味着自由，蛇则意味着充裕的土地。

127. 索尔·斯坦伯格(Saul Steinberg)，斯坦伯格的马，约1949—1952年。

这件作品是斯坦伯格给纽约帕特森面料公司的几件家具面料设计之一，要在光面的棉布上手工丝网印花。这位罗马尼亚出生的艺术家从定居美国开始就变得非常有名，主要是因为他为《纽约客》画的千余幅插画，第一幅创作于1941年。

128,129. 杰西卡·史密斯（Jessica Smith），南海岸棉质印花布，2006年；寻求安逸，2004年。

这种图案和这块棉布是用比利时工厂的一台工业提花机织造的。史密斯用纸设计，而用电脑“设计、生产和‘放置’叙事性图案。这些图案有历史含义、当代信息和颠覆性的转折”。

125

126

127

128

129

130. 罗伯特・班费斯（Robert Bonfils）为比安基尼－菲利尔（Bianchini–Férier）制作，卡西巴，1934年。

这块围巾采用木版印花，在大的方形丝绸面料（这里的尺寸是67厘米或26½英寸）上描绘了久远的政治事件。为纪念法国征服北阿尔及利亚100周年制作。

131. 日本印花工，四方布，20世纪。

这种靛蓝染色的图案是用在非正式夏季和服上的，通过 kataezone（压印糨糊防染），描绘的是日本平安时代（794—1185年）贵族穿着宫廷服装的场景。

132. 拉乌尔・杜飞（Raoul Dufy）为比安基尼－菲利尔制作，海神，约1920年。

这块手工木版印花的亚麻布结合了公司的首字母和展室的位置，是“图尔农薄麻布”系列的一部分。

133,135. 阿尔贝托・法比奥－洛伦兹（Alberto Fabio–Lorenzi）为比安基尼－菲利尔制作，园艺以及有酒和飞翔鹦鹉的餐桌，约1920年。

这两件棉花缎都带有被典型现代古典主义风格包围的主题场景元素。

134. 内奥米・瑞得（Naomi Ryder），配角图案，2009—2010年。

瑞得从制作机绣的徒手画开始，这些徒手画描述了一位朋友从早到晚的活动，她将这些画作为贴布绣绣到真丝雪纺面料上，创造了一条窗帘。这种描述日常生活事件的图案后来被拍摄下来，扫描、数码编排，变成了墙纸图案：“我喜欢同时运用传统技艺与新技术。”

133
134
135

136

136. 朱迪思·孔唐（Judith Content），悬崖：布里埃系列，2005 年。

孔唐的这件拼缝贴花真丝壁挂带有饱和的、细致入微的色彩，这种色彩来自于褪色技术和她改良的日式 arashi 扎染技术。由于是扎染的门外汉，她使用了葡萄酒瓶来达到效果。

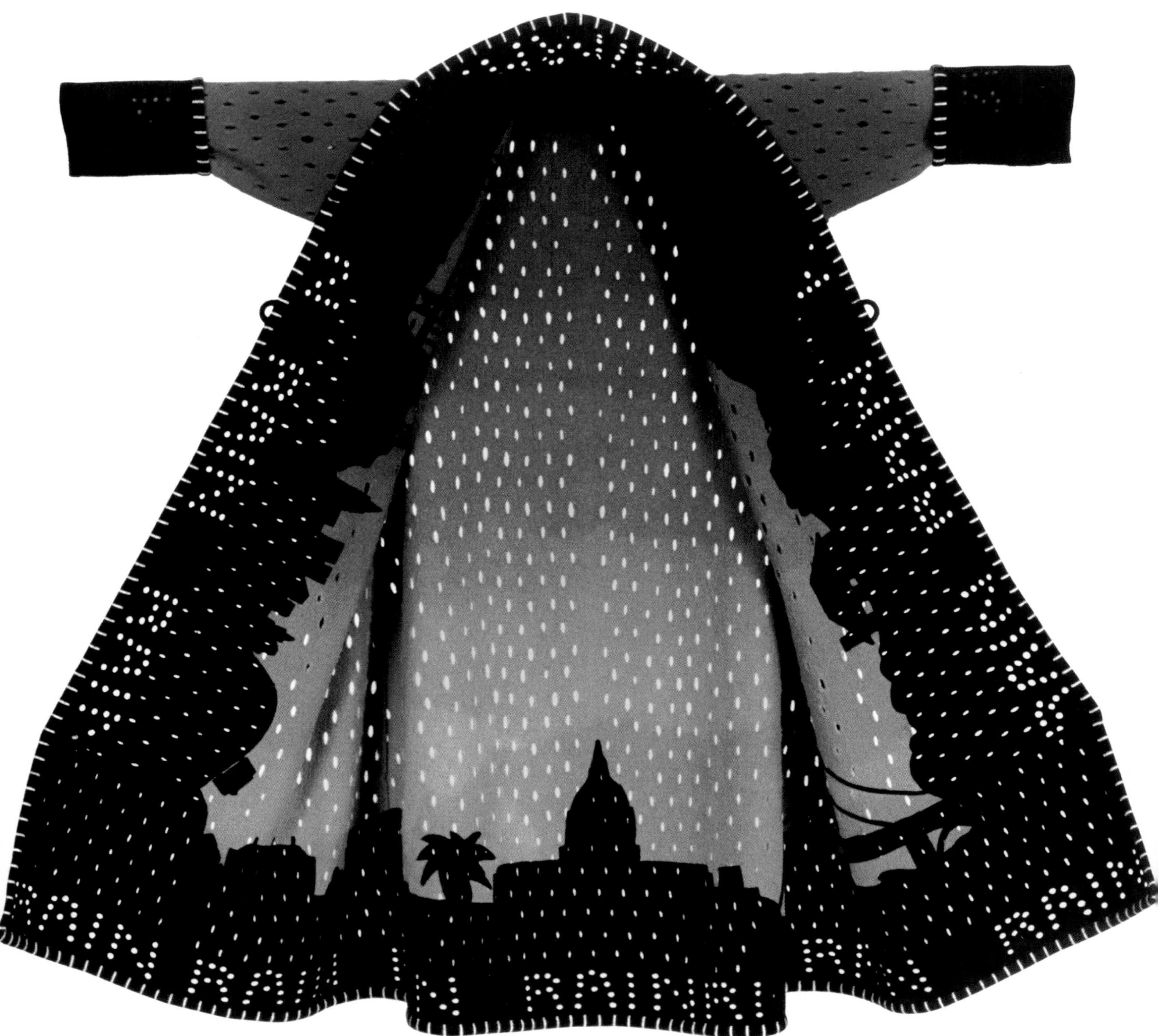

137

137. 让·卡西塞多(Jean Cacicedo)，雨衣——旧金山海岸，2000年。

洗净并加厚的针织羊毛经过上浆、穿孔、染色和拼合形成了这件女式雨衣。卡西塞多的作品受拟人神话和象征图像的启发，讲述了关于物质和精神旅程的故事。

138. 珍妮特·特温（Janet Twinn），黄昏，2009 年。

这件作品出自特温的“引火木”系列，艺术家用染料在棉布上绘制，使用机器拼合和绗缝。萨里郡和科茨沃尔德的冬日景色给她带来了灵感，导致她开始“研究土色、赤土色的全新色系”。

139. 安·费伊，细褶（Ann Fahy），2009 年。

这件作品由亚麻组成，在缩褶机上打褶，然后在微波中使用迪伦染料再加后衬、机器绗缝。费伊主要在爱尔兰活动，他受一张内容为澳大利亚一场森林大火后留下的烧焦的树桩的照片启发，做了这件作品：“移开缝线，挂起布片的时候，它们开始有自己的个性了。”

138

139

140. 戴安·格罗奈维根（Diane Groenewegen），剧院布景，2011年。

这件小作品（大约14厘米或5½英寸见方）包含了残存的佩斯利图案羊毛围巾、维多利亚方格真丝面料、金线钉线绣的印度布、复古的金色花边、真丝织锦缎、20世纪50年代的棕色尼龙花边，也使用了丝网印和手工上色工艺。

141. 戴安娜·弗思（Dianne Firth），分水岭，2009年。

弗思通过学习景观建筑，以及观察自然与人类之间的关系，创作了这件机缝三联画。作品宽139厘米（55英寸），使用了一系列纺织品，采用染色、绘制和拼贴工艺，强调澳大利亚节约用水的问题。

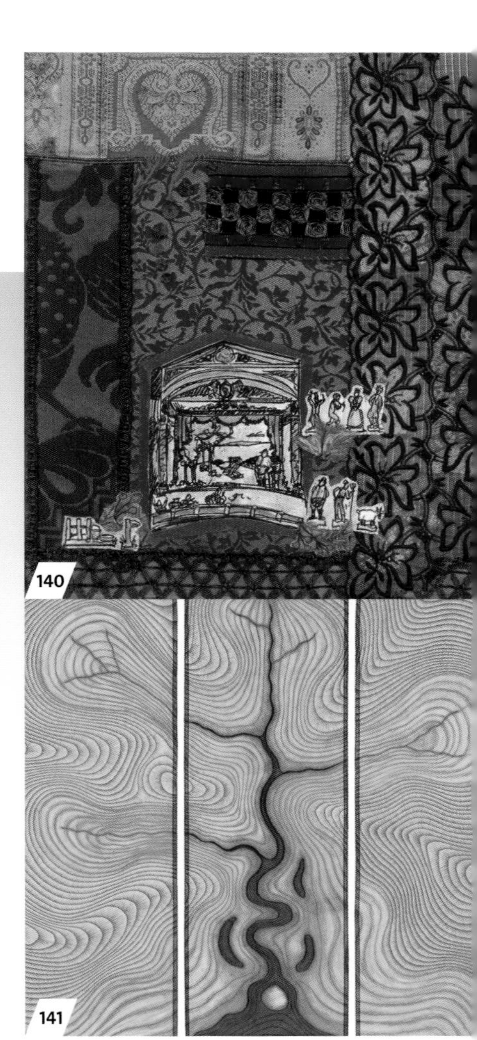

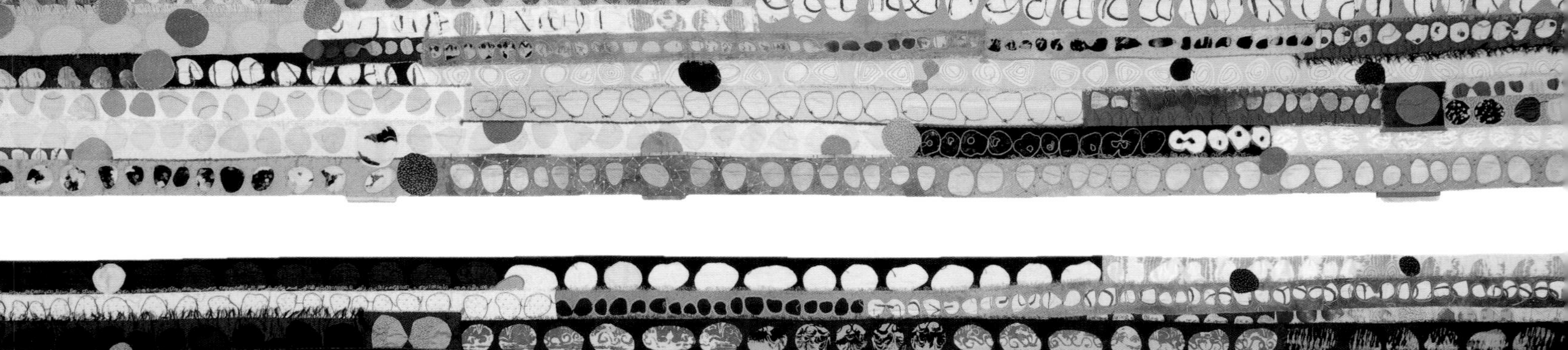

142. 塞西莉亚·布隆贝格（Cecilia Blomberg），莫科斯地毯（细节），2010 年。

艺术家受华盛顿州立艺术委员会之托，为华盛顿中部雅基马附近的莫科斯小学织造了这幅农田景色的地毯。

143. 伊丽莎白·布赖姆洛（Elizabeth Brimelow），唯一的海湾，2007 年。

手工绘制、手工染色、手工印花的丝棉布，经过机缝、手缝，用贴花和倒贴花进一步装饰，形成了这些完全抽象的全景照片。灵感来自于萨福克海岸边的一片鹅卵石沙滩。

144. 切瑞林·马丁（Cherilyn Martin），石头在说话 VII，2009 年。

艺术家使用了合成纤维面料、塑料、油画和丙烯颜料，以及其他媒介。他用熔化、机缝、手工打结和丝网印花工艺创造了复杂的表面肌理，暗指“我的作品的潜在主题是丧失亲友、失去和纪念。我从古老的物品和可触摸的残存物中找到灵感”。

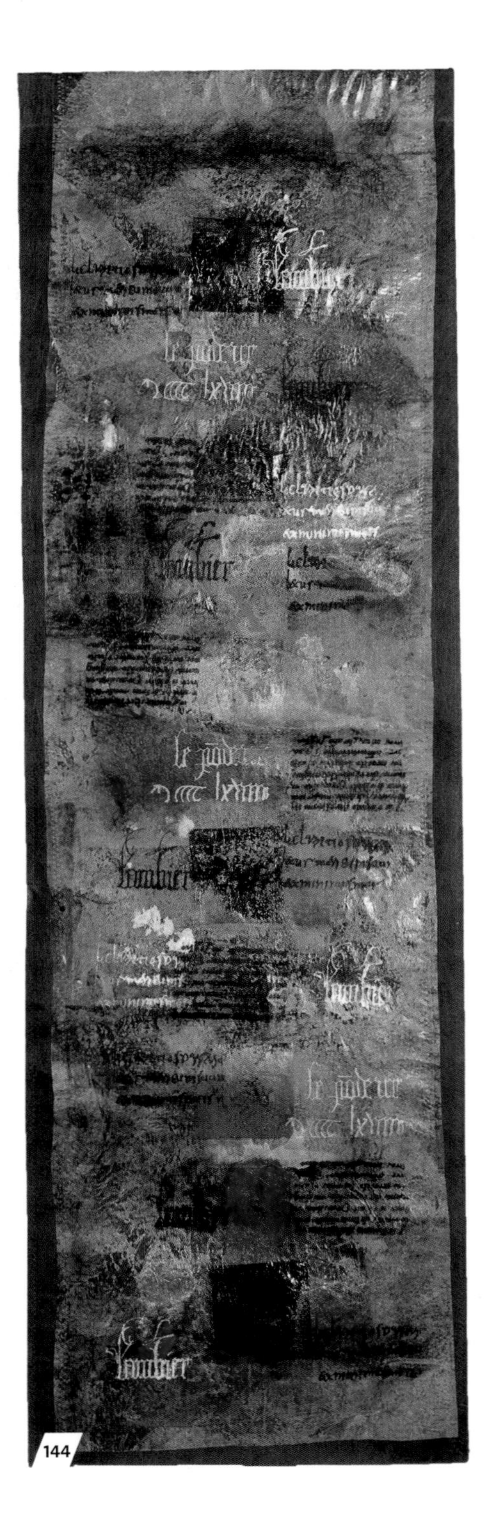

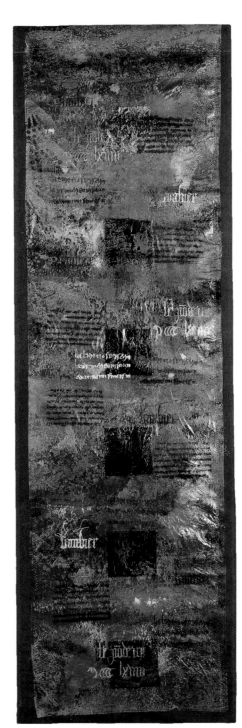

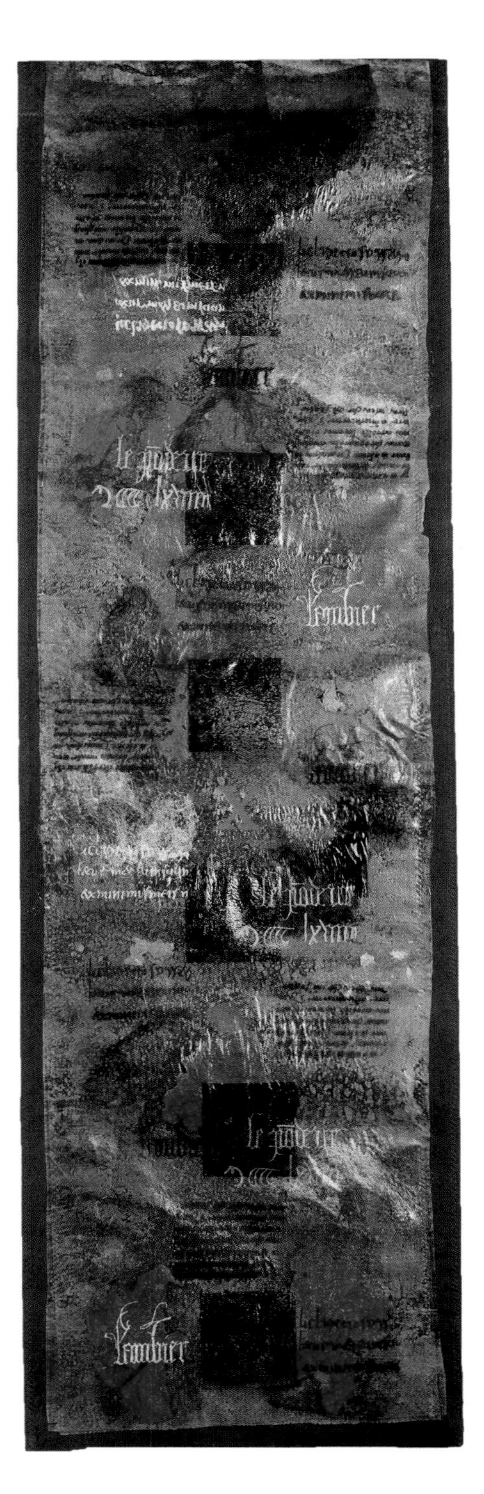

144

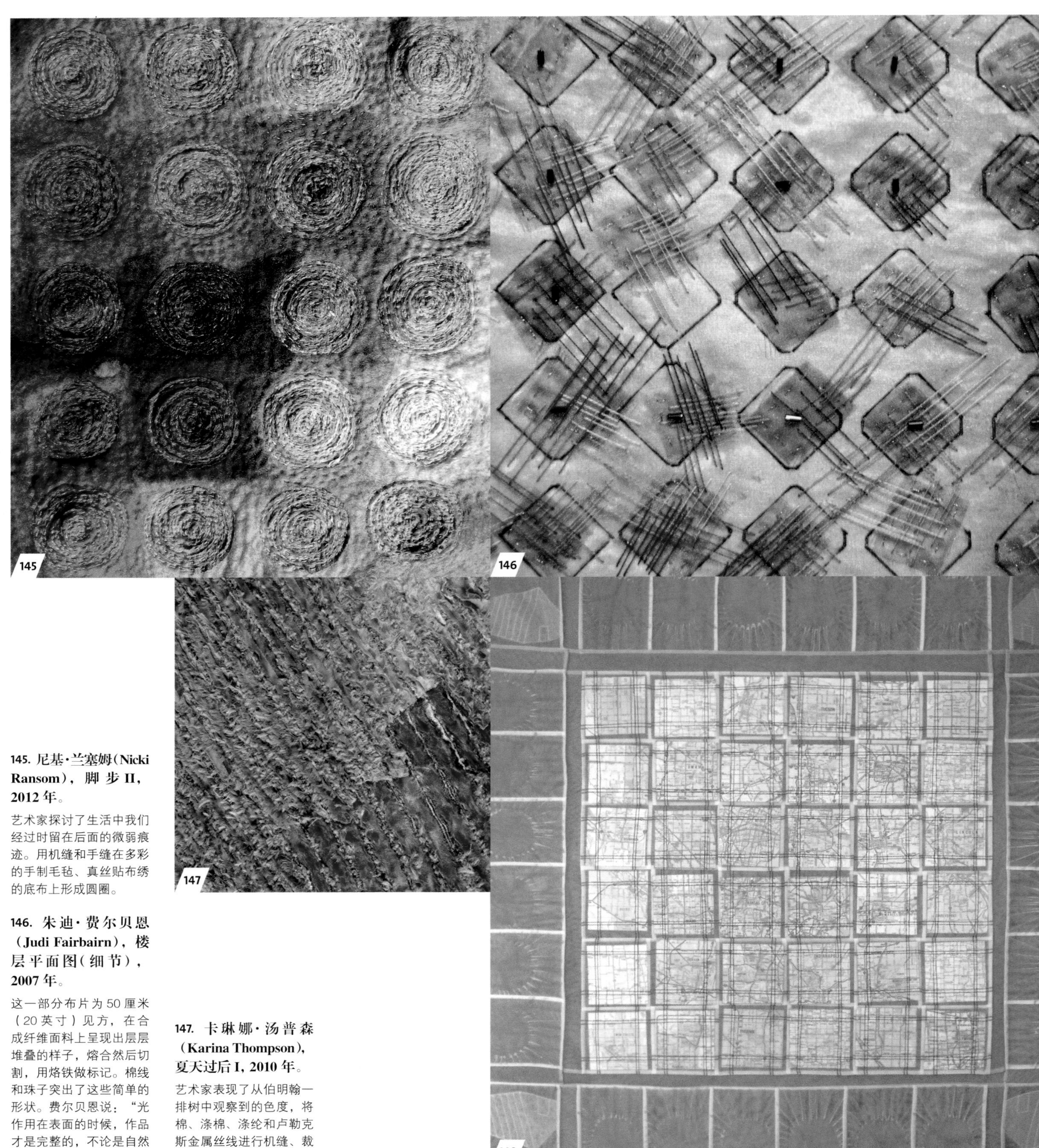

145. 尼基·兰塞姆（Nicki Ransom），脚步 II，2012 年。

艺术家探讨了生活中我们经过时留在后面的微弱痕迹。用机缝和手缝在多彩的手制毛毡、真丝贴布绣的底布上形成圆圈。

146. 朱迪·费尔贝恩（Judi Fairbairn），楼层平面图（细节），2007 年。

这一部分布片为 50 厘米（20 英寸）见方，在合成纤维面料上呈现出层层堆叠的样子，熔合然后切割，用烙铁做标记。棉线和珠子突出了这些简单的形状。费尔贝恩说："光作用在表面的时候，作品才是完整的，不论是自然光还是人工光。"

147. 卡琳娜·汤普森（Karina Thompson），夏天过后 I，2010 年。

艺术家表现了从伯明翰一排树中观察到的色度，将棉、涤棉、涤纶和卢勒克斯金属丝线进行机缝、裁切、涂刷和贴花处理。

149

148. 南茜·克拉斯科（Nancy Crasco），超越网格，2008 年。

这件作品采用了一系列道路的图像呈现人类思考减少碳足迹的寓意。艺术家把丝绸欧根纱，地图和印花油毡图案的丝绸缝合在一起，采用了 pojagi（三次缝合接缝的韩国包裹布工艺）结构。这件作品大小为 66 厘米（26 英寸）见方。

149. 英奇·希伯尔（Inge Hueber），四块，2009 年。

这件在家里染色的棉布和透明硬纱面料的混合物是为 2006 年的另一个项目准备的。但是，为了保持拼被制作回收利用的传统，就变成了 2009 年这些独立的布片。“在我所有的作品中，节奏、色彩和面料对我来说很重要。我对我的色彩感到很亲近，我建立自己的色域已超过 30 年了”。

150

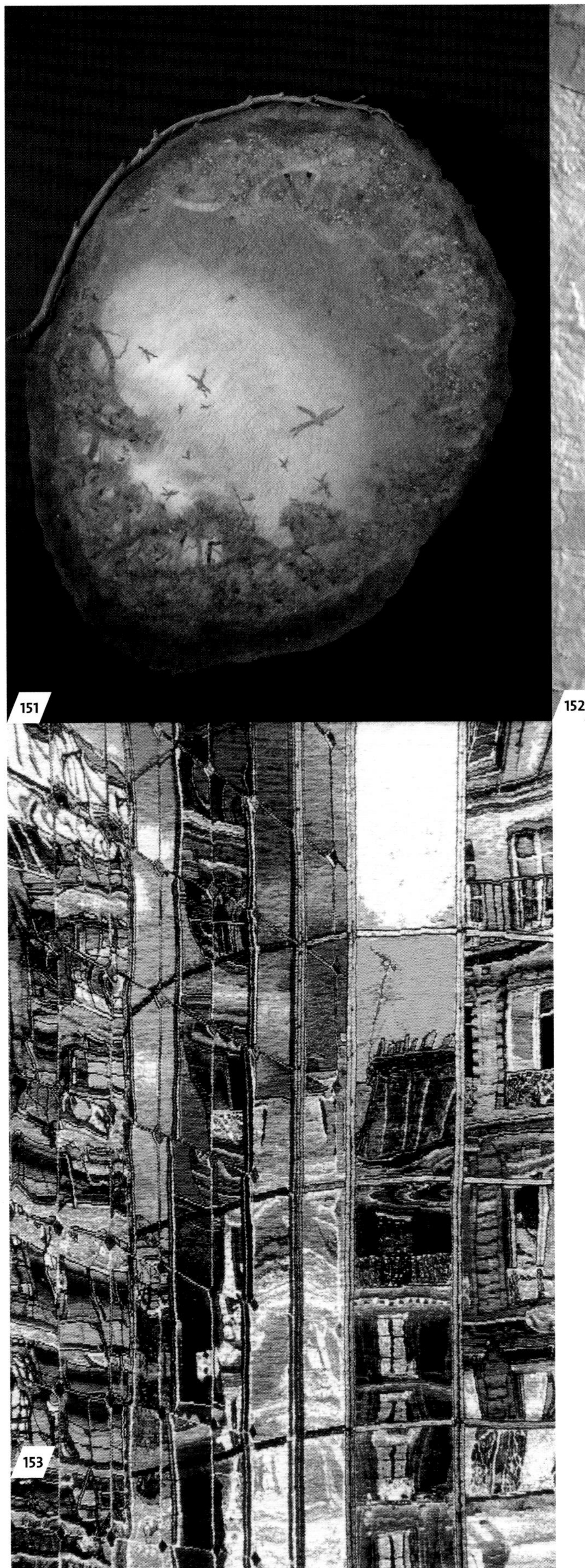

150. 罗比娜·萨莫斯（Robina Summers），结霜的清晨——冬日清晨，袋鼠公园，2005—2008 年。

这块以帆布做基底的大型布片（160 厘米 × 120 厘米，63 英寸 × 47¼ 英寸）是机缝的，在分片的绘画真丝羽二重下面是白色的真丝羽二重，上面是带珠子的数码印花真丝绉织和机绣绘画真丝面料的三维树叶。

151. 特里萨·波莱蒂·格洛弗（Teresa Poletti Glover），青蛙的视野，2009 年。

艺术家想象一只青蛙如何看这个世界，结合使用了碾磨的商业染色羊绒和长羊毛薄片，将旧的真丝围巾、手工染色的真丝条带撕碎，切碎羊毛、羊绒和棉纱线，然后仅通过湿毡工艺放置所有元素，再用金属线在上面安装灌木枝。

152. 诺尔玛·斯达兹科纳（Norma Starszakowna），白墙，罗兹 2003 年（细节），2010 年。

艺术家的特色是会在真丝欧根纱面料的两面都使用丝网印花。本例中加了热反应颜料和应用媒介，以创作出不同深度和不透明的表面肌理，捕捉磨损的建筑表面的质感。

153. 简·弗里厄－怀尔德（Jane Freear-Wyld），映射，2010 年。

这件羊毛和棉混纺的织锦记录了巴黎的一个场景，高 2 米（78¾ 英寸），表现了超现代化的建筑和更传统的石头建筑之间的差异。艺术家着迷于这种映射，“所有的映射，错综复杂……映射在映射之中”。

154

154. 迪克·万·德尔·霍斯特－毕驰玛（Dirkje van der Horst–Beetsma），弗里斯兰景色，2009年。

这两块拼缝布片的灵感来自于艺术家年轻时在荷兰北部看到的景色，天空由手工染色的棉布、真丝和透明硬纱面料组成，而陆地完全由荷兰威利斯科生产的蜡染布料创作而成。

155. 萨拉·英庇（Sara Impey），过程，2009年。

这块手工染色、机器拼缝的棉布呈现出一个文本，描述了艺术家对制作和花费的时间的思考，她将绗缝制作和人机互动的舞蹈表演进行对比。二者都需要很长的孕育时间，但过程和产生的艺术形式却差异巨大。

156. 桑德拉·米奇（Sandra Meech），融化1，2010年。

灵感来自于北极地区冰川崩塌系列作品。艺术家在冰岛拍摄的图像被拼贴在一起，分部分转化成布的形式。这件作品做出了层次感，并用机器绗缝了铜金属，艺术家还使用绘画给寒冷的景观带来暖色。

157. 吉莉·爱德华兹（Jilly Edwards），红山周围，2011年。

旅行激发的记忆和情感被艺术家提取，用到织锦中，用颜色留存她对景观的洞察和反应。

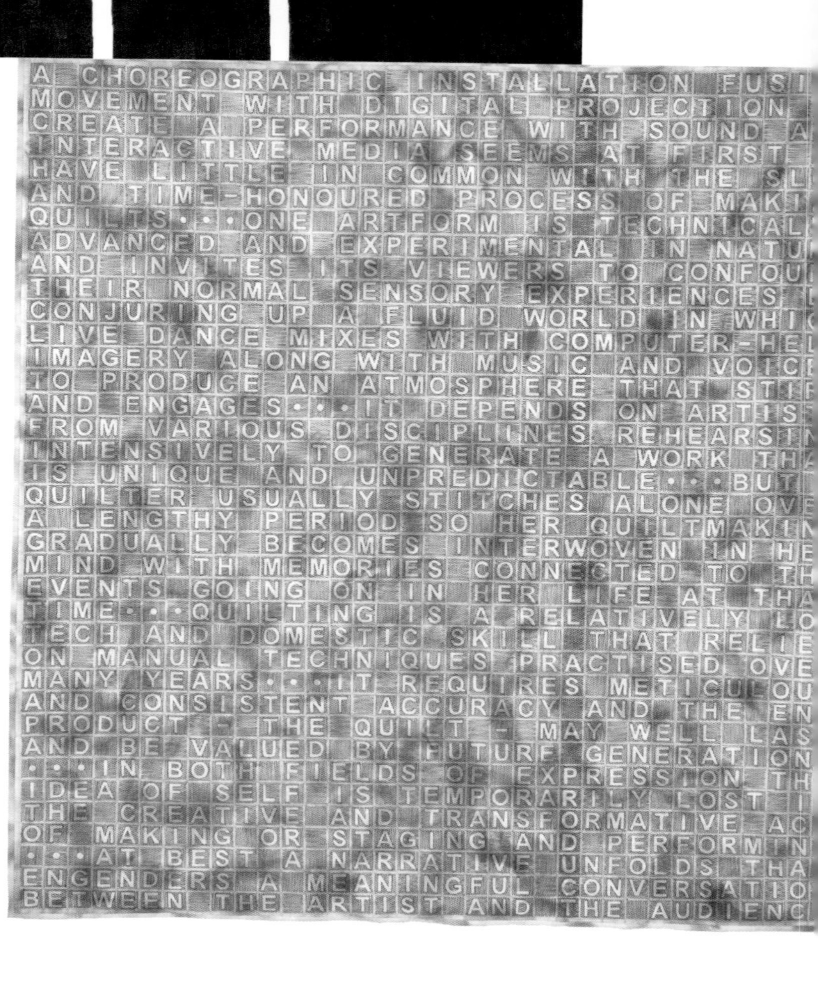

155

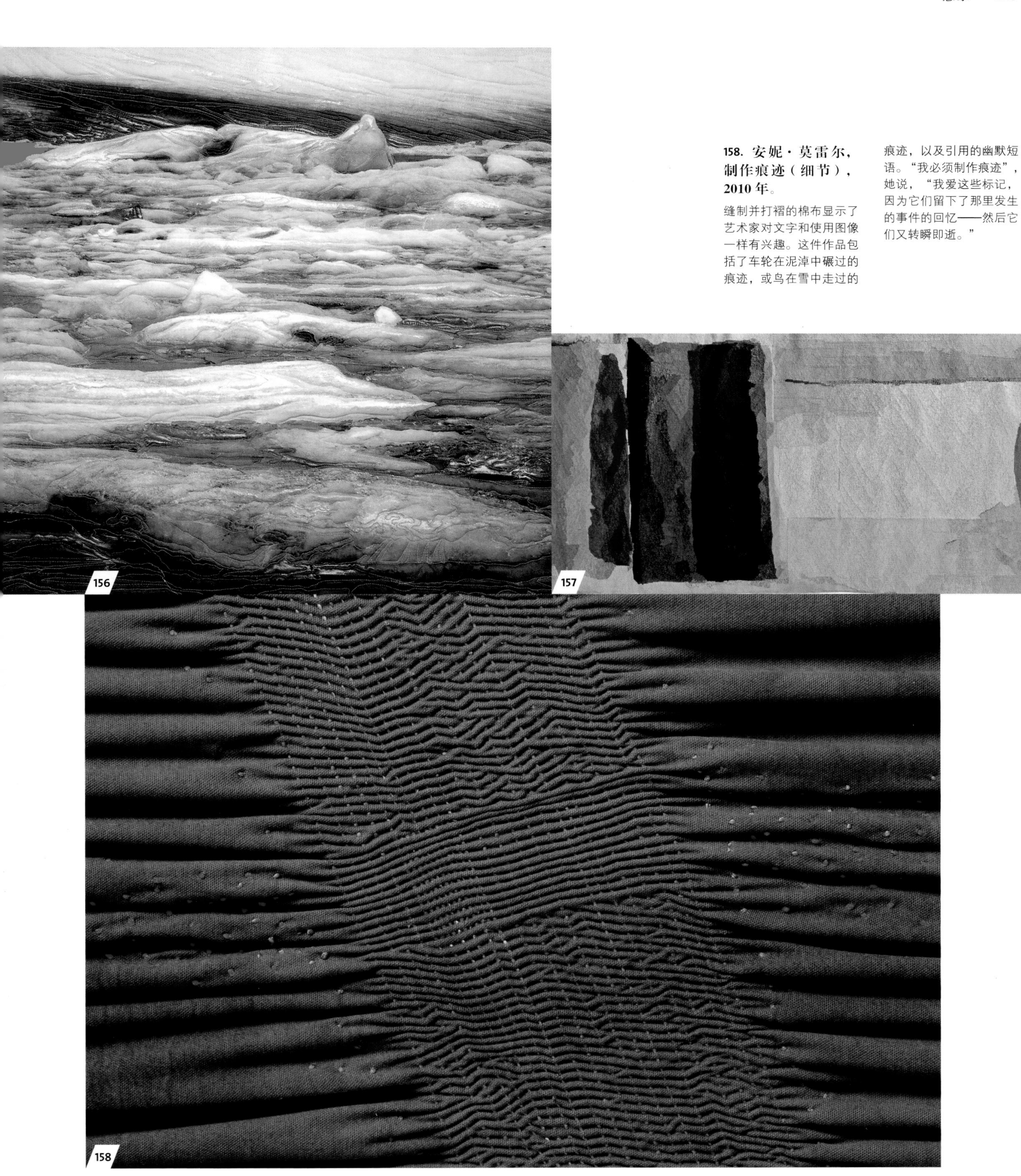

158. 安妮·莫雷尔，制作痕迹（细节），2010年。

缝制并打褶的棉布显示了艺术家对文字和使用图像一样有兴趣。这件作品包括了车轮在泥淖中碾过的痕迹，或鸟在雪中走过的痕迹，以及引用的幽默短语。“我必须制作痕迹”，她说，“我爱这些标记，因为它们留下了那里发生的事件的回忆——然后它们又转瞬即逝。”

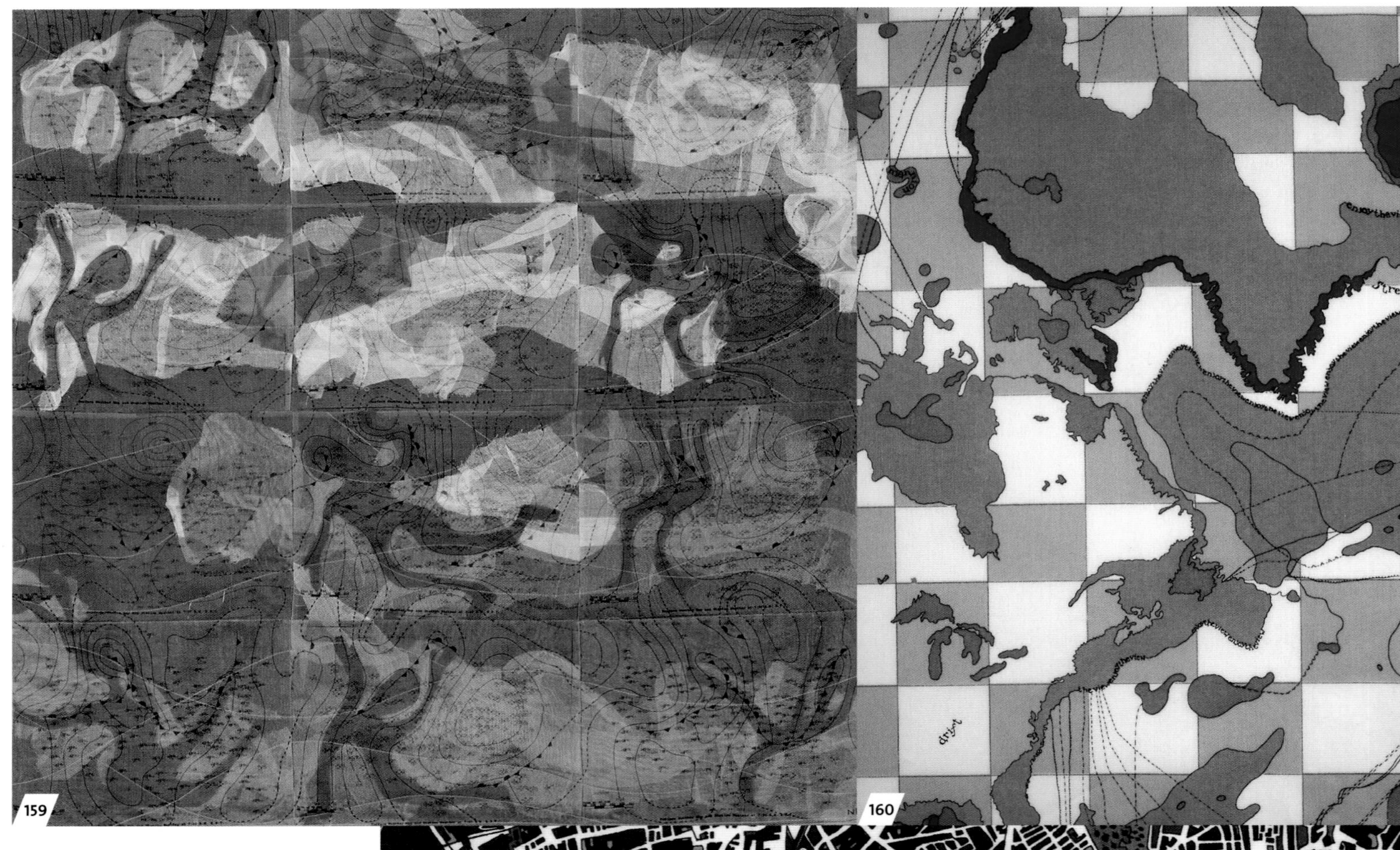

159. 南希·克拉斯科（Nancy Crasco），天气之下，2010 年。

这件 pojagi 绣花布片出自艺术家的“天气报告”系列，这一系列探讨了自然资源的使用和滥用的有关问题。这件作品将美国气象图印在棉透明硬纱以及一种粗棉布和真丝透明硬纱上。

160,161. 艾玛·茂斯滕（Emma Mawston），曼尼恩和西德纳姆王宫，2002 年。

茂斯滕是利伯蒂艺术面料公司的首席设计师。这些服装面料是为他们 2004 春夏面料中的地理系列部分而开发的。

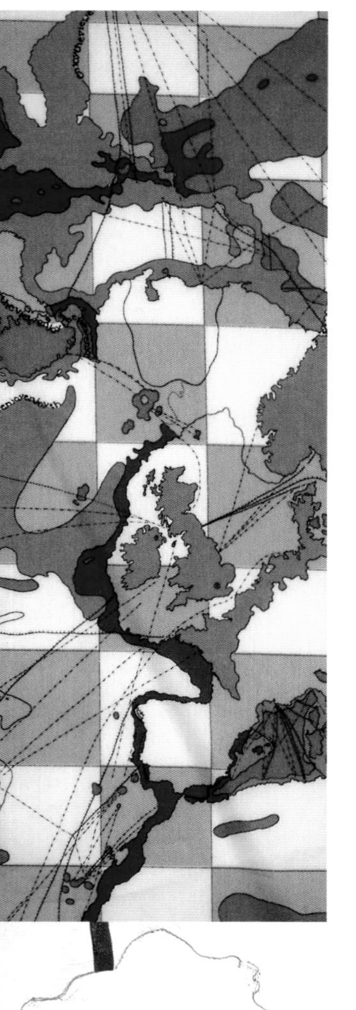

162. 内奥米·瑞得（Naomi Ryder）为瑞得 & 罗维公司（Ryder & Rowe）制作，新地图，2011 年。

这件作品主要是真丝缎子材质，用自由式绣花贴布绣，它是为伦敦内衣公司瑞得 & 罗维的 2012 春夏系列制作的“绣花型印花”面料，灵感来自于英国里维埃拉。这件作品通过拍照和扫描，就变成了一个印花图案的基础。

163. 埃斯特·伯恩涅米萨（Eszter Bornemisza），微妙的平衡，2009 年。

艺术家将回收利用的线和纱，以及热切割的透明硬纱和网眼布机缝到水溶纸上。在这个作品中，她长期使用旧地图和古老住宅的平面图的习惯让她开始思考她的城市布达佩斯和它现在的快速现代化，“不论它是变得更适于居住，还是有机发展，都是亟待解决的问题”。

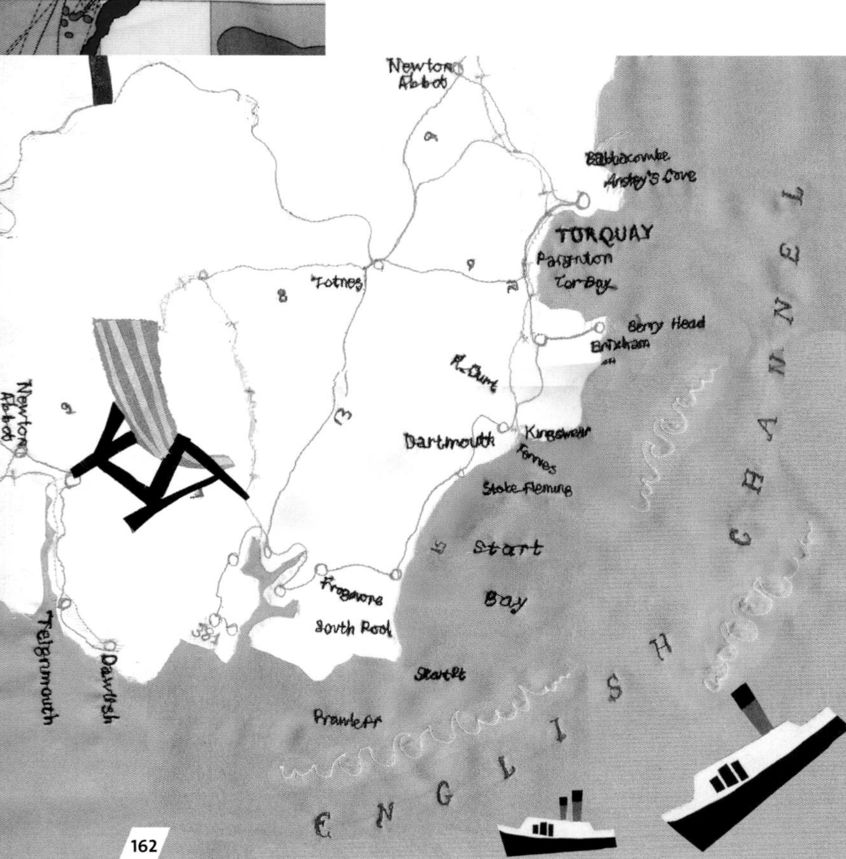

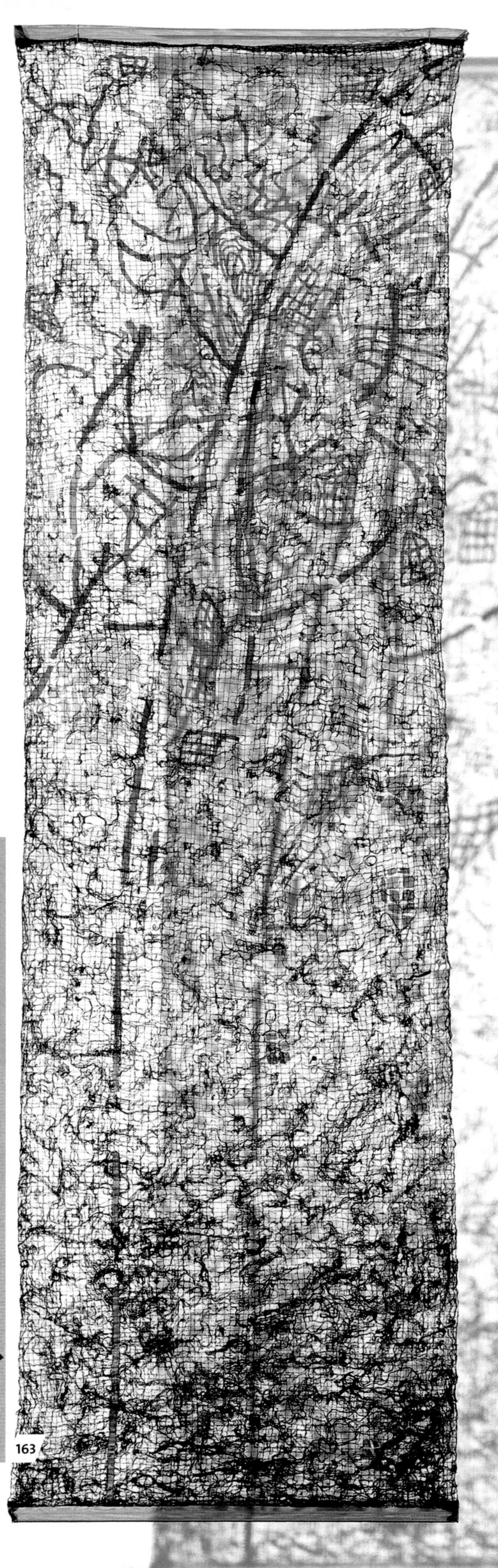

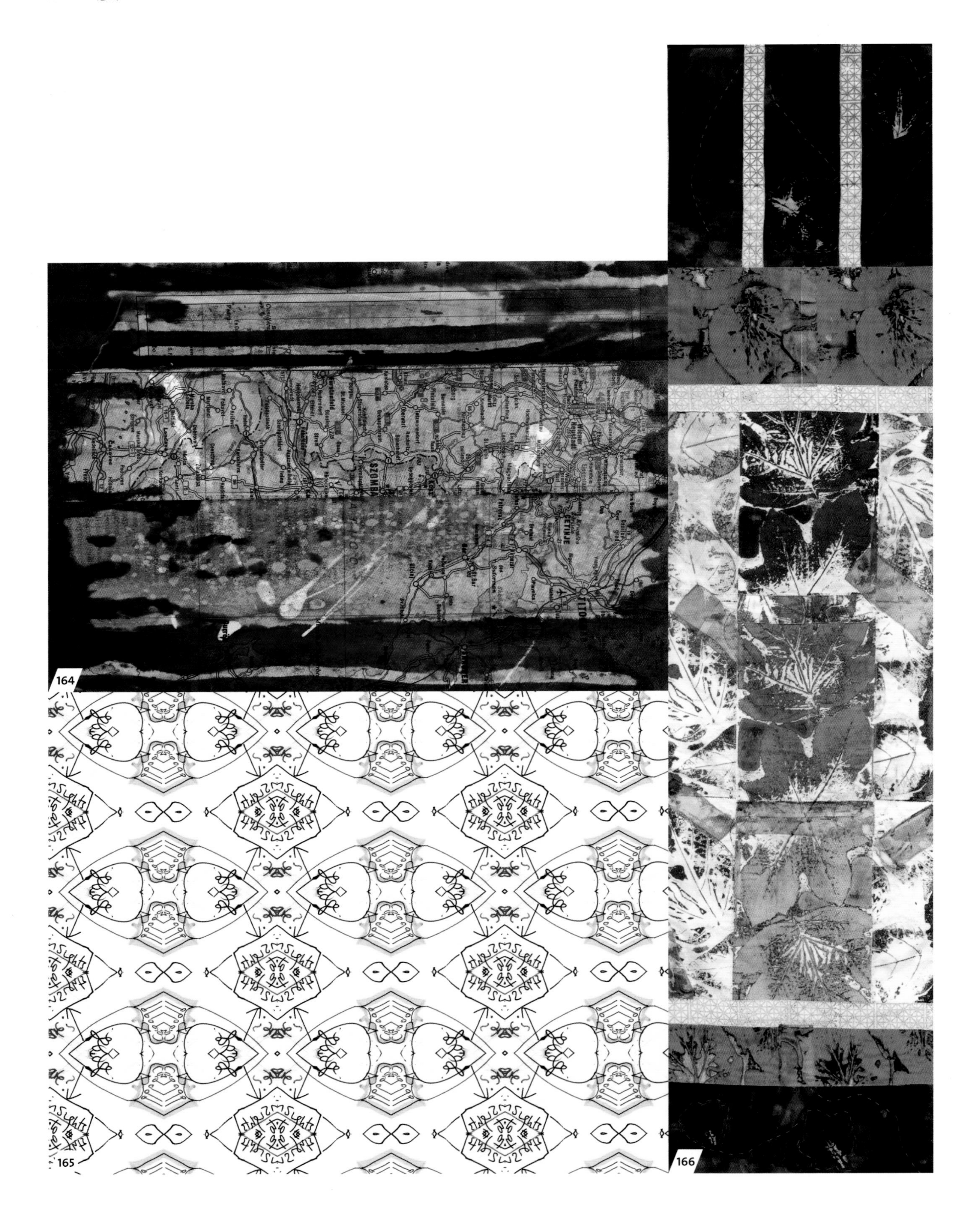
164
165
166

164. 埃尔斯·万·巴尔勒（Els van Baarle），再次在路上（细节），2010 年。

艺术家在地图上创作，采用蜡染、丝网印花和缝线创造出看似烧焦的表面。

165. 玛吉·托纳–埃德加（Maggi Toner–Edgar），贡献知识，2006 年。

这件数码设计作品是一张记录艺术家创意的概念地图，它被印在维莱恩衬布上，艺术家在上面手写道："他们会看到象征性的研究吗？"这是一个半开玩笑式的备注，因为这是和托纳–埃德加博士学位成果有关的一件真事。

166. 牧师纳什（Dominie Nash），叶片状的书法，2009 年。

采用机器贴布绣、手绣和纤维反应染料的丝网印花工艺装饰棉和透明硬纱面料，并组装这些面料。丝网印花过程直接使用摹拓技术把叶子印在上面，然后用摩擦法，最后用颜料完工。

167. 费妮拉·戴维斯（Fenella Davies），威尼斯之光，2009 年。

这件作品使用了复古被单布、稀松的窗帘用布、薄纱、酒椰树叶纤维布、防水板和日本席子，宽 236 厘米（93 英寸），是手绘、漂白和拼贴的，用表面织补连接各层。他的图案想要传达地点和情绪的感觉，就像艺术家说的："过去的含义是一个循环的主题，历史和地点的痕迹有的确切，有的几乎不可捉摸。"

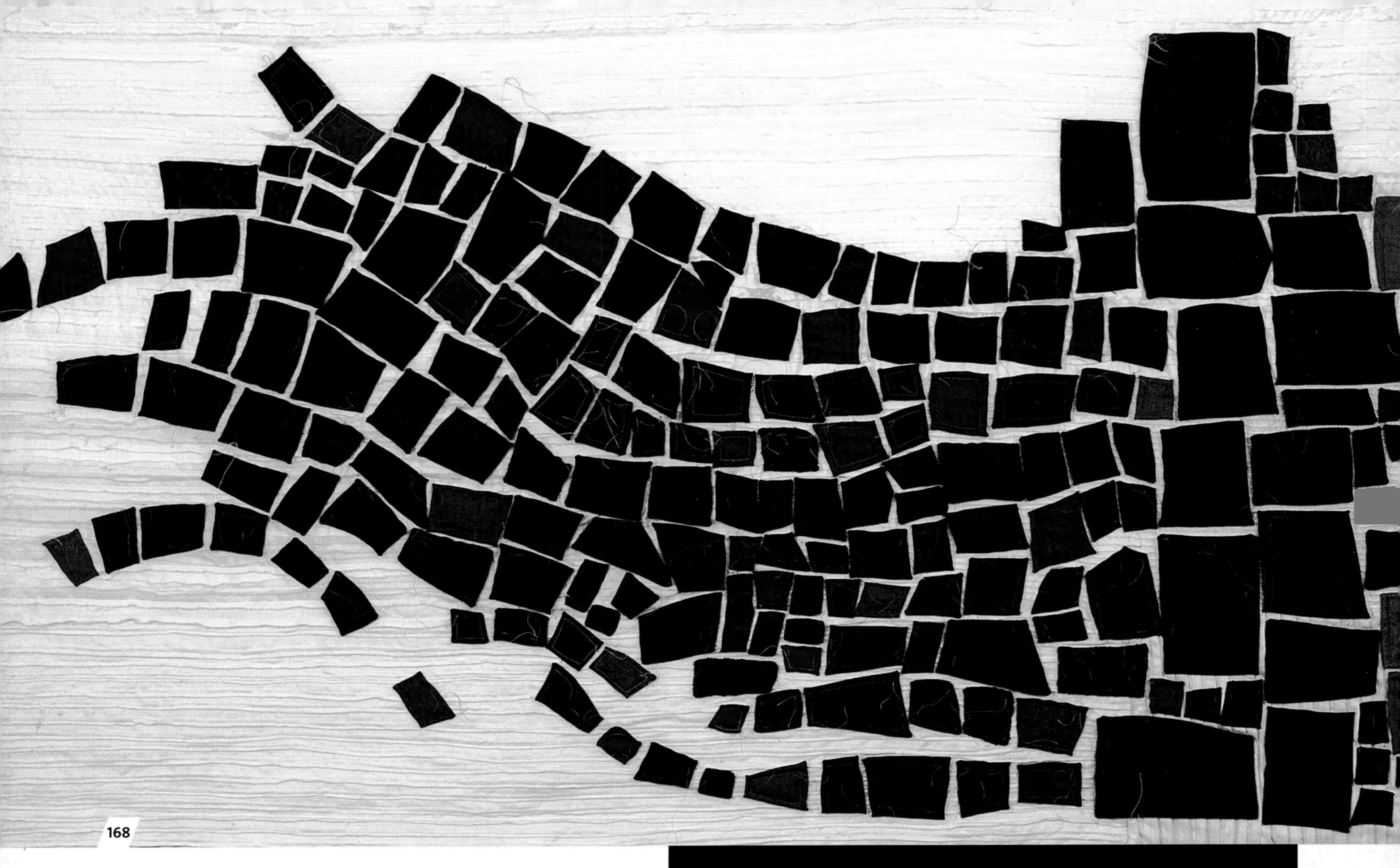

168. 布丽奇特·英格拉姆－巴塞洛姆斯（Bridget Ingram-Bartholomäus），在我脚下（细节），2010年。

羊毛或羊毛类型的面料机器贴布绣缝到条状拼合的混合面料底布上，有时加入针纹褶饰。作品描绘了一条前途渺茫的路。

169. 贾内尔·格林（Janelle Green），关于我过去的砖块，2011年。

将来自艺术家“历史藏匿物”的各种纱线缝在平铺在石膏画布上的PVC纱布上，旨在再现砖烟囱的残存部分，那是她祖父母房子的残存部分。黑色的背景意指“隐藏了许多秘密的过去的不确定性”。

170. 玛吉·托纳－埃德加（Maggi Toner-Edgar），双八字，2006年。

这顶帽子的花冠采用数码印花的厚重的维莱恩衣衬，用金属缎带镶边，支撑着一个针织的钢丝形式，追随着探戈的“双八字”舞步。这两股金属缎带表现了内部和外部对话的思考过程和紧张感，也暗示了DNA的双螺旋结构。

170

注释

导论

1. 这是新井在 2004 年对保罗·马科夫斯基的评论，参见 http://www.metropolismag.com/story/20041025/jun

第一章

1. 情况始终如此。参见 Tina Kane, *The Troyes Memoire: The Making of a Medieval Tapestry* (Woodbridge: Boydell Press, 2010), p. 49，论及 15 世纪 50 年代，一张织锦的价格是当时一张画作的三倍。
2. 参见例子： Gregory Battcock, *The New Art: A Critical Anthology* (New York: E. P. Dutton, 1966).
3. Hugh Kenner, 'Epilogue: The Dead-Letter Office' in Brian O' Doherty (ed.), *Museums in Crisis* (New York: George Braziller, 1972), p. 172.
4. 参见 Judy Chicago, *The Dinner Party: From Creation to Preservation* (London: Merrell, 2007). 这件作品已经在 6 个国家的 16 个展览中拥有了 100 万观众，但是直到 2007 年才被布鲁克林博物馆伊丽莎白·A·萨克勒女性主义艺术中心永久收藏。
5. Mary Schoeser, *World Textiles: A Concise History* (London: Thames & Hudson, 2003), pp. 194–213.
6. Lloyd Cotsen, 'Looking Behind My Eye', in Mary Hunt Kahlenberg (ed.), *The Extraordinary in the Ordinary: Textiles and Objects from the Collections of Lloyd Cotsan and the Neutrogena Corporation* (New York: Abrams, 1998), p. 11.
7. 这条引用还有其他没有解释的相关引用来自 2011 年 3 月到 11 月之间作者本人对艺术家和收藏家的访问及作者与他们的通信。
8. Hans Schmoller, 'Panoply of Paper: On Collecting Decorated Papers', in *Paper Chase: An Exhibition of Decorated Papers from the Schmoller Collection* (Edinburgh: Edinburgh University Library, 1987), p. 2.
9. http://www.scribd.com/doc/33189555/Electronic-Text; http://www.e-text-textiles; http://www.electronicbookreview.com/public/e-t-t.html；都为 2012 年 5 月 12 日收录。
10. 玛丽琳·弗格森（Marilyn Ferguson，1938–2008）是一位有影响力的美国作家、编辑和公众演说家，他最有名的书是 *The Aquarian Conspiracy*，最早于 1980 年出版。
11. 参见 Sherry Tuckle, *The Second Self: Computers and the Human Spirit* (London and Cambridge, MA: MIT Press, 2005)，和 Beverly Gordon, *Textiles: The Whole Story* (London and New York: Thames & Hudson, 2011), pp. 82, 227.
12. Donald A. Norman, *Things that Make Us Smart: Defending Human Attributes in the Age of the Machine* (Reading, MA: Perseus Books, 1993), pp. 3–17.
13. 简·格拉芙（Jane Graves）的文字可以参见 http://www.janegraves.org.uk/thesecretlives.htm，收录于 2011 年 11 月 1 日。
14. Caroline Till *et al., Textile Futures* (exh. cat., London: Central Saint Martins, 2012), p. 7.
15. Esther Fitzgerald, *Seed and Spirit of Modernism: An Exploration Through Abstract Asian Textiles* (London: Esther Fitzgerald Rare Textiles), 2009, pp. 1–2, citing Tachman, *The Spiritual in Art* (1986).
16. Pam Meecham and Julie Sheldon, *Modern Art: A Critical Introduction* (London: Routledge, 2000), p. 160.
17. 弗里茨（Fritz）是利奥波德·伊克尔（Leopold Iklé）的儿子，伊克尔就是瑞典圣加仑纺织品博物馆著名的伊克尔纺织品收藏系列的发起人。
18. 社会学家理查德·斯内特（Richard Sennett）在 *The Craftsman*（New Haven: Yale University Press, 2008），p. 251 中将之比作"匠人时期"。
19. Ken' Ichi Iwaki, 'Preface' *in Sibyl Heijnen: Waving Space* (Tokyo: Gallery Le Bain, 2009), unpaginated.

第二章

1. 这些珠子发现于拉奎那和拉斯科洞窟的绳索上，两处都位于法国西南部。早期的针与公元前 26000 年到公元前 20000 年的欧洲格拉维特和东方格拉维特文化相关，也就是包括了所有欧洲和俄罗斯的猛犸象狩猎人群，他们同样也会用细条的皮革串珠、缝线。
2. 来自以下展览的目录：*Mika McCann* (Maui, Hawaii: Glassman Publicity, 1988), p. 1.
3. Todate Kazuko, 'Revitalizing Through Indigo: The Dye Art of Fukumoto Shihoko', trans. Meredith McKinney (exh. cat., Ibaraki, Japan: Tsukuba Museum of Art, 2009), unpaginated.
4. 同上。
5. 富田淳 (Jun Tomita) 的作品可见此网站：http://www.browngrotta.com/Pages/tomita.php, 收录于 2011 年 11 月 19 日。
6. 参见 Xiaoming Tao, *Smart Fibres, Fabrics and Clothing* (Cambridge and Boca Raton, FL: Woodhead, 2001), 以及 Terje A. Skotheim and John R. Reynolds (eds), *Handbook of Conducting Polymers* (London and Boca Raton, FL: CRC Press,2007).
7. 有关诺尔玛·斯达兹科纳的更多信息参见 Mary Schoeser, *Portfolio Collection: Norma Starszakowna* (Brighton: Telos Art Publishing, 2005). 所有引用内容均来源于与艺术家的通信。
8. 新井淳一 2004 年 10 月 25 日对保罗·马科夫斯基和玛丽·墨菲的访谈，参见 http://www.metropolismag.com/story/20041025/jun-ichi-arai-the-futurist-of-fabric, 收录于 2011 年 11 月 28 日。
9. 同上。
10. 有关太阳能包更多信息，参见 http://www.diffus.dk/wordpress/?p=736, 收录于 2012 年 5 月 11 日。

第三章

1. Ed Rossbach, *Baskets as Textile Art* (New York: Van Nostrand Reinhold Co., 1973), p. 16.
2. Ed Rossbach, 'Ed Rossbach', in Rob Pulleyn (ed.), *The Basketmaker' s Art: Contemporary Baskets and Their Makers* (Asheville, NC: Lark Books,1986), pp. 15–16.
3. 同上，p. 51.
4. Rossbach, *Baskets as Textile Art,* p. 124.
5. Pat Earnshaw, *The Identification of Lace* (Aylesbury: Shire Publications, 2009), p. 21.
6. Irene Emery, *The Primary Structures of Fabrics* (London: Thames & Hudson, 1994), p. 45.
7. Earnshaw, *Identification of Lace,* p. 22.
8. Desirée Koslin, 'Between the Empirical and the Rational', in Mary Schoeser and Christine Boydell (eds), *Disentangling Textiles* (London: Middlesex University Press, 2002), p. 196.
9. 参见 http://en.wikipedia.org/wiki/Sampul_tapestry, 收录于 2011 年 10 月 26 日。
10. Koslin, 'Between the Empirical', p. 197, 同见于 Eric Broudy, *The Book of Looms: A History of the Handloom from Ancient Times to the Present* [1979] (Lebanon, NH: University Press of New England, 1993), and Richard Tapper and Keith S. McLachlan, *Technology, Tradition and Survival: Aspects of Material Culture in the Middle East and Central Asia* (London: Taylor & Francis, 2003).
11. Roger Hardwick, 'Peter Collingwood', http://www.guardian.co.uk/artanddesign/2008/oct/25/1, 收录于 2011 年 10 月 26 日。
12. 同上。
13. http://longhouse.org/larsen.ihtml and http://longhouse.org/mission.ihtml, 收录于 2011 年 10 月 26 日。

第四章

1. Susanne Kücher and Graeme Were, *The Art of Clothing: A Pacific Experience* (London: Routledge), 2005, pp. xix–xx.
2. Marilyn J. Horn, *The Second Skin: An Interdisciplinary Study of Clothing* (Boston, MA: Houghton Mifflin, 1968), p.vii, 归功于对乔治·哈特曼（George Hartmann）关于服装行为学的研究。
3. http://www.surfacedesign.org/what-does-surface-design-mean-you, 收录于 2011 年 11 月 16 日。
4. http://www.indianembassy.tj/en/economy/economy.php?id=14, 收录于 2011 年 11 月 12 日。
5. 见 Brenda King, *Silk and Empire* (Manchester: Manchester University Press, 2005).
6. Helen Douglas, 'The Feel for Rugged Texture', in Mary Schoeser and Christine Boydell (eds), *Disentangling Textiles* (London: Middlesex University Press, 2002), p. 177.
7. 阿道夫·洛伊（Adolph Loewi）给了维尔纳·阿贝格（Werner Abegg）建议，现藏于阿贝格（Abegg）基金会的阿贝格系列，很大程度上受到洛伊的影响。
8. 列奥纳多·达·芬奇的飞翔的轴也启发了圆形多轴抛物框架，此后一些纺织机也以此原理为基础。参见 http://www.museoscienze.org/english/leonardo/fusoaletta.esp, 收录于 2012 年 7 月 2 日。
9. 'Transition and Resilience', *Textile Fibre Forum,* no. 68, 2002, p. 28.
10. 参见 Lauren F. Hughes, 'Weaving Imperial Ideas: Iconography and Ideology of the Inca Coda Bag' in *Textile: The Journal of Cloth and Culture,* vol. 8, July 2010, pp. 149–178, 包含后期安第斯山脉纺织品图案的详细分析。
11. Ruthie Petrie, 'Rozsika Parker', http://www.guardian.co.uk/world/2010/nov/21/rozsikaparker-obituary, 收录于 2011 年 11 月 15 日。
12. Judy Barry, 'The Pleasures of the Machinestitched Mark', in Alice Kettle and Jane McKeating (eds), *Machine Stitch: Perspective* (London: A&C Black, 2010), pp. 23–24.
13. 参见 Anita Feldman and Sue Pritchard, *Henry Moore Textiles* (London: Lund Humphries: 2008).
14. 有些颜色需要复印网（细孔但体积更大的网）在平针织物上印花。有关在平针织物上印花面临的困难，参见 Liz Arthur (ed.), *Robert Stewart: Design 1946–1995* (London: Glasgow School of Art Press / A&C Black, 2003), p. 96。

第五章

1. Colleen E. Kriger, *Cloth in West African History* (Lanham, MD: Rowman AltaMira, 2006), pp. 81–83.
2. 有关阿尔佛雷德·布勒尔（Alfred Bühler），这位 1981 年逝世前一直对更广阔的人种志纺织品领域有巨大贡献的瑞典纺织品学者，参见 Robyn J. Maxwell, *Textiles of Southeast Asia: Tradition, Trade and Transformation* (Rutland, VT, and Tokyo: Tuttle Publishing, 2003). 其他针对类似纺织品藏品系列的讨论，参见 Jack Lenor Larsen, *The Dyer's Art: Ikat, Batik, Plangi* (New York: Van Nostrand Reinhold Co., 1976) 以及 Jonathan C. H. King, *First Peoples, First Contacts: Native Peoples of North America* (Cambridge, MA, Harvard University Press, 1999), 后者讨论了大英博物馆的系列藏品。
3. Margot Schevill, Janet Catherine Berlo and Edward Bridgman Dwyer, *Textile Traditions of Mesoamerica and the Andes: An Anthology* (Austin, TX: University of Texas Press, 1996), p. 5.
4. Hali, nos 123–125, 2002, p. 62.
5. http://shiboriorg.wordpress.com/members/analisahedstrom/, 收录于 2011 年 11 月 22 日。
6. Linda Eaton, *Quilts in a Material World: Selections from the Winterthur Collection* (New York: Abrams, 2007), pp. 164–167, 引用了 Ruth Finley, *Old Patchwork Quilts and the Women Who Made Them* (Philadelphia: J. B. Lippincott, 1929), p. iv, 以及亨利·杜邦（Henry du Pont）也拥有一件复印版。
7. 展览"美国拼被"（American Pieced Quilts）来源于 Jonathan Holstein 和 Gail Vander Hoof 的收藏，并且启发了 Faith 和 Stephen Brown 开始收藏拼被，引出了一些展览和著作。例如 http://americanart.si.edu/pr/library/2000/09/amish/ 以及 Faith and Stephen Brown, *Amish Abstractions: Quilts from the Collection of Faith and Stephen Brown* (Petaluma, CA: Pomegranate Communications, 2009).
8. 参见 Gwen Marston, *Mary Schafer: American Quilt Maker* (Ann Arbor, MI: University of Michigan Press, 2004), p. 64, 有关谢弗获得协会第一届展览奖项。
9. Hannah B. Higgins, *The Grid Book* (Cambridge, MA: MIT Press, 2009), p. 277, 引用了霍华德·加德纳（Howard Gardner）著名的 *Frames of Mind: The Theory of Multiple Intelligences,* 1983 年第 1 版，1993 年第 10 版，同可见于 2011 年电子书版。
10. Richard Sennett, *The Craftsman* (New Haven and London: Yale University Press, 2008), pp. 14–15.
11. Mary Lloyd Jones in *The Festival of Quilts 2011* (exh. cat., August 2010), p. 9.
12. *The Connoisseur,* vols. 17–19, pp. 200–201 见于 http://books.google.co.uk/books?id=PYweAQAAMAAJ&q=stumpwork&dq=stumpwork&hl=en&ei=egPTTvOqFcv48QPwheTlDw&sa=X&oi=book_result&ct=result&resnum=3&ved=0CEEQ6AEwAjgU, 收录于 2011 年 11 月 27 日。
13. Margaret Jourdain, *The History of English Secular Embroidery* (New York: Dutton & Co., 1912), p. 156.
14. 卡普船长带着九个探险者俱乐部的旗帜远征中南美洲，并且出版了许多有关土著文化的书籍。参见 http://www.explorers.org/index.php/about/about_the_club. 其他活跃的收藏家有 20 世纪 60 年代的鲍勃（Bob）和玛丽安·胡贝尔（Marianne Huber），1973 年，他们拍摄了一部关于镂花织物的制作和库纳（Kunas）的纪录片，参见 http://www.mola-museum.com/about_us.html, 收录于 2011 年 11 月 21 日。
15. Yosi Anaya, Universidad Vericruzana,'Welcome to World Textile Art' : http://www.wta-online.org, 收录于 2011 年 11 月 27 日。
16. 同上。
17. Audrey Walker, 摘自 *The World of Embroidery Magazine,* 1993, in *Mary Cozens-Walker: Objects of Obsession 1955–2011, A Pictorial Autobiography* (Ipswich: Healeys Print Group, 2011), p. 27.
18. Jennifer Harris, 摘自同上，p. 41。

第六章

1. 有关女性与机器的关系，参见 Sadie Plant, *Zeros + Ones: Digital Women + The New Technoculture* (London: Fourth Estate, 1998).
2. 例如，Lauren Finley Hughes, 'Weaving Imperial Ideas: Iconography and Ideology of the Inca Coca Bag' in *Textile: The Journal of Cloth and Culture,* vol. 8, no. 2, July 2010, pp. 148–179, 以及 Lisa Monnas, *Merchants, Princes and Painters: Silk Fabrics in Italian and Northern Paintings 1300–1550* (London and New Haven: Yale University Press, 2009).
3. Whitney Blausen, 'Bianchini-Férier', http://www.fashionencyclopedia.com/Ba-Bo/Bianchini-F-rier.html, 收录于 2012 年 1 月 23 日。
4. 来源于伊万·罗迪克（Yvan Rodic）2009 年 9 月 3 日的博客"已经变成了高档时装店和设计师获取全球灵感、学习大街上的人们如何接受一种风潮的主要参考工具——做到这些甚至都不用离开工作台"。来自 http://www.thecoolhunter.co.uk/fashion, 收录于 2011 年 7 月 3 日。
5. Thomas L. Scharf (ed.) 'LACMA' s Founding Collectors: The Mabury Family', http//www.sandiegohistory.org/journal/85winter/100htm, 收录于 2011 年 8 月 18 日。同见于 Iwao Nagasaki, 'The Migration of Japanese Textiles to America', 及 Sharon Takeda, 'The Bella Mabury Collection of Japanese Textiles', in Dale Gluckman et al., *When Art Became Fashion: Kosode in Edo-Period Japan* (Los Angeles: Los Angeles County Museum of Art, 1992).
6. 戈尔丁版和乔治·桑迪斯版（1621 年出版，1632 年修订）影响了弥尔顿、德赖登和蒲柏。见 Helen Hackett, 'England looking outwards in the 16th and 17th centuries' : http://www.ucl.ac.uk/european-institute/highlights/england, 收录于 2011 年 11 月 6 日。
7. 更多信息，见 Melinda Watt and Andrew Morrall (eds), *English Embroidery from the Metropolitan Museum of Art, 1580–1700: Twixt Art and Nature* (New Haven and London: Yale University Press, 2008).
8. Michele Majer, 'Cora Ginsburg: Biography'（未发表的文章，2011), citing (re 'step-child') the *Philadelphia Inquirer,* 25 September 1988, p. 6-F.
9. http://www.globalmamas.org/Info/36-.aspx, 收录于 2012 年 1 月 25 日。"全球妈妈"（Global Mamas）由"妇女在行动"（WIP）这个非营利性全球组织支持。
10. Extra Fancy 的信息可见于网站 http://www.extrafancyco.com/index.php?/infoo/aboutpress/, 收录于 2012 年 1 月 23 日。
11. http://www.francesergen.com/, 收录于 2011 年 11 月 7 日。
12. http://www.vam.ac.uk/channel/things/textiles/timorous_beasties/, 收录于 2011 年 11 月 8 日。

补充书目

参考文献，辞典以及一般性故事

Anawalt, Patricia Rieff, *The Worldwide History of Dress* (London and New York: Thames & Hudson, 2007)

Annual Textile Bibliography (Textile Society of America and Magrath Library, University of Minnesota): http://www.textilesociety.org/publications_bibliography.htm

Barber, Elizabeth, *Prehistoric Textiles* (Princeton, NJ: Princeton University Press, 1992)

Bibliographica Textilia Historiae: On The Textile Literature (The Center for Social Research on Old Textiles [CSROT]) http://egressfoundation.net/egress/index.php?option=com_content&view=article&id=68&Itemid=343

Bibliography, Early Modern Dress and Textiles Research Network: http://www.earlymoderndressandtextiles.ac.uk/bibliography/

Burnham, Dorothy K., *Warp and Weft: A Textile Terminology* (Toronto: Royal Ontario Museum, 1980)

Eicher, Joanne B. (ed.), *Berg Encyclopedia of World Dress and Fashion*, vols 1—10 (New York: Oxford University Press, 2010)

Emery, Irene, *The Primary Structures of Fabrics: An Illustrated Classification* (Washington, DC: The Textile Museum, 1980)

Geijer, Agnes, *A History of Textile Art* (London: Pasold Research Fund, 1979)

Harris, Jennifer (ed.), *5,000 Years of Textiles* (London: British Museum Press, 2010)

Jenkins, David (ed.), *The Cambridge History of Western Textiles* (Cambridge: Cambridge University Press, 2003)

Johnson, Donald C., *Agile Hands and Creative Minds: A Bibliography of Textile Traditions in Afghanistan, Bangladesh, Bhutan, India, Nepal, Pakistan and Sri Lanka* (Bangkok: Orchid, 2002)

Kennett, Frances, *Ethnic Dress: A Comprehensive Guide to the Folk Costume of the World* (London: Reed International, 1995)

McIntyre, J. E. and P. N. Daniels (eds), *Textile Terms and Definitions*, 10th edn (Manchester: The Textile Institute, 1995)

Montgomery, Florence, *Textiles in America 1650—1870: A Dictionary Based on Original Documents* (New York and London: WW Norton, 1984)

Randall, J. L and E. M. Shook, *Bibliography of Mayan Textiles* (Guatemala City: Museo Ixchel de Traje Indigena de Guatemala, 1993)

Schoeser, Mary, *World Textiles: A Concise History* (London and New York: Thames & Hudson, 2003)

Seiler-Baldinger, Annemarie, *Textiles: A Classification of Techniques* (Washington, DC: Smithsonian Institution Press, 1994)

Siegelaub, S. (ed.), *Bibliographica Texilia Historiae* (Amsterdam and New York: International General, 1997)

The Textile Museum, *An Introduction to Textile Terms* (Washington, DC: The Textile Museum): http://www.textilemuseum.com/PDFs/TextileTerms.pdf.

Tilke, Max, *Costume Patterns and Designs: A Survey of Costume Patterns and Designs of All Periods and Nations* (London: A. Zwemmer Ltd, 1956)

Tortora, Phyllis and Robert Muhel, *Fairchild's Dictionary of Textiles*, 7th edn (New York: Fairchild, 1996)

Trench, Lucy (ed.), *Materials and Techniques in the Decorative Arts: An Illustrated Dictionary* (London: John Murray, 2000)

Wyatt, Neal *et al.*, 'Recommended Core Bibliography of Textile and Clothing Resources for Academic and Public Libraries', *Reference & User Services Quarterly*, vol. 47, no. 4, 2008 (American Library Association)

技术

Abegg, Margaret, *Apropos Patterns: For Embroidery, Lace and Woven Textiles* [1978] (Riggisberg: Abegg-Stiftung, 1998)

Anderson, Clarita, *American Coverlets and their Weavers: Coverlets from the Collection of Foster and Muriel McCarl (Williamsburg Decorative Arts Series)* (Columbus, OH: Ohio University Press, 2002)

Black, Sandy, *Knitwear in Fashion* (London: Thames & Hudson, 2005)

Cason, Marjorie and Adele Cahlander, *The Art of Bolivian Highland Weaving: Unique, Traditional Techniques for the Modern Weaver* (New York: Watson-Guptill Publications, 1976)

Earnshaw, Pat, *The Identification of Lace* [1980] (Oxford: Shire Publications, 2009)

Earnshaw, Pat, *Lace Machines and Machine Laces* (London: Batsford, 1986)

Eaton, Linda, *Quilts in a Material World: Selections from the Winterthur Collection* (New York: Abrams, 2007)

Fisch, Arlene, *Textile Techniques in Metal* (Asheville, NC: Lark Books, 2001)

Gillow, John and Brian Sentance, *World Textiles: A Visual Guide to Traditional Techniques* (London: Thames & Hudson, 1999)

Harvey-Brown, Stacey, *Woven Shibori* (Stoke-on-Trent: The Loom Room Publications, 2010)

Huli, Alastair and Jose Luczyc-Wyhowska, *Kilim: The Complete Guide* (London: Thames & Hudson, 2000)

Kadolph, Sara J., *Textiles*, 11th edn (Upper Saddle River, NJ: Prentice Hall/Pearson, 2010)

Kettle, Alice and Jane McKeating (eds), *Machine Stitching: Perspectives* (London: A&C Black, 2010)

Kraatz, Anne, *Lace: History and Fashion* (London: Thames & Hudson) 1989 [originally in French as *Dentelles* (Paris, Éditions Adam Biro, 1988), translated by Pat Earnshaw]

Larsen, Jack Lenor, *Interlacing: The Elemental Fabric* (New York: Kodansha America, 1987)

Levey, Santina , *Lace: A History* (London: Victoria & Albert Museum; Leeds: W. S. Maney, 1983, reprinted 2001)

Marinis, Fabrizio de', *Velvet: History, Techniques, Fashion* (Milan: Idea Books, 1994)

Marshall, John, *Make Your Own Japanese Clothes: Patterns and Ideas for Modern Wear* (Tokyo and New York: Kodansha International Ltd, 1988)

Milanesi, Enza, *The Carpet: Origins, Art, and History* (Ontario: Firefly Books Ltd, 2002)

Morrell, Anne, *The Techniques of Indian Embroidery* (London: Batsford Ltd, 1994)

Paine, Sheila, *Embroidered Textiles: A World Guide to Traditional Patterns* (London: Thames & Hudson, 2010)

Phillips, Barty, *Tapestry* (London: Phaidon, 1994)

Pritchard, Sue, *Quilts 1700—2010: Hidden histories, Untold Stories* (London: Victoria & Albert Museum, 2010)

Richards, Ann, *Weaving Textiles That Shape Themselves* (Ramsbury: The Crowood Press, 2012)

Rossbach, Ed, *Baskets as Textile Art* (New York: Van Nostrand Reinhold Co., 1973)

Rutt, Richard, *A History of Hand Knitting* (London: Batsford 1987; repr. Interweave Press, 2003)

Saint-Aubin, Charles Germain de, *Art of the Embroiderer* [Paris: 1770], facsimile edition by Nikki Scheuer (trans.) and Edward Maeder (Los Angeles: Los Angeles County Museum of Art, 1983)

Sentance, Brian, *Basketry: A World Guide to Traditional Techniques* (London: Thames & Hudson, 2007)

Sherrill, Sarah, *Carpets and Rugs of Europe and America* (New York, London and Paris: Abbeville, 1996)

Wada, Yoshiko, *Memory on Cloth: Shibori Now* (Tokyo: Kodansha International Ltd, 2002)

Wada, Yoshiko *et al.*, *Shibori: The Inventive Art of Japanese Shaped Resist Dyeing: Tradition, Techniques, Innovation* [1983] (Tokyo, New York and London: Kodansha International Ltd, 2012)

Yoshioka, S. *et al.* (eds), *Tsutsugaki Textiles of Japan: Traditional Freehand Paste Resist Indigo Dyeing Technique of Auspicious Motifs* (Kyoto: Books Nippan, 1987)

纤维和染料

Arthur, Liz (ed.), *Seeing Red: Scotland's Exotic Textile Heritage* (Glasgow: Collins Gallery, 2007)

Balfour-Paul, Jenny, *Indigo* (London: British Museum Press, 1998)

Chenciner, Robert, *Madder Red: A History of Luxury and Trade* (London: Routledge Curzon, 2000)

Delamare Françoise, *Colour: The Story of Dyes and Pigments* (London: Thames & Hudson, 2000)

Garfield, Simon, *Mauve: How One Man Invented a Colour That Changed the World* (London: Faber, 2000)

Gittinger, Mattiebelle, *Master Dyers to the World: Technique and Trade in Early Indian Dyed Cotton Textiles* [1982] (Washington, DC: The Textile Museum, 1997)

Handley, Susannah, *Nylon: The Story of a Fashion Revolution* (Baltimore: The Johns Hopkins University Press, 1999)

Kasselman, K.D., *Natural Dyes of the Asia Pacific Region* vol. 2 (London: Studio Vista, 1997)

Larsen, Jack Lenor *et al.*, *The Dyer's Art: Ikat, Batik, Plangi* (New York: Van Nostrand Reinhold Co., 1976)

Mairet, Ethel, *Vegetable Dyes: Being a Book of Recipes and Other Information Useful to the Dyer* (London: Faber & Faber, 1916; 6th edn 1938 available at http://www.gutenberg.org/files/24076/24076-h/24076-h.htm)

Ponting, Ken, *A Dictionary of Dyes and Dyeing* (London: Bell & Hyman, 1981)

Riello, Giorgio and P. Parthasarathi (eds), *The Spinning World: A Global History of Cotton Textiles, 1200—1850* (Oxford: Oxford Uinversity Press/Pasold Research Fund, 2011)

Rivers, Victoria, *The Shining Cloth: Dress and Adornment that Glitters* (London: Thames & Hudson, 1997)

Sandber, Gosta, *The Red Dyes: Cochineal, Madder, and Murex Purple* (Asheville NC: Lark Books, 1998)

Schoeser, Mary, *Silk* (New Haven and London: Yale University Press, 2007)

Yafa, Stephen, *Cotton: The Biography of a Revolutionary Fiber* (New York: Viking, 2005)

非洲

Bouttiaux, Anne-Mari, *African Costumes and Textiles: From the Berbers to the Zulus* (Milan: 5 Continents Editions, 2008)

Gillow, John, *African Textiles: Colour and Creativity Across a Continent* (San Francisco: Chronicle, 2003)

Kriger, Colleen E., *Cloth in West African History* (Lanham, MD: Rowman AltaMira, 2006)

Lagamma, Alisa and Christine Giuntini, *The Essential Art of African Textiles: Design without end* (New York: Metropolitan Museum of Art, 2009)

Lamb, Venice and Alastair Lamb, *Sierra Leone Weaving* (Hertingfordbury: Roxford Books, 1984)

Mack, John, *Malagasy Textiles (Shire ethnography)* (Princes Risborough: Shire, 1989)

Picton, John (ed.), *The Art of African Textiles: Technology, Tradition, and Lurex* (London: Lund Humphries, 1995)

Ross, Doran, *Wrapped in Pride: Ghanaian Kente and African American identity* (Los Angeles: Fowler Museum of Cultural History, 1998)

Spring, Christopher and Julie Hudson, *North African Textiles* (London: British Museum Press, 1995)

亚太地区

Barnes, Ruth and Mary Hunt Kahlenberg, *Five Centuries of Indonesian Textiles* (London: Prestel, 2010)

Clark, Ruby, *Central Asian Ikats* (London: V&A Publishing, 2007)

Conway, Susan, *Thai Textiles* (London: British Museum Press, 1992)

Corrigan, Gina, *Miao Textiles from China* (London: British Museum Press, 2001)

Debaine-Francfort, Corinne and Abduressul Idriss, *Keriya, mémoire d'un fleuve: Archéologie et civilisation des oasis du Taklamakan* (Suilly-la-Tour: Éditions Findakly, 2001)

Harvey, J., *Traditional Textiles of Central Asia* (London: Thames & Hudson, 1997)

Gibbon, Kate Fitz and A. Hale, *Ikat Silks of Central Asia: The Guido Goldman Collection* (London: Laurence King/ Alan Marcuson, 1997)

Gittinger, Mattiebelle, *Splendid Symbols: Textiles and tradition in Indonesia* [1979] (Singapore and New York: Oxford University Press of South East Asia, 1990)

Gittinger, Mattiebelle and H. Leedom Lefferts, *Textiles and the Tai Experience in Southeast Asia* (Washington, DC: The Textile Museum, 1992)

Gluckman, Dale and Sharon Takeda, *When Art Became Fashion: Kosode in Edo-Period Japan* (Los Angeles and New York: Weatherhill, 1992)

Gonick, Gloria and Ichiko Yonamine, *Splendor of the Dragon: Costume of the Ryukyu Kindgom* (Los Angeles: Craft and Folk Art Museum/Okinawa Prefectural Museum, 1995)

Hamilton, Roy, *From the Rainbow's Varied Hue: Textiles of the Southern Philippines* (Los Angeles: Fowler Museum of Cultural History, 2002)

Jackson, Robert D., *Imperial Silks: Ch'ing Dynasty Textiles in the Minneapolis Museum of Art* (Minneapolis: Art Media Resources, 2000)

Kahlenberg, Mary Hunt and Valérie Berinstain, *Asian Costumes and Textiles: From the Bosphorus to Fujiyama – The Zaira and Marcel Mis Collection* (Milan: Skira, 2001)

Kawakami, Barbara F., *Japanese Immigrant Clothing in Hawaii 1885—1941* (Honolulu: University of Hawaii Press, 1993)

Lipton, Mimi and Cyril Barrett (eds), *The Tiger Rugs of Tibet* (London: Thames & Hudson, 1989)

Neich, Roger and Mick Pendergrast, *Traditional Tapa Textiles of the Pacific* (London: Thames & Hudson, 1997)

Tagwerker, Edeltraud, *Siho and Naga – Lao Textiles: Reflecting a People's Tradition and Change* (New York: Peter Lang, 2009)

Watt, James C. Y. and Anne E. Wardwell, *When Silk Was Gold: Central Asian and Chinese Textiles* (New York: Metropolitan Museum of Art/Abrams, 1997)

Zhao, F., *Treasures in Silk: An Illustrated History of Chinese Textiles* (Hong Kong: ISAT/Costume Squad, 1999)

欧洲和北美，到 1985 年

Atterbury, Paul and Clive Wainwright, *Pugin: A Gothic Passion* (New Haven and London: Yale University Press, 1994)

Buruma, Anna, *Liberty & Co. in the Fifties and Sixties: A Taste for Design* (Woodbridge and New York: Antique Collectors' Club, 2008)

Campbell, Thomas P., *Tapestry in the Renaissance: Art and Magnificence* (New York: Metropolitan Museum of Art, 2002)

Clark, Robert and Andrea Belloli (eds) *Design in America: Cranbrook Vision, 1925–50* (New York: Abrams, 1983)

Coatts, Margot *A Weaver's Life: Ethel Mairet 1872—1952* (London: Crafts Council, 1983)

Constantine, Mildred and Jack Lenor Larsen, *The Art Fabric Mainstream* (New York: Van Nostrand Reinhold Co., 1981)

Constantine, Mildred and Jack Lenor Larsen, *Beyond Craft: The Art Fabric* (New York: Van Nostrand Reinhold Co., 1973)

Endrei, Walter, *The First Hundred Years of European Textile Printing* (Budapest: Akademiai Kiado, 1998)

German Renaissance Patterns for Embroidery: A Facsimile Copy of Nicolas Bassee's New Modelbuch of 1568 (Austin, TX: Curious Works Press, 1994)

Gerstein, Alexandra (ed.), *Beyond Bloomsbury: Designs of the Omega Workshop 1913—1919* (London: Courtauld Gallery/Fontanka, 2009)

Hanson, Viveka, *Swedish Textile Art : Traditional Marriage Weavings from Scania (The Nasser D. Khalili Collection of Swedish Textile Art)* (London: Kibo Foundation 1996)

Hardy, Alain-René, *Art Deco Textiles: The French Designers* (London: Thames & Hudson, 2006)

Hiesinger, Kathryn and George Marcus, *Design Since 1945* (Philadelphia: Rizzoli, 1983)

Jackson, Lesley, *Alastair Morton and Edinburgh Weavers: Visionary Textiles and Modern Art* (London: V&A Publishing, 2012)

Jones, Owen, *The Grammar of Ornament* [1856] (London: A&C Black, 2008)

Kachurin, Pamela Jill, *Soviet Textiles: Designing the Modern Utopia* (Boston, MA: MFA Publications, 2006)

King, Brenda, *Dye, Print, Stitch: Textiles by Thomas and Elizabeth Wardle* (Brenda King, 2009)

Klein, Bernat, *Eye for Colour* (London: Collins, 1965)

Koike, Kazuki (ed.), *Issey Miyake: East Meets West* (Tokyo: Heibonsha, 1978)

McFadden, David and Lotus Stack, *Jack Lenor Larsen: Creator and Collector* (London: Merrell, 2004)

Miller, Lesley E., 'Jean Revel: fine artist, designer or entrepreneur?', *Journal of Design History*, vol. 8, no. 2, 1995, pp. 79—96

Monnas, Lisa, *Merchants, Princes and Painters: Silk Fabrics in Italian and Northern Paintings 1300—1550* (New Haven and London: Yale University Press, 2008)

Parry, Linda, *Textiles of the Arts & Crafts Movement* [1998] (London: Thames & Hudson, 2005)

Parry, Linda, *William Morris Textiles* (London: Weidenfeld and Nicolson, 1983)

Rehman, Naheed Jafri Sherry, *The Kashmiri Shawl: From Jamawar To Paisley* (Ahmedabad: Mapin Publishing, 2006)

Robertson, Kay, *2,000 Years of Silk Weaving: An Exhibition Sponsored by the Los Angeles County Museum in collaboration with the Cleveland Museum of Art and the Detroit Institute of Art* (New York: E. Weyhe, 1944)

Rothstein, Natalie, *Silk Designs of the Eighteenth Century* (London: Thames & Hudson, 1990)

Rowe, Ann P. and Rebecca A. T. Stevens, *Ed Rossbach: 40 Years of Exploration and Innovation in Fiber Art* (Asheville, NC: Lark Books, 1990)

Schoeser, Mary, *Marianne Straub* (London: Design Council, 1984)

Schoeser, Mary, 'A Secret Trade: Plate-printed textiles and dress accessories, *c.* 1620–1820', *Dress: The Annual Journal of the Costume Society of America*, vol. 34, 2007, pp. 49—59

Staniland, Kay, *Medieval Craftsmen: Embroiderers* (Toronto: University of Toronto Press, 1991)

Scott, Katie and Cherry, Deborah (eds), *Between Luxury and the Everyday: Decorative Arts in Eighteenth-Century France* (Oxford: Blackwell, 2005)

Talley, Charles, *Contemporary Textile Art: Scandinavia* (Stockholm: Carmina, 1982)

Troy, Virginia Gardner, *Anni Albers and Ancient American Textiles: From Bauhaus to Black Montain* (Aldershot and Burlington, VT: Ashgate, 2002)

Troy, Virginia Gardner, *The Modernist Textile: Europe and America, 1890—1940* (London: Lund Humphries, 2006)

Volker, Angela and Ruperta Pichler, *Textiles of the Weiner Werkstätte, 1910—1932* (London: Thames & Hudson, 1994)

Watt, Melinda and Andrew Morrall, *English Embroidery in the Metropolitan Museum 1580—1700: 'Twixt Art and Nature* (New York: Metropolitan Museum of Art, 2009)

Yefimova, Luisa V. and Tatyana S. Aleshina, *Russian Elegance: Country and City Fashion from the 15th to the early 20th Century* (London: Vivayas Publishing, 2011)

印度次大陆

Ames, Frank, *Woven Masterpieces of Sikh Heritage: The Stylistic Development of the Kashmir Shawl 1780—1839* (Woodbridge and New York: Antique Collectors' Club, 2010)

Askari, Nasreen and Liz Arthur, *Uncut Cloth: Saris, Shawls and Sashes* (London: Merrell Holberton, 1999)

Askari, Nasreen and Rosemary Crill, *Colours of the Indus: Costumes and Textiles of Pakistan* (London: Merrell Holberton, 1997)

Barnes, Ruth, *Indian Block-Printed Textiles in Egypt: The Newberry Collection in the Ashmolean Museum* (Oxford: Clarendon Press, 1997)

Christi, Rta Kapoor *et al.*, *Handcrafted Indian Textiles: Tradition and beyond* (New Delhi: Roli Books, 2004)

Crill, Rosemary, *Chintz: Indian Textiles for the West* (London: V&A Publishing, 2008)

Crill, Rosemary, *Indian Ikat Textiles* (London: V&A Publishing, 1998)

Edwards, Eiluned, *Textiles and Dress of Gujarat* (London: V&A Publishing, 2011)

Gillow, John and Nicholas Barnard, *Indian Textiles* (London: Thames & Hudson, 2008)

Guy, John, *Indian Textiles in the East: From Southeast Asia to Japan* (London: Thames & Hudson, 2009)

Konieczny, M. G., *Textiles of Baluchistan* (London: British Museum Press, 1979)

Mason, Darielle *et al.*, *Kantha: The Embroidered Quilts of Bengal from the Sheldon and Jill Bonovitz Collection and the Stella Kramrisch Collection of the Philadelphia Museum of Art* (New Haven: Yale University Press, 2009)

Paine, Sheila, *Embroidery from India and Pakistan* (London: British Museum Press, 2001)

Weir, Shelagh, *Palestinian Costume* (Austin, TX: University of Texas Press, 1989)

土著与拉丁美洲

Braun, Barbara (ed.), *Arts of the Amazon* (New York

and London: Thames & Hudson, 1995)

Cordry, Donald and Dorothy Cordry, *Mexican Indian Costumes* (Austin, TX, and London: University of Texas Press, 1968)

Crawford, Morris de Camp, *Peruvian Textiles* [1915] (Charleston, NC: Nabu Press, 2010)

Freeman, Roland, *Communion of the Spirits: African-American Quilters, Preservers, and Their Stories* (Nashville, TN: Thomas Nelson, 1996)

Harless, Susan E. (ed.), *Native Arts of the Columbia Plateau: The Doris Swayze Bounds Collection* (Bend, OR: The High Desert Museum/Seattle & London: University of Washington Press, 1998)

Her Many Horses, Emil (ed.), *Identity by Design: Tradition, Change, and Celebration in Native Women's Dresses* (New York: Harper Collins/The National Museum of the American Indian, Smithsonian Institution, Washington, DC, 2007)

Perrin, Michael, *Magnificent Molas: The Art of the Kuna Indians* (Paris and London: Flammarion,1999)

Rowe, Anne P. *et al.*, *Costume and Identity in Highland Ecuador* (Seattle: University of Washington Press, 1998)

Rowe, Anne P. and J. Cohen, *Hidden Threads of Peru: Q'ero Textiles* (Washington, DC: Merrell, 2002)

Sawyers, Alan, *Early Nasca Needlework* (London: Laurence King, 1997)

Sayer, Chloe, *Costumes of Mexico* (Austin, TX: University of Texas Press, 1985)

Sheville, Margot, *Maya Textiles of Guatemala: The Gustavus A. Eisen Collection, 1902* (Austin, TX: University of Texas Press, 1979)

Scheville, Margot B., *Evolution in Textile Design from the Highlands of Guatemala* (Berkeley, CA: Lowie Museum of Anthropology, University of California, 1985)

Scheville, Margot B. *et al.* (eds), *Textile Traditions of Mesoamerica and the Andes: An Anthology* (Austin, TX: University of Texas Press, 1996).

Vavalle, J. A. and J. A. G. Garcia (eds), *The Textile Arts of Peru* (Peru: Integra AFP, 1999)

近东和中东地区

Erickson, M., *Textiles in Egypt 200—1500* AD *in Swedish Museums* (Gottenburg: University of Gottenburg, 1997)

Fluck, Cacilia and Gisela Helmecke (eds), *Textile Messages: Inscribed Fabrics from Roman to Abbasid Egypt* (Leiden, Boston and Tokyo: Brill, 2006)

Frances, Michael and Rupert Waterhouse, *Great Embroideries of Bukhara* (London: Textile and Art Publications, 2000)

Gervers, Veronika, 'The Influence of Ottoman Turkish Textiles and Costume in Eastern Europe: with particular reference to Hungary', *History, Technology, and Art Monograph 4* (Toronto: Royal Ontario Museum, 1982)

Gillow, John, *Textiles of the Islamic World* (London: Thames & Hudson, 2010)

Hoskins, Nancy Arthur, *The Coptic Tapestry Albums: and the Archaeologist of Antino* (Seattle: University of Washington Press, 2004)

Krody, Sumru Belgar, *Flowers of Silk and Gold: Four Centuries of Ottoman Embroidery* (Washington D.C: The Textile Museum/London: Merrell, 2000)

Noever, Peter, *Fragile Remnants: Egyptian Textiles of Late Antiquity and Early Islam* (Ostfildern: Hatje Cantz, 2006)

Paine, Sheila, *Embroidery from Afghanistan* (London: British Museum Press, 2006)

Palace of Gold and Light: Treasures from the Topkapi, Istanbul (Chicago: University of Chicago Press, 2001)

Raby, J. and A. Effeny (eds), *Ipek: The Cresent and the Rose: Imperial Ottoman Silks and Velvets* (London: Azimuth, 2001)

Raven, Maarten J. *et al.*, *Pharaonic and Early Medieval Egyptian Textiles – Collections of the National Museum of Antiquities at Leiden* (Turnhout: Brepols, 2002)

Scarce, Jennifer, *Women's Costume of the Near and Middle East* (London: Unwin Hyman, 1987)

Stauffer, A., *Textiles of Late Antiquity* (New York: Metropolitan Museum of Art, 1995)

Taylor, Roderick, *Ottoman Embroidery* (New York: Interlink, 1997)

Taylor, Roderick, *Embroidery of the Greek Islands* (New York: Interlink, 2002)

Wearden, Jennifer and Patricia L. Baker, *Iranian Textiles* (London: V&A Publishing, 2010)

1985 年之后

专著和展览目录的信息可通过联系作者中列出的网址进行咨询。以下标题提供了 20 世纪 80 年代中期以来艺术纺织品发展的概览，按时间顺序排列。

Tsurumoto, Shozo (ed.), *Issey Miyake Bodyworks* (Tokyo: Shogakukan, 1983)

Rhodes, Zandra and Anne Knight, *The Art of Zandra Rhodes* [1984] (London: Michael O'Mara, 1995)

Parker, Rozsika, *The Subversive Stitch: Embroidery and the Making of the Feminine* [1984] (London: IB Tauris, 2010)

Dale, Julie Schafler, *Art to Wear* (New York: Abbeville Press, 1986)

Chloe Colchester, *The New Textiles* (London: Thames & Hudson, 1993)

Holborn, Mark, *Issey Miyake* (Cologne: Taschen, 1995)

Schoeser, Mary, *International Textile Design* (London: Laurence King, 1995)

Wada, Yoshkio and Rebecca Stevens, *The Kimono Inspiration: Art and Art-to-Wear in America* (Washington, DC: The Textile Museum, 1996)

Brackman, Barbara, *Patterns of Progress: Quilts in the Machine Age* (Seattle: Gene Autry Western Heritage, 1997)

Braddock, Sarah and Marie O'Mahony, *Techno Textiles: Revolutionary Fabrics for Fashion and Design* (London: Thames & Hudson, 1999)

McCarty, Cara and Matilda McQuaid, *Structure and Surface: Contemporary Japanese Textiles* (New York: Museum of Modern Art/Abrams, 1999)

Sato, Kazuko, *Issey Miyake Making Things* (Paris: Fondation Cartier pour l'art contemporain/Zurich: Scalo, 1999)

Stevens, Rebecca, *Technology as Catalyst: Textile Artists on the Cutting Edge* (Washington, DC: The Textile Museum, 2002)

Aimone, Katherine Duncan, *The Fibrearts Book of Wearable Art* (Asheville, NC: Lark Books, 2004)

Leventon, Melissa, *Artwear: Fashion and Anti-Fashion* (Fine Art Museum of San Francisco/New York: Thames & Hudson, 2005)

McQuaid, Matilda, *Extreme Textiles: Designing for High Performance* (New York: Cooper-Hewitt, National Design Museum, 2005)

Braddock, Sarah and Marie O'Mahony, *Techno Textiles 2: Revolutionary Fabrics for Fashion and Design* (London: Thames & Hudson, 2007)

Millar, Lesley, *Cloth and Culture Now* (Canterbury: University College for the Creative Arts, 2007)

Cole, Drusilla, *Textiles Now* (London: Laurence King, 2008)

McFadden, David Revere *et al.*, *Radical Lace and Subversive Knitting* (Woodbridge and New York: Antique Collectors' Club, 2008)

Monem, Nadine (ed.), *Contemporary Textiles: The Fabric of Fine Art* (London: Black Dog, 2008)

Colchester, Chloe, *Textiles Today: A Global Survey of Trends and Traditions* (London: Thames & Hudson, 2009)

Quinn, Bradley, *Textile Designers at the Cutting Edge* (London: Laurence King, 2009)

Hunh, Shu and Joseph Magliaro, *By Hand: The Use of Craft in Contemporary Art* (New York: Princeton Architectural Press, 2010)

Off the Wall: The World of Wearable Art (Nelson, New Zealand: Craig Potton Publishing, 3rd edn 2011)

Moriyama, Professor Akiko, *Arai Jun-ichi: Tekisutairu bankakyou – Jun-ichi Arai: The Dream Weaver* (Tokyo: Bigaku Shuppann, 2012)

补充书目由安·斯坦贝协助编译。

资源

设计师，艺术家和制造商

Soraya Abidin www.dickidin.com.au
Jackie Abrams www.jackieabrams.com
Nadia Albertini www.nadiaalbertini.com
Brigitte Amarger www.brigitteamarger.com
Sonja Andrew s.andrew@manchester.ac.uk
Janice Appleton www.janiceappleton.com
Lucy Arai www.lucyarai.com
Patricia Armour www.tapestryartist.co.nz
Bethan Ash www.bethanash.co.uk
Christine Atkins www.christineatkins.net
Jenny Balfour-Paul j.a.balfour-paul@exeter.ac.uk
Jo Barker issuu.com/michaeldancer/docs/jobarker_14
Margaret Barnett mabarnett1@bigpond.com
Mary Barron www.visualarts.net.au/gallery/maryelizabethbarron
James Bassler gail.martin.gallery@att.net
Daniela Bauer www.a-hat.de info@a-hat.de
Joan Beadle J.Beadle@mmu.ac.uk
Linda Behar www.lindabehar.com
Trish Belford and Ruth Morrow www.tactilityfactory.com
Boisali Biswas www.boisalibiswas.com
Patricia Black www.patricia-black-artwear.com
Sandy Black www.fashion.arts.ac.uk/research/staff/a-z/professorsandyblack
Cecilia Blomberg www.ceciliablomberg.com
Lisbet Borggreen lisbit@net.telenor.dk
Eszter Bornemisza www.bornemisza.com
Silke Bosbach www.silke-bosbach.de
Neil Bottle www.neilbottle.com
George-Ann Bowers gabowers@earthlink.net
Melanie Bowles www.tedresearch.net
Michael Brennand-Wood www.brennand-wood.com
Cheryl Bridgart www.bridgart.com
Elizabeth Brimelow ebrimelow@Hotmail.com
Ann Brown annbrownart@gmail.com
Caroline Brown www.carolinebrownarttextiles.com
Hilary Buckland thebucklands@iinet.net.au
Pauline Burbidge www.paulineburbidge-quilts.com
Rosalind Byass rosalindbyass@hotmail.com
Jean Cacicedo www.jeancacicedo.com
Elizabeth Calnan www.elizabethcalnantextiles.com
Sarah Campbell www.sarahcampbelldesigns.com
Vanda Campbell vanda.campbell@virgin.net
Nigel Cheney www.nigelcheney.com
Heidi Chisholm www.heidichisholm.com
Joanne Circle jocircle@telus.net
Jane Clark www.jointworks.co.nz
Marian Clayden www.marianclayden.com
Jette Clover www.jetteclover.com
Candiss Cole www.candisscole.com
Annabelle Collett yayadesign@mail.com
Carole Collett carolecollett.com
Vishna Collins vishnacollins@optusnet.com.au
Dana Connell www.wolfdesignsonline.com
Judith Content judithcontent@earthlink.net
Janet Cooper www.janetcooperdesigns.com
Mary Cozens-Walker www.marycozenswalker.co.uk
Nancy Crasco www.nancycrasco.com
Fiona Crestani f.crestani@sbg.at
Candace Crockett crockett@sfsu.edu
Margaret Frances Crowther margaretf.crowther@virgin.net
Bailey Curtis www.baileycurtis.com
Lotte Dalgaard lotte.dalgaard@pc.dk
Naseem Darby www.naseemdarbey.com
Fenella Davies www.fenelladavies.com
Ulla De Larios www.ulladelarios.com
Diffus Design www.diffus.dk
Lynette Douglas www.beautifulhats.biz
Sue Dove suedove55@hotmail.com
Dovecot Studios, Edinburgh www.dovecotstudios.com
Hil Driessen www.hildriessen.com
Jane Dunnewold www.complexcloth.com
Jilly Edwards www.jillyedwards.co.uk
Andrea Eimke www.atiu-fibrearts.com
Elegant Additions, Inc. www.elegantadditionsinc.com/general.php
Andrea Ellis www.texperience.fr
Erin Endicott www.erinendicottart.com
Sharon Epstein sharon@sharonepsteintextiles.com
Frances Ergen www.francesergen.com
Dawn Zero Erickson www.dawnzeroerickson.com
Ann Fahy www.quiltart.eu
Judi Fairbairn www.odysseytextileart.co.uk
Jennifer Falck Linssen www.jenniferfalcklinssen.com
Christopher Farr www.christopherfarr.com
Catriona Faulkner www.catrionafaulkner.com
Ali Ferguson www.aliferguson.co.uk
Clairan Ferrono www.fabric8tions.net
Anne Field www.annefield.co.nz
Diane Finnegan www.diannefinnegan.com.au
Dianne Firth craftact.org.au/portfolios/textiles
Katriina Flensburg www.katriinaflensburge.se
Sara Forzano www.gladraglabel.ch
James Fox www.jamesfoxtextileartist.co.uk
Jane Freear-Wyld www.janefreear-wyld.com
Susie Freeman www.pharmacopoeia-art.net
Christina Frey ch-kd.frey@t-online.de
Alex Friedman alexfriedmantapestry.com
Linda Friedman-Schmidt www.lindafriedmanschmidt.com
Shihoko Fukumoto web.kyoto-inet.or.jp/people/shihoko
Fran Gardner www.frangardner.intuitwebsites.com
Caren Garfen www.carengarfen.com
Frances Geesin www.francesgeesin.com
Amy George www.amyrrgeorge.com
Urusula Gerber-Senger www.ursula-gerber.ch
Preeti Gilani www.gilani.com
Teresa Poletti Glover www.feltart.com.au
Lucy Goffin www.lucygoffintextiles.co.uk
Doria Goocher doriadesigns@gmail.com
Janelle Green nelstoyandbookhaven@bigpond.com
Linda Green www.studiogreen.me
Liza Green lizagreen.blogspot.com
Julia Griffiths Jones www.juliagriffithsjones.co.uk
Erika Grime sites.google.com/site/sokjova1/
Diane Groenewegen www.atasda.org.au
Gabriele Grohmann www.grohmannberlin.de
Carole Anne Grotrian www.caroleannegrotrian.com
Mandy Gunn www.mandygunnart.com
Guarav Jai Gupta contact@akaaro.com
Lois Hadfield loisilk@sbcglobal.net
Janet Haigh www.janethaigh.wordpress.com
Havva Halaceli www.havvahalaceli.blogspot.com
Alvena Hall alvenah@senet.com.au
Hand & Lock www.handembroidery.com
Gloria Hansen www.gloriahansen.com
Matthew Harris www.matthewharriscloth.co.uk
Lyn Hart www.desertsongstudio.com
Paddy Hartley www.paddyhartley.com
Stacey Harvey-Brown www.theloomroom.co.uk
Beth Hatton www.bethhatton.net
Ellen Hauptli www.ellenhauptli.com
Rozanne Hawksley www.rozannehawksley.com
Ana Lisa Hedstrom www.analisahedstrom.com
Cecilia Heffer www.fibre2fashion.com
Sibyl Heijnen www.sibylheijnen.com
Robert Hillestad rhillestad@inebraska.com
Elizabeth Hinkes www.odysseytextileart.co.uk
Pat Hodson www.pathodson.co.uk
Maria Holohan www.axisweb.org/artist/mariaholohan
Raymond Honeyman raymondhoneyman@yahoo.com
Jan Hopkins janhopkinsart@blogspot.com
Dirjke van de Horst-Beetsma dirkje.artquilt@xs4all.nl
Sue Hotchkis susanhotchkis@yahoo.co.uk
Rachel Howard www.rachaelhoward.com
Inge Hueber www.ingehueber.de
Valerie Huggins v.huggins962@btinternet.com
Lynn Hulse www.ornamentalembroidery.com
Annie Hunt www.annihunt.com
Marie-Laure Ilie www.marilorart.com
Sara Impey www.quiltart.eu
Bridget Ingram-Bartholomaus quilts@bridgetIngram-bartholomaeus.de
Louisa Jane Irvine www.louisajane.net
Anne Jackson www.annejackson.co.uk
Val Jackson valstitch@gmail.com
Tracy Jamar www.tracyjamar.com
Val James val.ron@optus.net.au
Silvia Japkin Szulc japkin2@gmail.com
Marty Jonas www.martyjonas.com
Helen Jones textilearchaeology@virginmedia.com
Yoshiko Katagiri daifukuquilt@yahoo.co.jp
Allie Kay kay.allie22@gmail.com
Christine Keller www.christinekeller.net
Mo Kelman www.mokelman.com
Alice Kettle www.alicekettle.com
Kay Khan www.kaykhanart.com
Jill Kinnear www.jillkinnear.com
Joanna Kinnersley-Taylor www.joannakinnerslytaylor.com
Sheila Klein www.sheilaklein.com
Susie Krage skrage2@att.net
Padmaja Krishnan www.transitdesign.in/blog
Tracy Krumm www.tracykrumm.com
Jackie Langfeld www.jackielangfeld.co.uk
Anne Leon www.anneleon.com
Ruth Levine studiolevine@gmail.com
Bette Levy www.pyrogallery.com
Liberty Art Fabrics www.liberty.co.uk
Hillu Liebelt www.hilluliebelt.com
Janet Lipkin www.janetlipkin.com
Mary Lloyd Jones www.marylloydjones.co.uk
K. C. Lowe www.kclowe.com
Josette Luyckx and Marie Paine www.mariejosette.com
Heather Macali www.heathermacali.com
Janine McAullay-Bott www.aritja.com.au
Martha McDonald marthalmcdonald.blogspot.com
Jane McKeating www.62group.org.uk
Althea McNish www.mcnishandweiss.co.uk
Pat Maloney patmaloney93@aol.com
Ptolemy Mann www.ptolemymann.com
Elisa Markes-Young www.zebra-factory.com
Ruth Marshall www.ruthmarshall.com
Cherilyn Martin www.cherilynmartin.com
Paula Martin www.performingdesign.com.au
Vicki Mason www.vickijewel.com
Katherine Maxwell www.katherinemaxwell.com
Sandra Meech www.sandrameech.com
Melba www.maningrida.com
Nancy Middlebrook www.nancymiddlebrook.com
Melanie Miller www.artdes.mmu.ac.uk/profile/miller
Eleri Mills www.thackeraygallery.com
Mariana Minke www.textile-design-studio.com
Claudia Moeller www.claudiamoeller.com
Pat Moloney patmaloney93@aol.com
Julie Montgarrett jmontgarrett@csu.edu.au
Cathy Moon www.camoon.com.au
Samantha Morris sammorris23@gmail.com
Alison Morton alison.theweaver@gmail.com
Robyn Mountcastle ramountcastle@bigpond.com

MUNGO www.mungo.co.za
LARISSA MURDOCK murdock48@gmail.com
DOMINIE NASH www.dominienash.com
CAROLYN NELSON www.carolynnelsonart.com
NITHIKUL NIMKULRAT www.inicreation.com
LESLIE NOBLER www.leslienobler.com
SARA NORDLING www.sanordling.com
INGE NORGAARD www.ingenorgaard.com
NUNO WORKS WAREHOUSE www.nunoworks.com
CATHERINE O'LEARY www.catherineoleary.com.au
LORETTA OLIVER lorettaoliver@wordpress.com
CLYDE OLLIVER www.clydeolliver.com
MARTHA OPDAHL www.marthaopdahl.com
MARIA ORTEGA www.mariaortega.com
QUICO ORTEGA www.cdmt.es
ORIOLE MILL www.theoriolemill.com
CHRISTINE PAINE christine.paine@tideline.net
DEEPA PANCHAMIA www.deepapanchamia.com
SABINE PARGE sabine.parge@gmail.com
JOHN PARKES johnparkesjp@yahoo.com.au
TIM PARRY-WILLIAMS www.transitionandinfluence.com/gallery/timparrywilliams.html
TERESA PASCHKE www.teresapaschke.com
SOPHIE PATTINSON www.sophiepattinson.com
HILARY PETERSON hilary.peterson@skymesh.com.au
SADHANA PETERSON web.me.com/sadhana/sadhanas_site/sadhana_peterson.html
MIRJAM PET-JACOBS www.mirjampetjacobs.nl
ERROL PIRES errolsan@yahoo.com
MICHAEL POLLARD www.michaelpollard.co.uk
ASTRID POLMAN www.astridpolman.nl
DENISE PREFONTAINE denise.p@mymts.net
LARS PRESSIER larspressiertextiles@blogspot.com
C. J. PRESSMA www.cjpressma.com
DELLA REAMS www.dellareams.com
ROSMARIE REBER www.rosreber.ch
MARY RESTIEAUX maryrestieaux@btinternet.com
HEIKE REUL www.kunstgewand.de
ANN RICHARDS acostall@yahoo.com
LESLEY RICHMOND www.lesleyrichmond.com
CHINAMI RICKETTS chinami@rickettsindigo.com
ROWLAND RICKETTS rowland@rickettsindigo.com
ANNE ROBERTSEN annerobe@hotmail.com
KATHRYN ROUND www.tedresearch.net
NAOMI RYDER www.naomiryder.co.uk
RYDER & ROWE www.ryderandrowe.com
KYOKO SAKURABAYASHI kiyokosaku@hotmail.com
CHRISTINE SAWYER sawyers37@talktalk.net
KARIN SCHALLER schallerkarin@hotmail.com
CYNTHIA SCHIRA www.cynthiaschira.com
JAKOB SCHLAEPFER www.jakobschlaepfer.com
ANN SCHMIDT-CHRISTENSEN asc.cph@firkant.net
KIM SCHOENBERGER www.kimschoenberger.com
NICKY SCHONKALA nickshonk@hotmail.com
STEPHANIE SCHULTE steph_s_22@hotmail.com
AMANDA SCHWARTZ www.mmu.ac.uk
TILLEKE SCHWARZ www.tillekeschwarz.com
JUDITH SCOTT www.judithscott.org
KEN SCOTT www.kenscott.it
NALDA SEARLES naldasearles1@bigpond.com
ANNE SELBY www.anneselby.com
MARGO SELBY www.margoselby.com
BARBARA SHAPIRO www.barbara-shapiro.com
ROSE SHARP-JONES www.rosesharpjones.co.uk
JESSICA SHELLARD j.shellard@fashion.arts.ac.uk
JENINE SHEREOS www.jenineshereos.com
MELANIE SIEGEL www.msiegel.ca
SILKE www.silke.com.ar
ADRIENNE SLOANE www.adriennesloane.com
DOLORES SLOWINSKI www.doloresslowinski.com
JESSICA SMITH www.domesticelement.com
TRICIA SMOUT www.triciasmout.com.au
GREG SOMERVILLE www.gregsomerville-performingdesign.blogspot.com
MANDY SOUTHAN www.mandysouthan.co.uk
MARIALUISA SPONGA www.sponga.com
ST JUDE'S GALLERY www.stjudesgallery.co.uk
JO ANN STABB jcstabb@ucdavis.edu
DENISE STANTON www.denisestanton.co.uk
NORMA STARSZAKOWNA starszakowna@hotmail.com
STEHLI SEIDEN, SWITZERLAND www.stelhiseiden.ch
SUE STONE www.womanwithafish.com
JANET STOYEL www.clothclinic.co.uk
EDWINA STRAUB www.edwinastraub.com
REIKO SUDO reiko@nuno.com
EUN-KYUNG SUH suh1021@hotmail.com
ROBINA SUMMERS robina.summers@gmail.com
EVETTE SUNSET evettesunset@hotmail.com
FLORA SUTTON www.florasutton.com.ar
SUSAN TABER-AVILA www.suta.com susan@suta.com
KAREN TAIAROA kmtaiaroa@gmail.com
LILANE TAYLOR www.lilanetaylor.com
SASS TETZLAFF www.sasstetzlaff.co.uk
KARIINA THOMPSON www.karinathompson.co.uk
ASHA PETA THOMSON asha@intelligenttextiles.com
TIMOROUS BEASTIES www.timorousbeasties.com
PILAR TOBÓN www.pilar-tobon.com
JUN TOMITA web.me.com/juntomita.textile
MAGGI TONER-EDGAR www.toneredgar.com
MARIETA TONEVA www.marietatoneva.se
TONGA TRADING COMPANY www.hawaiiandiscovery.com
JANET TWINN www.janettwinn.com
MICHIKO UEHARA www.michiko-uehara.jp
ELS VAN BAARLE www.elsvanbaarle.com
GERDA VAN HAMOND www.gerdavanhamond.blogspot.com
ANTON VEENSTRA tontoaine@gmail.com
JENNIFER VICKERS jennifer.vickers@hotmail.co.uk
SUSIE VICKERY www.susievickery.com
YOSHIKO WADA www.yoshikowada.com
YVONNE WAKABAYASHI www.yvonnewakabayashi.com
MARGARET WALLACE wallacemk@bigpond.com
CAROLE WALLER www.carolewaller.co.uk
LOIS WALPOLE www.loiswalpole.eu
EVA WANGANEEN www.evawanganeen.com.au
JESSICA B. WATSON www.jessicabwatson.com
WATTS www.watts1874.co.uk
SALLY WEATHERILL www.sallyweatherill.co.uk
SANDY WEBSTER www.sandywebster.com
PIA WELSCH www.pias-quilt-werkstatt.de
ANGELIKA WERTH www.angelikawerth.ca
ANNE-MARIE WHARRIE www.wharrie.com
ILKA WHITE www.ilkawhite.com.au
KATH WILKINSON www.kathwilkinson.com
HILARY WILLIAMS/THE SILK ROUTE www.thesilkroute.co.uk
RHIANNON WILLIAMS r.c.williams@derby.ac.uk
MARIE-THERESE WISNIOSKI www.artquill.blogspot.com
CYGAN WLODZIMIERZ www.cyganart.art.pl
DANA WOLF www.wolfdesignsonline.com
DEIRDRE WOOD woodwarp@hotmail.co.uk
ANNE WORINGER www.quiltart.eu/anneworinger.html
IZABELA WYWRA wyrwa.iza@op.pl
TATYANA YANISHEVSKY www.knitplants.com
CHARLOTTE YDE www.yde.dk
IRENA ZEMANOVA www.praguepatchworkmeeting.com
ADELE ZHANG azhang@ucdavis.edu
LUDWIKA ZYTKIEWICZ-OSTROWSKA www.ludwikazytkiewicz.com

收藏家，收藏，交易商，美术馆和公司

ARTITJA FINE ART GALLERY www.artitja.com.au
ASHIKAGA MUSEUM OF ART, JAPAN www.watv.ne.jp/~ashi-bi
AUSTRALIAN FORUM FOR TEXTILE ARTS www.tafta.org.au
AUSTRIAN MUSEUM OF APPLIED/CONTEMPORARY ART, VIENNA www.mak.at
BIANCHINI-FÉRIER ARCHIVE www.design-library.com
BPK PHOTO AGENCY, BERLIN www.bpk-images.de
BRAINTREE DISTRICT MUSEUM www.braintree.gov.uk/Braintree/leisure-culture/BDMS/Museum
CENTRE DE DOCUMENTACIÓ I MUSEU TÈXTIL, TERRASSA, SPAIN www.cdmt.es
CENTRAL SAINT MARTINS MUSEUM AND CONTEMPORARY COLLECTIONS, LONDON www.csm.arts.ac.uk/museum
CONSTANCE HOWARD RESOURCE AND RESEARCH CENTRE IN TEXTILES, GOLDSMITH'S COLLEGE, LONDON www.gold.ac.uk/constancehoward/archive
COOPER-HEWITT, NATIONAL DESIGN MUSEUM, NEW YORK www.cooperhewitt.org
CRAFTS STUDY CENTRE, FARNHAM www.csc.ucreative.ac.uk
DESIGN COLLECTION, UNIVERSITY OF CALIFORNIA AT DAVIS www.designmuseum.ucdavis.edu
DESIGN LIBRARY, NEW YORK AND LONDON www.design-library.com
DONALD BROTHERS ARCHIVE, HERIOT-WATT UNIVERSITY, EDINBURGH archiveshub.ac.uk/features/textiles-donaldbrothers.html
EMBROIDERERS' GUILD www.embroiderersguild.com
EUROPEAN TEXTILE NETWORK www.etn-net.org
ROYAL ALBERT MEMORIAL MUSEUM AND ART GALLERY, EXETER www.rammuseum.org.uk
ESTHER FITZGERALD www.estherfitzgerald.com
FRANCESCA GALLOWAY www.francescagalloway.com
CORA GINSBURG LLC www.coraginsburg.com
GOTHENBURG MUSEUM OF ART, SWEDEN konstmuseum.goteborg.se
JOSS GRAHAM www.jossgraham.com
TITI HALLE www.coraginsburg.com
HANDWEAVERS' STUDIO AND GALLERY, LONDON www.handweavers.co.uk
HARRIS MUSEUM AND ART GALLERY, PRESTON www.harrismuseum.org.uk
INTERNATIONAL QUILT STUDY CENTER AND MUSEUM, NEBRASKA www.quiltstudy.org
ROBERT HILLESTAD TEXTILES GALLERY, UNIVERSITY OF NEBRASKA-LINCOLN textilegallery.unl.edu
KANAZAWA COLLEGE OF ART, JAPAN www.kanazawa-bidai.ac.jp
PETER KOEPKE pk@designlibrary.com
JACK LENOR LARSEN, LONGHOUSE RESERVE, EAST HAMPTON www.longhouse.org/Larsen.ihtml
MARGO LEWERS, THE PENRITH REGIONAL GALLERY & THE LEWERS BEQUEST www.penrithregionalgallery.org
LIBERTY ARCHIVE, LIBERTY ART FABRICS www.liberty.co.uk
LOS ANGELES COUNTY MUSEUM OF ART www.lacma.org/art/collection/costume-and-textiles
LOUGHBOROUGH UNIVERSITY, SCHOOL OF THE ARTS TEXTILE RESEARCH GROUP www.lboro.ac.uk/departments/sota/research/groups/textile
ETHEL MAIRET COLLECTION, CRAFTS STUDY CENTRE, FARNHAM www.csc.ucreative.ac.uk/
MANCHESTER METROPOLITAN UNIVERSITY www.mmu.ac.uk
GAIL MARTIN GALLERY gail.martin.gallery@gmail.com
METROPOLITAN MUSEUM OF ART, NEW YORK www.metmuseum.org
MUSEUM OF ART, RHODE ISLAND SCHOOL OF DESIGN, PROVIDENCE www.risdmuseum.org
MUSEUM OF CULTURES, BASEL www.mkb.ch
MUSEUM AT FASHION INSTITUTE OF TECHNOLOGY, NEW YORK www.fitnyc.edu/museum
MUSEUM OF MODERN ART, NEW YORK www.moma.org
OKAWA MUSEUM, KIRYU, JAPAN www.kiea.jp/OkawaMuseum.html
PHILADELPHIA MUSEUM OF ART www.philamuseum.org
POWERHOUSE MUSEUM, SYDNEY, AUSTRALIA www.powerhousemuseum.com
RUTHIN CRAFT CENTRE, WALES www.ruthincraftcentre.org.uk
THE SILVER STUDIO COLLECTION, MIDDLESEX UNIVERSITY, LONDON http://archiveshub.ac.uk/contributors/museumofdomesticdesignandarchitecture.html
PETA SMYTH www.petasmyth.com
STUDIO ART QUILTS ASSOCIATES www.saqa.com
SURFACE DESIGN ASSOCIATION www.surfacedesign.org
TED www.tedresearch.net
TAKASAKI MUSEUM OF ART, JAPAN mmag.pref.gunma.jp
TEXUI www.texui.nl
TWISTED THREAD www.twistedthread.com
VICTORIA & ALBERT MUSEUM, LONDON www.vam.ac.uk
WARNER TEXTILE ARCHIVE, BRAINTREE www.warnertextilearchive.co.uk
WEINER WERKSTÄTTE ARCHIVE www.backhausen.com
WINTERTHUR MUSEUM, WILMINGTON, DELAWARE www.winterthur.org
WORLD SHIBORI NETWORK www.shibori.org
WORLD TEXTILE ASSOCIATION www.wta-online.org

致谢

我非常荣幸能在上千张纺织品照片中进行筛选，大部分照片都由艺术家本人提供。在此我衷心感谢这些艺术家，还有那些作品没有能够在书中出现的艺术家们。有些艺术家甚至提供帮助从其他人那里获取照片，包括：莎拉·伊姆贝（Sara Impey）、克劳迪亚·穆勒（Claudia Moeller）、朱莉·蒙哥利特（Julie Montgarrett）、克里斯汀·佩因（Christine Paine）、安·理查德斯（Ann Richards）、埃德里安娜·斯隆（Adrienne Sloane）、派拉·都邦（Pilar Tobón）和夏洛特·伊德（Charlotte Yde）。在此我必须特别提到安妮·莫雷尔（Anne Morrell）和蒂姆·派瑞－威廉姆斯（Tim Parry-Williams），如果没有他们的帮助，这本书可能不会有这么宽广的国际视野。有些机构也在图片提供方面扮演了重要的角色，尤其是“捻线组织”（Twisted Thread）的安娜·巴普提斯特（Anna Baptiste）和安德鲁·萨门（Andrew Salmon ）、鲁思因工艺中心（Ruthin Craft Centre）的菲利普·休斯（Philip Hughes）和简·杰拉德（Jane Gerrard）、澳大利亚纺织品艺术论坛（the Australian Forum for Textile Arts）、欧洲纺织品组织（the European Textile Network）、表面设计协会（the Surface Design Association）和世界纺织品协会（the World Textile Association）。

我要感谢的还有档案保管员、馆长和历史学家，包括：在中央圣马丁（Central Saint Martins）和利伯蒂（Liberty）工作的安娜·布鲁马（Anna Buruma）、库莫斯达尔设计收藏（Cummersdale Design Collection）的亚兰·库克（Alan Cook）、曼彻斯特城市大学（Manchester Metropolitan University）的约翰·戴维斯（John Davis）、温特图尔（Winterthur）的琳达·伊顿（Linda Eaton）、哈里斯博物馆（Harris Museum）的斯蒂芬妮·墨芬（Stephanie Murfin）和卡罗莱娜·亚斯山大（Caroline Alexander）、佛罗里达理工大学（FIT）的林恩·费尔舍·那克米阿（Lynn Felsher Nacmias）、洛杉矶县立艺术博物馆（LACMA）的莎伦·武田（Sharon Takeda）、都柏林大学设计博物馆（UCD Design Museum）的阿黛尔·张（Adele Zhang）。我尤其想感谢黛尔·格拉克曼（Dale Gluckman）和伊娃－罗塔·汉森（Eva-Lotta Hansson）提供的专业帮助，还有收藏家与经销商爱思特·菲兹杰拉德（Esther Fitzgerald）、弗朗西斯卡·盖洛威（Francesca Galloway）、约翰·吉洛（John Gillow）、缇缇·哈勒（Titi Halle）、凯·罗伯森（Kay Robertson）和罗迪·泰勒（Roddy Taylor）提供的时间和信息。林恩·休斯（Lynn Hulse）、珊迪·罗森鲍姆（Sandy Rosenbaum）以及约·安妮·斯坦布（Jo Ann Stabb）是绝佳的协调人，他们为本书贡献了自己的知识并且开启了与他人的访谈。

泰晤士与哈德森出版公司（Thames & Hudson）团队也在本书成型过程中，帮助我渡过了许多难关。同时，如果没有我的助理戴安妮·马凯（Diane Mackay）那让人难以置信的专注和协调能力，这本书也不可能成型。在准备这一卷本的数月中，还有许多需要提及的人，他们曾经为我提供了有价值的鼓励和见解，我衷心感谢他们每一个人。

图片出处说明

作者非常感谢以下图片来源，他们无私地让本书使用了他们的照片。每一张照片我们都努力获得同意。如果有任何疏漏绝非我们的本意，请将细节告诉作者。博物馆检索号已在适合位置给出。

简称：
BDM: The Warner Archive at Braintree District Museum; **BF**: © The Design Library; **CSM**: Central Saint Martins College of Art and Design, Museum and Contemporary Collections; **FIT**: © The Museum at the Fashion Institute of Technology, New York; **FITZGERALD**: Esther Fitzgerald Rare Textiles; **GALLOWAY**: Francesca Galloway; **GINSBURG**: TiTi Halle, Cora Ginsburg LLC; **HARRIS**: The Harris Museum & Art Gallery, Preston; **HW**: Herriot-Watt University, Edinburgh; **LACMA**: Los Angeles County Museum of Art; **MAK**: Austrian Museum of Applied/Contemporary Art, Vienna; **MMU**: Visual Resources Centre, Manchester Metropolitan University, photography Steven Yates; **RCC**: Ruthin Craft Centre; **SMYTH**: Peta Smyth Antique Textiles; **PRG**: The Penrith Regional Gallery & The Lewers Bequest; **STABB**: Collection of Jo Ann Stabb, all photographs by Barbara Molloy; **TT**: Twisted Thread; **UCD**: Design Collection, The School of Design, University of California, Davis, all photographs Barbara Malloy; **WINTERTHUR**: The Winterthur Museum, Delaware.

书中照片均由艺术家提供，并受艺术家版权保护，除以下来源。

P. 2. Ginsburg; **PP. 4 & 5** Sue McNab; **PP. 6 & 7** Galloway; **P. 8** Jeremy Addington; **P. 10** BPK/ Museum für Asiatische Kunst, Staatliche Museen zu Berlin/Iris Papadopoulos; **P. 12** Schoeser

1.2 Andrew Stone; **1.3** 1999.41.07 UCD; **1.5** Ginsburg; **1.6** Petronella Ystma; **1.7** Stabb; **1.8** Sally Edwards; **1.9** Dr John Cooke; **1.12** Galloway; **1.13** Eva Fernandez; **1.14** Charles Frizzell; **1.15** M.91.184.144 LACMA; **1.16** Ginsburg; **1.17** M.77.70.4 LACMA; **1.18** Science Museum; **1.19** Ginsburg; **1.20** Stabb; **1.21** 2001.07.19 UCD; **1.22** Fitzgerald; **1.23** Longevity, London; **1.24** Ginsburg; **1.25** Bruce Sojka Grime; **1.26**, **1.27** Fitzgerald; **1.28** 2002.20.14 UCD; **1.29** M.2000.2 LACMA; **1.30** 1993.14.01 UCD; **1.31** 1989.02.52 UCD; **1.32** 2002.20.20 UCD; **1.33** Stabb; **1.34** 2000.41.13 UCD; **1.35** 2000.41.14 UCD; **1.36**, **1.37** Ginsburg; **1.38** © Dovecot Studios Archive; **1.39** Fitzgerald; **1.40** PRG; **1.41** 2001.10.05 UCD; **1.42** 2000.44.06 UCD; **1.44** Fitzgerald; **1.45** RCC; **1.46** VanEijsden NL; **1.47** Andra Nelki; **1.48** Lynn Hulse; **1.49**, **1.50**, **1.51** Fitzgerald; **1.52** BDM; **1.53** Ginsburg; **1.54** RCC; **1.55** Stabb; **1.56** PRG; **1.57** Fitzgerald; **1.58** John Nollendorfs; **1.60** Anna Blackman Photography; **1.61** Ginsburg; **1.62** Stabb; **1.63** 1994.20.92 UCD; **1.64** 1996.08.01f UCD; **1.65** Stabb; **1.66** 1986.01.06 UCD; **1.67** 1992.05.04 UCD; **1.68** 1986.04.01 UCD; **1.69** Stabb; **1.70** Ginsburg; **1.72** Karen Philippi; **1.73** Edward Field; **1.74** Johannes Kuhnen; **1.76** Tim Benko; **1.78** M.Yusef; **1.79** M. Bouscaren; **1.80** William King; **1.81** Greg Somerville; **1.84** Natalija Brunovs; **1.85** Dewi Tannatt Lloyd; **1.86** Lynne Ewings/Artist; **1.87** Joupvan Houdt; **1.89** Christian Capurro; **1.90**, **1.91** M.39.2.392 & M.39.2.16 LACMA; **1.92** Ginsburg; **1.93** Lyn Hulse; **1.94** 1996.08.17 UCD; **1.95** M.55.12.49 LACMA; **1.96** 1994.16.05 UCD; **1.97** 1995.35.09 UCD; **1.98** 1989.02.51 UCD; **1.99** 1995.23.01 UCD; **1.100** 1989.02.49 UCD; **1.101** 1989.02.56 UCD; **1.102** Lyn Hulse; **1.103** 1999.30.08 UCD; **1.104** Fitzgerald; **1.105** M.55.12.45 LACMA; **1.106** Tessa Holding; **1.107** Galloway; **1.108** Stabb; **1.109** 2001.07.03 UCD; **1.110** c19782 Harris; **1.111** Lyn Hulse; **1.112** Fitzgerald; **1.113** 1989.04.01 UCD; **1.114** Liberty Ltd; **1.115** Fitzgerald; **1.116** Ginsburg; **1.117** Ziggie Bergmann; **1.118** 185 Harris; **1.119** 2003.04.02 UCD; **1.120** Maja Kihlstedt; **1.121** Fitzgerald; **1.122** Ian Hobbs; **1.123** BarryShapiro; **1.125** Lucy Barden; **1.126** George Skevos Karpathakis; **1.128** YAM; **1.129** © Atelier Silke Bosbach 2011; **1.132**, **1.133** Ginsburg; **1.134** M. Kluvanek; **1.135** A385266 LACMA; **1.136**, **1.137** Ginsburg; **1.138** Schoeser; **1.139** Ginsburg; **1.140** Visual Winds Studio, New York; **1.141** Gene Lee

2.1 Robert Diamante; **2.3** D. S. Walsh; **2.4** Stabb; **2.5** Sharon Reisdorph; **2.6** Courtesy of Gail Martin Gallery; **2.9** Timothy Fuss, www.pixelwave.com; **2.11** Stabb; **2.13**, **2.14** © Paddy Hartley, All rights reserved; **2.15** Barry Shapiro; **2.16** Ron Geesin; **2.17** Andy Taylor; **2.18** Lisbeth Holton; **2.19** 1995.18.01 UCD; **2.20** Ginsburg; **2.21** Victor France; **2.22** 1989.04.03a UCD; **2.23** Eva Fernandez; **2.24** Lee Fatheree; **2.26** Lyn Hulse; **2.27** 1969.03.14 UCD; **2.28** 1992.08.01 UCD; **2.29** 1991.18.1 UCD; **2.30** 282000.25.01 UCD; **2.32** Pharmacopaeia Art; **2.33** Schoeser; **2.34** Peter Volicek; **2.35** Sue McNab; **2.37** Gerhardt Heindersburger; **2.38** Joe Mackay; **2.39** 1990.1.45 UCD; **2.40** 1990.1.46 UCD; **2.41** Stabb; **2.42** 2001.06.01b UCD; **2.43** 1991.15.17b UCD; **2.44** Stabb; **2.45** Al Sim; **2.46**

Amaya Gálvez Mendez; **2.47** Kandi Terrar; **2.48** 1976.02.04ab UCD; **2.49**, **2.50** Ian Hobbs; **2.54** Takao Oya, Japan; **2.56** Nao Yagi; **2.57** Kenji Nagai; **2.59** 1988.02.07 UCD; **2.60** 1988.02.27 UCD; **2.61** 1988.02.34 UCD; **2.62** 1989.02.12 UCD; **2.63** 1988.12.13 UCD; **2.64** 2000.29.34a UCD; **2.65** 1988.02.36 UCD; **2.66** 2000.29.23a UCD; **2.67** 1988.12.16 UCD; **2.68** Greg Somerville; **2.69** Maj Lundell; **2.70** Courtesy Gail Martin Gallery; **2.71** Dawghaus Studio; **2.72** 1976.02.09 UCD; **2.73** Mike Hodson; **2.76**, **2.77** Galloway; **2.78**, **2.79**, **2.80**, **2.81**, **2.82** © Claudia Moeller; **2.85** 1991.15.11 UCD; **2.87**, **2.88**, **2.89**, **2.90** © The Tactility Factory; **2.91**, **2.92** Ron Geesin; **2.93** Richard Sargent; **2.94** Galloway; **2.95** 1994.22.04 UCD; **2.96** 1995.35.08i UCD; **2.97** Rod Buchholz; **2.100**, **2.101** David Caras; **2.102** Ginsburg; **2.103** Ginsburg; **2.104** 2001.07.02 UCD; **2.105** 1995.35.30a UCD; **2.107** Sharon Reisdorph; **2.108** © MAK; **2.112** 2001.07.32 UCD; **2.113** Stabb; **2.114** Ginsburg; **2.115** 1995.19.02 UCD; **2.116** Don Tuttle; **2.117** 1991.18.02 UCD; **2.118** Andra Nelki; **2.119** Stabb; **2.120** Andy Taylor; **2.121** P. Havakort, NL; **2.122** Philip Cohen; **2.123** Richard Walker; **2.124** Terence Bogue; **2.126** Dr Ellak von Nagy Felsobuki; **2.127** Takashi Hatakeyama; **2.128** Glenn Hudson; **2.129** Takashi Hatakeyama; **2.130** Stabb; **2.131**, **2.132** Jakob Schlaepfer; **2.133** Alexandra Manczak; **2.135** Peter Becher; **2.137** Al Karevy; **2.138** Lisbeth Holten; **2.139** 1999.13.01side UCD; **2.140** 1989.02.58 UCD; **2.141** Frank Vinken, Essen; **2.143** Dewi Tannatt Lloyd; **2.146** Jason Ingram; **2.147** © S. Heijnen, NL

3.1 Takao Oya, Japan; **3.2** Chee-Heng Yeong; **3.3** 1988.02.63 UCD; **3.4** 1988.02.69 UCD; **3.5** 1988.12.21 UCD; **3.7** Quico Ortega, Centre de Documentació i Museu Tèxtil, Terrassa, Spain; **3.8** 1989.02.03 UCD; **3.9** 1989.12.19 UCD; **3.10** Jenny Kühn, Berlin; **3.11** 1976.01.86 UCD; **3.12** Carl Smool; **3.13** 1986.04.15 UCD; **3.14** John Matthew Deepak; **3.15** Stabb; **3.16** M.71.52 LACMA; **3.17** M.81.69.7 LACMA; **3.18** M.55.57.1 LACMA; **3.19** Schoeser; **3.20** 1996.08.23 UCD; **3.21** Ginsburg; **3.22** Ginsburg; **3.23** Marie Clews; **3.24**, **3.25**, **3.26** Ginsburg; **3.27** 2001.07.22 UCD; **3.28** 1992.08.08 UCD; **3.29** 1992.08.10 UCD; **3.30** 1999.30.03 UCD; **3.31** FXP Photography; **3.33** RCC; **3.34** Dana Davis Photography; **3.35** Kate Cameron; **3.36** Joachim Rommel, bild-media, Lochgau; **3.37** Ginsburg; **3.39** Douglas Peck; **3.42** Ken Yanoviak; **3.45** Quico Ortega, Centre de Documentació i Museu Tèxtil, Terrassa, Spain; **3.49** This Way Design; **3.50** Paul Pavlou; **3.51** Dana Davis Photography; **3.53** 1988.02.64 UCD; **3.54** 1988.02.46 UCD; **3.55** 1988.12.17 UCD; **3.56** Fitzgerald; **3.57** 1987.02.03 UCD; **3.58**, **3.59** John Matthew Deepak; **3.60**, **3.61** Joe Mackay; **3.62** 1988.12.06 UCD; **3.63** 1989.02.19ab UCD; **3.64** 1989.02.11 UCD; **3.65** 1989.02.10 UCD; **3.66** 1989.02.26ab UCD; **3.67** 1989.02.22 UCD; **3.68** 1989.02.30 UCD; **3.69** 1989.02.05 UCD; **3.70** Stabb; **3.71** 1989.02.15 UCD; **3.72** 1988.02.67 UCD; **3.73** 1989.02.07 UCD; **3.74** 1988.12.12ab UCD; **3.75** 1988.12.15 UCD; **3.77** 1986.04.12 UCD; **3.78** 1988.12.15 UCD; **3.79** Ginsburg; **3.81** Stabb; **3.82** 1987.02.22 UCD; **3.83** 1990.1.29a,b UCD; **3.85** Takao Oya, Japan; **3.88** George Schiffner; **3.91** S. Mackrill; **3.92** Rowland Ricketts; **3.94** 1986.02.09 UCD; **3.95** Juho Huttenen; **3.96** H. R. Rohrer; **3.97** Joe Low; **3.98** RCC; **3.99** Sue McNab; **3.100** RCC; **3.101**, **3.102** Tal Wilson; **3.104** Rod Buchholz; **3.105** Al Karevy; **3.110** Barry Shapiro; **3.112** Bruce Sojka Grime; **3.113** Larry Barns; **3.114** M.55.12.6 LACMA; **3.116** 96.121.1FIT; **3.117** John Woodin; **3.120** Ginsburg; **3.122** Stabb; **3.123** Galloway; **3.124** 1995.35.15a UCD; **3.125** Ginsburg; **3.126** Tyler Robbins; **3.127** Schoeser; **3.128** Roberto Zanello; **3.129** Barry Shapiro; **3.131** 1988.13.13ac UCD; **3.133** Stabb; **3.134** 1995.30.01 UCD; **3.135** 1991.15.02 UCD; **3.136** 1992.03.08e UCD; **3.137** 1992.08.16a UCD; **3.138** 83.197.1 LACMA; **3.139** M89.176.4 LACMA; **3.140** M.39.2.467 LACMA; **3.141** 1995.35.08k; **3.142** 1991.15.12a; **3.143** 1990.23.03 UCD; **3.144** Ginsburg; **3.145** Stabb; **3.146** 1994.16.15 UCD; **3.147** 1996.11.112 UCD; **3.148** 1996.11.176 UCD; **3.149** Ginsburg; **3.150** Daiju Goto; **3.153** Ginsburg; **3.154** Ginsburg; **3.155** 1987.02.26 UCD; **3.156** Smyth; **3.157** 1997.15.10 UCD; **3.158** 1995.35.08h UCD; **3.159** 1992.18.01 UCD; **3.160** 1995.35.08j UCD; **3.161** 1997.15.17 UCD; **3.162** Liberty Ltd; **3.163** 1991.09.3 UCD; **3.164** 1994.20.54e UCD; **3.165** 1994.20.46 UCD; **3.166** 1994.20.54b UCD; **3.167** 1994.20.61 UCD; **3.168** 1994.20.103ab UCD; **3.169** 1994.20.104 UCD; **3.170** 1994.20.59 UCD; **3.171**, **3.172** © The Artist and Artitja Fine Art; **3.173**, **3.174** Joe Ofria; **3.175** Paul Pavlou; **3.178** Taeko Nakanishi; **3.179** Barbara Bellingham; **3.180** 1992.12.26 UCD; **3.181** M.58.7 LACMA; **3.187** Galloway

4.1 Luke Watson; **4.2** Parallax Photography; **4.3** Liberty Ltd; **4.4** Galloway; **4.5** Stabb; **4.6** Mark Lee; **4.7** Donald Brothers Archive; **4.8** 53.50.2 LACMA; **4.10** John Nollendorfs; **4.11** M.72.68.7 LACMA; **4.12** Ginsburg; **4.13** Melanie Gordon; **4.14** James Austine; **4.15** DSC7218 MMU; **4.16** Joe Low; **4.18** Stabb; **4.19** 1999.19.2 UCD; **4.20** Liberty Ltd; **4.21** Schoeser; **4.22** Logan Mclain; **4.23** 2005.70.1_01FIT; **4.24** Schoeser; **4.25** www.DPFstudio.com; **4.27** Lyn Hulse; **4.29**, **4.30**, **4.31** Hand & Lock; **4.32** Smyth; **4.33** c190Harris; **4.34** Schoeser; **4.36** Phillipa Swan; **4.37** Lyn Hulse; **4.38** Roland Straub; **4.39** Ginsburg; **4.42** 1989.02.13 UCD; **4.43** Stabb; **4.44** Joe Mackay; **4.45** M.55.12.27 LACMA; **4.46** Ian Hobbs; **4.47** 2002.12.01 UCD; **4.48** Stabb; **4.49** 2007.05.06; **4.50** 1990.12.12; **4.51** 2000.41.31; **4.52** 1990.12.13 UCD; **4.53**, **4.54**, **4.55** Stabb; **4.56** Stabb; **4.57** 2002.20.10 UCD; **4.58** 1992.08.02 UCD; **4.59** Ginsburg; **4.60** 1991.13.02 UCD; **4.61**, **4.62** Ginsburg; **4.63** Bob Elbert; **4.64** M.89.176.3 LACMA; **4.65**, **4.66**, **4.67** BDM; **4.69** Ginsburg; **4.70** Stabb; **4.71** Ginsburg; **4.73** Mike Hodson; **4.74** Liberty Ltd; **4.75** Mike Hodson; **4.76** 1995.35.07 UCD; **4.77** 2005.36.1_01FIT; **4.79** 1990.3.2 UCD; **4.80** 1994.16.09 UCD; **4.81**, **4.82** Ginsburg; **4.83**, **4.84** Liberty Ltd; **4.85**, **4.86** Ginsburg; **4.87** Fitzgerald; **4.88** Jakob Schlaepfer; **4.89** Fitzgerald; **4.91** Dewi Tannat Lloyd; **4.93**, **4.94** Kenji Nagai; **4.95** 2005.6.1.1A_01 FIT; **4.96**, **4.97** Michael Pollard; **4.98** Geoffrey Carr; **4.99** Richard Sargent; **4.101** Tom Van Eynde; **4.102** Bob Elbert; **4.104** Andrew Brown; **4.105** Ginsburg; **4.106** Richard Stewart; **4.107** © St Jude's; **4.108** © Sarah Campbell; **4.109** 1965.01.05 UCD; **4.110** Ginsburg; **4.111** Liberty Ltd; **4.112** Stabb; **4.113** 2001.10.04; **4.114** Galloway; **4.115** Smyth; **4.118**, **4.119** Ginsburg; **4.120** 1992.12.29c UCD; **4.121**, **4.122** Ginsburg; **4.123** Schoeser; **4.124**, **4.125**, **4.126**, **4.127** BF; **4.128** DSC7234 MMU; **4.129**, **4.130** Lyn Hulse; **4.131** Stabb; **4.132** 1997.01.01; **4.133** 1997.01.03; **4.134** 1997.01.08; **4.135** 1997.01.10b; **4.136** 1997.01.10a; **4.137** 1997.01.09; **4.138** 1997.01.12b; **4.139** 1997.01.13; **4. 140** 1997.01.12a(8x) UCD; **4.142** Peter Mennim; **4.143**, **4.144** Kenji Nagai; **4.145** M.79.48 LACMA; **4.148** TB Studio; **4.149**, **4.150**, **4.151**, **4.152**, **4.153**, **4.154**, **4.155**, **4.156**, **4.157** (9x) CSM; **4.158** Joe Low; **4.160** MMU; **4.161** Andrew Stone; **4.164** 1995.31.02 UCD; **4.169** Stephen Thornton; **4.170** Stefan Pahi; **4.171** Rob Mostert, Netherlands; **4.172** Stephen Yates; **4.173** Mike Buick; **4.174**, **4.175** Ginsburg; **4.178**, **4.179**, **4.180**, **4.181** (4x) Liberty Ltd; **4.182** Harris; **4.183** 1996.24.04 UCD; **4.184** Liberty Ltd; **4.185** Ginsburg; **4.186** 1988.15.70 UCD; **4.187**, **4.188** Ginsburg; **4.189** Peter Vorlicek; **4.190** David Caras; **4.191** Larry Grawel; **4.192** Joe Low; **4.193** M.82.105.2 LACMA; **4.194**, **4.195** Ginsburg

5.1 Ginsburg; **5.2** 1992.03.12 UCD; **5.3** Ginsburg; **5.4** 1997.15.07a UCD; **5.5** Stabb; **5.7** 1988.12.49 UCD; **5.8** Eddie Jozefiak; **5.9** Photographix; **5.10** 1969.056930124 Winterthur; **5.11** DSC6903_1_MMU; **5.12** Ginsburg; **5.13** Galloway; **5.14** TT; **5.15** 2006.01.01b UCD; **5.16** Maria Gabriela Ferrer; **5.17** Chris Marchant; **5.18** 2000.41.06 UCD; **5.19** 2000.41.05 UCD; **5.20** 1986.10.01 UCD; **5.21** Ginsburg; **5.22** 2001.01.01 UCD; **5.23** Stabb; **5.24** Stabb; **5.25** Stabb; **5.26** 2004.06.09; **5.27** Stabb; **5.28** 2010.04.246 UCD; **5.29** Collection of Julie Schaffer Dale; **5.30** Chris Franklin; **5.31** 1999.30.05 UCD; **5.32** Stabb; **5.33** 1999.14.02 UCD; **5.34** 1995.04.07a UCD; **5.35**, **5.36**, **5.37**, **5.38** Fitzgerald; **5.39** Joe Mackay; **5.40** Roger Clayden; **5.42** Clyde Oliver; **5.43** M75_50_1_2 LACMA; **5.44** Courtesy Gail Martin Gallery; **5.47** Stabb; **5.48** Schoeser; **5.49** Stabb; **5.50** S. Mackrill; **5.51** Stabb; **5.52** Jakob Schlaepfer; **5.53** Ole Akjoj; **5.54** Schoeser; **5.56** Nadine Elhage; **5.60** © Atelier Silke Bosbach 2011; **5.61** Craig Potton; **5.62** Sharon Reisdorph; **5.63** Don Hildred; **5.64** James Dewrance; **5.65** Chris Arend; **5.66**, **5.67** Don Tuttle; **5.68** This Way Design; **5.69** Chee Heng Yeong; **5.70** Al Sim; **5.71** Susan Fan Brown; **5.73** Takashi Hatakeyama; **5.57** Peterde Ronde; **5.76** Wendy McEahern; **5.78** Nicholas Watt; **5.79** Lucy Barden; **5.80** Anna Blackman Photography; **5.82** 2002.08.01c UCD; **5.83** Joe Mackay; **5.84** Myles Prangnell; **5.86** Ginsburg; **5.87** Reeve Photography; **5.88** Eva Fernandez; **5.90** Visual Winds Studio, New York; **5.91** Reeve Photography; **5.92** Ken Rowe; **5.93** Dewi Tannatt Lloyd; **5.95** Zhang UCD; **5.96** Karen McKenzie; **5.97** 1990.19.1 UCD; **5.98** Stabb; **5.99** Sally Edwards; **5.100** Nigel Tissington/Reproduced by permission of Camelot Group plc, the exclusive licensee of the Crossed Fingered Logo, which is a registered trademark owned by the National Lottery Commission; **5.101** Simen Korsmo Robertsen; **5.102** Sing Lo; **5.104** Tony Clark; **5.105** Don Tuttle; **5.109** Lee Fatheree; **5.110** 1989.11.01 UCD; **5.111** Barry Shapiro; **5.112** Fitzgerald; **5.113** 1985.01.52 UCD; **5.114** Ginsburg; **5.115** Galloway; **5.116** 1988.15.40 UCD; **5.117** 2000.29.16 UCD; **5.118** Ginsburg; **5.119** Fitzgerald; **5.120** 2000.25.15; **5.121** Ginsburg; **5.122** Fitzgerald; **5.123** Ginsburg; **5.124** Keli Dougherty; **5.130** Colección Acevedo, Buenos Aires; **5.131** Lisbet Borggreen/Lars Hansen; **5.132** Neil Keach; **5.134** Clint Eley; **5.137** Lyn Hulse; **5.138** M.85.96.2 LACMA; **5.140** Peter Stone; **5.141** Luke Watson; **5.142** Keith Tidball; **5.147** Andrew Brown; **5.149** Joup Van Houdt; **5.150** David E. Leach; **5.151** Michael Cavanagh, Bloomington, IN; **5.152** Roger Mulky; **5.153** M. Kluvanek; **5.154** RCC; **5.155**, **5.156** Emil von Maltitz; **5.157** M. Kluvanek; **5.159** Steve Yates; **5.160** Tom Van Eynde; **5.161** Roberto Zanello; **5.163** Paul Ferguson; **5.164** John Brash; **5.167** 1989.02.59; **5.168** 2000.25.06; **5.1 69** 1988.13.01; **5.170** 1991.15.23; **5.171** 2001.14.01 UCD; **5.174** 2000.03.06; **5.175** 2000.03.07; **5.176** 2000.03.11; **5.177** 2000.03.02; **5.178** 2000.03.01; **5.179** 2000.03.03; **5.180** 2000.03.13; **5.181** 2000.03.10; **5.182** 1988.12.64 UCD; **5.183**, **5.190** Klaus Herzberger; **5.184** 1995.08.03 UCD; **5.186**, **5.188**, **5.189**, **5.191** TT; **5.193** Giancarlo Sponga

6.1 The Beryl Dean Archive, reproduced by permission of the Dean and Chapter of St Paul's Cathedral/The Executors of the Beryl Dean Estate; **6.2** Sudir Hood; **6.3** M.79.8.6 LACMA; **6.4** Galloway; **6.6** David Taylor Photography; **6.7** Galloway; **6.8** M.39.2.262 LACMA; **6.9** M39.3.240 LACMA; **6.10** M39.2.9 LACMA; **6.11** Peta Smyth Antique Textiles; **6.12** Ginsburg; **6.14** Christopher Young; **6.17** Ginsburg; **6.18** tc866 Harris; **6.20** Galloway; **6.21** Ginsburg; **6.22** Watts of Westminster; **6.23** Iveta Olejkova, by kind permission of Elizabeth Elvin; **6.24** Tim Gresham; **6.25** 60_46_12_2 LACMA; **6.26** Liberty Ltd; **6.27** Stabb; **6.28** Galloway; **6.29** 1989.01.04 UCD; **6.30** © The Design Library; **6.31** Don Hildred; **6.32** Joe Mackay; **6.33** ,**6.34** M75.4.22 & M83_105_27_2 LACMA; **6.35** Ginsburg; **6.36** Don Hildred; **6.37** 1986.04.17 UCD; **6.38** Galloway; **6.39** Don Hildred; **6.40** © Peter Koepke; **6.41** Bruno Jarrett; **6.42** Fitzgerald; **6.44** Dawghaus Studio; **6.45** © Peter Koepke; **6.47** Stabb; **6.49** R. Hensleigh; **6.50**, **6.53** David Heke, Chester; **6.55** Daragh Muldowney Dulra Photography, Ireland; **6.56** Galloway; **6.57** MMU; **6.58** Galloway; **6.59** Ginsburg; **6.60** Fitzgerald; **6.61**, **6.62**, **6.63**, **6.64**, **6.65**, **6.66** © The Design Library; **6.67**, **6.68**, **6.69**, **6.70** Galloway; **6.71**, **6.72** Allan Cox; **6.73** Tony Dick; **6.74** 2001.07.29; **6.75**1986.05.02; **6.77** 1986.05.04; **6.78** 1986.05.08; **6.80** 1986.05.09; **6.79** 1999.09.32 UCD; **6.82** Christopher Young; **6.83**, **6.84** © 2000 Paddy Hartley, All rights reserved; **6.85** Fred Krage; **6.86** Peter Carroll; **6.88** Daragh Muldowney Dulra Photography, Ireland; **6.89** TT; **6.91** Pol Leemans, Belgium; **6.90** Wendy McEahern; **6.92** Mary Stark; **6.94**, **6.95** Foto Studio Leemans NL; **6.97** HelenExcell; **6.99** 2001.14.03,.09,.15,.12,.04,.10,.07,.04,.13 UCD; **6.101** Rob Mostert, Netherlands; **6.102** MMU; **6.106**, **6.107** Ginsburg; **6.111** 2000.35.21 UCD; **6.113** 2000.35.20; **6.114** 2000.35.25; **6.115** 2000.35.16; **6.117** 2000.35.17; **6.116** 2000.35.24 UCD; **6.118**, **6.120** 2006.01.05 a&b UCD; **6.119** Fitzgerald; **6.121** Charlie Ribbon Photography; **6.122** tc1049 Harris; **6.123** Fitzgerald; **6.124** Ginsburg; **6.125** TB Studio; **6.126** 2006.01.03b UCD; **6.127** Ginsburg; **6.130** Galloway; **6.131** Stabb; **6.132**, **6.133**, **6.135** Galloway; **6.136** James Dewrance; **6.137** Barry Shapiro; **6.138** Michael Wicks; **6.139** Daragh Muldowney Dulra Photography, Ireland; **6.141** David Paterson; **6.143** Michael Wicks; **6.144** Visual Photography Design, NL; **6.147** Richard Battye for River Studio Photography, Birmingham; **6.149** Roland Hueber, Germany; **6.150** Tony Summers, Upfront Pictures; **6.151** Kristal Gilmour; **6.152** Andy Taylor; **6.154** www.DPFstudio.com; **6.155** Peter Evans Photography; **6.156** Michael Wicks; **6.157** Michael Pollard; **6.158** Mei Lim; **6.159** Susan Byrne; **6.160**, **6.161** Liberty Ltd; **6.162** Naomi Ryder for Ryder & Rowe Co.; **6.163** Tihanyi & Bakos; **6.164** Joup van Houdt; **6.166** Mark Gulezian/Quicksilver Photographers; **6.169** Angela Coombs-Matthews; **6.170** Roger Lee

索引

斜体页码参阅插图。